现代西班牙语
ESPAÑOL MODERNO

学生用书
Libro del Alumno

编　者：董燕生　刘　建
审　订：（秘）Juan Benedicto Morillo

外语教学与研究出版社
北京

图书在版编目（CIP）数据

现代西班牙语学生用书．4 / 董燕生，刘建编．-- 北京 ：外语教学与研究出版社，2018.6（2023.2 重印）
（现代西班牙语系列）
ISBN 978-7-5213-0075-8

Ⅰ．①现… Ⅱ．①董… ②刘… Ⅲ．①西班牙语－高等学校－教材 Ⅳ．①H349.39

中国版本图书馆 CIP 数据核字（2018）第 118288 号

出 版 人　王　芳
责任编辑　李　丹
责任校对　崔　达　李欣欣
装帧设计　孙莉明
出版发行　外语教学与研究出版社
社　　址　北京市西三环北路 19 号（100089）
网　　址　http://www.fltrp.com
印　　刷　天津市光明印务有限公司
开　　本　787×1092　1/16
印　　张　28.5
版　　次　2018 年 6 月第 1 版　2023 年 2 月第 8 次印刷
书　　号　ISBN 978-7-5213-0075-8
定　　价　88.00 元（附赠 MP3 光盘一张）

购书咨询：（010）88819926　电子邮箱：club@fltrp.com
外研书店：https://waiyants.tmall.com
凡印刷、装订质量问题，请联系我社印制部
联系电话：（010）61207896　电子邮箱：zhijian@fltrp.com
凡侵权、盗版书籍线索，请联系我社法律事务部
举报电话：（010）88817519　电子邮箱：banquan@fltrp.com
物料号：300750101

前言

《现代西班牙语学生用书4》适用于大学本科西班牙语专业二年级第二学期精读课。全书共15课。每周讲授一课，每周授课时间不应低于8小时。

本册教材仍延续前三册的编写理念，旨在达到下列目的：第一，学生通过学习真实、道地的语言，特别是正确的语音、词汇和语法，夯实语言基本功，提高运用语言知识完成交流任务的能力；第二，学生借助语言学习，了解丰富多彩的人类文明和文化，尤其是西班牙语世界文化；第三，面对文化的多样性，既要培养学生理解、包容的意识和态度，也要通过学习、分析和讨论，发展其批判性思维，将语言学习与思维能力培养结合起来。

为达到上述目的，与第一、二、三册相比，本册的课文中进一步减少了与日常生活题材相关的篇章，增加了以西班牙语国家历史、文化、文学、社会为主题的文章。每课的第二篇课文多围绕主课文的内容展开分析和讨论，引导学生独立思考，以培养其问题意识。然而，若不能娴熟地驾驭语言，问题意识、独立思考和表达能力等的培养都无异于“空中楼阁”。鉴于此，第四册继续讲授语言知识，包括句法、词汇等。一些板块看似在重复已经学习过的内容，实际上是在前三册的基础上进一步深化或扩充，使知识积累呈现螺旋式的上升。由于原语法板块内容不再局限于语法，故名称由GRAMÁTICA改为RESPECTO AL LENGUAJE。

在教材使用的过程中，我们希望教师和学生继续坚持以下原则：

1. “精讲多练”，让学生成为课内外学习的主角。

虽然本册教材中记叙文和议论文的数量有所增加，内容也更加偏重社会、文化等方面，但是，在教学中，教师仍然要充分调动学生的主动性和积极性，引导他们通过课堂值日、问答、复述、讨论等方式，正确理解课文的背景知识、内容及观点。要切忌教师讲、学生记这种“独角戏”式的教学方法。

在课堂教学中，师生双方都应最大限度地使用西班牙语，创造一个优良的外语学习微环境。教师讲解时除使用正常语速外，还应避免重复提问、讲解及练习中的内容，防止学生产生依赖心理。

2. 综合训练，全面提高学生的语言能力、跨文化交际意识和批判性思维能力。

应把语言学习过程视为一个综合训练、全面提高素质的过程。

（1）语言技能综合训练

这首先应体现在语言能力训练上。本科二年级仍属于教学的基础阶段，教学的主要目的之一是让学生巩固一年级所学的知识和技能，进一步夯实语言基本功。所谓语言基本功，即大家常说的听、说、读、写（和译）等技能。从信息输入和输出的角度看，听与读属于前者，说与写属于后者。前者是后者的基础和保证，后者是前者的目的。精读课教学应以信息输出为导向，将提升“说”“写”能力的训练贯穿于整个教学活动中。同时必须认识到，全面、正确的信息输入是实现信息输出的前提和基础，所谓厚积薄发的道理即在于此，因此，听、读能力与说、写能力培养相辅相成，缺一不可。

听：听是信息输入的主要途径。与读相比，听懂信息的难度更大。一二年级的学生往往会在听力方面遇到困难，甚至影响到学习能力的全面提升和自信心，给三四年级的学习造成障碍。因此，在精读课教学中，教师要利用各种机会和手段训练学生的听力，提高其水平。我们在前面曾经提到，课堂教学的整个过程应使用西班牙语，即课堂讲解、提问、回答、讲评都应用西班牙语完成，其目的就是要充分利用这几十分钟的时间为学生创造一个全外语环境，让学生能够“耳濡目染”地接触、感受和学习西班牙语。除此之外，每课的听写和复述练习更要高质量完成，使之成为学习过程性评价的重要组成部分。

说：相对于“说”，“听”只是信息传递过程中的第一步。听懂后能够正确、恰当地回应或完成相关任务才标志着交流过程圆满结束。因此，口语表达的训练才是教学活动的中心环节。在本册教材的使用过程中，教师和学生应有意识地增加口语练习的机会。例如，每天授课前可以安排一至两名学生完成口头作文，并与师生就所讲述的内容进行简短的讨论；教材中的一些练习，如组句、连句、直接引用句变间接引用句、翻译、词汇填空等练习也可以通过教师读，学生听-说的方式完成。

上述方法将听与说的训练有机结合，增强了练习的即时性。这样做可以促进学生综合运用已掌握的语言和文化知识，在提升其反应速度和应变能力的同时，提高其听力和口语表达水平。注意要避免背诵流畅自如，但交流举步维艰的现象形成定势和习惯。

读：读指阅读和朗读。这里，我们要特别强调朗读的重要性。

实践证明，前三个学期的训练并没能完全解决学生在语音、语调方面的问题。因此，在教学中仍然要高度重视这两方面的训练。教师应在教学活动中安排适当的朗读训练，以便发现问题，及时纠正。

本册在语音练习中安排了西班牙语国家著名诗人的作品节选。目的是让学生在欣赏名家名作的同时，改善语音语调。这种将语言学习与文化学习结合的做法是本系列教材编写中始终遵循的原则。希望使用者在教与学的过程中能够认真贯彻执行。

写：写与说构成信息输出的两个渠道。在信息输出主导的教学中，这两种形式同处信息形成和传播的末端，其质量成为检验教学效果的重要标准。有关写的练习形式多样，如动词变位、填空、完成句子、翻译、听写等。我们在此提示要特别重视翻译和听写。

与第一、二、三册教材相同，本册教材中仍以单句汉译西为主，一般依据当课的语法项目和词汇设计。因此，应注意分析每个练习的侧重点，指导学生借助双语转换巩固对语法项目和词汇的掌握。同时，要反复申明，需要翻译的是句子或篇章的整体意义，切忌字字对译。着重引导学生在原文和译文的对比中逐步学会归纳、总结汉语与西班牙语在语法、词汇和语用层面的异同。

听写练习，顾名思义，旨在综合训练学生的听、写两项基础技能，既可以促进听力的提高，也可以从中发现语音、词汇和语法方面存在的问题，其重要性不言而喻，在教学中必须高度重视。在练习过程中，教师应根据学生的具体情况调整听写文本播放的速度和句与句之间的停顿间隔，使之稍高于学生转写能力，以使其尽量缩短书写时间。教师应适当讲授听写技巧，提示学生不要追求一次性撰写全部内容，而是要学会在理解内容的基础上，力争首先记录篇章的主干，之后再根据上下文补齐缺失的内容。

（2）语言、文化综合训练

综合训练的第二个层次是指将语言能力、文化知识、问题意识与批判性思维结合起来的训练。本册教材中安排了大量介绍西班牙语国家文化、历史、文学、社会的文章，以及对某些观点或内容的评介，其目的就是将语言知识学习、语言综合运用能力培养和文化知识学习有机结合。

大学阶段，学生处于价值观形成的重要时期。培养他们的问题意识和批判性思维是大学教育最重要的使命之一。基础阶段的外语学习过程中，记忆、模仿、重复等机械性训练较多，对培养学习者的问题意识和批判性思维造成了一定的限制。因此，在完成外语基本功训练的同时，我们要有意识地逐渐加强对学生发现问题、解决问题能力的培养。在本册教材中，课后作业的主要内容之一是要求学生仿效不同人物复述课文，或评论文章的观点，或提出自己的意见、建议。这类练习的目的就是引导学生不仅要发现问题，还要善于解决问题。教师应要求学生保质保量地完成这类练习，综合训练学生的语言应用能力和逻辑思维能力。

3. 突出重点，有的放矢

第四册教材的每一课由课文（含词汇表）、语言知识、词汇例句、练习、文化知识等组成。依据“精讲多练”的原则，教学过程应围绕当课的交际、语法和词汇重点，通过大量的互动练习达到掌握并使用的目的。教师切忌平均分配讲授时间，比如周一讲解课文，周二教授语法，周三学习词汇，周四完成练习。一些非重点部分，如尚未学习的语法知识、词汇表中的单词等，无需详细讲解。另外，应充分重视语境的重要性，将语言应用、语法知识学习、词汇解析等内容放在篇章的框架内完成。

为提高课堂效率，学生应充分认识到预习的重要性，在上课前熟读课文，初步掌握语法项目，熟记词汇，从而保证课堂教学能够高效进行，实现既定目标。

总之，二年级第二学期在本科教学中处于承上启下的阶段，重要性毋庸置疑。学生一方面要巩固基础知识和技能，一方面要注重培养学习能力和思维能力，为三四年级的学习打下基础。希望本册教材能够为广大教师、学生提升语言综合运用能力、跨文化交流能力和批判性思维能力提供有益的帮助。

在本册教材编写过程中，我们得到了外研社的大力支持；多所高校的教师、同学在试用期间提出了许多宝贵建议。我们在此一并表示衷心感谢。

编　者

2018年1月26日

字母表 ABECEDARIO

字母			音标	字母			音标
印刷体	书写体	名称		印刷体	书写体	名称	
A a	A a	a	[a]	Ñ ñ	Ñ ñ	eñe	[ɲ]
B b	B b	be	[b, β]	O o	O o	o	[o]
C c	C c	ce	[k, θ]	P p	P p	pe	[p]
D d	D d	de	[d, ð]	Q q	Q q	cu	[k]
E e	E e	e	[e]	R r	R r	ere	[r]
F f	F f	efe	[f]	S s	S s	ese	[s]
G g	G g	ge	[x, g, ɣ]	T t	T t	te	[t]
H h	H h	hache	无	U u	U u	u	[u]
I i	I i	i	[i]	V v	V v	uve	[b, β]
J j	J j	jota	[x]	W w	W w	doble uve	[β]
K k	K k	ca	[k]	X x	X x	equis	[s, ɣs]
L l	L l	ele	[l]	Y y	Y y	i griega ye	[j, i]
M m	M m	eme	[m]	Z z	Z z	zeta	[θ]
N n	N n	ene	[n]				

页码 Pag.	目录 ÍNDICE	常用词汇例句 EJEMPLOS CON ALGUNOS VOCABLOS USUALES

语法 RESPECTO AL LENGUAJE	社会文化常识 CONOCIMIENTO SOCIOCULTURAL
• Estructura interna de las palabras • Polisemia • Genitivo apositivo • Variante de oración impersonal: uno/a	• 肢体语言
• Diferenciación entre el pretérito indefinido y el pretérito imperfecto • Palabras de la misma familia • Sustantivo / Adjetivos gentilicios	• 网络语言
• Construcción conjuntiva disyuntiva/distributiva: *sea... sea...* • Construcción conjuntiva distributiva ascendente: *no solo... sino que...* • Construcción conjuntiva ponderativa: *no otra cosa sino/que... (más ... que)*	• 西班牙语的历史演变
• Formas marcadas y no marcadas • Verbos transitivos, intransitivos y pronominales • Oración elíptica	• 西班牙语的书写规则

语法 RESPECTO AL LENGUAJE	社会文化常识 CONOCIMIENTO SOCIOCULTURAL
• Función sintáctica de las concordancias • Tiempos verbales perfectos e imperfectos	• 正字法（I）
• Tematización del complemento directo • Partícula *LO* • Estilo indirecto libre	• 正字法（II）
• Fenómenos fonéticos en el lenguaje popular y regional • Verbos pronominales incoativos: *hacerse, ponerse* y *volverse* • Nociones elementales sobre la versificación en español	• 服饰
• Un uso de la preposición *POR* • Recursos para evitar la repetición • Metáfora: los tropos	• 拉丁音乐

语法 RESPECTO AL LENGUAJE	社会文化常识 CONOCIMIENTO SOCIOCULTURAL
• Locución prepositiva *prep. + n. + prep.*: *en busca de* • Variantes de conjunciones concesivas • Diferencia entre *país*, *nación*, *estado*	• 花卉“语言”
• Adverbio relativo *donde*, con y sin antecedente, en oración especificativa y explicativa • Adverbio relativo *como* • Función anafórica de los pronombres demostrativos en retórica	• 拉丁美洲人物: 切 · 格瓦拉
• Usos del condicional simple • Los relativos *que*, *quien*, *como*, etc. con infinitivo	• 拉丁美洲人物: 伊莎贝尔 · 阿连德与《幽灵之家》
• Construcciones preposicionales • Variante de la coordinación disyuntiva *sea... o...*	• 拉丁美洲人物: 庇隆夫人埃维塔

语法 RESPECTO AL LENGUAJE	社会文化常识 CONOCIMIENTO SOCIOCULTURAL
● Pronombre relativo *el cual*, *la cual*, *los cuales*, *las cuales* ● Construcciones con el infinitivo	● 气候变化
● Oración subordinada complementaria de sustantivo ● Funciones sintácticas de las preposiciones	● 古巴革命领袖: 菲德尔 · 卡斯特罗
● Oración subordinada complementaria de sustantivo *el hecho de que...* ● Usos del modo subjuntivo	● 西班牙语国家的报刊及其政治倾向

缩略语表

缩略语	西班牙语全称	汉语名称
adj.rel	adjetivo relativo	关系形容词
adv.	adverbio	副词
Amer.	americanismo	美洲用语
amb.	ambiguo	阴阳性词尾没有变化的名词
art.	artículo	冠词
conj.	conjunción	连词
Esp.	españolismo	西班牙用语
f.	femenino	阴性
ger.	gerundio	副动词
inf.	infinitivo	原形动词
interj.	interjección	感叹词
intr.	intransitivo	不及物动词
loc.adv.	locución adverbial	副词短语
loc.conj.	locución conjuntiva	连词短语
m.	masculino	阳性
n.	nombre	名词
num.	numeral	数词
perif.verb	perífrasis verbal	动词短语
pl.	plural	复数
p.p.	participio pasivo	过去分词
prep.	preposición	介词
prnl.	pronominal	代词式动词
pron.	pronombre	代词
s.	sustantivo	名词
tr.	transitivo	及物动词
v.	verbo	动词
v.cop.	verbo copulativo	系动词
v.imp.	verbo impersonal	无人称动词

UNIDAD 1 第一课

1 FUNCIÓN COMUNICATIVA

2 EJEMPLOS CON ALGUNOS VOCABLOS USUALES

cargar(se), conclusión, demostrar, facilitar, gastar, insistir, sobresaltar(se), suave, trato, vaciar

3 RESPECTO AL LENGUAJE

- Estructura interna de las palabras
- Polisemia
- Genitivo apositivo
- Variante de oración impersonal: uno/a

4 CONOCIMIENTO SOCIOCULTURAL

- 肢体语言

TEXTO

01–01

APRENDIENDO MODALES EN EL SUPERMERCADO

(Adaptación de Aprendiendo Modales en el Supermercado, Rosa Montero, El país Semanal, 2009-09-20, Nº1721)

Hace algunos días, una amiga mía estaba haciendo cola delante de la caja de un supermercado. Era una hora punta y había mucha gente. Cuando llegó su turno, ella, que había vaciado su cesta sobre la cinta, dijo: "Buenas tardes". La cajera, una chica de aspecto andino, levantó sobresaltada la cabeza. "Ay, señora, perdone, buenas tardes", contestó con su suave acento ecuatoriano, "es que una termina perdiendo los modales". Y, mientras cobraba, le contó a mi amiga que llevaba cinco años en España y que, cuando llegó, se le habían saltado las lágrimas en más de una ocasión por la rudeza del trato de la gente: no pedían las cosas diciendo *por favor*, no daban las gracias, a menudo ni contestaban sus saludos. "Al principio pensaba que estaban enfadados conmigo, pero luego ya vi que eran así".

De todos es sabido que el español tiene modales de bárbaro. Aún peor: consideramos nuestra grosería un rasgo idiosincrásico y hasta nos enorgullecemos de ella. "Somos ásperos pero auténticos", he oído decir a menudo. Y también: "Es mejor ser así que andarse con esas pamemas hipócritas y cursis que se gastan otros pueblos". Y por pamemas cursis nos estamos refiriendo pura y simplemente a la buena educación. En muchas cosas, por desgracia, seguimos siendo un país de pelo en pecho al que le gusta alardear de ser muy macho.

Resulta sorprendente que nos hayamos convertido en un pueblo tan áspero y tan zafio, porque, en mi infancia, a los niños se nos enseñaba todavía a saludar, a dar las gracias, a ceder el asiento en el autobús a las embarazadas, a sostener la puerta para dejar pasar a un incapacitado, por ejemplo. Hoy todos esos usos corteses, esas convenciones amables que las sociedades fueron construyendo a lo largo de los siglos para facilitar la convivencia, parecen haber desaparecido en España, barridos por el huracán del desarrollo económico y de una supuesta modernización de las costumbres. En no sé qué momento de nuestra reciente historia se llegó a la tácita conclusión de que ser educado era una rémora, una práctica vetusta e incluso un poco de derechas. Me temo que defender los buenos modales, como hago en este artículo, puede parecerles a muchos una reivindicación casposa y obsoleta. Pero en realidad, los buenos modales no son sino una especie de gramática social que nos enseña el lenguaje del respeto y de la ayuda mutua. Alguien cortés es alguien capaz de ponerse en el lugar del otro.

Dentro de esta educación en la mala educación que estamos llevando a cabo de modo tan eficiente, son los chicos más jóvenes quienes, como es natural, aprenden más deprisa. No solo es bastante raro que un muchacho o una muchacha levanten sus posaderas del asiento para ofrecerle el sitio a la ancianita más renqueante y temblorosa que imaginarse pueda, sino que además empieza a ser bastante común ver a una madre por la calle cargada hasta las cejas de paquetes y flanqueada por el gamberro de su hijo adolescente, un grandullón de pantalones caídos que va tocándose las narices con las manos vacías y tan campante.

Algunas de estas madres llenas de impedimenta y acompañadas de hijos caraduras son emigrantes, lo que demuestra la inmersión cultural de la gente extranjera: las nuevas generaciones crecidas aquí, enseguida se hacen tan maleducadas como nosotros. Pero, por fortuna, también sucede lo contrario. Quiero decir que, en los últimos años, muchos de los trabajos que se realizan de cara al público, como los empleos de cajero o de dependiente en una tienda, han sido cubiertos por personas de origen latinoamericano. Dulces, amables y educados, esas mujeres y esos hombres siguen insistiendo en dar los buenos días, en pedir las cosas diciendo *por favor* y *en decir gracias*. Algunos, sobre todo aquellos que vinieron hace años, como la cajera que se encontró mi amiga, tal vez hayan relajado un poco su disciplina cortés, contaminados *diciendo* por nuestra rudeza. Pero la mayoría continúa siendo gentil con encomiable tenacidad, y así, poco a poco, están ayudando a desasnar al personal celtíbero. ¿No se han dado cuenta de que estamos volviendo a saludar a las dependientas? Yo diría que en el último año la situación parece haber mejorado. Las colas de los supermercados, con sus suaves y atentas cajeras latinoamericanas, son como cursillos acelerados de educación cívica. Quién sabe, quizá los emigrantes consigan civilizarnos.

01–02

VOCABULARIO

modales	*m.pl.*	文明举止，礼貌行为
hacer cola	*perif.verb.*	排队
hora punta		（交通等）高峰时间
vaciar	*tr.*	腾；倒空
cesta	*f.*	篮子
cajero, ra	*m.,f.*	收银员
sobresaltado, da	*adj.*	受惊
suave	*adj.*	柔软；柔和
acento	*m.*	重音；口音
ecuatoriano, na	*m.,f.*	厄瓜多尔人
rudeza	*f.*	粗鲁；没教养
saludo	*m.*	问候；打招呼
bárbaro, ra	*adj.-s.*	粗鲁，野蛮；野蛮人
grosería	*f.*	粗话
idiosincrásico, ca	*adj.*	（个人或群体）习性的，特质的
enorgullecerse	*prnl.*	感到骄傲
pamema	*f.*	小题大做；虚套
hipócrita	*adj.-s.*	虚伪；伪君子
cursi	*adj.*	矫揉造作
gastar ~broma	*tr.*	耗费，消耗； 开玩笑
puro, ra	*adj.*	纯净；纯粹
simplemente	*adv.*	简单地；恰恰是
por desgracia	*loc.adv.*	不幸
de pelo en pecho	*loc.adj.*	男子汉气质
alardear	*intr.*	吹嘘，炫耀
zafio, fia	*adj.*	粗俗
embarazada	*adj.-s.*	怀孕的；孕妇

incapacitado, da	*m.,f.*	残疾人
cortés	*adj.*	有礼貌的
convención	*f.*	常规，习俗
facilitar	*tr.*	有助于，有利于
convivencia	*f.*	共处
huracán	*m.*	飓风
desarrollo	*m.*	发展
supuesto, ta	*adj.*	假设的，假定的
modernización	*f.*	现代化
tácito, ta	*adj.*	不言而喻的，默契的
conclusión	*f.*	结论
rémora	*f.*	障碍，阻碍
vetusto, ta	*adj.*	老掉牙的
de derechas	*loc.adj.*	保守的，右翼的
reivindicación	*f.*	争取权益，权益
casposo, sa	*adj.*	讨厌的
obsoleto, ta	*adj.*	过时的
especie	*f.*	种，类
respeto	*m.*	尊敬
mutuo, tua	*adj.*	互相的
posaderas	*f.pl.*	屁股
renqueante	*adj.*	步履蹒跚
tembloroso, sa	*adj.*	颤颤巍巍的
cejas	*f.pl.*	眉毛
flanquear	*tr.*	在一边（侧）
gamberro, rra	*m.,f.*	流里流气的家伙
adolescente	*amb.*	少年
grandullón, na	*m.,f.*	傻大个
tocarse las narices		心不在焉；无所事事
campante	*adj.*	若无其事的
impedimenta	*f.*	重负
caradura	*adj.*	无耻的；脸皮厚的
inmersión	*f.*	没入；沉浸
maleducado, da	*adj.*	没教养的
contrario, ria	*adj.*	相反的
dependiente, ta	*m.,f.*	售货员
insistir	*intr.*	坚持
relajar	*tr.*	放松；使松弛
contaminar	*tr.*	污染；感染
gentil	*adj.*	文雅；英俊；彬彬有礼
encomiable	*adj.*	值得赞誉的
tenacidad	*f.*	毅力，坚持
desasnar	*tr.*	使明事理，教化
celtíbero, ra	*adj.-s.*	凯尔特伊比利亚的；凯尔特伊比利亚人
atento, ta	*adj.*	专注；恭敬
cursillo	*m.*	短训班，学习班
acelerar	*tr.*	加快
cívico, ca	*adj.*	公民的
civilizar	*tr.*	使……有教养

PALABRAS ADICIONALES

acentuar	*tr.*	重读；强调
barbaridad	*f.*	野蛮行为
barbarie	*f.*	野蛮，
concluir	*tr.*	结束；得出结论
convencional	*adj.*	惯常的，约定俗成的
cortesía	*f.*	礼貌
cursilería	*f.*	做作的行为，俗气的行为
embarazar	*tr.*	使怀孕
embarazo	*m.*	怀孕
grosero, ra	*adj.*	粗俗，粗鲁
hipocresía	*f.*	虚伪
idiosincracia	*f.*	（个人或群体）习性，特质
malgastar	*tr.*	浪费，挥霍
modernizar	*tr.*	使现代化
rudo, da	*adj.*	粗俗的，没文化的
simplicidad	*f.*	简单；单纯；傻样儿
simplificar	*tr.*	使变得简单
sobresaltarse	*prnl.*	吃惊，惊讶
sobresalto	*m.*	吃惊，惊讶
suavidad	*f.*	柔软；柔和；温柔
suavizante	*adj.*	柔软；柔和
	m.	柔顺剂
suavizar	*tr.*	使变得柔软；使变得温柔
temblar	*intr.*	颤抖
vaciedad	*f.*	空；假大空的话

VERBOS IRREGULARES

enorgullecer: Se conjuga como ***parecer***.
temblar: Se conjuga como ***pensar***.

VERBOS CON CAMBIOS ORTOGRÁFICOS EN ALGUNAS CONJUGACIONES

acentuar: Se conjuga como ***efectuar***.
civilizar: Se conjuga como ***realizar***.
concluir: Se conjuga como ***constituir***.
embarazar: Se conjuga como ***utilizar***.
modernizar: Se conjuga como ***realizar***.
simplificar: Se conjuga como ***sacar***.
suavizar: Se conjuga como ***utilizar***.

EJEMPLOS CON ALGUNOS VOCABLOS USUALES

I. cargar(se)

A. *tr.*; *prnl.* 背起，扛起，满载

1. La campesina cargó sobre sus hombros la cesta llena de frutas.
2. Por alardear, el chico intentó cargar un saco lleno de arroz en su hombro herido pero el dolor se lo impidió.
3. No insistas en cargar en tus espaldas esa pesada maleta. Te puedes hacer daño.
4. ¿Preguntas por Elena? Acabo de verla salir del supermercado cargada de bolsas.

B. *tr.* *~ algo en un medio de transporte; ~ un medio de transporte con algo* （往 [车、船等] 里）装货

1. Los trabajadores en huelga se negaron a cargar los televisores en los camiones.
2. Gracias a que contamos con un aparato que nos ha facilitado la operación, hemos cargado todas esas mercancías en los vagones con mucha rapidez.
3. No te puedes imaginar cómo llegó al pueblo aquella pobre bicicleta: el campesino la había cargado con todos sus enseres (物品 ；工具).

II. conclusión *f.* 结论 llegar a una/ la ~ ; sacar la ~

1. Finalmente, llegamos a la conclusión de que todo se resolvía acelerando el trabajo.
2. ¿Qué conclusión han sacado ustedes después de tanta discusión?
3. Los habitantes de la zona afectada por el huracán no llegaron a ninguna conclusión sobre la petición de ayuda al gobierno.

4. ¿Qué conclusión se puede sacar en esta discusión si todos proponen soluciones radicales pero nadie quiere asumir responsabilidad alguna?

III. demostrar *tr*. 揭示，证明，证实；演示

1. Con su peculiar acento al hablar, ese hombre demostraba que no era de aquí.
2. En aquella zona de Castilla la Vieja existió un importante asentamiento celtíbero. Así lo demuestran unos recientes hallazgos arqueológicos.
3. El abogado demostró la culpabilidad del acusado exhibiendo las huellas dactilares de este en un cuchillo.
4. Ernesto, demuéstranos tus habilidades culinarias preparando este pescado.

IV. facilitar

A. *tr*. 使……容易，使……便利

1. Relajándote un poco, le facilitarás el trabajo al médico. Tiene que hacerte un examen minucioso.
2. La simplificación del texto nos ha facilitado mucho la lectura.
3. Los buenos modales facilitan la convivencia.
4. El nuevo reglamento facilita enormemente los trámites.

B. *tr*. 提供

1. □ ¿Quién te ha facilitado esa información?
   ■ Un amigo que acaba de venir de Argentina.
2. Señorita, ¿puede usted facilitarme algún material de referencia sobre la modernización de la estructura económica del país?
3. Si quieres algunos documentos relacionados con la reivindicación de los derechos de la mujer, te los puedo facilitar.
4. Unos amigos me facilitaron todo lo que necesitaba para que yo fuese estableciéndome en aquella ciudad desconocida.

V. gastar

A. *tr*. 消耗，损坏

1. Los adolescentes gastan más zapatos que nadie.
2. Josefina se compró un coche buenísimo: gasta muy poca gasolina.
3. ¿Temes que tu computadora se gaste con el uso? ¿Para qué la has comprado, entonces?

B. *tr.* 花钱

1. □ Gonzalo, ¿sabes cuánto hemos gastado este mes en agua, luz y gas?
   ■ No tengo ni idea.
2. Luisa parece no darse cuenta de su cursilería: anda alardeando de gastar mucho en ropa de alta costura.

3. Mi amiga Carlota dice que gastar en libros no es gastar.

C. *tr.*; *prnl.* 惯常表现出的态度、行为等等

1. Me pone enfermo que esa persona se gaste tanta hipocresía.
2. Humberto nunca pudo acostumbrarse a la rudeza que se gastaban algunos de sus compañeros.
3. Cuidado con Berta: es muy susceptible y no le gusta que le gasten bromas.

VI. insistir *intr.* ~ en + *n./ inf./ oración (indicativo o subjuntivo)* 坚持（认为，做某事）

1. A pesar de la impaciencia de los presentes, el gerente insistió en aquel tema que a nadie le interesaba.
2. Desde el principio yo no he hecho más que insistir en acelerar el trabajo, por eso hemos terminado el proyecto antes del plazo fijado.
3. Insisto en que es errónea la conclusión que has sacado.
4. Nadie entendía por qué el gerente de la empresa insistía en que siguiéramos usando aquellos métodos obsoletos.
5. Está muy claro: te has equivocado. No insistas más.

VII. sobresaltar(se)

A. *tr.* 惊动

1. Estaba totalmente concentrado en la lectura cuando me sobresaltaron unos fuertes golpes en la puerta.
2. Aquella explosión producida a medianoche sobresaltó a todos los habitantes de la zona residencial.

B. *prnl.* 大惊失色

1. Todo el mundo se sobresaltó con la noticia de que un nuevo huracán se nos venía encima.
2. Caminaba sola por una calle desierta cuando, de repente, me sobresalté al oír que unos pasos sigilosos se acercaban. Asustada, volví la mirada y vi unos papeles arrastrados por el viento.

C. sobresalto *m.* 惊吓，吓人一跳

1. Vaya sobresalto que causó la novia al demorar en dar el sí en el momento de casarse.
2. Procura no sorprender a la anciana con noticias bruscas. Su débil corazón ya no soporta sobresaltos.

VIII. suave

A. *adj.* 柔软，轻柔，柔和，温和

1. Es curioso que un rudo trabajador como él tenga las manos suaves.
2. ¿Por qué no salimos de paseo? Es un atardecer muy agradable y sopla una suave brisa primaveral.
3. Mi tío era un grandullón fornido y agestado (喜怒形于色的), pero tenía un carácter especialmente suave.
4. No nos imaginamos que este lugar ubicado en plena zona tropical tuviera un clima tan suave.

B. suavidad *f.* 柔软，柔和

1. No te engañes: la suavidad con que nos habla esconde, en el fondo, una amenaza.
2. Los estafadores le mostraban al rey el supuesto paño maravilloso destacando su especial suavidad.

IX. trato *m.* 与人接触，待人接物；(交往中的) 称呼

1. El trato que le das a tu vecino es muy duro.
2. Nuestra profesora casi no tiene trato con otros alumnos.
3. Acabo de conocer a Marcela y no sé qué trato darle, si de tú o de usted.

X. vaciar

A. *tr.*（把容器）掏空

1. Eva vació toda la maleta y no encontró los regalos que le habían dado durante su viaje por España.
2. Renato, si no vacías de libros la estantería te va a resultar difícil trasladarla de lugar.
3. Aprovechando la ausencia de los dueños, los ladrones vaciaron la casa.

B. vacío, a *adj.* 空无一物

1. Cuando los policías entraron en la habitación donde se suponía que se había cometido un asesinato, la encontraron totalmente vacía.
2. Al irse de veraneo, la gente dejó la ciudad prácticamente vacía.
3. Llevo diez horas sin comer nada. Tengo el estómago vacío.
4. El simposio fue una pérdida de tiempo: todas las ponencias estaban vacías de contenido.

RESPECTO AL LENGUAJE

I. Estructura interna de las palabras

经过前三册的学习，大家可能已经观察到，西班牙语的词汇具有相当规整的内部结构，通常都是在词根前后加上前缀和/或后缀以及各类语法词尾（prefijo + raíz + sufijo / desinencia）（性、数、人称、时态等）。比如 enorgullecer 就是由词根 orgull 加前缀 en- 及原形动词后缀 -ecer 构成的。在这个词根上加名词的阳性单数后缀 -o，就有了 orgullo。通过变位还会产生 enorgullezco，enorgullecemos，等等。如果加上名词后缀 -miento，则可派生出 enorgullecimiento。这些由同一个词根衍生而来的诸多单词的聚合，可以被称作同族词。掌握了这方面的知识必将有助于快速扩大词汇量。希望同学们认真学习领会。读过这段讲解之后，不妨在课文中任意选择一些单词，设法派生出尽量多的同族词，必要时也可以查阅辞书。

II. Polisemia

人类语言中普遍存在一词多义现象，比如汉语里的“心”，既可以具体指称身体中的关键器官“心脏”，也可以是情感、情绪、思想等的同义语：

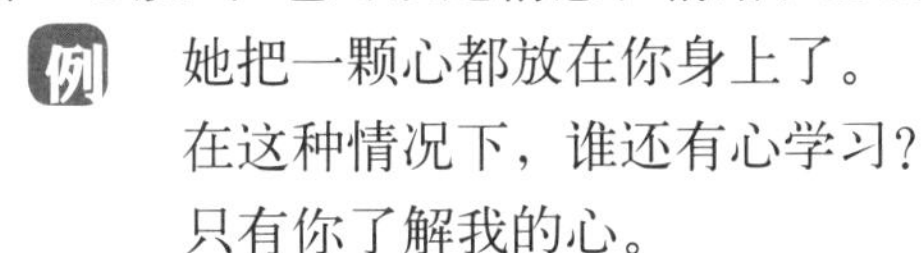

例 她把一颗心都放在你身上了。
在这种情况下，谁还有心学习？
只有你了解我的心。

西班牙语中的形容词 suave，就其本源含义而言，指的是物体的触觉特性“柔软”：una toalla suave；也可以表示“舒适宜人”：una temperatura suave, un clima suave；另外可表示“柔和”：colores suaves, carácter suave, 等等。上述例证说明，脱离语境和上下文的孤立单词，其确切含义是很难判定的。只有当它出现在语流中，并与其他词语搭配在一起时，才能凸显其具体所指。如果将其翻译成另一种语言，则必须根据情况选择不同的词汇，如上述西班牙语例证所示。

与此紧密相关的问题之一是如何正确使用辞书。许多人为了省劲儿，喜欢使用双语词典。这样当然也能解决一些问题，尤其是查阅那些所指具体而单一的词语，例如动物、植物、家具、服饰、亲属关系等名称。但是涉及含义抽象的语汇，双语词典的局限性就凸显出来了。这类工具书提供的解释大多是可能的参考译文，而限于篇幅，不能包罗万象。很多时候需要查阅者根据语境和上下文在自己头脑的语料库中搜寻恰当的对译。不少懒惰而粗心的辞书使用者往往抓住第一眼看到的释义，不分青红皂白地四处安插，结果不可避免地闹笑话。比如，西班牙语中的 escándalo，经常用来指涉引起众人哗然的社会丑闻，但是也可以是那种骚扰四邻的喧嚣和吵闹。如果大家正在上课，四周十分安静，突然有人在走廊里大喊大叫，教师会很不高兴地评论说：“¡Qué escándalo es ese!”如果不管语境和上下文译成：“这是什么丑闻！”显然驴唇不对马嘴。

鉴于此，我们主张，一旦有了初步的阅读能力，就应该尽早学会使用中型以上的原文词典（袖珍类的小型词典多借助同义词释义，精确性明显欠缺），因为那里的词条下面基本上是对词语本质含义的解释，往往附有例句，可以告诉查阅者如何具体使用。

III. Genitivo apositivo

不知道大家注意到没有，这篇课文里出现了一个十分奇特的结构：el gamberro de su hijo。请思考以下两个问题：① 这个词组的所指是什么？② 其中的两个名词真的是表面上看来的所属关系吗："她儿子的小流氓"？答案显然应该是：① 词组指的是 su hijo，② 词组中的两个名词之间没有所属关系，而是同位修饰关系，即：su hijo gamberro=su hijo, que es un gamberro，相当于汉语里的"她那个流里流气的儿子"。这种结构用以表露贬斥语气，具有鲜明的口语色彩。常见的类似说法还有：la tonta de tu hermana（"你妹妹那个傻丫头"，当然，在一定的语境中，这也可以是亲昵的反话），el malvado de tu amigo（"你那个坏蛋朋友"）。显而易见，这种结构作为修饰语的形容词（也可以是名词）总是具有贬义的。如果使用了褒义词，那一定是在说反话讽刺、挖苦：la bella de su novia（"他那个大美人女朋友"），el sabio de nuestro profesor（"咱们的那位大学者老师"）。

IV. Variante de oración impersonal: uno/a

请注意课文中收款员对与她打招呼的顾客说的话："Es que ***una*** termina perdiendo los modales"是无人称句的一种变体，其中的不定代词 una 以第三人称代替第一人称 yo，指说话人自己，是一种自谦形式，而且具有俚俗色彩。规范的说法不分男女一律用阳性形式 uno。例如："Con tanto ruido, ¿cómo puede trabajar ***uno***?"（这么吵闹，叫人怎么干活儿?）说话人既可以是男性，也可以是女性。只有文化水平较低的女人才会使用 una 这个阴性形式。

社会文化常识 CONOCIMIENTO SOCIOCULTURAL

肢体语言

人们在沟通交流时，除了使用言语外，还经常使用目光、表情、手势和姿态。这种非言语型的体态语言被称为肢体语言，简称体语。

肢体语言是人类语言的重要组成部分，与其所处的文化环境密切相关。不同文化群体的肢体语言既有相同之处，也有各自的特点。能够正确解读一个语言文化群体的肢体语言可以帮助我们更好地理解交流者的意图，实现有效沟通。

汉语语言文化中的肢体语言和西班牙语语言文化中的肢体语言有不少相同之处。例如，点头表示肯定；摇头表示否定；竖起大拇指表示赞赏；单手搓揉腹部表示已经吃饱；食指竖在嘴上提醒对方不要出声；单手拍打额头表示懊悔、不满；双手摊出，同时耸动肩膀表示无奈、不满，等等。可以看出，上述有些汉语中的肢体语言也是来自其他文化。

同时，两种文化的肢体语言也有许多差异。在这里，我们举出一些例子，说明西班牙语中常见手势和表情的含义。

伸出一只手，手掌朝下，左右翻转，同时嘴里反复说“así, así”，表示情况很一般或不太好。

单手轻轻拍打脸颊表示所指的人不知羞耻，脸皮厚，或者是无耻之徒。

伸出一只手，五个手指朝上，捏在一起，不停相互敲击，表示人满为患。

五个手指捏在一起，反复指向嘴边，表示希望吃饭或询问吃饭的地点。

单手拢住耳朵，表示没有听清楚。

手臂前伸，手掌朝下，食指和中指前后移动，表示步行。

请同学们想一想中国有哪些独特的肢体语言形式，也可以询问西班牙语国家的老师、同学或朋友，他们国家还有哪些手势或表情具有特定的含义。

EJERCICIOS

01–03

I. Siguiendo la grabación, lea las siguientes frases hechas, poniendo atención en la fonética y en la entonación:

1. Echando a perder se aprende.
2. El pez por su boca muere.
3. Haz el bien sin mirar a quién.
4. La verdad no peca pero incomoda.
5. Más vale malo conocido que bueno por conocer.
6. Lo que no has de poder ver, en tu casa lo has de tener.
7. Más vale paso que dure y no trote que canse.
8. Buscas al burro y estás montado en él.
9. Mona vestida de seda, mona se queda.
10. Amo de lo que callas y esclavo de lo que dices.
11. El que con lobos anda, a aullar se enseña.
12. Los dichos de los viejitos son evangelios chiquitos.
13. El que anda entre la miel, algo se le pega.
14. Asegúrense de que su cerebro esté conectado antes de poner la lengua a funcionar.
15. El que bebe se emborracha... el que se emborracha duerme... el que duerme no peca... el que no peca va al cielo... y como al cielo vamos... pues bebamos.

II. Conjugue los siguientes verbos en todas las personas de los modos y tiempos indicados:

1. En presente del indicativo:

acelerar, *acentuar*, *acordar*, alardear, asar, civilizar, *concluir*, contaminar, *enorgullecerse*, extrañarse, facilitar, flanquear, gastar, *hacer cola*, insistir, instalar, malgastar, masticar, modernizar, relajar, simplificar, sobresaltarse, suavizar, *temblar*, *vaciar*;

2. En modo imperativo o presente del subjuntivo usado como mandato negativo:

acelerar, *acentuar*, *acordar*, alardear, asar, *civilizar*, *concluir*, contaminar, *enorgullecerse*, extrañarse, facilitar, flanquear, gastar, *hacer cola*, insistir, instalar, malgastar, *masticar*, *modernizar*, relajar, *simplificar*, sobresaltarse, *suavizar*, *temblar*, *vaciar*;

3. En pretérito perfecto y pretérito pluscuamperfecto del indicativo:

acelerar, alardear, asar, *cubrir*, *decir*, *descubrir*, *devolver*, enorgullecerse, *escribir*, extrañarse, facilitar, flanquear, gastar, *hacer cola*, insistir, instalar, malgastar, masticar, modernizar, relajar, *resolver*, *romper*, simplificar, sobresaltarse, suavizar, temblar, vaciar, *volver*;

4. En futuro imperfecto del indicativo y en condicional simple:

acelerar, alardear, asar, *componer*, *decir*, *disponer*, enorgullecerse, extrañarse, facilitar, flanquear, gastar, *hacer cola*, insistir, instalar, malgastar, *poder*, *poner*, *querer*, relajar, *salir*, simplificar, sobresaltarse, suavizar, temblar, vaciar, *venir*.

(斜体部分需笔头重复)

01–04

III. Escuche las preguntas sobre el texto y contéstelas oralmente en español.

IV. Aclare, por escrito, a qué se refieren los términos en cursiva; y en caso de que sean verbos, diga cuál es el sujeto. Todas las oraciones son del texto:

1. Cuando llegó ***su*** turno, ***ella***, que había vaciado ***su*** cesta sobre la cinta, dijo: “Buenas tardes”.

   su:

   ella:

   su:

2. Es que ***una*** termina perdiendo los modales.

   una:

3. Y, mientras ***cobraba***, ***le contó*** a mi amiga que ***llevaba*** cinco años en España.

   cobraba:

   le:

   contó:

   llevaba:

4. ...y que, cuando ***llegó***, ***se le habían saltado*** las lágrimas en más de una ocasión por la rudeza del trato de la gente: no ***pedían*** las cosas diciendo *por favor*, no ***daban*** las gracias, a menudo ni ***contestaban sus*** saludos.

   llegó:

   se habían saltado:

   le:

   pedían:

   daban:

   contestaban:

   sus:

5. Al principio ***pensaba*** que ***estaban*** enfadados conmigo, pero luego ya vi que ***eran así***.

   pensaba:

   estaban:

   eran:

   así:

6. De todos ***es sabido*** que el español tiene modales de bárbaro.

   es sabido:

7. Aún peor: consideramos nuestra grosería un rasgo idiosincrásico y hasta nos enorgullecemos de ***ella***.

   ella:

8. Es mejor ser ***así*** que andarse con esas pamemas hipócritas y cursis que ***se gastan*** otros pueblos.

   así:

   se gastan:

9. En muchas cosas, por desgracia, seguimos siendo un país de pelo en pecho ***al*** que ***le*** gusta alardear de ser muy macho.

   al:

   le:

10. ***Resulta sorprendente*** que nos hayamos convertido en un pueblo tan áspero y tan zafio, porque, en mi infancia, a los niños ***se*** nos ***enseñaba*** todavía a saludar…

    Resulta sorprendente:

    se enseñaba:

11. Hoy todos esos usos corteses, esas convenciones amables que las sociedades ***fueron construyendo*** a lo largo de los siglos para facilitar la convivencia, ***parecen*** haber desaparecido en España, ***barridos*** por el huracán del desarrollo económico y de una supuesta modernización de las costumbres.

    fueron construyendo:

    parecen:

    barridos:

12. En no sé qué momento de nuestra reciente historia ***se llegó*** a la tácita conclusión de que ser educado era una rémora, una práctica vetusta e incluso un poco ***de derechas***.

    se llegó:

    de derechas:

13. Me temo que defender los buenos modales, ***como hago*** en este artículo, ***puede*** parecer***les*** a muchos una reivindicación casposa y obsoleta.

    como hago:

    puede:

    les:

14. Dentro de ***esta educación*** en ***la mala educación*** que estamos llevando a cabo de modo tan eficiente, son los chicos más jóvenes ***quienes***, como es natural, ***aprenden*** más deprisa.
esta educación:
la mala educación:
quienes:
aprenden:
15. No solo ***es bastante raro*** que un muchacho o una muchacha levanten sus posaderas del asiento para ofrecer***le el sitio*** a la ancianita más renqueante y temblorosa que ***imaginarse pueda***, sino que además ***empieza a ser bastante común*** ver a una madre por la calle ***cargada*** hasta las cejas de paquetes y ***flanqueada*** por ***el gamberro de su hijo adolescente***, un grandullón de pantalones caídos que va tocándose las narices con las manos vacías y tan ***campante***.
es bastante raro:
le:
el sitio:
imaginarse pueda:
empieza a ser bastante común:
cargada:
flanqueada:
el gamberro de su hijo adolescente:
campante:
16. Algunas de estas madres llenas de impedimenta y ***acompañadas*** de hijos caraduras son emigrantes, ***lo que demuestra*** la inmersión cultural de la gente extranjera: las nuevas generaciones crecidas aquí, enseguida ***se hacen*** tan maleducadas como nosotros.
acompañadas:
lo que:
demuestra:
se hacen:
17. Pero, por fortuna, también sucede ***lo contrario***.
lo contrario:
18. Quiero decir que, en los últimos años, muchos de los trabajos que ***se realizan*** de cara al público, como los empleos de cajero o de dependiente en una tienda, ***han sido cubiertos*** por personas de origen latinoamericano.
se realizan:
han sido cubiertos:

19. ***Dulces, amables y educados***, esas mujeres y esos hombres siguen insistiendo en dar los buenos días, en pedir las cosas diciendo *por favor* y *en decir gracias*.
    Dulces, amables y educados:
20. ***Algunos***, sobre todo aquellos que vinieron hace años, como la cajera que se encontró mi amiga, tal vez ***hayan relajado*** un poco ***su*** disciplina cortés, ***contaminados*** por nuestra rudeza.
    Algunos:
    hayan relajado:
    su:
    contaminados:
21. Pero la mayoría continúa siendo gentil con encomiable tenacidad, y así, poco a poco, ***están*** ayudando a desasnar ***al personal celtíbero***.
    están:
    al personal celtíbero:
22. ¿No ***se han dado cuenta*** de que estamos volviendo a saludar a las dependientas?
    se han dado cuenta:
23. Las colas de los supermercados, con ***sus*** suaves y atentas cajeras latinoamericanas, son como cursillos acelerados de ***educación cívica***.
    sus:
    educación cívica:
24. Quién sabe, quizá ***los emigrantes*** consigan civilizarnos.
    los emigrantes:

V. Entre las interpretaciones presentadas debajo de cada oración, marque con una V la acepción más adecuada a la parte en cursiva. Todas las oraciones son del texto:

Ejemplo Era ***una hora punta*** y había mucha gente.

A. hora que tiene un extremo agudo; (   )
B. período de tiempo justo de entrada y salida del trabajo, por eso hay mucha gente por todas partes; (V)
C. hora en punto. (   )

1. Cuando llegó su turno, ella, que había vaciado su cesta sobre ***la cinta***, dijo: "Buenas tardes".
   A. tira larga y estrecha de tela; (   )
   B. tira de tela o de otro material flexible impregnado de tinta que se usa en ciertas impresoras; (   )
   C. mecanismo que se utiliza en los aeropuertos o supermercados para transportar equipajes o mercancías. (   )

2. "Ay, señora, perdone, buenas tardes", contestó con su ***suave*** acento ecuatoriano.
   A. blando y agradable al tacto ( )
   B. dulce, amable ( )
   C. que no exige esfuerzo ( )
3. Y, mientras cobraba, le contó a mi amiga que llevaba cinco años en España y que, cuando llegó, ***se le habían saltado*** las lágrimas ***en más de una ocasión*** por la rudeza del trato de la gente.
   A. había llorado ( )
   B. las lágrimas habían dado saltos en su cara ( )
   C. se le habían perdido las lágrimas ( )

   A. dos veces ( )
   B. tres veces ( )
   C. muchas veces ( )
4. Al principio pensaba que estaban enfadados conmigo, pero luego ya ***vi*** que eran así.
   A. me di cuenta ( )
   B. percibí con la vista ( )
   C. tomé nota ( )
5. De todos es sabido que ***el español*** tiene modales de bárbaro.
   A. cierto tipo de español ( )
   B. un español determinado ( )
   C. los españoles ( )
6. Somos ***ásperos*** pero ***auténticos***.
   A. desagradables al tacto ( )
   B. bruscos, antipáticos ( )
   C. difíciles ( )

   A. tal como somos ( )
   B. únicos ( )
   C. inteligentes ( )
7. Es mejor ser así que andarse con esas pamemas hipócritas y cursis que ***se gastan*** otros pueblos.
   A. utilizan el dinero; ( )
   B. estropean y destruyen; ( )
   C. usan, practican, aplican. ( )

8. En muchas cosas, por desgracia, seguimos siendo un país ***de pelo en pecho*** al que le gusta alardear de ser muy ***macho***.
   A. con abundante pelo en el pecho ( )
   B. muy hombre, muy valiente ( )
   C. muy peludo ( )

   A. áspero, rudo, dominante ( )
   B. de sexo masculino ( )
   C. grandullón ( )
9. Hoy todos esos ***usos*** corteses, esas convenciones amables... parecen haber desaparecido en España...
   A. acción y efecto de usar ( )
   B. empleo recomendable ( )
   C. maneras de actuar, costumbres ( )
10. En no sé qué momento de nuestra reciente historia se llegó a la tácita conclusión de que ser educado era una rémora, una práctica vetusta e incluso un poco de ***derechas***.
   A. sector social con ideología política conservadora ( )
   B. que es recto y no torcido ( )
   C. pegado a la ley y al derecho ( )
11. Pero en realidad, los buenos modales no son sino una especie de ***gramática*** social que nos enseña el lenguaje del respeto y de la ayuda mutua.
   A. norma de comportamiento cívico ( )
   B. reglas para hablar correctamente en sociedad ( )
   C. libro donde se explica la gramática de una lengua ( )
12. Alguien cortés es alguien capaz de ***ponerse en el lugar del otro***.
   A. ocupar el lugar del otro ( )
   B. estar al lado del otro ( )
   C. sentir lo que siente y lo que necesita otra persona ( )
13. Dentro de esta ***educación*** en la ***mala educación*** que estamos llevando a cabo de modo tan eficiente, son los chicos más jóvenes quienes, como es natural, aprenden más deprisa.
   A. formación para adquirir conocimientos ( )
   B. acción y efecto de educar ( )
   C. buenos modales ( )

   A. malos métodos para enseñar ( )
   B. los males de la educación ( )
   C. malos modales ( )

14. ...empieza a ser bastante común ver a una madre por la calle ***cargada hasta las cejas*** de paquetes y flanqueada por el gamberro de su hijo adolescente, un grandullón de pantalones caídos que va tocándose las narices con las manos vacías y ***tan campante***.
   A. que lleva paquetes colgados de las cejas ( )
   B. excesivamente cargada ( )
   C. que tiene muy tupidas las cejas ( )

   A. tan ufano e indiferente ( )
   B. tan parecido a un campesino ( )
   C. tan satisfecho ( )
15. Algunas de estas madres llenas de impedimenta y acompañadas de hijos caraduras son inmigrantes, lo que demuestra la ***inmersión*** cultural de la gente extranjera.
   A. adaptación ( )
   B. hundimiento ( )
   C. ahogo ( )
16. Quiero decir que, en los últimos años, muchos de los trabajos que se realizan de cara al público, como los empleos de cajero o de dependiente en una tienda, han sido ***cubiertos*** por personas de origen latinoamericano.
   A. tapados ( )
   B. protegidos ( )
   C. ocupados ( )
17. ***Dulces***, amables y educados, esas mujeres y esos hombres siguen insistiendo en dar los buenos días, en pedir las cosas por favor y en decir gracias.
   A. que tienen azúcar ( )
   B. cariñosos ( )
   C. que no son ni agrios, ni amargos, ni salados ( )
18. Pero la mayoría continúa siendo ***gentil*** con encomiable tenacidad, y así, poco a poco, están ayudando a desasnar al personal celtíbero.
   A. bien educada ( )
   B. apuesta, bien parecida ( )
   C. que no son cristianos ( )

VI. Traduzca al chino las siguientes expresiones extraídas del texto:

1. La cajera, una chica de aspecto andino, levantó sobresaltada la cabeza.
2. Es que una termina perdiendo los modales.
3. ...se le habían saltado las lágrimas en más de una ocasión...

4. Aún peor: consideramos nuestra grosería un rasgo idiosincrásico...
5. Somos ásperos pero auténticos.
6. Es mejor ser así que andarse con esas pamemas hipócritas y cursis que se gastan otros pueblos.
7. En muchas cosas, por desgracia, seguimos siendo un país de pelo en pecho al que le gusta alardear de ser muy macho.
8. esos usos corteses, esas convenciones amables...
9. el huracán del desarrollo económico y de una supuesta modernización de las costumbres.
10. la tácita conclusión.
11. una especie de gramática social que nos enseña el lenguaje del respeto y de la ayuda mutua.
12. dentro de esta educación en la mala educación.
13. el gamberro de su hijo adolescente, un grandullón de pantalones caídos que va tocándose las narices con las manos vacías y tan campante.
14. los trabajos que se realizan de cara al público...han sido cubiertos por personas de origen latinoamericano.
15. ...están ayudando a desasnar al personal celtíbero.
16. Yo diría que en el último año la situación parece haber mejorado.
17. cursillos acelerados de educación cívica.

VII. Busque en el texto todos los sinónimos de *buenos modales* y *malos modales*.

VIII. Frente a cada una de las palabras que aparecen al pie, ponga otras de la misma familia. Haga lo mismo con las que están en cursiva, pero diga el significado de cada una de ellas. En caso de dudas, consulte el diccionario:

acelerar	cesta	educar
acento	*civil*	eficiente
adolescente	considerar	emigrante
amable	construir	empleo
andar	contaminar	fácil
año	cortés	*favor*
aparecer	costumbre	*gente*
áspero	cubrir	grande
auténtico	cultura	grosero
bárbaro	cursis	hipócrita
caja	defender	hora
capaz	económico	imaginar

insistir	práctica	sorpresa
joven	público	suave
lágrima	puro	temblor
mejor	referir	*temer*
moderno	*respeto*	tenaz
natural	rudo	*trabajo*
orgullo	simple	vacío
pedir	situación	
perder	*social*	

IX. Diga las acepciones de los siguientes vocablos polisémicos e indique cuál de ellas se ha empleado en el texto. En caso de dudas, consulte el diccionario, preferentemente el español-español:

áspero	educación	sostener
convertir	gentil	suave
cubrir	práctica	suceder

X. Traduzca al español las siguientes expresiones propias del lenguaje coloquial:

1. 她那个流里流气的孙子

____

2. 你表弟那个野蛮人

____

3. 我侄女那个傻丫头

____

4. 他那个扭捏作态的老婆

____

5. 她那个满嘴脏话的丈夫

____

6. 你那个伪君子朋友

____

7. 你们那位无所不知的老师（讥讽）

____

8. 你那个大美人嫂子（讥讽）

____

9. 我们那个野蛮邻居

____

10. 你那位傻帽儿前女友

____

XI. Ejercicios del léxico:

A. Complete el siguiente texto utilizando, en forma adecuada, los vocablos dados a continuación:

cargar(se) conclusión demostrar facilitar gastar
insistir saltar sobresaltar suave vaciar

Habíamos oído decir que, allá, oculto en lo más profundo de la montaña, había un pueblecito tranquilo con un clima __________, nada parecido al bochorno que estábamos soportando en esta gran urbe. Tras haber reflexionado y discutido, llegamos a la __________ de que era el lugar idóneo para que pasásemos ahí las vacaciones, huyendo del calor y bullicio de la ciudad, sin __________ mucho dinero. Como no quedaba muy lejos y había una buena carretera que conducía a él, decidimos ir en bicicleta. Además, estando en verano, no iríamos __________ de mucho equipaje. Todo eso __________ bastante el viaje que, con seguridad, sería muy placentero.

Para evitar el calor del mediodía, nos pusimos en camino muy de madrugada y antes de las once ya estábamos al pie de la montaña. Fue entonces cuando nos detuvimos __________: ahí se cortaba en seco la carretera. La salvaje exuberancia de la vegetación __________ que era un paraje poco frecuentado por la gente. Todos los demás afirmaron que nos habíamos equivocado de camino y teníamos que retornar al punto de partida para informarnos de la ruta correcta. Pero yo __________ en que siguiéramos adelante por un sendero que se divisaba en medio de las plantas. Hicimos bien, pues hallamos, al lado de la carretera, una choza _________, probablemente el albergue de algún cazador. Dejamos ahí las bicicletas y nos lanzamos a la aventura, a pie.

¿Saben lo que descubrimos en lo más profundo de aquel paraje? La choza en la que habíamos dejado nuestras bicicletas: nos habíamos extraviado en el bosque y, sin darnos cuenta, habíamos vuelto al punto en que creímos haber emprendido una gran aventura.

B. Traduzca al español las siguientes oraciones:

1. 你知道怎么证明地球是圆的吗？
2. 你没见谁都不同意你（的看法）吗？别再坚持了。
3. 我们很赞赏你跟人们交往时的真诚（态度）。
4. 演出一结束，观众那么快就把礼堂腾出来了，真是出乎我的预料。
5. 女孩用颤抖的声音回答我们，说明她很害怕。
6. 你花了那么多钱买了一些全然无用的东西。
7. 经理那个老顽固坚持要在企业安装那些老旧设备。

8. 在昨天的会议上，我坚持认为咱们别再给他们提供资料了，我琢磨他们用在不明不白的地方了。
9. 我被迫放弃了那个项目，因为朋友们坚持认为实现不了。
10. 装载家具的卡车到了，需要四个工人卸车。
11. Susana，把所有的衣服都取出来，腾出柜子。我看得把里头清理一下了。
12. 有教养的举止有助于跟人们交往。
13. 喂，Mario，别再夸耀你新买的机器了，太费电。
14. 深更半夜，一个女人的尖叫声惊动了所有邻居。
15. 多少年以来，公众舆论就一直坚持要求政府采取紧急措施解决污染问题。

01–05

C. Al escuchar la perífrasis, diga el vocablo o expresión correspondiente:

1. Hacer una cosa más de prisa: ______________
2. Persona que ha dejado de ser niño, pero todavía no ha llegado a su madurez: ______________
3. Estado de incultura y atraso de una comunidad: ______________
4. Resolución o consecuencia a la que se llega después de haber examinado o discutido un asunto: ______________
5. Acuerdo o convenio entre dos o más personas: ______________
6. Que pretende hacer creer que es elegante, distinguido cuando en realidad no lo es: ______________
7. Muy hombre, fuerte y valiente: ______________
8. Sentir orgullo de algo: ______________
9. Que finge lo que no siente: ______________
10. Sostener con firmeza un criterio repitiéndolo una y otra vez: ______________

XII. Conjugue los infinitivos en el tiempo y la persona correspondientes y use en forma adecuada las formas no personales del verbo:

La noche caía lentamente sobre una playa de la costa portuguesa. La roja cara del sol todavía _________ (aparecer) entre las nubes del cielo, y el mar _________ (tener) una luz oscura y triste, como un espejo _________ (romper) en mil cristales. El viento _________ (empujar) las sombras hacia la tierra, _________ (mojar) desde _________ (hacer) días por una lluvia salada.

Al final de la playa _________ (encontrarse) una pequeña casa de madera hacia la que _________ (ir) tres personas, dos hombres y un niño. El pequeño _________ (correr) cerca del mar _________ (tirar) piedras al agua; los hombres _________ (andar) despacio, con pesadas bolsas _________ (llenarse) de pescado sobre sus espaldas. De repente, el niño, _________ (asustarse), _________ (dar) un grito. A su lado, en la arena, _________ (ver) algo extraño: el cuerpo de un hombre casi sin ropas y _________ (cogerse) a un trozo de madera. Todavía _________ (respirar). Lo _________ (levantar; los dos hombres) con cuidado y lo _________ (llevar) rápidamente hacia la casa.

–Pobre hombre –_________ (decir) uno de los pescadores mientras lo _________ (acostar) sobre una cama–. _________ (Parecer) que _________ (estar) muchas horas en el agua. Gracias a Dios que todavía _________ (vivir).

–Seguro que su barco ___________ (perderse) por culpa del mal tiempo. _________ (Ser) muchos en estos últimos días los marineros que no _________ (conseguir) __________ (llegar) al puerto y _________ (desaparecer) en el mar – _________ (recordar) su compañero en voz baja.

Una mujer _________ (entrar) entonces en la habitación con una taza de sopa caliente entre las manos y __________ (sentarse) en la cama, al lado del marinero. Este casi no _________ (poder) _________ (beber): _________ (estar) demasiado débil. De repente _________ (levantar) su mano derecha, hasta _________ (coger) el brazo de la mujer.

–¡Lisboa! – _________ (Repetir) varias veces –¡_________ (Tener) que ir a Lisboa!

Luego, _________ (volver) a _________ (cerrar) los ojos y _________ (quedarse) profundamente _________ (dormirse).

–¡_________ (Mirar, vosotros)! _________ (Haber) un nombre _________ (escribir) en este collar – _________ (decir) la mujer mientras se lo _________ (quitar) del cuello suavemente, para no _________ (despertarlo).

Uno de los hombres __________ (acercarse) y lo _________ (mirar) con cuidado.

–Cristóbal – _________ (leer) por fin –, _________ (llamarse) Cristóbal Colón.

(El secreto de Cristóbal Colón, Luis María Carrero, Santillana / Universidad de Salamanca, Madrid, 1994: 7-8)

XIII. Siguiendo las exigencias del sentido, rellene los espacios en blanco con los artículos y preposiciones, o la forma contracta de artículo y preposición:

_____ 9 _____ mayo _____ 1453, _____ Imperio turco se hizo _____ dueño _____ _____ vieja ciudad _____ Constantinopla; _____ _____ países europeos, _____ comercio _____ Asia ya no era posible. Fue entonces cuando Portugal, abierto _____ Atlántico, empezó _____ buscar _____ nuevo camino _____ _____ mar. _____ plan era sencillo, pero su realización demandaba mucho tiempo, pues consistía _____ navegar _____ _____ costa _____ África, encontrar _____ paso _____ Océano Índico, y luego, _____ allí dirigirse _____ _____ India. _____ _____ 1487, cuando Bartolomé Días dio _____ vuelta _____

Cabo _____ _____ Buena Esperanza: Portugal había encontrado su camino.

_____ aquellas mismas fechas, _____ hombre llamado Cristóbal Calón, intentaba conseguir _____ ayuda _____ _____ reyes españoles, doña Isabel y don Fernando, _____ probar _____ camino distinto: él quería ir siempre _____ _____ oeste, cruzando _____ Atlántico.

Durante mucho tiempo, Colón no pudo convencer a nadie. Todos pensaban que era _____ viaje imposible: los que no creían todavía que _____ Tierra era redonda, _____ supuesto, pero también los que sí lo creían; _____ éstos, _____ distancia _____ Asia y Europa era demasiado grande. _____ embargo, _____ fin, _____ _____ 1492, _____ Reyes Católicos decidieron ayudar a Colón. Este cambio _____ _____ opinión fue importantísimo porque _____ 12 _____octubre _____ ese mismo año, _____ tres barcos españoles encontraban _____ tierra _____ otro lado _____ Atlántico. _____ esta manera, Europa había llegado a _____ América.

(El secreto de Cristóbal Colón, Luis María Carrero, Santillana / Universidad de Salamanca, Madrid, 1994: 5-6).

01–06

XIV. Dictado.

01–07

XV. Escuche la grabación y luego haga una versión oral resumida.

XVI. Trabajos de casa:

1. Trate de leer el texto de manera fluida.
2. Temas de conversación:
   1) Diálogo sobre buenos comportamientos observados;
   2) Diálogo sobre malos comportamientos percibidos;
   3) Educación cívica recibida en la familia;
   4) Importancia de la cortesía en la vida social.
3. Traduzca al chino el siguiente texto:

Rosa Montero es una escritora española que ha asumido una actitud bastante crítica frente a una serie de fenómenos sociales negativos percibidos en su país. Ha escrito muchos artículos censurando la corrupción de los políticos, la injusticia que impera en diversos dominios, la discriminación racial y sexual, la ignorancia y el fanatismo de todo tipo, entre muchas otras cosas. En el texto que acabamos de estudiar, la autora condena los malos modales de muchos de sus compatriotas: no saludan a la gente, no piden cosas diciendo *por favor*, no dan las gracias cuando reciben alguna ayuda, no se ofrecen para auxiliar a los necesitados... Y aún peor: consideran su rudeza uno de sus rasgos idiosincrásicos. Pero al mismo tiempo que critica la grosería de algunos de sus compatriotas, Rosa Montero muestra su admiración por la buena educación de la mayoría de los inmigrantes latinoamericanos, que desde hace años vienen cubriendo muchos puestos de trabajo, en especial, aquellos que se realizan de cara al público.

Es evidente que la buena salud social de un país solo es posible con intelectuales de ojo vigilante y crítico como Rosa Montero, capaces de poner al descubierto los males que afean a la sociedad entera y despertar, así, la urgente necesidad de curarlos.

UNIDAD 2 第二课

1 FUNCIÓN COMUNICATIVA

2 EJEMPLOS CON ALGUNOS VOCABLOS USUALES

ambos, asegurar, colocar(se), consistir, de acuerdo, lanzar(se), por fin, publicar, superar, tomar parte

3 RESPECTO AL LENGUAJE

- Diferenciación entre el pretérito indefinido y el pretérito imperfecto
- Palabras de la misma familia
- Sustantivo / Adjetivos gentilicios

4 CONOCIMIENTO SOCIOCULTURAL

- 网络语言

TEXTO

02–01

Miguel de Cervantes Saavedra

Miguel de Cervantes Saavedra nació en 1547 en Alcalá de Henares. En enero de 1605, a los 57 años de edad, publicó la primera parte de su inmortal obra *El Ingenioso Hidalgo Don Quijote de la Mancha.*

Poco se sabe de su vida. De acuerdo con algunos datos biográficos, era hijo de un médico cirujano y estudió sucesivamente en su ciudad natal, en Madrid, en Salamanca y en Sevilla. En 1569, viajó a Italia, donde se incorporó a la armada española. Dos años después, tomaría parte en la famosa batalla naval de Lepanto, librada cerca del puerto griego del mismo nombre. En ella, se le inutilizó para siempre la mano izquierda, hecho al cual se debió su sobrenombre de *El Manco de Lepanto*. De regreso a España, fue hecho prisionero por unos piratas argelinos y estuvo preso en Argel durante cinco años. Según referencias de sus biógrafos, en ese período se le presentaron varias oportunidades de ser rescatado y regresar a España, pero se las cedió a sus compañeros de infortunio. Cuando, por fin, una hermana suya pagó el rescate para que lo pusieran en libertad, todavía tuvo que superar múltiples dificultades antes de retornar a su país. Ya en él, obtuvo un modesto puesto de empleado cuya misión consistía en recaudar dinero y víveres para la Armada Invencible. Justo en ese período ocurrieron sus dos encarcelamientos cuyos motivos hasta hoy día no se han aclarado suficientemente. Una versión asegura que una de esas condenas se debió a que un amanecer la policía descubrió, en la puerta de su casa, un cadáver que alguien –nunca se supo quién– había dejado ahí.

La obra que lo ha colocado en la cumbre de la literatura universal se titula *El Ingenioso Hidalgo Don Quijote de la Mancha*.

En el libro se cuenta la historia de un hidalgo venido a menos, un hombre bastante mayor, alto y flaco, de rostro enjuto y alargado, y bigote y barba escasos. Su mirada algo severa, siempre se halla fija en un punto, como si buscara algo en la lejanía. Se sabe que su exagerada afición por leer libros de caballería le hizo un día perder el juicio, y así, ya sin juicio, tomó la decisión no solo de armarse caballero andante sino también, como tal, salir en busca de aventuras que le permitieran reparar daños, enderezar lo torcido, combatir a los opresores y amparar a los débiles. Las artes gráficas suelen representarlo con una larga lanza en la mano y montado en un caballo flaco y viejo al que le ha puesto el nombre Rocinante. Aplicando estrictamente las leyes de la caballería, se hace acompañar de un escudero, que no

es otro que su vecino, un rústico campesino llamado Sancho Panza, un hombre bajo y gordo, cara redonda y morena y abultada barriga. Posee un asno lento y torpe, su cabalgadura, y anda soltando constantemente refranes y dichos populares. De esa manera, ambos, caballero andante y escudero, se lanzan a los caminos en busca de aventuras de las cuales salen, en la mayoría de los casos, mal parados.

La obra tuvo gran éxito no solo en España sino también en otros países europeos. Sin embargo, durante bastante tiempo, tanto críticos especializados como lectores comunes y corrientes, se limitaron a ver en ella una simple recopilación de sucesos cómicos protagonizados por personajes graciosos, cuya finalidad no era otra que hacer pasar un buen rato, arrancándoles carcajadas a los que la leyeran. Solo cuando surgió el romanticismo europeo, los estudiosos comenzaron a atisbar su profundidad humana, consistente en la revelación, entre otras cosas, del conflicto y entrecruzamiento de dos temperamentos que coexisten no solo en el medio social sino también en cada uno de los individuos: el realismo (la visión práctica) y el idealismo (la visión irreal de las ilusiones).

Después de publicar la primera parte, Cervantes prometió escribir la segunda, pero pasaron los años sin que cumpliera su palabra. El éxito de la obra fue tan grande que cierto escritor trató de adjudicarse su fama sacando a la luz un libro titulado *Segundo Tomo del Ingenioso Hidalgo Don Quijote de la Mancha*, atribuido a un tal Fernández de Avellaneda. Cervantes, que ya venía escribiendo la continuación de su inmortal obra, publicó la auténtica segunda parte de su novela en 1615, un año después de la de Avellaneda. Aparte de este gran monumento literario universal, Cervantes dejó, entre novelas, cuentos, comedias y poemas, una buena cantidad de obras notables.

Cervantes murió en la pobreza, en Madrid, el 23 de abril de 1616, el mismo día y año en que fallecieron William Shakespeare, el gran escritor inglés, y otro grande de las letras hispanas: el peruano Inca Garcilaso de la Vega.

02–02

VOCABULARIO

Alcalá de Henares		埃纳雷斯堡
parte	*f.*	部分
inmortal	*adj.*	不朽的
hidalgo	*m.*	最底层贵族；乡绅
don	*m.*	先生，君（只与名字连用）
la Mancha		拉曼查
de acuerdo con	*loc.prepos.*	根据
dato	*m.*	材料，资料
biográfico, ca	*adj.*	生平的；传记的
cirujano, na	*m.,f.*	外科医生
sucesivamente	*adv.*	相继，连续
natal	*adj.*	出生的；出生地的
Salamanca		萨拉曼卡
incorporarse	*prnl.*	加入；直起上半身
armada	*f.*	海军
tomar parte en	*perif.verb.*	参加

naval	*adj.*	海军的
Lepanto		勒班陀（地名）
librar	*tr.*	开展
puerto	*m.*	港口
inutilizar(se)	*tr.;prnl.*	使无用，使伤残；无用，伤残
sobrenombre	*m.*	绰号
manco, ca	*m.,f.*	独臂人
pirata	*amb.*	海盗
argelino	*adj.-s.*	阿尔及利亚的；阿尔及利亚人
preso	*adj.-s.*	被囚禁的；囚犯
Argel		阿尔及尔
referencia	*f.*	提到，提及；资料
biógrafo, fa	*m.,f.*	传记作者
rescatar	*tr.*	解救，救援；赎身
infortunio	*m.*	倒霉，逆境
rescate	*m.*	救援；赎金
poner en libertad	*perif.verb.*	释放
retornar	*intr.*	返回
recaudar	*tr.*	征收，募集
invencible	*adj.*	不可战胜的
encarcelamiento	*m.*	入狱，囚禁
aclarar	*tr.*	澄清
versión	*f.*	说法；文本
cadáver	*m.*	尸体
venirse a menos	*perif.verb.*	没落
flaco, ca	*adj.*	瘦
rostro	*m.*	面庞
enjuto, ta	*adj.*	干瘪
alargado, da	*adj.*	抻长了的
bigote	*m.*	髭
barba	*f.*	胡须
escaso, sa	*adj.*	稀少
lejanía	*f.*	远方
exagerado, da	*adj.*	夸张的，过分的
caballería	*f.*	骑士（总称）；骑兵
juicio	*m.*	理智
caballero andante		游侠骑士
aventura	*f.*	冒险
daño	*m.*	伤害
enderezar	*tr.*	弄直，改正
torcido, da	*p.p.*	弯曲的
combatir	*tr.;intr.*	打击；战斗
opresor, ra	*adj.-s.*	压迫的；压迫者
amparar	*tr.*	保护
artes gráficas		视觉艺术；印刷术
lanza	*f.*	长矛
Rocinante		罗西南特
estrictamente	*adv.*	严格地
escudero, ra	*m.,f.*	侍从
rústico, ca	*adj.*	乡下的；粗陋的
abultado, da	*adj.*	膨胀的
barriga	*f.*	肚子，腹部
asno, na	*m.,f.*	驴
torpe	*adj.*	愚笨的
cabalgadura	*f.*	坐骑
refrán	*m.*	谚语
dicho	*m.*	成语
mal parado, da	*loc.adj.*	下场不妙
crítico, ca	*m.,f.*	批评者，评论者
especializado, da	*adj.*	专业的
cómico, ca	*adj.*	滑稽的，喜剧的
protagonizar	*tr.*	担任主角，主演
gracioso, sa	*adj.*	可笑的，有趣的
finalidad	*f.*	目的
arrancar	*tr.*	拔起；引起，挑起
carcajada	*f.*	哈哈大笑
romanticismo	*m.*	浪漫主义
atisbar	*tr.*	隐约看到
consistente	*adj.*	在于
entrecruzamiento	*m.*	交叉；相遇
temperamento	*m.*	性格，气质
coexistir	*intr.*	共存，同时存在
individuo	*m.*	个人，个体
visión	*f.*	视觉；看法
idealismo	*m.*	理想主义；唯心主义
ilusión	*f.*	幻觉，幻想
adjudicar(se)	*tr.;prnl.*	判给；据为己有
tomo	*m.*	卷，册
atribuirse	*prnl.*	归于……名下
poema	*m.*	诗歌
pobreza	*f.*	贫困

NOMBRES PROPIOS

Miguel de Cervantes Saavedra	米格尔·德·塞万提斯·萨维德拉
El Ingenioso Hidalgo Don Quijote de la Mancha	《奇思异想的绅士堂吉诃德·德·拉曼查》
Sancho Panza	桑丘·潘沙
William Shakespeare	威廉·莎士比亚
Inca Garcilaso de la Vega	印加·加西拉索·德拉维加

VERBO IRREGULARES

fallecer: Se conjuga como ***parecer***.

VERBOS CON CAMBIOS ORTOGRÁFICOS EN ALGUNAS CONJUGACIONES

adjudicar: Se conjuga como ***practicar***.
arrancar: Se conjuga como ***sacar***.
atribuir: Se conjuga como ***construir***.
enderezar: Se conjuga como ***realizar***.
inutilizar: Se conjuga como ***utilizar***.
poseer: Se conjuga como ***creer***.
protagonizar: Se conjuga como ***utilizar***.

EJEMPLOS CON ALGUNOS VOCABLOS USUALES

I. ambos

A. *pron.* 双方，二者

1. Mientras estudiaba en España, me hice amigo de dos jóvenes árabes, un argelino y un egipcio. Ambos eran cirujanos y estaban haciendo el doctorado en una universidad.
2. La delegación china se entrevistó con el presidente y el primer ministro de Costa Rica. Ambos se mostraron muy interesados por ampliar sus relaciones económicas, políticas y culturales con nuestro país.

B. *adj.* 双方，两个

1. Ustedes deben de conocer, seguro, los nombres de William Shakespeare y de Miguel

de Cervantes, así como algunas de sus obras representativas. Pero, ¿saben que ambos genios de la literatura universal fallecieron el mismo día del mismo mes del mismo año de 1616?

2. El ministro de Relaciones Exteriores chino y su homólogo panameño sostuvieron una prolongada conversación. Finalmente, ambas partes acordaron establecer relaciones diplomáticas en el momento oportuno.
3. Los árboles que plantamos hace años a ambos lados de la calle han crecido tanto que ahora impiden a los peatones ver el sol.

II asegurar

A. *tr.* 加固，使固定

1. Al escuchar el anuncio de la proximidad de un fuerte huracán, los vecinos se apresuraron a asegurar sus puertas y ventanas.
2. Renato, mira el cuadro que acabas de colgar en la pared. Parece que va a caerse en cualquier momento. Trata de asegurarlo de alguna manera.
3. Tuve que asegurar las patas de la endeble mesita a fin de que pudiera soportar mejor el peso del televisor.

B. *tr.*（十分肯定地）说

1. Cervantes aseguró a sus amigos que el supuesto *Segundo Tomo del Ingenioso Hidalgo Don Quijote de la Mancha*, atribuido a un tal Fernández de Avellaneda, era totalmente apócrifo（伪造的）.
2. Puedo asegurar con toda certeza que la persona que colocó un cadáver delante de la casa de Cervantes, lo hizo con malas intenciones.
3. Los medios de información aseguraron que, hasta las diez de la mañana, ya se había rescatado a la mayoría de los mineros atrapados en las galerías.

III. colocar(se)

A. *tr.* 放，放置

1. La lanza que llevaba don Quijote era tan larga, que cuando este entró en la posada, no encontró un lugar dónde colocarla.
2. No sé dónde colocar los veinte enormes tomos de la enciclopedia que acabo de comprar: por lo pronto, sé que no cabrán en mi pequeña estantería.
3. De acuerdo con una versión, uno de los encarcelamientos de Cervantes se debió al descubrimiento de un cadáver en la puerta de su casa: alguien lo había colocado allí con malas intenciones.

B. *prnl.* 站在（某处）

1. Para que mi amigo me tomara una foto que recordaría siempre, me coloqué delante del monumento en que aparecían don Quijote en Rocinante y Sancho Panza en su asno.
2. No te coloques allí, en la ventana: me impides ver la puesta del sol.

C. *tr.*; *prnl.* 给（某人某项工作）；谋到（某项工作）

1. Cuando Cervantes, tras haber superado múltiples dificultades, consiguió por fin regresar a España, lo colocaron de recaudador de dinero y víveres para la Armada Invencible.
2. Humberto hizo enormes esfuerzos por que lo colocaran de estibador（装卸工；装卸技师）en un puerto pero solo le dieron el puesto de portero.
3. Por mucho tiempo, Amalia vivió de la ilusión de colocarse como secretaria de un organismo internacional.

D. colocación *f.* 摆放，位置；工作，职位

1. No sé por qué te has tomado tanta molestia: yo solo quería cambiar un poco la colocación de los muebles y tú has hecho una remodelación（装修）total.
2. El pobre hombre tuvo el infortunio de perder su colocación al poco tiempo de haberla obtenido.

IV. consistir *intr.* 就在于；就是

1. Cervantes consiguió colocarse de humilde empleado del Estado en un trabajo que consistía en recaudar dinero y víveres para la Armada Invencible.
2. Cuando Esteban vino a la ciudad en busca de mejor vida, su único equipaje consistía en una pequeña maleta en la que solo traía sus escasas pertenencias.
3. La misión que don Quijote se asignó a sí mismo consistía en reparar los daños, enderezar lo torcido, combatir a los opresores y amparar a los débiles.
4. El único material de referencia que nos proporcionaron consistía en unos recortes de periódicos viejos.

V. de acuerdo *loc. adv.*

A. 行，好，同意

1. □ Señor instructor, usted ya conoce mi nivel de juego, ¿me puede incorporar al equipo de fútbol que va a disputar el campeonato?

   ■ De acuerdo, pero, antes, tienes que entrenar ocho horas al día durante los tres días que faltan.
2. □ Esta mañana, no puedo hacer lo que me pediste. Lo voy a hacer en la tarde, ¿de acuerdo?

   ■ De acuerdo.
3. □ Como no disponemos de mucho tiempo, hoy nos vamos a limitar a ordenar la estantería. ¿Les parece?

   ■ De acuerdo.

B. de acuerdo con *loc.prep.* 依照，根据

1. Don Quijote aseguró que actuaría en todas las circunstancias de acuerdo con las reglas de la caballería andante.
2. De acuerdo con las últimas informaciones, el accidente se ha cobrado dos muertos y cinco heridos.

3. De acuerdo con el anuncio de la corte, la boda del príncipe se celebrará el primero de mayo.
4. De acuerdo con la opinión de muchas personas de aquella época, Cristóbal Colón había perdido el juicio al pretender llegar a la India navegando siempre al oeste, por el Atlántico.

VI. lanzar(se)

A. *tr.* 扔，投

1. ¡Eh, niños, dejad de lanzar piedras! Podéis hacer daño a la gente que pasa por aquí.
2. Los jóvenes palestinos se limitaban a lanzar cosas que encontraban en el suelo contra los tanques israelíes.

B. *tr.* 发出

1. Cuando la mujer abrió la puerta y vio un cadáver tendido en el suelo, lanzó un grito de espanto.
2. Reunida delante de aquel palacio suntuoso, la multitud lanzaba miradas de odio al dictador, que se había asomado al balcón.

C. *prnl.* 冲向，扑向

1. Uno de los bomberos se lanzó a las llamas para rescatar a un niño.
2. El zorro se lanzó sobre el queso que se le había caído al cuervo.
3. Don Quijote se lanzó contra los molinos de viento（风车）creyendo que eran gigantes contra quienes tenía que luchar.

VII. por fin *loc.adv.* 终于

1. Me alegro de que, por fin, hayas decidido confesarme lo que venías ocultándome durante tanto tiempo.
2. Tras haber insistido tanto, conseguimos, por fin, persuadir al director de que renovara los equipos de producción.
3. Después de discutir en el parlamento y en otras instancias oficiales, por fin, el gobierno ha decidido librar una campaña a fondo contra la corrupción.
4. Por fin, la autoridad declaró que pondría en libertad a aquellos presos injustamente condenados.

VIII. publicar

A. *tr.* 公布，发布

1. Recién empezado el trabajo, ya todo el mundo quería saber cuándo publicaríamos el resultado de la investigación.
2. Me da pena ver que tanta gente cree a pie juntillas todo lo que se publica en los periódicos.
3. La prensa oficial viene publicando sucesivamente las últimas disposiciones gubernamentales que tratan de solucionar la grave crisis del país.

B. *tr.* 发表，出版

1. ¿Recuerdas en qué año se publicó la primera parte de la inmortal obra *El Ingenioso Hidalgo Don Quijote de la Mancha*?
2. Este libro mío es una especie de recopilación de aventuras graciosas para entretener a la gente en sus horas de ocio. No estoy muy seguro de si alguna editorial quiere publicarlo.
3. Estos archivos, no publicados hasta ahora, son valiosos para estudiar la biografía de Cervantes.

C. publicación *f.* 发表，出版；刊物，出版物

1. La publicación del poemario（诗集）*Viento de otoño* significó para su joven autor el primer triunfo de su vida literaria, pues mereció el Premio Nacional de su país.
2. No entiendo por qué en tu país están prohibidas unas publicaciones que a mí me parecen totalmente normales.

IX. superar

A. *tr.* 超过

1. Don Quijote se creía un caballero andante que superaba en audacia y valentía a muchos del oficio.
2. Como profesor, siempre les digo a mis alumnos que el mejor discípulo no es el que sigue fielmente a su maestro sino el que lo supera.
3. Amanda, eres inteligente y tienes carácter fuerte. En ambos aspectos superas a muchos de tus compañeros.

B. *tr.* 克服

1. Para mantenernos firmes en el combate contra la injusticia social, hace falta que superemos el temor al fracaso.
2. Don Quijote pensaba que para ganarse el amor de Dulcinea, tenía que superar, antes que nada, enormes y complicados contratiempos.
3. Por fin Alejandro superó sus propias barreras culturales y consiguió adaptarse al ambiente social del país al que había emigrado.

X. tomar parte *perif.verb.* 参加

1. Cervantes quedó manco de la mano izquierda en un acto de guerra en que tomó parte: la batalla naval de Lepanto.
2. Siendo muy joven, mi abuelo se incorporó al ejército y tomó parte en muchas batallas de la guerra antijaponesa.
3. Un tercio de los que tomaron parte en las competiciones deportivas el pasado fin de semana eran estudiantes universitarios.

RESPECTO AL LENGUAJE

I. Diferenciación entre el pretérito indefinido y el pretérito imperfecto

这两个时态是中国学生学习的难题之一。由于英语没有这两种过去时的区分，或许是受此影响，很多同学往往倾向于用简单过去时来取代过去未完成时，因此有必要再一次明确两者之间的不同，并反复练习，以期熟练掌握。不过，在进一步深入讲解之前，还是请大家先复习本套教材第二册第四、五、六课的语法项目。这里就不赘述其中的内容了。

想必大家都看过戏剧：大幕拉开，首先映入眼帘的是舞台布景，或内景或外景，通常是室内的门窗、陈设或室外的山水景色，间或还会有剧中非主要角色和各类动物的活动。然后，剧中人物入场，开始对话并再现种种生活细节。那么，这一切和上述西班牙语中的两个动词时态有什么关联呢？这么说吧，过去未完成时是用来描述布景的，而简单过去时则旨在叙述角色的活动。请看下面的短文：

例 ***Había*** edificios a ambos lados de la calle. Las tiendas ***estaban*** abiertas. Toda clase de vehículos ***corrían*** veloces. La gente ***iba*** y ***venía***, ***entraba*** a los comercios y ***salía*** de ellos. Los vendedores ambulantes ***pregonaban*** sus mercancías. Algunos ***discutían*** el precio con los compradores, otros ***conversaban*** con sus vecinos.

显而易见，整段用的都是过去未完成时。尽管其中也包含了人物的活动，但那实际上是布景的组成部分，均由“群众演员”扮演。一旦在这样的场景下发生了具体事件，便很自然地改用简单过去时来表述。我们可以设想如下种种可能：

① Alguien ***pegó*** un grito: “¡Al ladrón!”

② De repente, un coche ***atropelló*** a un ciclista.

③ ***Se oyó*** una estridente sirena y acto seguido ***pasó*** volando una ambulancia.

④ ***Se nubló*** el cielo y, de improviso, ***empezó*** a llover.

蓝色斜体部分才是戏剧的主体，剧中角色以自己的活动来叙述所发生的事情。

请再阅读一篇短文，进一步深入体会这两种过去时态是如何分别承担描述背景和讲述事件的功能的：

Era un domingo soleado. En el parque ***se veía*** gente por todas partes. Sentados en los bancos, los ancianos ***tomaban*** el sol mientras ***miraban*** a los niños que ***correteaban***, ***saltaban***, ***charlaban*** y ***reían***. Otras personas, o ***hacían*** deportes, o ***paseaban*** ociosas. Y no ***faltaban*** parejas de enamorados acurrucados（偎依）bajo la sombra de un árbol. ***Daba*** la impresión de que ***se arrullaban***（鸽子等咕咕叫）como palomitas.

De repente, ***se oyó*** un grito de espanto y ***se vio*** que una mujer ***corría*** enloquecida hacia el lago: su hijo había caído al agua. ***Se dio*** la casualidad de que un joven

pasaba por allí. Sin vacilar, ***se arrojó*** al lago. ***Nadó*** rápidamente hasta donde se hallaba el niño, lo ***alzó*** en sus brazos y ***logró*** sostenerlo en lo alto. Al verlo en esos aprietos, algunas personas ***se disponían*** a lanzarse al agua pero no ***hizo*** falta, pues alguien les ***tiró*** un salvavidas...

II. Palabras de la misma familia

在学习构词法时，我们已经注意到一个词根可以派生出诸多不同词性的词语，从而构成一个同根词聚合体，我们将之称作同族词。比如trabajo, trabajar, trabajador/ra, trabajoso; estudio, estudiar, estudiante, estudioso; vivir, viviente, vivo/va, vivificar, sobrevivir, vida, vital, vitalizar, vitalidad，等等。掌握了这方面的知识，将大大有助于迅速有效地扩充词汇量。希望同学们自觉主动地不断积累和总结这方面的规律，并因而获得事半功倍的学习效果。

III. Sustantivo / Adjetivos gentilicios

可能同学们已经观察到，总会有一个同根形容词对应某个国名、地区名、城镇名等。而这个形容词又往往能用作名词，指称相应的居民名，甚至语言名。这就是我们要说的籍贯名词 / 形容词（sustantivos/ adjetivos gentilicios）。

国名 / 地名	籍贯名词 / 形容词	国名 / 地名	籍贯名词 / 形容词
Andalucía	andaluz/za	Finlandia	finés/a; filandés/sa
Argentina	argentino/na	Francia	francés/sa
Bolivia	boliviano/na	Galicia	gallego/ga
China	chino/na	Guatemala	guatemalteco/ca
España	español/la	Madrid	madrileño/ña

几个例证已足够说明，其间并无明显的派生规则，很多情况下都必须查阅词典才能知晓。这再一次提醒我们使用工具书的重要性，尤其原文词典在学习中必不可少。

社会文化常识 CONOCIMIENTO SOCIOCULTURAL

网络语言

在网络时代，短信息（mensaje de texto 或 SMS）、博客（blog）或微信（Wechat）是人们交流的重要手段。为追求信息传递的容量和速度，在短信、微博和微信中，语言都趋于简洁，这就形成了独特的网络语言（ciberlenguaje）。

在西班牙语的网络语言中，最常见的“快捷形式”是在书写时将单词或句子简化。方式有以下几种：

1. 省略元音，只保留辅音。例如 siempre 简化为 smpr，bien 简化为 bn，nada 简化为 nd，bebé 简化为 bb，decir 简化为 dcr，mensaje 简化为 msj。

2. 省略某一个或几个元音，保留一个或两个元音：fiesta 简写为 fsta，hola 简写为 hla，amor 简写为 amr。

3. 用字母替代单词：x 代替 por，k 代替 qué，pf 代替 por favor，porque 被写成 xque 或者 xq。

4. 用数字替代单词：2 代替 dos，100 代替 sien。于是，siento dolor 写成 100to dolr，los dos podemos hacerlo 写成 los 2 podemos hcerlo。

5. 用符号替代单词：= 代替 igual，+ 代替 más。

依照上述做法，一些句子也被缩写。方式既可以是使用句子中每个单词的首字母，如 te quiero mucho 写成 TQM，也可以是将句子简化为若干个字母，如 porque te quiero 被写成 xq tq。

网络语言大量使用引起了社会的关注。一些专家或学者认为网络语言破坏了语言的规范性，对其造成了“污染”，应当禁止。而许多使用者则认为网络语言是时代的产物，是社会亚文化的组成部分。更有许多青少年将网络语言视为自己的身份象征，而且将其看作时尚。

汉语网络语言和西班牙语的网络语言有什么相同和不同之处？你能举出一些例子并谈谈自己的看法吗？

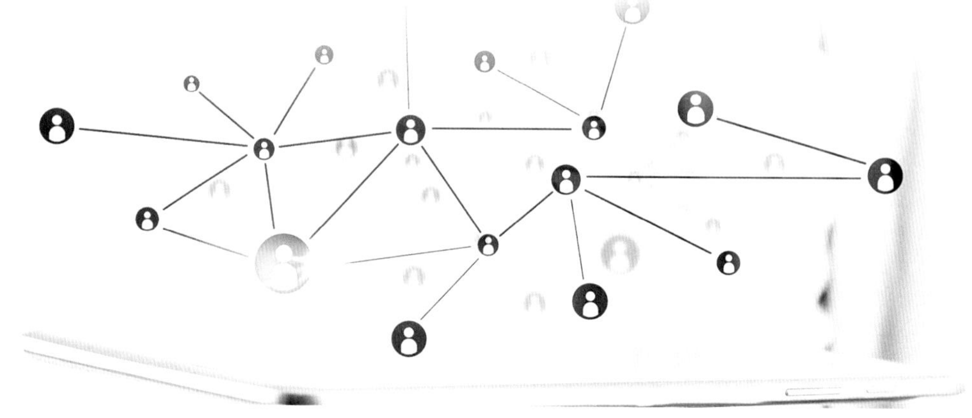

EJERCICIOS

02-03

I. Siguiendo la grabación, lea las siguientes frases hechas, poniendo atención en la fonética y en la entonación:

1. A la fuerza ni los zapatos entran.
2. Caballo, mujer y escopeta a nadie se le presta.
3. Quien siembra viento, recoge tempestades.
4. Del árbol caído todos quieren hacer leña.
5. Caras vemos, corazones no sabemos.
6. Donde manda capitán no gobierna marinero.
7. El león cree que todos son de su condición.
8. Hasta al mejor cazador se le va la liebre.
9. Los niños y los borrachos siempre dicen la verdad.
10. No por mucho madrugar amanece más temprano.
11. Árbol que nace torcido jamás su tronco endereza.
12. No hay mal que dure cien años, ni cuerpo que lo aguante.
13. Quien a buen árbol se arrima, buena sombra le cobija.
14. Al nopal lo van a ver solo cuando tiene tunas.
15. Camarón que se duerme se lo lleva la corriente.

II. Conjugue los siguientes verbos en todas las personas de los modos y tiempos indicados:

1. En presente del indicativo y del subjuntivo:

aclarar, *acordar*, *adjudicarse*, *amanecer*, asegurar, *buscar*, ceder, combatir, consistir, *contar*, deberse, dejar, *enderezar*, *fallecer*, *hacer*, *inutilizar*, *lanzarse*, librar, limitarse, *obtener*, *pagar*, percibir, presentar, *protagonizar*, *publicar*, recaudar, rescatar, *saber*, *vencer*, viajar;

2. En pretérito indefinido del indicativo y en pretérito imperfecto del subjuntivo:

adjudicarse, *alargar*, amparar, *andar*, armar, *atribuir*, *colocar*, completar, *creer*, cumplir, *decir*, *hacer*, incorporarse, *irse*, montar, *morir*, *obtener*, olvidarse, pasar, *poner*, prometer, *protagonizar*, recopilar, reparar, retornar, *saber*, *sacar*, superar, titular, *venir*;

3. En pretérito perfecto y pretérito pluscuamperfecto del subjuntivo:

acompañar, amanecer, amparar, atisbar, ceder, combatir, *componer*, consistir, *cubrir*, deberse, decidir, *descubrir*, emplear, enderezar, *escribir*, incorporarse, inutilizarse, librar, llamar, nacer, nombrar, perderse, *poner*, publicar, recordar, regresar, *rehacer*, rescatar, superar;

4. **En futuro imperfecto del indicativo y en condicional simple:**
acompañar, aficionarse, armarse, arrancar, asegurar, coexistir, combatir, *contraponer*, dañar, *decir*, descubrir, encarcelar, extrañarse, *hacer*, librar, llamar, *obtener*, perder, *proponer*, *provenir*, recaudar, referirse, rescatar, *saber*, superar, *suponer*, surgir, *tener*, tomar, *venir*.
（斜体部分需笔头重复）

02–04

III. Escuche las preguntas sobre el texto y contéstelas oralmente en español.

IV. Aclare, por escrito, a qué se refieren los términos en cursiva; y en caso de que sean verbos, diga cuál es el sujeto. Todas las oraciones son del texto:

1. Dos años después, tomaría parte en la famosa batalla naval de Lepanto, ***librada*** cerca del puerto griego d***el mismo nombre***.
librada:
el mismo nombre:
2. En ***ella***, ***se le inutilizó*** para siempre la mano izquierda, ***hecho*** a***l cual*** se debió ***su*** sobrenombre de *El Manco de Lepanto*.
ella:
se inutilizó:
le:
hecho:
el cual:
su:
3. Según referencias de ***sus biógrafos***, en ese período ***se le presentaron*** varias oportunidades de ser rescatado y regresar a España, pero ***se las*** cedió a ***sus compañeros de infortunio***.
sus biógrafos:
se presentaron:
le:
se:
las:
sus compañeros de infortunio:
4. Cuando, por fin, una hermana suya pagó el rescate para que ***lo pusieran*** en libertad, todavía tuvo que superar múltiples dificultades antes de retornar a ***su país***.
lo:
pusieran:
su país:

5. Ya en ***él***, obtuvo un modesto puesto de empleado ***cuya*** misión consistía en recaudar dinero y víveres para la Armada Invencible.

   él:

   cuya:

6. Justo en ***este período*** ocurren sus dos encarcelamientos cuyos motivos hasta hoy día no ***se han aclarado*** suficientemente.

   este período:

   se han aclarado:

7. Una versión asegura que una de ***esas condenas*** se debió a que un amanecer la policía descubrió, en la puerta de su casa, un cadáver que alguien – nunca se supo quién – había dejado ***ahí***.

   esas condenas:

   ahí:

8. En ***el libro se cuenta*** la historia de un hidalgo venido a menos que perdió el juicio debido a su afición por los libros de caballería.

   el libro:

   se cuenta:

9. ***Su*** mirada, algo severa, siempre se halla ***fija*** en un punto, como si ***buscara*** algo en la lejanía.

   Su:

   fija:

   buscara:

10. ***Se sabe*** que ***su*** exagerada afición por leer libros de caballería ***le hizo*** un día perder el juicio...

    Se sabe:

    Su:

    le:

    hizo:

11. ...y así, ya sin juicio, tomó la decisión no solo de armarse caballero andante sino también, como ***tal***, salir en busca de aventuras que ***le permitieran*** reparar daños, enderezar lo torcido, combatir a los opresores y amparar a los débiles.

    tal:

    le:

    permitieran:

12. Las artes gráficas suelen representar***lo*** con una larga lanza en la mano y ***montado*** en un caballo flaco y viejo ***al*** que ***le ha puesto*** el nombre de Rocinante.
    lo:
    montado:
    al:
    le:
    ha puesto:
13. Aplicando estrictamente las leyes de la caballería, ***se hace acompañar*** de un escudero, que no es otro que ***su*** vecino, un rústico campesino llamado Sancho Panza, ***un hombre*** bajo y gordo, cara redonda y morena y abultada barriga.
    se hace acompañar:
    su:
    un hombre:
14. ***Posee*** un asno lento y torpe, ***su*** cabalgadura, y ***anda*** soltando constantemente refranes y dichos populares.
    Posee:
    su:
    anda:
15. De esa manera, ***ambos***, caballero andante y escudero, se lanzan a los caminos en busca de aventuras de ***las cuales salen***, en la mayoría de los casos, ***mal parados***.
    ambos:
    las cuales:
    salen mal parados:
16. ***La obra*** tuvo gran éxito tanto en España como en otros países europeos.
    La obra:
17. Sin embargo, durante bastante tiempo, tanto críticos especializados como lectores comunes y corrientes, ***se limitaron*** a ver en ***ella*** una simple recopilación de sucesos cómicos ***protagonizados*** por personajes graciosos, ***cuya*** finalidad no era otra que hacer pasar un buen rato, arrancándo***les*** carcajadas, a ***los*** que ***la leyeran***.
    se limitaron:
    ella:
    protagonizados:
    cuya:
    les:
    los:
    la:
    leyeran:

18. Después de publicar la primera parte, Cervantes prometió escribir ***la segunda***, pero ***pasaron*** los años sin que ***cumpliera su palabra***.

    la segunda:

    pasaron:

    cumpliera

    su palabra:

19. El éxito de la obra fue tan grande que cierto escritor trató de adjudicar***se su*** fama sacando a la luz un libro titulado *Segundo Tomo del Ingenioso Hidalgo Don Quijote de la Mancha*, ***atribuido*** a un tal Fernández de Avellaneda.

    se:

    su:

    atribuido:

20. Cervantes, que ya venía escribiendo la continuación de su inmortal obra, publicó la auténtica segunda parte de ***su novela*** en 1615, un año después de ***la*** de Avellaneda.

    su novela:

    la:

21. Aparte de ***este gran monumento literario universal***, Cervantes dejó, entre novelas, cuentos, comedias y poemas, ***una buena cantidad de obras notables***.

    este gran monumento literario universal:

    una buena cantidad de obras notables:

22. Cervantes murió en la pobreza, en Madrid, el 23 de abril de 1616, el mismo día y año en que fallecieron William Shakespeare, el gran escritor inglés, y ***otro grande*** de las letras hispanas: el peruano Inca Garcilaso de la Vega.

    otro grande:

V. Conjugue los infinitivos que están entre paréntesis en el tiempo y la persona correspondientes:

1. Uno de los soldados de Atahualpa lo __________ (informar) de que un extranjero montado en un extraño animal __________ (venir) a visitarlo.
2. Como el padre de Cervantes __________ (ejercer) de cirujano recorriendo diversas ciudades españolas, él __________ (tener) que cambiar de escuela constantemente en su infancia y adolescencia.
3. Cerca de un bosque, don Quijote __________ (oír) que alguien __________ (gritar) pidiendo ayuda. __________ (Dirigirse) ahí y __________ (ver) que un hombre robusto __________ (estar) pegando duramente a un débil muchacho.
4. Al ver que don Quijote __________ (disponerse) a lanzarse sobre el molino de viento, Sancho Panza __________ (apartarse) rápidamente de él, pero sin dejar de advertirle a

gritos que no __________ (ser) un gigante sino un molino de viento.

5. Cervantes __________ (incorporarse) a la armada española cuando __________ (viajar) por Italia.
6. Cuando Avellaneda __________ (sacar) a la luz el apócrifo *Segundo Tomo del Ingenioso Hidalgo Don Quijote de la Mancha*, Cervantes todavía __________ (estar) escribiendo el suyo propio.
7. Siento no poder describir todos los detalles. Solo recuerdo que el hombre que __________ (venir) a buscarte ayer __________ (usar) abundante barba y __________ (tener) una barriga abultada.
8. En aquel entonces el trabajo que me __________ (encargar, ellos) en el equipo de investigación __________ (consistir) en recoger datos biográficos de los novelistas latinoamericanos modernos de mayor importancia.
9. Aquella noche mucha gente __________ (presenciar) cómo don Quijote __________ (permanecer) inmóvil y sereno recibiendo las piedras que le __________ (lanzar) los arrieros.
10. En aquella ocasión les __________ (decir, yo) a todos los presentes que no __________ (tratar, yo) de convencer a nadie y que __________ (limitarse) a revelar la verdad.

VI. Conjugue los infinitivos que están entre paréntesis en el tiempo y la persona correspondientes:

En 1569, cuando __________ (tener) 22 años, Miguel de Cervantes publicó sus primeros poemas. Dos años más tarde, __________ (tomar) parte en la batalla contra los turcos（土耳其人）en Lepanto. Justo aquel día __________ (estar) enfermo, de modo que su jefe y sus compañeros le __________ (aconsejar) que __________ (quedarse) bajo cubierta（甲板）a descansar. Cervantes __________ (negarse) muy enojado e __________ (hacer) que el jefe lo __________ (colocar) en un puesto importante, pero peligroso. __________ (Combatir) en forma muy valiente hasta que la batalla __________ (terminar) con el triunfo de los españoles. Pero a él lo __________ (herir) en el pecho y en la mano izquierda.

De regreso a España, el barco en que __________ (ir, él) __________ (ser) atacado por un grupo de piratas argelinos, quienes lo __________ (hacer) prisionero y lo __________ (llevar) a Argel. Mientras __________ (estar) cautivo, __________ (presentársele) varias oportunidades de ser rescatado, pero se las __________ (ceder) a sus compañeros de infortunio. __________ (Organizar, él) cuatro fugas（越狱）, pero __________ (fracasar) en todas. Por fin, el 19 de septiembre de 1580, gracias a una hermana suya, que __________ (pagar) el rescate, el escritor __________ (ser) puesto en libertad y __________ (poder) retornar a su tierra natal.

En 1587, Cervantes __________ (trasladarse) junto con su familia a Andalucía. __________ (Encontrar) allí un modesto puesto de empleado cuya misión __________ (consistir) en recoger cereales y aceite para financiar a la Armada Invencible. El cargo le __________ (proporcionar) oportunidades de recorrer ciudades y pueblos de la zona donde __________ (ponerse) en contacto directo con el pueblo.

VII. Busque en el texto las palabras que contengan las mismas raíces que las que se dan a continuación:

andar		lejos	
arma		muerte	
biografía		nombre	
bulto		olvidar	
caballo		oportuno	
cárcel		pobre	
claro		prisión	
cubrir		profundo	
cuerpo		referir	
fama		rescate	
fortuna		seguro	
genio		útil	
largo		vencer	

VIII. Transforme los siguientes sintagmas verbales en sintagmas nominales:

Ejemplo ***aclarar el asunto → la aclaración del asunto***

abultar la barriga	
adjudicar un premio	
alargar el camino	
amparar a los débiles	
atribuir culpas	
colocar estanterías	
describir el paisaje	
encarcelar al criminal	
fallecer (Cervantes)	

incorporar un nuevo capítulo	
inutilizar la pierna derecha	
lanzar piedras	
limitar los gastos	
publicar libros	
recaudar víveres	
recopilar poemas	
rescatar prisioneros	
superar dificultades	

IX. Diga los gentilicios correspondientes a los siguientes topónimos:

A.

Argentina		Honduras	
Bolivia		México	
Chile		Nicaragua	
Colombia		Panamá	
Costa Rica		Paraguay	
Cuba		Perú	
República Dominicana		Puerto Rico	
Ecuador		El Salvador	
Guatemala		Uruguay	

B.

Asunción		Lima	
Barcelona		Montevideo	
Bogotá		La Paz	
Buenos Aires		Quito	
Caracas		Santiago de Chile	
La Habana		Sevilla	

X. Ejercicio del léxico:

A. Rellene los espacios en blanco con las preposiciones adecuadas o la forma contracta de artículo y preposición:

1. El embajador y su señora se colocaron ______ ambos lados ______ la puerta ______ dar la bienvenida ______ los invitados que acudían ______ la recepción.

2. Sancho Panza le aseguró ______ don Quijote que, instruido ______ su señor amo, llegaría ______ ser el mejor escudero, superior ______ la mayoría ______ oficio.
3. Sospeché que habías perdido el juicio cuando supe que querías tomar parte ______ ese tipo ______ actividades.
4. Cuando se sacó ______ la luz el supuesto *Segundo Tomo* ______ *Ingenioso Hidalgo Don Quijote* ______ *la Mancha*, atribuido ______ un tal Fernández ______ Avellaneda, Cervantes se vio obligado ______ adelantar la publicación ______ suyo propio.
5. La labor que nos ha encargado el decano ______ Martín, ______ Laurencia y ______ mí consiste ______ organizar un acto conmemorativo ______ 60 aniversario ______ la facultad.
6. Te recomiendo *La montaña iluminada*, una comedia recién publicada que, según se dice, no tardará ______ ser puesto ______ escena ______ una prestigiada compañía ______ teatro.
7. ______ acuerdo ______ algunos biógrafos, ______ pesar ______ su enorme éxito literario, Cervantes falleció ______ la pobreza.
8. ______ haber reflexionado ______ lo que le había dicho su asesor, ______ fin, el gerente decidió incorporar ______ proyecto las propuestas hechas ______ este.
9. Dime algunos adjetivos que sirvan ______ describir los rasgos físicos ______ una persona.
10. El campesino lanzó una piedra ______ pozo ______ saber su profundidad.
11. Antes ______ que el león se lanzara ______ él, el cazador se subió ______ árbol que tenía ______ lado.
12. □ Cuando veas ______ Carolina, limítate ______ escucharla y no le digas nada, ______ el momento.
    ■ ______ acuerdo.

B. Complete las oraciones utilizando en forma apropiada los vocablos que se dan a continuación, o, si el caso lo requiere, los de su misma familia:

ambos	***asegurar***	***colocar***	***consistir***	***de acuerdo***
lanzar	***por fin***	***publicar***	***superar***	***tomar parte***

1. __________ con algunos datos biográficos, fue una hermana de Cervantes quien pagó el rescate para sacarlo del cautiverio.
2. Al comienzo, esas dos empresas no querían firmar el convenio de cooperación, pero tras prolongadas negociaciones, __________ se dieron cuenta de lo conveniente que era y llegaron a un acuerdo.

3. Si Cervantes no __________ en la batalla de Lepanto, no habría sido hecho prisionero por piratas argelinos ni tampoco habría estado preso en Argel.
4. Cuando Cervantes __________ su *Segundo Tomo del Ingenioso Hidalgo Don Quijote de la Mancha*, quedó al descubierto el engaño del autor de la obra apócrifa.
5. Evidentemente Sancho estaba mintiendo cuando __________ que había visitado a Dulcinea en el pueblo de Toboso.
6. ¿Dónde piensas __________ el sofá recién tapizado?
7. Para protegerla del ataque del perro, Osvaldo __________ delante de su hermana.
8. A fin de publicar un nuevo refranero, Gladis se ha planteado un nuevo plan de trabajo que __________ en recopilar la mayor cantidad posible de refranes españoles.
9. No nos imaginábamos que hubiera que __________ tantas dificultades para llevar a cabo nuestro proyecto.
10. Al ver que yo me proponía decirle algo al desconocido, Inés me __________ una mirada de advertencia.
11. No debes limitarte a leer el periódico. Tienes que ampliar tu lectura a otro tipo de __________, como libros y revistas.
12. Esta casa está por venirse abajo de un momento a otro. Ya no vale la pena que la __________ (nosotros) de esta manera.
13. Queda muy lejos el puerto y ustedes están cansados, pero no podemos quedarnos aquí. Tenemos que irnos y lo vamos a hacer caminando, ¿ __________?
14. En un principio, Alfonso no quería colaborar con nosotros, pero tras conversar con él durante tres horas, __________ conseguí convencerlo.
15. El joven __________ al río y pudo rescatar a la niña que se había caído al agua.
16. Estoy seguro de que si __________ esas noticias, habrá un gran escándalo.
17. Les __________ (yo) que el encarcelamiento de esta gente es totalmente injusto.
18. __________ todos los obstáculos. Creo que el trabajo puede avanzar con mayor rapidez.

02–05

C. Escuche la perífrasis y luego diga el vocablo o la expresión que corresponda a su significado:

1. Hacer más clara una cosa: ____________
2. Apropiarse, tomarse una cosa para uno mismo indebidamente: ____________
3. Proteger, dar amparo a una persona: ____________
4. Conjunto de fuerzas navales de un Estado: ____________
5. Autor de biografías: ____________
6. El cuerpo de un muerto: ____________
7. Limitado, no suficiente: ____________

8. Que no muere nunca: ____________
9. Que no puede ser vencido: ____________
10. Dicho ingenioso de tradición popular que contiene una enseñanza o un consejo: ____________

XI. Conjugue los infinitivos que están entre paréntesis en el tiempo y la persona correspondientes:

De pronto sentí el calor de una mano que me ____________ (empujar) por la espalda. ____________ (Haber) un hombre a mi lado. ____________ (Ser) el guía que nos ____________ (acompañar) en el viaje, un hombre del país que ____________ (conocer) bien aquellos caminos y lugares. Sus ojos me ____________ (mirar) con un miedo imposible de describir. Me ____________ (empujar) una y otra vez como diciéndome: "Señor, deprisa, ____________ (acompañarme) lejos, muy lejos de aquí". Yo no ____________ (entender) qué ____________ (pasar). No ____________ (saber) qué hacer. ____________ (Estar) entre enfadado y asustado.

–¡Por la memoria de su madre! –____________ (decir, él) de pronto–. ¡Por lo más querido! ¡Por favor, señor, ____________ (ponerse) ese sombrero y ____________ (marcharse) de este lugar! ¿Cómo ____________ (poder) estar rezándole a esta cruz? ¿No ____________ (saber) que ____________ (ser) la Cruz del Diablo? ¿O ____________ (ser) que no ____________ (tener) usted bastante con la ayuda de Dios?

Lo ____________ (mirar, yo) un rato en silencio. Ese hombre ____________ (estar) loco.

(La Cruz del Diablo, Gustavo Adolfo Bécquer,
Santillana / Universidad de Salamanca, Madrid, 2007: 8)

XII. Cuando haga falta, rellene los espacios en blanco con preposiciones y artículos o formas contractas de artículo y preposición:

(Continuación del texto del ejercicio anterior)

–Usted –dijo– quiere llegar ______ Francia. ¿No es así? Pues escuche: si delante ______ esta cruz le pido ayuda ______ los cielos, nunca lo conseguirá. Las montañas se levantarán ______ las nubes. Se esconderán ______ la niebla los caminos. La nieve caerá ______ los campos y usted se verá perdido ______ siempre. Nadie podrá encontrarlo.

Las palabras ______ guía me hicieron sonreír.

–No me cree usted, ¿verdad? Usted piensa que esta es una cruz normal, como las que hay ______ las iglesias.

–¿Quién lo duda?

–Pues se equivoca usted, señor, y mucho. Créame y márchese ahora mismo ______ este lugar. Esta cruz no es ______ ______ Dios, sino ______ diablo.

–¡La Cruz ______ Diablo! –me repetía ______ mí mismo ______ voz baja– ¡La Cruz ______ Diablo...!

La verdad es que empezaba ______ sentir miedo. Tenía ganas ______ salir pronto ______ allí, lo más rápido posible, ______ esperar ______ mis compañeros. Pero, intentando parecer tranquilo, le dije ______ hombre...

(La Cruz del Diablo, Gustavo Adolfo Bécquer, Santillana / Universidad de Salamanca, Madrid, 2007: 10)

02–06

XIII. Dictado.

02–07

XIV. Escuche la grabación y luego haga una versión oral resumida.

XV. Trabajos de casa:

1. Trate de leer el texto de manera fluida.
2. Temas de conversación:
   1) Diálogo sobre lo que se sabe de la vida de Cervantes;
   2) Diálogo sobre el contenido de *El Ingenioso Hidalgo Don Quijote de la Mancha*;
   3) Diálogo sobre la figura de don Quijote y Sancho Panza;
   4) Diálogo sobre algunas anécdotas que conozca de *El Quijote*.
3. Traduzca al español las siguientes oraciones:
   1) 已经搞清楚塞万提斯两次被判刑入狱的原因了吗？
   2) 所有公民都有帮助和保护弱势群体的义务。
   3) 除了《奇思异想的绅士堂吉诃德·德·拉曼查》，塞万提斯还给我们留下了什么作品？
   4) Héctor那个不知羞耻的把会议成功的功劳归为己有，可事实上大家都为组织工作出了力。
   5) 要和这些社会弊病坚决做斗争。
   6) 主席先生，能让我再补充几句，把我自己的意思说完整吗？
   7) 我的一位邻居向我仔细描述了我不在家时，来找我的人的相貌特征。
   8) 就我打算撰写的论文而言，我所掌握的资料还十分不足。
   9) 我爷爷参军时，刚刚17岁。
   10) 当时想方设法能从火灾中抢救出来的东西不多。

UNIDAD 3
第三课

1. FUNCIÓN COMUNICATIVA

2. EJEMPLOS CON ALGUNOS VOCABLOS USUALES

   a diferencia de, a fin de, destinar, determinar, entregar(se), manejar, privar, repartir, reservar, suceder

3. RESPECTO AL LENGUAJE

   - Construcción conjuntiva disyuntiva/ distributiva: *sea... sea...*
   - Construcción conjuntiva distributiva ascendente: *no solo... sino que...*
   - Construcción conjuntiva ponde-rativa: *no otra cosa sino/ que... (más ... que)*

4. CONOCIMIENTO SOCIOCULTURAL

   - 西班牙语的历史演变

TEXTO

Prometeo

Debido a su calidad de titán, Prometeo alternaba con los dioses en el Olimpo. Enemigo de toda sumisión y tiranía, creó una casta –los seres humanos– para que, con el tiempo, sucediera a los dioses olímpicos. Según estas referencias de la mitología griega, Prometeo fue el creador y el benefactor de la humanidad.

Inquieto y rebelde, solía valerse de su astucia para engañar a Zeus, el dios de los dioses del Olimpo, como esa vez en que, al determinar el reparto del cuerpo de los animales sacrificados, consiguió que se destinaran los huesos a los dioses y la carne a los hombres. Descubierto el engaño, Zeus decidió castigarlo privando a los hombres del fuego, elemento valioso para la vida, ya que sin él no solo tenían que comer los alimentos crudos sino que no podían aprender a trabajar los metales, ni disponer de una llama encendida en las casas, fuera para disipar la oscuridad nocturna, fuera para ahuyentar el frío invernal. Así, *la flor roja* quedaba reservada únicamente para los dioses del Olimpo.

La respuesta de Prometeo fue inmediata: robó el fuego del Olimpo y se lo entregó a los hombres, junto con otro bien valioso: la sabiduría de las artes.

Zeus se enfureció tanto que decidió castigar a los hombres enviando a casa de Prometeo, como un regalo para su hermano Epimeteo, a Pandora, la primera mujer en la Tierra. Era muy bella y traía consigo una caja secreta que no debía abrir, pero que ella, llevada por una curiosidad incontrolable, abrió. Fue algo terrible: las calamidades –guerras, intrigas, envidias, enfermedades– salieron volando de la caja y se repartieron por todo el mundo.

Pero no fue todo: Zeus tenía reservado otro castigo aún más severo y cruel para Prometeo, consistente en mandar que lo encadenaran a una cima del Cáucaso a fin de que, allí, un águila le devorara el hígado eternamente. Para que el suplicio pudiera cumplirse, el órgano devorado volvía a nacer y crecer una y otra vez, de manera permanente. Sus gemidos no recibían otra respuesta que la indiferencia del cielo, la frialdad de los riscos y el eco que retumbaba en medio de las montañas. No obstante, Prometeo no se sometió a los dioses, quienes, por otro lado, tampoco se ablandaron. La tortura habría proseguido sin límite de tiempo si no hubiera sido por Hércules, quien libró a Prometeo del suplicio matando con sus flechas al ave feroz.

Sin embargo, su sacrificio no fue en vano. Dominado el fuego en sus múltiples usos, la vida de los seres humanos empezó a cambiar de manera radical: inventaron variadas

comidas, construyeron casas acogedoras, que iluminaron con antorchas; derritieron los duros metales para trabajarlos a voluntad; y fabricaron armas temibles, herramientas eficaces y joyas brillantes que fueron a adornar el pecho o los brazos de las mujeres.

En esta historia sobre Prometeo, importante capítulo de la mitología griega, se puede ver reflejada la necesidad de amparo de los pueblos primitivos: debido a la debilidad que sentían frente a las despiadadas fuerzas de la Naturaleza, anhelaban el surgimiento de un ser superior que no solo los protegiera y los sacara de sus sufrimientos, sino que también les enseñase cómo elevar el rendimiento de sus actividades para vivir con mayor bienestar y comodidad. Entre este tipo de héroes dotados de poderes sobrenaturales, que aparecen en casi todas las culturas, Prometeo ofrece cierta peculiaridad. No se limitó a instruir a los mortales, sus protegidos, en el manejo del fuego y en el dominio de muchas otras artes –es decir, no se contentó con entregarles las herramientas del progreso–, sino que hizo mucho más que eso: les iluminó el corazón y la mente con algo de importancia incalculable: la necesidad de rebelarse ante la injusticia y la convicción de que llevarla a cabo cuando hacía falta permitía vivir con dignidad. Él mismo es un vivo ejemplo de esto: no tolerar los abusos y la prepotencia de la máxima autoridad del Olimpo, lo llevó al sacrificio. ¿Quién no se ha conmovido ante la escena en que Zeus, enfurecido por la rebeldía de Prometeo al salir en defensa de los seres humanos, dispone que lo aten a una roca en el Cáucaso donde le espera una terrible y cruel tortura? Quedan a la vista dos cosas: la autoritaria crueldad de Zeus y la indoblegable rebeldía de Prometeo.

A diferencia de Jesucristo, el héroe griego no les ofrece a los hombres la salvación eterna sino que sencillamente les dice: Os doy las herramientas pero vuestro destino está en vuestras propias manos.

03–02

VOCABULARIO

titán	*m.*	巨人
alternar	*tr.*	轮流，交替；打交道
Olimpo		奥林匹斯山
sumisión	*f.*	服从，屈服
tiranía	*f.*	专制，独裁
casta	*f.*	种系，阶层
suceder	*tr.*	连续发生；接替
olímpico, ca	*adj.*	奥林匹斯山的
creador, ra	*m.,f.*	创造者
benefactor, ra	*m.,f.*	恩人，施惠者
inquieto, ta	*adj.*	不安的
astucia	*f.*	狡猾；机敏
reparto	*m.*	分配，分发
sacrificar(se)	*tr.;prnl.*	使牺牲; 牺牲
destinar	*tr.*	把……用于
hueso	*m.*	骨头
engaño	*m.*	欺骗
privar	*tr.*	剥夺
crudo, da	*adj.*	生的，没熟的
disipar	*tr.*	驱散, 使消失
oscuridad	*f.*	黑暗
ahuyentar	*tr.*	赶走，驱散
invernal	*adj.*	冬季的

sabiduría	*f.*	智慧
secreto, ta	*adj.-s.*	秘密的；秘密
incontrolable	*adj.*	失控的
calamidad	*f.*	灾难
envidia	*f.*	嫉妒，羡慕
volar	*intr.*	飞
cruel	*adj.*	残酷的
encadenar	*tr.*	套上锁链
cima	*f.*	顶峰
Cáucaso		高加索山
águila	*m.,f.*	鹰
hígado	*m.*	肝脏
eternamente	*adv.*	永恒地
suplicio	*m.*	折磨
permanente	*adj.*	永久的
indiferencia	*f.*	无动于衷
frialdad	*f.*	冷漠
risco	*m.*	巨石
eco	*m.*	回声
retumbar	*intr.*	回响
ablandarse	*prnl.*	软化
tortura	*f.*	刑罚，折磨
proseguir	*tr.;intr.*	继续
límite	*m.*	界限
flecha	*f.*	箭
ave	*f.*	飞禽
feroz	*adj.*	凶残的
radical	*adj.*	根本的，彻底的
acogedor, ra	*adj.*	宜人的，舒适的
antorcha	*f.*	火炬，火把
temible	*adj.*	可怕的，恐怖的
debilidad	*f.*	薄弱，软弱，弱点
despiadado, da	*adj.*	冷酷，无情
anhelar	*tr.*	希望，渴望
surgimiento	*m.*	出现
sufrimiento	*m.*	苦难，折磨
bienestar	*m.*	舒适，安逸；福利
comodidad	*f.*	舒适，享受
sobrenatural	*adj.*	超自然的
instruir	*tr.*	传授知识、经验等
mortal	*adj.-s.*	必有一死的；凡人
manejo	*m.*	使用，操作
contentarse	*prnl.*	满足于
progreso	*m.*	进步
corazón	*m.*	心；心智
incalculable	*adj.*	无法估量的
injusticia	*f.*	不公正
dignidad	*f.*	尊严
tolerar	*tr.*	容忍，忍耐
abuso	*m.*	滥用权力
prepotencia	*f.*	强权
conmover(se)	*tr.;prnl.*	使受触动，使感动；受触动，感动
atar	*tr.*	拴，绑
autoritario, ria	*adj.*	专横，霸道，专制
crueldad	*f.*	残忍，残暴
indoblegable	*adj.*	不屈服的

PALABRAS ADICIONALES

alternancia	*f.*	轮流
alternativa	*f.*	抉择，二选一
alternativo, va	*adj.*	反复交替的
alterno, na	*adj.*	交替出现/发生的
blando, da	*adj.*	柔软的
cadena	*f.*	链子，系列
crudeza	*f.*	生食；严酷
engañoso, sa	*adj.*	骗人的
envidiar	*tr.*	羡慕；嫉妒
envidioso, sa	*adj.*	心怀嫉妒的
ferocidad	*f.*	凶猛
furia	*f.*	愤怒
furor	*m.*	暴怒，狂怒
indiferente	*adj.*	无动于衷的
permanencia	*f.*	停留
privación	*f.*	剥夺；窘迫
progresar	*intr.*	进步
sucesión	*f.*	接替
torturar	*tr.*	折磨，用刑

NOMBRES PROPIOS

Prometeo 普罗米修斯，意为“先见之明”，古希腊泰坦神族诸神之一。
Zeus 宙斯，古希腊神话中统领宇宙的神，是克洛诺斯和瑞亚的幼子。古罗马神话称朱庇特（Júpiter）。
Epimeteo 厄庇墨透斯，普罗米修斯的兄弟。在希腊神话传说里，普罗米修斯代表人类的聪明，而厄庇墨透斯则代表人类的愚昧。
Pandora 潘多拉，古希腊神话中宙斯命火神赫淮斯托斯用黏土做成的地上的第一个女人，也是作为对普罗米修斯盗火的惩罚送给人类的第一个女人。
Hércules 赫拉克勒斯，又名海格力斯，古希腊神话中的大力神。

VERBOS IRREGULARES

conmover: Se conjuga como ***mover***.
enfurecer: Se conjuga como ***merecer***.
proseguir: Se conjuga como ***seguir***.
volar: Se conjuga como ***contar***.

VERBOS CON CAMBIOS ORTOGRÁFICOS EN ALGUNAS CONJUGACIONES

instruir: Se conjuga como ***construir***.
sacrificar: Se conjuga como ***simplificar***.

EJEMPLOS CON ALGUNOS VOCABLOS USUALES

I. a diferencia de *loc.prep.* 与……不同

1. A diferencia de nuestra antigua casa, esta nueva es muy acogedora.
2. A diferencia de las obras anteriores de la joven escritora, en esta última se observa un cambio radical de estilo.
3. A diferencia de ustedes, que viven anclados en la tradición, nosotros anhelamos el progreso de la sociedad.

II. a fin de *loc.prep.* 为了，目的是

1. Prometeo no solo les entregó el fuego a los hombres sino que, a fin de que mejoraran su vida, les enseñó también todas las artes.
2. A fin de que dejara de ayudar a los seres humanos, Zeus sometió a Prometeo a crueles torturas.
3. Tenemos que seguir luchando a fin de acabar con la injusticia social.

III. destinar

A. *tr.* ～una cosa a / para + *s.* / *inf.* 把（某物）用作……

1. Marta decidió destinar una habitación pequeña pero acogedora para que le sirviera de dormitorio al niño.
2. Cuando cumplí los seis años, mis padres acordaron destinar una gran parte de sus ingresos a mi educación.
3. Todo país civilizado destina una importante partida de su presupuesto a promover la cultura.
4. No toques ese dinero: está destinado a la compra de libros.

B. *tr.* ～a una persona a + *s.* / *inf.* 给（某人）分派（某项工作）

1. A muchos de mis compañeros de la universidad los han destinado al servicio consular de las embajadas chinas acreditadas en países hispanohablantes.
2. A Margarita la quisieron destinar a una agencia de turismo, pero ella no aceptó.
3. De regreso a España, a Cervantes lo destinaron al puesto de recaudador de dinero y víveres para la Armada Invencible.

C. destino *m.* 目的地；命运，命数，宿命

1. Cuando supe que mis dos sobrinos habían salido del hotel con destino desconocido, me entró el temor de que se extraviaran.
2. Renato nos dijo que se iba a Costa Rica, pero alguien lo sorprendió en el aeropuerto tomando un vuelo con destino a Buenos Aires.
3. Según los antiguos griegos, los seres humanos no podían cambiar su destino por terrible que fuera.
4. □ ¿Crees en el destino?

   ■ Siempre lo he tenido claro, y por eso te digo que es absurdo suponer que algo predeterminado –el destino– haya hecho que tú y yo nos encontremos hoy en esta calle. No creo que la vida de cada quien sea un libro escrito de antemano. Sería negar la voluntad y la libertad del ser humano.

IV. determinar

A. *tr.* ～+ *s.* / + *oración* (*subj.*) 决定，A决定了B

1. Su calidad de creador del ser humano determinó que Prometeo sintiera por él una especial simpatía.

2. En forma unánime, los miembros del consejo de ministros determinaron la subida del salario de los trabajadores.
3. De acuerdo con la filosofía materialista, el ser social es quien determina la conciencia.
4. El entorno social en que vivieron esos jóvenes determinó que tuvieran esa forma de comportamiento.
5. Todavía no hemos determinado cuántos días permaneceremos en tu ciudad, de modo que todavía no podemos comprar los billetes de vuelta.
6. Una serie de obstáculos recién surgidos determinó que la investigación del crimen no pudiera proseguir.

B. determinante *adj.* 决定性的

1. El conocimiento del fuego ha sido uno de los factores determinantes para que el ser humano diera sus primeros pasos hacia la civilización.
2. Yo pienso que la pobreza, la postergación y la privación de la libertad que padece la mayoría de la población siempre han sido el factor determinante del estallido de las revoluciones.
3. ¿No crees que la falta de higiene es la causa determinante de muchas enfermedades?

C. determinación *f.* 决定，决心

1. Ni las torturas más crueles consiguieron que Prometeo cambiase su determinación de ayudar a los seres humanos.
2. No tratéis de convencerme. La determinación que acabo de tomar es inapelable.
3. Todavía no se sabe la determinación del ministro. Por el momento ignoro a qué embajada me destinarán.

V. entregar(se)

A. *tr.* 交给，交出

1. A pesar de las amenazas de Zeus, Prometeo consiguió entregar el fuego a los hombres.
2. Me pregunto siempre: ¿Cómo entregó la hermana de Cervantes el rescate a los argelinos para que estos lo pusieran en libertad?
3. Samuel me llamó aparte y me entregó con sigilo un documento que, según me dijo, era secreto.

B. *prnl.* ~*a* 投身于，专注于

1. Me entregué totalmente a la lectura y no me di cuenta de que me hallaba solo en la biblioteca: todos se habían ido.
2. Toda la población se entregó a la intensa labor de reducir, en la mayor medida posible, las pérdidas causadas por las lluvias torrenciales.
3. Al ver a su hija totalmente entregada al estudio, la madre se retiró a su dormitorio, sonriendo con satisfacción.

C. *prnl.* 投降

1. Los invasores cercaron al grupo de soldados que defendían la ciudad y les ofrecieron perdonarles la vida si se entregaban, pero ellos prefirieron morir luchando.

2. Viriato prefirió morir a entregarse a los romanos.
3. Durante mucho tiempo corrió el rumor de que Joaquín se había entregado al enemigo, pero los hechos posteriores demostraron que era una burda mentira.

VI. manejar

A. *tr.* 操作（En América Latina: 驾驶）
1. Siguiendo las instrucciones, Diego aprendió, por fin, a manejar esa complicada máquina.
2. Es admirable tu habilidad de manejar todo tipo de aparatos mecánicos.
3. Quien maneja un automóvil, ¿puede manejar también un autobús?

B. *tr.* 掌握，使用
1. Admiro a las personas capaces de manejar un amplio y rico vocabulario.
2. Lo importante no es aprender de memoria las reglas gramaticales, sino saber manejarlas, de manera espontánea y natural, en el momento de hablar.
3. Prometeo no solo le entregó el fuego al ser humano sino que también le enseñó a manejarlo para que le fuera útil en su vida.

C. *tr.* 操纵（人/事）
1. Los criollos, cansados de que la metrópoli manejara las colonias a su antojo, decidieron librar una lucha para independizarlas.
2. Algunas potencias manejan a otras naciones para resolver sus problemas políticos internacionales.
3. Es una pena ver cómo la gente se deja manejar por los tiranos.
4. En lo que se refiere a los asuntos familiares, Emilio no decidía nada: era un hombre manejado por su mujer.

VII. privar

A. *tr.* ~ a una persona de algo 夺走，夺去
1. Zeus, muy enfurecido, privó al hombre del fuego que Prometeo le había entregado.
2. El representante del pueblo le dijo al tirano: “Nos puedes privar de todo, menos de algo sagrado para nosotros: nuestra dignidad.”
3. Es una pena: mi traslado a otro puesto de trabajo me ha privado de la oportunidad de alternar, en esta oficina, con gente muy interesante.

B. privado, da *p.p.* estar, quedar, permanecer... ~de una cosa 被夺去
1. Al verme disfrazado de diablo, la niña se asustó y quedó, por un momento, privada del habla.
2. Al preso le comunicaron que, como castigo por sus continuas protestas, quedaba privado por largo tiempo de las visitas familiares.
3. Ningún pueblo puede permanecer privado de su libertad en forma indefinida.

VIII. repartir

A. *tr.* 分配

1. Cuando la ayuda humanitaria llegó a la zona del desastre, lo primero que hicieron los voluntarios fue repartir alimentos y agua potable entre los damnificados.
2. La embajada mexicana (de México) donó a la facultad muchas revistas interesantes y el decano decidió que se repartieran entre todos los alumnos.
3. Fue una época en que las grandes potencias imperialistas trataban de repartirse el mundo entre ellas.
4. El que parte y reparte se lleva la mejor parte.

B. *tr.* 分送，递送

1. Tu trabajo consiste en repartir los periódicos a los residentes del barrio.
2. El dueño de la tienda dijo que disponía de doce empleados para repartir las compras a domicilio.
3. La persona encargada de repartir cartas a los destinatarios se llama cartero.

IX. reservar

A. *tr.* 预订

1. Cuando nos vio entrar, el camarero nos preguntó si habíamos reservado mesa.
2. Debes saber que, en esta época de vacaciones, solo es posible conseguir billetes de avión y de tren reservándolos con mucha anticipación.
3. En julio y agosto, los hoteles que están cerca de la playa suelen tener todas sus habitaciones reservadas.
4. Esos asientos delanteros del teatro han sido reservados para el personal diplomático.

B. *tr.* 保存，保留（留待以后使用）

1. Mi madre me dijo que ella reservaba ese dinero para cuando me admitieran en la universidad.
2. Los exploradores se hallaban en una extensa zona desértica donde no había cómo proveerse de alimentos, de modo que decidieron reservar la poca cantidad que les quedaba para momentos todavía más difíciles.
3. Para los grupos minoritarios de la sociedad, llegar al poder quiere decir, entre otras cosas, reservarse esos privilegios que los distancian cada vez más del resto de la gente.

C. *tr.* 保留不说

1. El abogado afirmó que había encontrado varios testigos, pero reservó sus nombres.
2. Al percatarme del（意识到）ambiente que reinaba en la reunión, preferí reservar mi opinión para otra ocasión.
3. Un señor que prefirió reservar su identidad nos proporcionó la lista de los desaparecidos.
4. Nadie te priva de tu derecho de opinión, así que di lo que quieras, no reserves nada de lo que pienses respecto de los profesores.

D. reservado, da *adj.* 不外露的，沉默寡言的，谨慎的

1. Ese amigo tuyo ha permanecido callado durante toda la discusión. ¿Es que no le interesa el tema o es de carácter reservado?
2. A diferencia de sus hermanos, que son todos muy expansivos, Conchita suele mostrarse muy reservada, especialmente, en presencia de desconocidos.

X. suceder

A. *intr.* 发生（事情）

1. ¿Recuerdas en qué año sucedió aquella terrible calamidad?
2. Resulta realmente indignante que sucedan con tanta frecuencia casos de injusticia en el mundo.
3. Son acontecimientos históricos que sucedieron hace miles de años.

B. *tr.* 继承，继位

1. El padre se enfureció al saber que su hijo no quería sucederlo en la administración de la empresa.
2. Los gobernantes que le sucedieron al tirano mantuvieron, por un tiempo, las restricciones a la libertad de expresión.
3. ¡Pobre príncipe! Ansía suceder a su madre en el trono pero ella no da señales de abdicar, pues, como es longeva, cada vez está más saludable.

RESPECTO AL LENGUAJE

I. Construcción conjuntiva disyuntiva / distributiva: *sea... sea...*

课文中有个句子就包含了这种结构。请看下句中的斜体部分："...ni disponer de una llama encendida en la casa, *fuera para disipar la oscuridad nocturna, fuera para ahuyentar el frío invernal.*"其语义相当于汉语里的"不管是……还是……，无论是……还是……"。不妨再举几个例子：

例 ① Para explorar esa gruta, ustedes tienen que estar provistos de algo que ilumine, ***sea*** una lámpara, ***sea*** una linterna, ***sea*** una antorcha.

② Mi amigo me dijo que si no quería congelarme en el crudo invierno de esa zona, tenía que adquirir de inmediato ropa gruesa, ***fuera*** un abrigo, ***fuera*** una chaqueta guateada（棉质衬里）, ***fuera*** un jersey de cuello alto.

③ ***Fuese*** con ideas, ***fuese*** con dinero, o participando directamente en el trabajo, los compañeros de Ismael respaldaron su proyecto.

1. 动词ser的虚拟式必须根据上下文改变时态。
2. 这类结构一般可以简化：只保留第一个列举成分前面的虚拟式ser，其余均可略去，例

如*sea una lámpara, una linterna, una antorcha*。

3. 如果只有两项列举成分，第二项前面ser的虚拟式可由选择连词o替代，例如sea una linterna *o* antorcha。

II. Construcción conjuntiva distributiva ascendente: *no solo ... sino que...*

这种句型可以对应汉语里的连词结构“不仅……而且……”。请看例句：

① Esta planta silvestre ***no solo*** se usa para ahuyentar moscas, ***sino que también*** se aprovecha como materia prima en la industria farmacéutica.

② Aquella violenta caída ***no solo*** le inutilizó a Diana las dos piernas, ***sino que también*** la privó de la vista.

③ El despiadado gerente ***no solo no*** me aumentó el sueldo ***sino que tampoco*** me concedió el permiso para que yo fuera a ver a mi abuela enferma.

III. Construcción conjuntiva ponderativa: *no otra cosa sino / que...* (*más... que*)

下面引用的课文句子中的蓝色斜体部分就是这种结构的具体运用：“Sus gemidos ***no recibían otra respuesta que*** la indiferencia del cielo, la frialdad de los riscos y el eco que retumbaba en medio de las montañas”。

它还有不同的变体：no otro... que / sino que, no más... que，同样的语义也可以表述为：“Sus gemidos ***solo recibían*** (como respuesta) la indiferencia del cielo, la frialdad de los riscos y el eco que retumbaba en medio de las montañas.”也就是汉语里的“仅仅……，只不过……”。

① La presencia de ese tipo comenzó a resultarnos preocupante: no nos traía ***otra cosa que*** calamidades. (或者 : ... no nos traía ***sino***...)

② La población no deseaba ***otro cambio que*** el que propiciara el progreso social.

③ ¡Pobre gente!: no les quedaba ***más perspectiva que*** la del sufrimiento.

社会文化常识 CONOCIMIENTO SOCIOCULTURAL

西班牙语的历史演变

西班牙语属于拉丁（罗曼）语系，历史悠久，因此不可避免地经历过重大变化。在不同时期吸收的大量“外来语”就是变迁的佐证。

在罗马帝国之前，伊比利亚半岛上的居民，如巴斯克人、伊比利亚人、腓尼基人、迦太基人、希腊人，大都拥有自己的语言。我们今天使用的IBERIA一词来自古希腊语，而HISPANIA一词则源自腓尼基语，意为“野兔的家园”。当代西班牙语中，就有不少词汇源自上述语言，如balsa，charco，manteca，perro，puerco，toro，conejo，cerveza，cabaña，lengua等。带有arro，orro，urro，asco，iego等后缀的词语也多来自这些语言，如cacharro，cachorro，peñasco，palaciego等。

罗马帝国建立以后，其官方语言拉丁语逐渐取代上述部族语言，在伊比利亚半岛绝大部分地区使用。随着时间的推移，拉丁语分成了“书面拉丁语（latín literario）”和“通俗拉丁语（latín vulgar）”。前者用于教学、写作，而后者主要用于日常交流。

公元五世纪，西哥特人占领了罗马，推翻了罗马帝国。西哥特王朝虽然短暂，但他们的语言也在半岛上留下了自己的印记。例如，我们熟悉的单词espía，casta，jabón，guerra，guante，sala，orgullo，rico，compañía，以及Alfonso，Adolfo，Fernando，Elvira，Gonzalo，Rodrigo，Ramiro等人名均源自西哥特语。

西哥特王朝瓦解后，伊比利亚半岛进入若干王国并存的时期。比较著名的有卡斯蒂利亚王国、阿拉贡王国、瓦伦西亚王国、巴塞罗那公国等。各个王国均使用自己的语言。卡斯蒂利亚语只是其中之一。

公元八世纪，阿拉伯人进入伊比利亚半岛，开始了对其近八百年的统治，为西班牙乃至欧洲带去了阿拉伯文化，使东西方文明在西班牙这块土地上相互交锋、彼此融合。此时，包括卡斯蒂利亚语在内的各种欧洲语言吸收了大量源自阿拉伯语的词汇，如acequia，alcachofa，alcanfor，berenjena，jarabe，mezquino，ojalá，等等。

1492年，被称为“天主教国王”的费尔南多二世和伊莎贝尔一世联姻，先后征服了其他势力弱小的王国，基本完成了半岛的统一。卡斯蒂利亚语的使用范围扩大到半岛大部分地区，影响力大大增强。

1536年，开启西班牙“日不落帝国”时代的神圣罗马帝国皇帝查理五世（即西班牙国王卡洛斯一世）在与教皇会面时首次使用了“lengua española”这一表述，提出了卡斯蒂利亚语即西班牙语的概念。从此以后，这两个词经常被当作同义词使用。到了现代，随着民族意识的增强，许多西班牙人认为，卡斯蒂利亚语与加利西亚语、巴斯克语以及加泰罗尼亚语同为西班牙的官方语言，单独把卡斯蒂利亚语称为西班牙语是不正确的。

15世纪末，哥伦布到达美洲。卡斯蒂利亚语被殖民者带到新大陆。在那里，这一地区性语言从一开始便被视为宗主国的官方语言，即西班牙语。长达数个世纪的殖民历史也是欧洲与拉丁美洲文化碰撞和融合的历史。在语言层面，大量拉丁美洲土著语言的语汇逐渐被西班牙语吸收，如maca，mate，Xola，maíz，piragua，tomate等。一些西班牙语词汇在拉丁美洲也出现了变体，或被赋予了不同的意义，如informativista，mochilear，nixquear，pestañazo等。

总之，和西班牙语国家文化一样，西班牙语在其演变和传播过程中，吸收了许多民族的语言和文明成果，充分体现了多民族文化融合的魅力。

EJERCICIOS

03–03

I. Siguiendo la grabación, lea las siguientes frases hechas, poniendo atención en la fonética y en la entonación:

1. Si quieres pronosticar el futuro, estudia el pasado.
2. El hombre prudente es parco en el hablar pero activo en el obrar.
3. Alguien que no sabe gobernarse a sí mismo, ¿cómo sabrá gobernar a los demás?
4. Cuando dos hermanos trabajan juntos, las montañas se convierten en oro.
5. Un caballero se avergüenza de que sus palabras sean mejores que sus actos.
6. El hombre que ha cometido un error y no lo corrige comete otro error mayor.
7. Se le puede quitar a un general su ejército, pero no a un hombre su voluntad.
8. Enseñar a quien no está dispuesto a aprender es malgastar tiempo y palabras.
9. La gente se arregla todos los días el cabello. ¿Por qué no el corazón?
10. Cuando veas a un hombre bueno, trata de imitarlo; cuando veas a un hombre malo, examínate a ti mismo.
11. Exígete mucho a ti mismo y espera poco de los demás. Así te ahorrarás disgustos.
12. Los vicios nos visitan como huéspedes y se quedan como amos.
13. Aquél que procura asegurar el bienestar ajeno, ya tiene asegurado el propio.
14. Conviene no dar crédito a las palabras por la sola autoridad de quien las pronuncia; tampoco es bueno rechazar la verdad aunque provenga de una persona ignorante.
15. Cuando sepas una cosa, sostén que la sabes; cuando no la sepas, confiesa que no la sabes. En eso está el principio del conocimiento.

II. Conjugue los siguientes verbos en todas las personas de los modos y tiempos indicados:

1. En presente del indicativo y del subjuntivo:

admitir, alternar, anhelar, ahuyentar, *aparecer*, atar, *castigar*, *conseguir*, *conmover*, crear, destinar, determinar, devorar, disipar, *disponerse*, encadenar, *enfurecerse*, engañar, *entregar*, enviar, mandar, *nacer*, *ofrecer*, *parecer*, privar, *referirse*, repartir, reservar, robar, *soler*, someterse, *traer*, *volar*;

2. En pretérito indefinido del indicativo y en pretérito imperfecto del subjuntivo:

ablandar, adornar, *andar*, aparecer, cambiar, *construir*, cumplir, defender, *derretir*, *dormir*, *empezar*, *fabricar*, iluminar, inventar, librar, luchar, *mantener*, perder, *practicar*, privar, *proseguir*, retumbar, *sacrificar*, *sentir*, *simbolizar*, *sonreír*, sufrir, *suponer*, *traer*, ver;

3. En futuro imperfecto del indicativo y condicional simple:

ahuyentar, aparecer, atar, burlarse, conseguir, contentarse, creer, decidir, *decir*, derretir, descubrir, destinar, devorar, disipar, *disponerse*, encender, iluminar, incendiar, librar, manejar, *mantener*, meterse, *proponer*, *querer*, repartir, robar, sacrificarse, suceder, tolerar, *valerse*, volar;

4. **En modo imperativo y en presente del subjuntivo en la modalidad de mandato negativo:** ablandarse, abrirla, ahuyentarlos, andar rápido, atarlo, *conmoverse*, contentarse, *dárselo*, destinarla a otro uso, disiparlas, *enfurecerse*, *entregárselo antes del mediodía*, limitarse a escuchar, manejarlo, privarlo del arma, repartir los regalos entre todos, reservarme la habitación en aquel hotel, *sacrificarse*, *salir ahora mismo*, *traernos más regalos*, tratar de privarles del fuego, *valerse de sí mismo*, *volar alto*.

（斜体部分需笔头重复）

03–04

III. Escuche las preguntas sobre el texto y contéstelas oralmente en español.

IV. Aclare, por escrito, a qué se refieren los términos en cursiva; y en caso de que sean verbos, diga cuál es el sujeto. Todas las oraciones son del texto:

1. Debido a ***su*** calidad de titán, Prometeo alternaba con los dioses en el Olimpo.
   su:
2. ***Enemigo*** de toda sumisión y tiranía, ***creó*** una casta – los seres humanos – para que, con el tiempo, ***sucediera*** a los dioses olímpicos.
   Enemigo:
   creó:
   sucediera:
3. Según estas referencias de la mitología griega, Prometeo fue el creador y el benefactor de ***la humanidad***.
   la humanidad:
4. ***Inquieto y rebelde***, ***solía*** valerse de ***su*** astucia para engañar a Zeus, el dios de los dioses del Olimpo.
   Inquieto y rebelde:
   solía:
   su:
5. ...al determinar el reparto del cuerpo de los animales sacrificados, ***consiguió*** que ***se destinaran*** los huesos a los dioses y la carne a los hombres.
   consiguió:
   se destinaran:
6. ***Descubierto*** el engaño, Zeus decidió castigar***lo*** privando a los hombres del fuego, ***elemento valioso*** para la vida.

Descubierto:

lo:

elemento valioso:

7. Sin ***él*** no solo había que comer los alimentos crudos sino que no era posible aprender a trabajar los metales, ni tener una llama encendida en las casas, fuera para disipar la oscuridad nocturna fuera para ahuyentar el frío invernal.

    él:

8. Así, ***la flor roja*** quedaba ***reservada*** únicamente para los dioses del Olimpo.

    la flor roja:

    reservada:

9. La respuesta de Prometeo fue inmediata: robó el fuego del Olimpo y ***se lo entregó*** a los hombres, junto con otro bien valioso: la sabiduría de las artes.

    se:

    lo:

    entregó:

10. ***Era*** muy bella y ***traía*** consigo una caja secreta que no ***debía*** abrir, pero que ella, ***llevada*** por una curiosidad incontrolable, abrió.

    Era:

    traía:

    debía:

    llevada:

11. Fue ***algo*** terrible: las calamidades –guerras, intrigas, envidias, enfermedades– ***salieron*** volando de la caja y ***se repartieron*** por todo el mundo.

    algo:

    salieron:

    se repartieron:

12. Zeus tenía ***reservado*** otro castigo aún más severo y cruel para Prometeo, ***consistente*** en mandar que ***lo encadenaran*** a una cima del Cáucaso a fin de que, allí, un águila ***le*** devorara el hígado eternamente.

    reservado:

    consistente:

    lo:

    encadenaran:

    le:

13. ***Sus*** gemidos no recibían otra respuesta que la indiferencia del cielo, la frialdad de los riscos y el eco que retumbaba en medio de las montañas.

Sus:

14. La tortura habría proseguido sin límite de tiempo si no hubiera sido por Hércules, ***quien*** libró a Prometeo del suplicio matando con ***sus*** flechas a***l ave feroz***.

    quien:

    sus:

    el ave feroz:

15. Sin embargo, ***su*** sacrificio no fue en vano.

    su:

16. ***Dominado*** el fuego en ***sus*** múltiples usos, la vida de los seres humanos empezó a cambiar de manera radical: ***inventaron*** variadas comidas, ***construyeron*** casas acogedoras, que ***iluminaron*** con antorchas; ***derritieron*** los duros metales para trabajar***los*** a voluntad; y ***fabricaron*** armas temibles, herramientas eficaces y joyas brillantes que ***fueron*** a adornar el pecho o los brazos de las mujeres.

    Dominado:

    sus:

    inventaron:

    construyeron:

    iluminaron:

    derritieron:

    los:

    fabricaron:

    fueron:

17. En esta historia sobre Prometeo, ..., ***se puede*** ver ***reflejada*** la necesidad de amparo de los pueblos primitivos: debido a la debilidad que ***sentían*** frente a las despiadadas fuerzas de la Naturaleza, ***anhelaban*** el surgimiento de un ser superior que no solo ***los protegiera*** y los sacara de ***sus*** sufrimientos, sino que también ***les enseñase*** cómo elevar el rendimiento de sus actividades para vivir con mayor bienestar y comodidad.

    se puede:

    reflejada:

    sentían:

    anhelaban:

    los:

    protegiera:

    sus:

    les:

    enseñase:

18. No ***se limitó*** a instruir a los mortales, ***sus protegidos***, en el manejo del fuego y en el dominio de muchas otras artes –es decir, ***no se contentó*** con entregar***les*** las herramientas del progreso–, sino que hizo mucho más que eso: ***les iluminó*** el corazón y la mente con algo de importancia incalculable...

    se limitó:

    sus protegidos:

    no se contentó:

    les:

    les:

    iluminó:

19. ...la necesidad de rebelarse ante la injusticia y la convicción de que llevar***la*** a cabo cuando ***hacía falta permitía*** vivir con dignidad.

    la:

    hacía falta:

    permitía:

20. ***Él mismo*** es un vivo ejemplo de ***esto***: no tolerar los abusos y la prepotencia de la máxima autoridad del Olimpo, ***lo llevó*** al sacrificio.

    Él mismo:

    esto:

    lo:

    llevó:

21. ¿Quién no se ha conmovido ante la escena en que Zeus, ***enfurecido*** por la rebeldía de Promoteo al ***salir*** en defensa de los seres humanos, ***dispone*** que ***lo aten*** a una roca en el Cáucaso donde ***le espera*** una terrible y cruel tortura?

    enfurecido:

    salir:

    dispone:

    lo:

    aten:

    le:

    espera:

22. ***Quedan*** a la vista ***dos cosas***: la autoritaria crueldad de Zeus y la indoblegable rebeldía de Prometeo.

    Quedan:

    dos cosas:

23. A diferencia de Jesucristo, ***el héroe griego*** no ***les*** ofrece a los hombres la salvación eterna sino que sencillamente ***les dice***...

    el héroe griego:

    les:

    les:

    dice:

24. ***Os doy*** las herramientas pero ***vuestro*** destino está en vuestras propias manos.

    Os:

    doy:

    vuestro:

V. Sustituya la parte en cursiva por algún sinónimo teniendo en cuenta el contexto:

1. Debido a su calidad de titán, Prometeo ***alternaba con*** __________ los dioses en el Olimpo.
2. ***Enemigo de*** __________ toda sumisión y tiranía, creó una casta –los seres humanos– para que, con el tiempo, sucediera a los dioses olímpicos.
3. ***Según*** __________ estas referencias de la mitología griega, Prometeo fue el creador y el benefactor de la humanidad.
4. Inquieto y rebelde, solía ***valerse de*** __________ su astucia para engañar a Zeus, el dios de los dioses del Olimpo, ...
5. ...como esa vez en que, al ***determinar*** __________ el reparto del cuerpo de los animales sacrificados, consiguió que se destinaran los huesos a los dioses y la carne a los hombres.
6. Descubierto el engaño, Zeus decidió castigarlo ***privando a los hombres del fuego*** __________, elemento valioso para la vida, ya que sin él no solo tenían que comer los alimentos crudos sino que no podían aprender a ***trabajar*** __________ los metales, ni ***disponer de*** __________ una llama encendida en las casas, fuera para disipar la oscuridad nocturna, fuera para ahuyentar el frío invernal.
7. Así, la flor roja quedaba ***reservada*** __________ únicamente para los dioses del Olimpo.
8. La respuesta de Prometeo fue inmediata: robó el fuego del Olimpo y se lo ***entregó*** __________ a los hombres, junto con otro bien valioso: la sabiduría de las artes.
9. Zeus se enfureció tanto que decidió castigar a los hombres ***enviando*** __________ a casa de Prometeo, como un regalo para su hermano Epimeteo, a Pandora, la primera mujer en la Tierra.
10. Era muy bella y traía consigo una caja secreta que no debía abrir, pero que ella, ***llevada por*** __________ una curiosidad incontrolable, abrió.

11. Fue algo terrible: las calamidades –guerras, intrigas, envidias, enfermedades– salieron volando de la caja y ***se repartieron*** ___________ por todo el mundo.
12. Pero no fue todo: Zeus tenía reservado otro castigo aún más severo y cruel para Prometeo, consistente en ***mandar*** ___________ que lo ***encadenaran*** ___________ a una cima del Cáucaso a fin de que, allí, un águila le devorara el hígado eternamente.
13. Para que el suplicio pudiera ***cumplirse*** ___________ , el órgano devorado volvía a nacer y crecer una y otra vez, de manera permanente.
14. ***No obstante*** ___________ , Prometeo no se sometió a los dioses, quienes, por otro lado, tampoco se ablandaron.
15. La tortura ***habría proseguido*** ___________ sin límite de tiempo si no hubiera sido por Hércules, quien ***libró*** ___________ a Prometeo del suplicio matando con sus flechas al ave feroz.
16. En esta historia sobre Prometeo, importante capítulo de la mitología griega, se puede ver reflejada la necesidad de ***amparo*** ___________ de los pueblos primitivos.
17. ... debido a la debilidad que sentían frente a las despiadadas fuerzas de la Naturaleza, ***anhelaban*** ___________ el surgimiento de un ser superior que no solo los protegiera y los sacara de sus sufrimientos, sino que también les enseñase cómo ***elevar*** ___________ el rendimiento de sus actividades para vivir con mayor bienestar y comodidad.
18. Entre este tipo de héroes dotados de poderes sobrenaturales, que aparecen en casi todas las culturas, Prometeo ***ofrece*** ___________ cierta peculiaridad.
19. No se limitó a ***instruir*** ___________ a los mortales, sus protegidos, en el ***manejo*** ___________ del fuego y en el dominio de muchas otras artes –es decir, no se contentó con entregarles las herramientas del progreso–, sino que hizo mucho más que eso: les iluminó el corazón y la mente con algo de importancia incalculable: la necesidad de rebelarse ante la injusticia y la convicción de que llevarla a cabo cuando ***hacía falta*** ___________ permitía vivir con dignidad.
20. A diferencia de Jesucristo, el héroe griego no les ***ofrece*** ___________ a los hombres la salvación eterna sino que sencillamente les dice: Os doy las herramientas pero vuestro destino está en vuestras propias manos.

VI. Complete las siguientes oraciones utilizando los vocablos que se dan al final de cada una de ellas para formar una construcción conjuntiva disyuntiva y distributiva:

1. Deme, por favor, cualquier publicación, ____________________. (una novela, una revista, un periódico)
2. El profesor ordenó que repartiéramos los libros entre los compañeros, __________ ____________________. (los del primer año, los del segundo, los del tercero y cuarto)

3. Ignacio era capaz de manejar cualquier vehículo motorizado, ___________________. (un carro, un autobús, un camión)
4. Tenéis que ir renovando todos los electrodomésticos, ___________________. (el televisor, la nevera, la lavadora)
5. En esa época, Héctor se enfurecía por cualquier nimiedad: ___________________. (una palabra, una sonrisa, un gesto involuntario)
6. Es realmente insoportable el joven ese: anda burlándose de todos, _____________ ___________________. (conocidos, desconocidos)
7. El tirano torturaba a la gente con cualquier cosa, ___________________. (un palo, una cuerda, un látigo)
8. ¿Qué tiene estos días tu hermano? Cualquier situación, ___________________ le es indiferente. (triste, alegre)
9. En esa tienda no se admite ninguna moneda extranjera, ___________________. (dólar, euro)
10. El piloto nos dijo que su avión podía volar en cualquier condición atmosférica, _______ ___________________. (una tormenta, un huracán)

VII. Enlace las dos oraciones simples en una compuesta utilizando *no solo* [*no*]... *sino que* [*también/ además/ tampoco*]... y efectuando otros reajustes necesarios:

1. Prometeo creó a los seres humanos y esperaba que estos sucedieran a los dioses olímpicos.

   ____

2. Prometeo alternaba con los hombres y además los ayudaba a progresar.

   ____

3. Aquella débil llamita no consiguió ahuyentar el frío, tampoco sirvió para disipar la profunda oscuridad.

   ____

4. Raquel quiso renovar los electrodomésticos y se propuso además remodelar toda la casa.

   ____

5. Al escuchar la súplica del prisionero, el tirano, no se ablandó y, se enfureció todavía más.

   ____

6. Frente al llanto de la mujer, el despiadado gerente no cambió su actitud indiferente y la trató con mayor frialdad.

   ____

7. No entiendo por qué no reclamaste tu salario ni nos permitiste que nosotros lo hiciéramos.

____

8. ¿No notaste que los demás no estaban dispuestos a respaldarte, ni prestaban atención a lo que les decías?

____

9. Los dioses olímpicos privaron al hombre de los beneficios que Prometeo les había traído. Además decidieron torturar a este con crueldad.

____

10. Oriol no contestó mi email. Tampoco atendió a mis llamadas.

____

VIII. Transforme las siguientes oraciones empleando las fórmulas: *no otra cosa sino/ que... (más... que)*:

1. En aquella habitación solo había cajas vacías.

____

2. Para explorar la pequeña gruta solo estábamos provistos de una antorcha.

____

3. Solo encontré alimentos crudos en la nevera.

____

4. Solo nos quedaba una alternativa.

____

5. La población local temía que el nuevo gobernador que se les había impuesto solo les trajera calamidades.

____

6. Solo se ha destinado una escasa cantidad de dinero al proyecto.

____

7. Lo siento mucho: solo se les ha reservado una habitación.

____

8. Con lo que te propones hacer solo conseguirás enfurecerlo todavía más.

____

9. Solo nos han enviado la mínima parte de los libros que hemos encargado.

____

10. La joven pareja solo quería adquirir una casita acogedora.

____

IX. Ejercicios del léxico:

A. Empleando en forma adecuada las voces que se dan a continuación, complete las oraciones que aparecen numeradas más abajo:

a diferencia de ***a fin de*** ***destinar*** ***determinar*** ***entregar***
manejar ***privar*** ***repartir*** ***reservar*** ***suceder***

1. Yo fui testigo ocular del terrible accidente de tráfico que ___________ hace pocos días.
2. Los frecuentes abusos que presenció mi tío abuelo ___________ que se incorporase a la revolución para luchar contra la injusticia social.
3. En esa tribu, todo varón, desde niño, tiene que aprender a ___________ el arco y la flecha.
4. La riqueza de un país debe ___________ de manera equitativa（公平的）.
5. Señorita, ¿me puede ___________ un pasaje de avión para la Ciudad de Guatemala? Lo quiero para el día 24 de julio.
6. Señor gerente, ¿se propone usted ___________ (nos) del derecho de reclamar lo que nos pertenece?
7. Nadie sabía a qué taller se le ___________ al joven aprendiz.
8. ___________ mucha gente que se resigna, nosotros no aceptamos la sumisión a la tiranía de los jefes.
9. El marido le dijo a la esposa: "Todo ese dinero lo vamos a ___________ para nuestro hijo."
10. La tiranía de ciertos gobernantes constituye, muchas veces, el factor ___________ que provoca las rebeliones populares.
11. Todavía no se sabe quién va a ___________ al gobernador que está por jubilarse.
12. Mira, este aparato ___________ de esta manera.
13. La ___________ de Prometeo de ayudar a los seres humanos era inquebrantable.
14. El joven diplomático estaba ansioso por saber a qué país lo ___________ el Ministerio de Relaciones Exteriores.
15. El pastel era tan pequeño que yo no sabía cómo ___________ (lo) entre tanta gente.
16. ¿A qué piensas destinar ese dinero que acaba de ___________ (te) tu padre?
17. Me sentía un poco nervioso porque era la primera vez que ___________ un carro.
18. Al notar la frialdad con que me atendió el funcionario, preferí ___________ mi cortesía y mostrarle también mi mala cara.
19. Cuando la gente se ve ___________ de todo lo esencial para vivir, no le queda otra alternativa que rebelarse.
20. Zeus sometió a crueles torturas a Prometeo ___________ forzarlo a abandonar su actitud rebelde.

03–05

B. Al escuchar la perífrasis, diga el vocablo o expresión correspondiente:

1. Poner más blanda una cosa: _____________
2. Que es amable y hospitalario, o lugar cómodo y agradable: _____________
3. Hacer huir a una persona, animal o cosa: _____________
4. Tratar, relacionarse con otros/ sucederse varias personas, unas a otras, por turnos/ sucederse unas cosas a otras de manera repetida: _____________
5. Posibilidad de elegir entre opciones diferentes: _____________
6. Deseo intenso: _____________
7. Suceso desgraciado que afecta a muchas personas: _____________
8. No cocido o insuficientemente cocido: _____________
9. Actitud o estado de ánimo de la persona que no expresa ningún sentimiento ni positivo ni negativo: _____________
10. Producirse o desarrollarse un hecho, acontecer/ ocurrir una cosa a continuación de otra: _____________

X. Conjugue los infinitivos que están entre paréntesis en el tiempo y la persona correspondientes:

La estación del Metro de Madrid estaba, como cualquier otro día, llena de gente. Los trenes __________ (partir), __________ (llegar) y de los vagones __________ (salir) una multitud de personas. Yo __________ (estar) __________ (esperar) para entrar y partir. En media hora, __________ (tener) que estar en la universidad porque allí yo __________ (dictar) clases a un grupo de jóvenes españoles, a quienes __________ (enseñar) chino y no me __________ (quedar) mucho tiempo. Cuanto más larga __________ (ser) la espera, más gente __________ (acumularse) y más grande __________ (ser) mi angustia, pues __________ (temer) no poder tomar el tren a causa de la creciente aglomeración.

Por suerte, los empujones me __________ (poner) en la primera fila y __________ (poder, yo) entrar en el vagón y acomodarme junto a la puerta para después apearme sin mayores problemas. De repente, el tren __________ (arrancar) y __________ (sentir) un gran alivio, pues eso __________ (significar) que __________ (poder) llegar a tiempo a la clase. __________ (Haber) tanta gente que apenas __________ (respirar) pero, sabiendo que el tren no __________ (sufrir) retrasos, no me __________ (importar) la incomodidad: __________ (llegar) a tiempo a mi clase.

En la tercera o cuarta estación, __________ (notar, yo) que alguien me __________ (tocar) el hombro y me __________ (decir) en voz baja:

–Señor, le __________ (robar).

–¡Qué me __________ (decir)!

–El ladrón __________ (bajarse) en la estación anterior.

__________ (Palparse, yo) el bolsillo de la chaqueta y, efectivamente, __________ (comprobar) que mi billetera __________ (desaparecer) con todo mi dinero.

No sé por qué, le __________ (dirigir, yo) al hombre, no una mirada de agradecimiento, sino de furia. Luego, __________ (salir) del vagón, gritando en medio de la multitud:

–¡Me __________ (robar), me __________ (robar)!

La gente, acostumbrada a estos sucesos, me __________ (mirar) con indiferencia y, justo en ese momento, __________ (recordar) mi clase de chino y __________ (tratar) de volver al vagón, pero este __________ (acabar) de cerrar sus puertas y __________ (quedarse, yo) en el andén, mortificado por no poder llegar a tiempo a mi clase.

Esperando que ya no me __________ (pasar) otra cosa mala, __________ (acordarse, yo) de este dicho: Cuando los males __________ (venir), no __________ (venir) solos.

XI. Siempre que sea necesario, rellene los espacios en blanco con un artículo o la forma contracta de artículo y preposición:

La señora acaba ba de contratar（雇）__________ nueva sirvienta. __________ día, antes de salir, le dejó __________ instrucciones concretas:

–Si llama alguien por __________ teléfono, tienes que contestar con __________ pocas palabras: "__________ señora ha salido. Tenga __________ amabilidad de dejar su teléfono. Pero con __________ buenos modales（举止，风度）, ¿de acuerdo?"

__________ día siguiente, __________ conocido se encontró con __________ señora.

–¡Vaya __________ criada tan maleducada que tienes! Te llamé por __________ teléfono y me contestó: "__________ pocas palabras porque __________ señora ha salido; tenga __________ amabilidad de darme su número de __________ teléfono, pero con __________ buenos modales, ¿de acuerdo?"

XII. Rellene los espacios en blanco con las preposiciones adecuadas:

Zeus, enfurecido __________ el engaño que había sufrido __________ parte __________ Prometeo, decidió vengarse __________ la raza humana. Encargó __________ Hefesto que modelase __________ arcilla (黏土) una figura __________ mujer __________ imagen __________ (按照……模样) las diosas. Luego, Atenea la vistió, las Gracias la enjoyaron (给……戴上珠宝), las Horas la cubrieron __________ flores, Afrodita le dio su belleza, Hermes le confirió la maldad y la falta __________ inteligencia. Hecha la obra, –era la primera mujer destinada __________ vivir __________ el mundo __________ los hombres– Zeus la dotó __________ vida, le puso el nombre__________Pandora y la envió como regalo __________ Epimeteo. Aunque su hermano, Prometeo, le había ordenado que no aceptase ningún presente __________ Zeus, aquel, atraído __________ la belleza __________ Pandora, no le obedeció y se casó __________ ella.

Un día, Pandora encontró __________ casa una caja cerrada y, llena __________ curiosidad, la abrió. __________ esa manera hizo que salieran todos los males que se repartieron rápidamente __________ toda la tierra.

03–06

XIII. Dictado.

03–07

XIV. Escuche la grabación y luego haga una versión oral resumida.

XV. Trabajos de casa:

1. Trate de leer el texto con fluidez.
2. Temas de conversación.
   1) Diálogo sobre el mito de Prometeo;
   2) Diálogo sobre la historia de Pandora;
   3) Diálogo sobre lo que simboliza la imagen de Prometeo.
3. Traduzca al español las siguientes oraciones:
   1) 与奥林匹斯众神不同，普罗米修斯是人类的朋友。
   2) 当时，Lorenzo决定冒着失业的风险，向经理提出工友们的诉求。
   3) 这是一种在热的作用下很容易变软的物质。
   4) 村民们不知如何赶走侵入耕地的那些大象。
   5) 在那种情况下，我们除了接受强加给我们的不公正条件之外别无选择。
   6) 原始人发现了火。火不仅使他们能够烹制食品，还能让他们用来驱除冬日的寒冷和夜晚的黑暗。
   7) 世界上没有任何东西可以永久存在。
   8) 面对他人的痛苦，那些人无动于衷，让我很吃惊。
   9) 你打住。你要知道我的耐心是有限度的。
   10) 暴君企图剥夺人民的自由。

UNIDAD 4
第四课

1 FUNCIÓN COMUNICATIVA

2 EJEMPLOS CON ALGUNOS VOCABLOS USUALES

agotar(se), agradable, aspecto, comunicar(se), conducir, descubrir, envolver, experimentar, imponer(se), recoger

3 RESPECTO AL LENGUAJE

- Formas marcadas y no marcadas
- Verbos transitivos, intransitivos y pronominales
- Oración elíptica

4 CONOCIMIENTO SOCIOCULTURAL

- 西班牙语的书写规则

04–01

Alunizaje

(Adaptación de Alunizaje, Vuelos Espaciales, La Gran Travesía 7, Biblioteca Universal de los niños, Santillana, Madrid, 1971)

Han pasado muchas horas. El Águila ya se ha separado del *Columbia*. Armstrong y Aldrin contemplan el extraño paisaje que se acerca precipitadamente y escuchan la voz del técnico de Houston, que llega envuelta entre ruidos cósmicos:

–Vía libre para el alunizaje. Repito: vía libre para el alunizaje.

–Conduzco manualmente –anuncia Armstrong, –porque los mecanismos automáticos nos llevaban al interior de un cráter.

El combustible se agota y, si en 60 segundos el Águila no aluniza, deberá emprender el retorno hacia el *Columbia*. Pero vuelve a oírse la voz de Armstrong:

–Descenso. El motor levanta mucho polvo. Luz de contacto. Motor parado. Atención, aquí el Mar de la Tranquilidad. El Águila ha alunizado.

A las 9:36 horas de la noche (3:36 de la madrugada, hora española), Armstrong comunica a la Tierra:

–Aquí Tranquilidad. Me preparo para abrir la puerta. ¡Ya está!

–Aquí Houston. Neil, esperamos que acciones la cámara de televisión.

–Me encuentro en la escalerilla. Bajo un peldaño –dice Armstrong.–Ahora abro el circuito de televisión. ¿Recibís?

–Tenemos la imagen. ¡Eh, chico! ¡Te vemos descender!

A través de Mundovisión, son millones las personas que lo ven descender. Un paso, otro. Aumentan la emoción y el orgullo del astronauta. Solo un pequeño salto. ¡Ya! Son las 9:56 de la noche en Houston.

–Este es un paso pequeño para el hombre y un salto gigantesco para la Humanidad –dice Armstrong, de pie, sobre la Luna.

Muy cerca del módulo se descubre la sima de un profundo cráter. Este era el foso hacia donde los mandos automáticos conducían la nave. La pericia de Armstrong había logrado imponerse a la ciega marcha de la máquina y guiar el vehículo fuera de la zona peligrosa.

Su primera tarea consiste en recoger piedras y polvo lunares; los introduce en una bolsa que, después, herméticamente cerrada, entregará a Aldrin. Al descender este del módulo, quince minutos después que el comandante, los dos cosmonautas clavan en el suelo la bandera de los Estados Unidos de Norteamérica.

Armstrong y Aldrin colocan varios aparatos científicos que transmitirán a la Tierra valiosos datos. Llevan un detector de movimientos sísmicos, un reflector de rayos láser y una pantalla solar. Los dos hombres, enfundados en los trajes que les dan un fantasmagórico aspecto, avanzan a pequeños saltos.

–El suelo parece estar cubierto de un polvo muy fino. Puedo ver las huellas de mi calzado sobre la arena. ¡Qué fácil y agradable resulta andar! –comenta Armstrong.

Más tarde, los dos astronautas se dedican a recoger muestras de la superficie lunar. Masa de polvo con brillantes partículas y rocas que presentan hoyos, producidos seguramente por el impacto de los meteoritos que caen con frecuencia en la Luna. Armstrong pregunta a Aldrin:

–¿Has encontrado rocas purpúreas?

–No. La superficie lunar parece solo polvo, un polvo finísimo. Es una visión fantástica.

Aldrin introduce en el suelo un tubo para extraer las muestras, mientras comenta con Houston:

–Experimento cierta fatiga al clavar el tubo. Ahora lo saco. Es extraño, parece como si estuviera mojado.

–Aquí Houston. Daos prisa. Vuestra reserva de oxígeno se acaba. Os quedan unos tres minutos.

Con una prisa febril, los dos hombres se disponen a realizar las diversas tareas que les quedan aún. Las pulsaciones del corazón de Armstrong y Aldrin han subido hasta ciento sesenta y cinco por minuto.

–Aquí Houston. Tenéis que quitar las películas de las cámaras y cerrar las cajas de las muestras.

–Ayúdame a guardar las películas –pide Aldrin a su compañero mientras se acerca al módulo.

–Aquí Houston. Os queda un minuto.

Primero sube Aldrin, más tarde lo hará Armstrong. Las huellas de los primeros hombres que pisan el astro quedan grabadas en el polvo como recuerdo de la gran aventura científica. Han permanecido en la luna dos horas y cinco minutos.

Cabe preguntar: ¿A qué se debe tanto interés por explorar el espacio cósmico y llegar a otros cuerpos celestes? Quizá se pueda atribuir a muy diversos móviles, como por ejemplo, la curiosidad inherente al hombre por conocer todo lo desconocido. ¿Acaso no ha sido este afán cognitivo el que ha contribuido al constante progreso de la inteligencia humana? Pero también puede proceder de una previsión exageradamente anticipada: buscar hábitats alternativos para el futuro cuando el Globo Terrestre llegase a estar superpoblado y excesivamente contaminado, cosa que vienen profetizando algunos autores de ciencia ficción. Otra probable motivación resulta bastante inconfesable, de modo que apenas se menciona en las propagandas oficiales. Nos referimos a la ya existente aplicación bélica de la tecnología espacial. Evidentemente, una nación capaz de mandar naves cósmicas a otros cuerpos celestes, estará en condiciones de disparar sus proyectiles con punta nuclear a cualquier lugar del mundo con precisión milimétrica.

04–02

VOCABULARIO

alunizaje	*m.*	登月
Columbia		哥伦比亚号
contemplar	*tr.*	观看，观赏
precipitadamente	*adv.*	急匆匆地
técnico, ca	*m.,f.*	技术员
Houston		休斯敦
cósmico, ca	*adj.*	宇宙的
manualmente	*adv.*	手动地
automático, ca	*adj.*	自动的
cráter	*m.*	火山口
combustible	*m.*	燃料
agotar(se)	*tr.; prnl.*	使枯竭；枯竭
alunizar	*intr.*	登月
emprender	*tr.*	着手
retorno	*m.*	返回
descenso	*m.*	下降
motor	*m.*	发动机
polvo	*m.*	灰尘；粉末
comunicar	*tr.*	通知，告知
accionar	*tr.*	操纵，启动
circuito	*m.*	线路，电路
descender	*intr.*	下降
a través de	*loc.adv.*	通过
Mundovisión	*f.*	《看世界》（洲际电视卫星传播）
emoción	*f.*	激动；激情
orgullo	*m.*	骄傲，自豪
astronauta	*amb.*	宇航员
luna	*f.*	月亮
módulo	*m.*	板块；舱
sima	*f.*	深渊
foso	*m.*	壕沟
nave	*f.*	船
pericia	*f.*	技能；熟巧
marcha	*f.*	行进；运转
tarea	*f.*	任务
lunar	*adj.*	月亮的
bolsa	*f.*	袋子
herméticamente	*adv.*	密封地
comandante	*m.*	统帅
transmitir	*tr.*	传送，传达
detector	*m.*	探测器
sísmico, ca	*adj.*	地震的
reflector	*m.*	反射；聚光灯
rayo láser		激光束
solar	*adj.*	太阳的
enfundar (se)	*tr.; prnl.*	把……套上；套住
pantalla	*f.*	屏幕
fantasmagórico, ca	*adj.*	魔幻般的
fino, na	*adj.*	细小
calzado	*m.*	鞋
masa	*f.*	团；群；堆
partícula	*f.*	微粒
hoyo	*m.*	坑
impacto	*m.*	撞击；冲击；影响
meteorito	*m.*	陨石
purpúreo, a	*adj.*	紫红色的
experimentar	*tr.*	感受
fatiga	*f.*	疲惫
reserva	*f.*	储备
oxígeno	*m.*	氧气
febril	*adj.*	发烧；紧张
cosmonauta	*amb.*	宇航员
clavar	*tr.*	钉进去；插入
bandera	*f.*	旗，旗帜
los Estados Unidos de Norteamérica		美利坚合众国

pulsación	*f.*	脉搏	superpoblado, da	*adj.*	人满为患
astro	*m.*	星球	excesivamente	*adv.*	过分；极度
grabar	*tr.*	刻画；录制	profetizar	*tr.*	预见，预言
recuerdo	*m.*	记忆	ciencia ficción	*f.*	科学幻想
cuerpo celeste	*m.*	天体，星体	motivación	*f.*	动机，动因
móvil	*adj.-s.*	动因，动机；移动的	inconfesable	*adj.*	不可告人的
inherente	*adj.*	固有的，与生俱来的	propaganda	*f.*	宣传
cognitivo, va	*adj.*	认知的	oficial	*adj.*	官方的；正式的
previsión	*f.*	预见，预知	aplicación	*f.*	使用
anticipado, da	*adj.*	提前的	bélico, ca	*adj.*	战争的
hábitat	*m.*	栖息地	proyectil	*m.*	投射物
Globo Terrestre		地球	milimétrico, ca	*adj.*	毫米的

VERBOS IRREGULARES

descender: Se conjuga como ***encender***.

VERBOS CON CAMBIOS ORTOGRÁFICOS EN ALGUNAS CONJUGACIONES

alunizar: Se conjuga como ***modernizar***.

comunicar: Se conjuga como ***significar***.

profetizar: Se conjuga como ***suavizar***.

EJEMPLOS CON ALGUNOS VOCABLOS USUALES

I. agotar(se)

A. *tr.* 消耗尽

1. El piloto advirtió a tiempo el bajo nivel de combustible del avión y, temeroso de que se le agotara antes de llegar a su destino, realizó un aterrizaje de emergencia.
2. Cuando los astronautas se dieron cuenta de que se les agotaba la reserva de oxígeno, afortunadamente, la nave cósmica ya estaba muy cerca de donde tenían que aterrizar.
3. Justo cuando los exploradores se hallaban en medio del infinito desierto, descubrieron, con sobresalto, que ya se les había agotado el agua potable.

B. *tr.* 使筋疲力尽

1. El enfermo estaba tan débil, que cualquier movimiento lo agotaba.
2. ¡Uf!, este bochorno nos agota.
3. ¿Puedes callar por un instante? No puedo más, tu cháchara me agota.

C. agotado, da *p.p.* 筋疲力尽 (estar, sentirse...) ~

1. En aquella altiplanicie, la falta de oxígeno nos dejaba sumamente agotados, con solo dar unos pasos.
2. Ve a ayudar a tu madre, chico, ¿no ves lo agotada que llega cargando tantos bolsos?
3. Estoy totalmente agotado. Deja que me acueste un rato en la cama.

II. agradable *adj.* 令人愉快的

1. El paisaje que se veía alrededor del cráter no me pareció nada agradable.
2. Muchas gracias por la invitación. Hemos pasado una noche muy agradable en su casa.
3. No debe resultar muy agradable tratar con un tipo como él.
4. El comandante vuestro no me parece una persona agradable.
5. Sospecho que la tarea que nos van a encargar no va a resultar nada agradable.

III. aspecto *m.* 外表，面貌；方面

1. Al abandonar la nave espacial, los cosmonautas ofrecían un aspecto bastante saludable, lo que fue celebrado por quienes fueron a recibirlos.
2. Nos impresionó fuertemente el aspecto de aquella ciudad destruida por el violento movimiento sísmico.
3. Justo cuando el equipo de exploración quiso emprender la marcha de nuevo, cambió el aspecto del cielo: ahora anunciaba la proximidad de una terrible tormenta.
4. En el aspecto de la realidad social, la propaganda oficial apenas ha tocado el tema del desempleo.

IV. comunicar(se)

A. *tr.* 通告，通知

1. En un informe muy amplio, varios científicos comunicaron al mundo entero el descubrimiento de un nuevo cuerpo celeste.
2. ¿Qué organismo del país se encargará de comunicar al resto de astrónomos del mundo la caída del último meteorito?
3. Los dos cosmonautas accionaron el circuito de transmisión para comunicar a la Tierra su alunizaje.

B. *prnl.* 交流，交往，相通

1. Los cosmonautas pasaron unos minutos de angustia, porque, por unos minutos, no pudieron comunicarse con la Tierra.
2. En muchas obras de ciencia ficción, los habitantes del Globo Terrestre ya aparecen comunicándose con seres extraterrestres.

3. Mira, este módulo se comunica con ese otro por esta puerta.

V. conducir

A. *tr.* 驾驶，开车

1. Dices que sabes conducir, pero, según veo, ni siquiera sabes cómo encender el motor.
2. El cosmonauta se vio obligado a conducir manualmente la nave, porque el mecanismo automático la estaba llevando al interior de un enorme cráter.
3. Para ponerlo a prueba, el comandante le ordenó al soldado que condujera el camión y diera dos vueltas a la plaza.

B. *tr.* 引向，通向

1. Necesitamos que alguien nos indique un camino que conduzca a la cima de la montaña.
2. En plena oscuridad, tomé un sendero equivocado que me condujo al borde de un cráter.
3. Los turistas andaban ansiosos de encontrar un guía que los condujera a aquel pueblecito oculto en la selva.

VI. descubrir *tr.* 发现

1. Al querer accionar el mecanismo automático, el cosmonauta descubrió que el aparato no respondía.
2. Recién durante el descenso, el piloto descubrió que no iba a aterrizar en el aeropuerto que deseaba.
3. Cristóbal Colón pensaba llegar a la India cruzando el Atlántico y resultó que descubrió un continente desconocido por los europeos.
4. Miguel, indícanos en el mapa de estrellas del hemisferio norte el cuerpo celeste recién descubierto.

VII. envolver *tr.* ~ con 覆盖；~ en 包裹

1. Para transportarlo a otro lugar, el técnico envolvió el reflector en una gruesa tela.
2. La madre envolvió el queso con un papel de aluminio y se lo entregó a su hijo.
3. Ya no pudimos seguir contemplando aquel astro brillante, porque se quedó envuelto en una densa nube.
4. Matilde, muy fatigada, se echó en el sofá y se envolvió con una manta para abrigarse.

VIII. experimentar

A. *tr.* 试验

1. Los médicos están experimentando una nueva medicina con animales.
2. El pequeño país estaba preocupadísimo porque su vecino se dedicaba a experimentar, cerca de la frontera, una nueva arma muy poderosa.
3. Laura pidió a su madre que la dejara experimentar una nueva receta de pescado.

B. *tr.* 感受，经历

1. Al enterarse de la buena noticia, mi sobrina experimentó una alegría incontrolable.
2. La expresión del niño indicaba que experimentaba, en ese preciso momento, un miedo terrible.
3. Durante el último decenio, mi aldea natal ha experimentado un cambio radical.

IX. imponer(se)

A. *tr.* 强加

1. Los policías tardaron dos días en imponer orden.
2. Nos quisieron imponer unas condiciones que no podíamos aceptar.
3. El conferenciante alzó el brazo para imponer silencio.
4. No deberías haberte impuesto tantos sacrificios.

B. *prnl.* 震慑，慑服

1. Tu tío se impone con solo su presencia.
2. Al oír el alboroto del personal, el gerente salió de su oficina y quiso imponerse ante los que reclamaban, pero nadie le hizo caso.
3. Vino el responsable de la disciplina y se impuso sobre ese enorme desorden que armaba el grupo de muchachos indisciplinados.

X. recoger

A. *tr.* 拣，拾，收集

1. Algo se te ha caído, niño. Recógelo.
2. Los astronautas recogieron muestras de diferentes rocas lunares.
3. Al sonar el timbre, recogimos nuestros libros y nos dirigimos al comedor.

B. *tr.* 收割

1. En mi tierra, el arroz se recoge en esta época.
2. Cuando llegamos, los campesinos estaban ocupados en recoger el maíz.
3. Mira, el algodón se recoge con esa máquina.

RESPECTO AL LENGUAJE

I. Formas marcadas y no marcadas

各种语法范畴在不同的语言中是通过不同的方式表达的。有的主要依靠语序，比如汉语。“我请你，你请我”，由于语序的变化，人称代词“我、你”在句中更换了主、宾位置；“蓝天，天蓝”也基于同样的原因，两个词对调了核心词和修饰语的功能。而有的语言则主要通过词形变化传递各种语法含义，西班牙语就是这样。动词的陈述式、命令式、虚拟式及与之相应的诸多时态，还有人称、单复数等，都是通过所谓动词变位这种形态变化体现的。英语则明显处于折中状态，因为它既有时态、单复数等形态变化，又有主—动—宾这样比较固定的语序。

单词一旦发生了形态变化，就算是带上了标记。比如动词的各种变位形式，均可称为**formas marcadas**。西班牙语中有些语法范畴是成双作对，正负对应的，比如阳性/阴性，单数/复数。此时，通常把前者视为基准（即不带标记**formas no marcadas**），把后者视为衍生物（即带标记**formas marcadas**）。也就是说，niño不带标记，而niñ*a*发生了形态变化，带上了标记；casa不带标记，而casa*s*添加了复数词尾，也带上了标记。

相比之下，汉语中罕有用形态变化标记的语法范畴，这也就是中国学生掌握西班牙语时遇到困难的缘由。性数配合、动词变位中的种种错误也由此产生。因此必须坚持时时刻刻反复不断练习才能达到不假思索、脱口而出的熟练程度。我们在这里再三强调两种语言在这方面的巨大差异，目的就在于提高学生摆脱母语牵制的自觉性。

本课着重指出与标记问题相关的两类语法现象，也是学生容易产生失误的领域，所以再次强调，以期引起重视。

1 Omisión de los pronombres en nominativo:

由于动词变位中各个人称的形态差异（也就是标记）十分明显，尤其是第一、二人称单、复数变位，所以西班牙语行文中倾向于尽量省略主格人称代词（yo, tú, nosotros, vosotros为主，él, usted, ellos等次之）。这一点，与汉语和英语大相径庭。不妨对比一下用这三种语言写成的文字片段：

① Durante un buen rato, nadie se atrevió a abrir la boca. Las miradas de cada cual iban de uno a otro, y de ellos al cuadro. Al cabo de un silencio que parecía eterno, César movió la cabeza.

– ***Confieso*** que ***estoy*** impresionado – ***dijo*** en voz baja.

– Todos lo ***estamos*** – añadió Menchu.

Julia dejó los documentos sobre la mesa y ***se apoyó*** en ella.

– Van Huys conocía bien a Roger de Arras – ***señaló*** los papeles–. Quizá eran amigos.

– Y pintando ese cuadro, le ***ajustó*** las cuentas a su asesino –, opinó César –... Todas las piezas encajan.

(La tabla de Flandes, Arturo Pérez-Reverte, DE BOLSILLO, Barcelona, 1990: 81)

请注意蓝色粗体的动词，没有一个附有主格人称代词。

②贾珍道："可是这孩子也糊涂，何必脱脱换换的，倘或又着了凉，更添一层病，还了得？（……）**我**正要告诉**你**：方才冯紫英来看**我**，**他**见**我**有些心里烦，问**我**怎么了，**我**告诉**他**媳妇身子不大爽快，因为不得个好大夫，断不透是喜是病，又不知有妨碍没妨碍，所以**我**心里实在着急。冯紫英因说**他**有一个幼时从学的先生，姓张名友士，学问最渊博，更兼医理极精，且能断人的生死。今年是上京给**他**儿子捐官，现在**他**家住着呢。这样看来，媳妇的病该在**他**手里除灾，也未可定。**我**已叫人拿**我**的

名帖去请了。今日天晚，或未必来；明日想一定来的。——且冯紫英又回家亲替**我**求**他**，务必请**他**来瞧的。等待张先生来瞧了再说吧。”

（红楼梦，曹雪芹，高鹗，人民文学出版社，北京，1973：120—121）

由于汉语中主格、宾格，乃至属格均为一种形式，所以重复的频率就更高了一些。

例 ③Mrs. Green: Margaret, ***I*** want you to go to the baker's before six o'clock. ***I*** have this ironing to do but ***I*** shall have done it in about an hour, and ***I*** need the loaf for supper.

Margaret: Can ***I*** go after six o'clock, Mother? ***I*** want to listen to the programme on the radio and it won't have finished by six o'clock.

Mrs. Green: ***I***'m sorry, but the baker's shop will have closed by the time the radio programme finishes.

Mary: ***I***'ll go, Mother. ***I*** don't want to listen to the radio and ***I*** shall have written my homework before six o'clock.

（趣味英语语法，C.E. 埃克斯利，玛格丽特 · 麦考利合著，辽宁人民出版社，沈阳，1979）

请注意第一人称单数主格代词的重复率。换成其他人称也一样。

然而，这并不等于说，西班牙语中不能使用主格人称代词。在一定的语境和上下文中，它们的出现是必不可少的，特别是在动词省略或强调、对比语气中。请复习一下第一册第六至九课中的一些对话：

例 ④ Pablo: Mira, es mediodía, hora de almorzar. ¿Por qué no recoges tus cosas y las metes en tu mochila? Vamos a comer algo. ***Tengo*** mucha hambre.

Gloria: ***Yo*** también un poco, pero antes quiero beber algo. Tengo mucha sed.

⑤ □ No es para tanto. Siempre compro libros. Lo hago porque tengo el hábito de leer. ***Leo***, sobre todo, obras literarias.

■ ***Yo*** también. Pero ¿cómo compra usted los libros? ¿Va a la librería?

⑥ Pilar: ¡Mi maleta! ¿Dónde está mi maleta?

Joaquín: No grites, mujer. Mira al chico del carrito. ***Él*** se encarga de subirnos los equipajes.

⑦ Isabel: ¡Cuidado con romper los regalos!

Pepe: ***Yo*** sé hacer las cosas: voy a abrir el paquete con mucho cuidado.

第④⑤句中请主格人称代词出场，目的在于省略第一个交谈者已经用过的冗长的动宾结构“***Tengo*** mucha hambre.”和“***Leo***, sobre todo, obras literarias.”而第⑥⑦句中的主格代词则具有明显的强调语气：⑥看见那个推小车的小伙子了吗？**他**会负责把行李送上楼去。⑦**我**知道该怎么办。在汉语里，这两个代词都是要重读的，西班牙语里也一样。

2 Sujeto agente / paciente y su repercusión en la estructura oracional:

请同学们复习一下第二册第十三课的“被动语态”和第三册第一课的“中动句”，那里讲到了施事和受事问题。汉语里，要把施事主语句转换成受事主语句，只需略去施事主语，把原本处于动词后宾语位置的受事提到句首，就组成了受事主语句：**女孩**收拾了房间，洗了衣服，做好了饭，就等妈妈回来了。→房间收拾了，衣服洗了，饭做好了，就等妈妈回来了。这种语序的改变，显然也是一种标记方式，但是，在西班牙语里并不是如此，而是把原本的及物动词转化为代词式动词，即增添第三人称单、复数自复代词se，而受事主语相对于动词的位置则无关紧要，可前可后，但置于动词之后的频率较高。这时，若受事具备完全被动的特点，便是我们已经学过的自复被动句，其中受事主语决定动词的单、复数。

⑧ Muy cerca del módulo ***se descubre la sima*** de un profundo cráter.

⑨ Fue algo terrible: las calamidades –guerras, intrigas, envidias, enfermedades– salieron volando de la caja y ***se repartieron*** por todo el mundo.

遇到这类句子结构，同学们往往会受母语牵制，用汉语的标记方式（受事主语前置于动词）取代西班牙语的标记方式（变及物动词为代词式动词，即增添第三人称单、复数自复代词se），为此有必要反复练习，以期克服母语影响。

II. Verbos transitivos, intransitivos y pronominales

在讲解这个语法项目之前，有必要说明一点：和世间万物的分类一样，语法现象之间的区别也是相对的。就比如这个标题中的三类动词，其实并非绝对地互不搭界，尽管语法书和词典不得不如此区分。在实际的言语交流中，它们会随遇而安，变换身份。比如动词trabajar在句子“El hombre trabajó todo el día.”中是不及物动词，因为没带任何直接宾语，而在句子“Los hombres aprendieron a trabajar los metales.”中则显然是及物动词，因为它后面紧跟着自己的直接宾语los metales。至于所谓代词式动词，其实不过是几乎所有及物和不及物动词的一种用法而已。西班牙语中只有极少量绝对的代词式动词，它们不能摆脱自复代词当作及物或不及物动词使用，比如arrepentirse, atreverse, jactarse, quejarse。

1 及物和不及物的相互转换：

这种转换很简单，语流中动词带直接宾语，就是及物的，否则就是不及物的。

① Isabel se puso a ***escribir***.（不及物）

② Isabel se puso a ***escribir una carta***.（及物）

2 及物、不及物和代词式的相互转换：

这种转换比较复杂，大致可分下列几种情况：

1．带施事主语的及物动词可以转换为代词式动词，但此时它的主语只能是受事。

③ ***Hemos agotado*** la reserva de combustible. →
Se ha agotado ***la reserva*** de combustible.

④ ***Los astrónomos*** descubrieron varios cuerpos celestes nuevos. →
Se descubrieron ***varios cuerpos celestes*** nuevos.

2．有些带施事主语的及物动词可以毫无标记地转化为带受事主语的不及物动词。

⑤ Prometeo ayudó al hombre a ***aumentar*** el rendimiento de sus actividades. → Gracias a la ayuda de Prometeo ***aumentó el rendimiento de*** las actividades humanas.

⑥ ***Raquel*** estaba ***hirviendo*** la sopa. →
La sopa estaba ***hirviendo***.

具有同样特征的动词还有cocer, colgar, disminuir, engordar, girar, mejorar, subir, 等等。

3．有些带施事主语的及物动词既可以转换成带受事主语的代词式动词，也可以被另一个同义动词替代。

⑦ ***El campesino quemó*** la madera. →
La madera se quemó. →
La madera ***ardió***.

III. Oración elíptica

人类自然语言普遍遵守的基本规则之一就是“省力原则”，也称作“经济原则”。这也是情理之中的事情：人们从事任何活动，都力求以最小的付出获取最大的效益。说话显然要耗费脑力和体力，所以最好是使用最少量的语言符号来满足最大的交流需求。省略便是达此目的的手段之一。不过，只有在一定的条件下才能这样做，否则便会造成交流障碍。这种条件不外乎两类：语境条件和语法条件。谈话参与者都处在一定的环境中，其中诸多事物有目共睹，无需提及，大家也清楚相关词语的所指。比如你走进房间，见某同学在做作业，就说：“快完了?”“最多五分钟”，他会这样回答。虽然谁也没说出“作业”二字，但交谈双方都明白指的就是这件事。

至于语法条件指的是：凡是上下文允许从略的句子成分，均可省去。例如前面讲过，西班牙语中经常略去主格人称代词，就是因为变位中清楚的词形变化允许这样做。本课课文里的句子中的省略有些特殊：“***Descenso***. El motor levanta mucho polvo. ***Luz de contacto***. ***Motor parado***. Atención, ***aquí el Mar de la Tranquilidad***. El Águila ha alunizado.”航天条件下的地月对讲更加要求言简意赅，因为燃料和氧气储备有限，等等。因此航天员的这段话几乎全部是电报式的。尽管交谈双方相距数十万公里，不可能有许多共享的参照物，但是整段话并无难解之处。我们甚至可以很容易地补足缺失的句子成分：“***Estamos en*** descenso. ***Se ha encendido*** la luz de contacto. ***El*** motor ***ha quedado*** parado. ***Ya hemos alunizado en*** el Mar de la Tranquilidad.”

社会文化常识 CONOCIMIENTO SOCIOCULTURAL

西班牙语的书写规则

与各种社会文化现象一样，语言的形式和意义同样处于不断的演变当中。正是因为有了这种变化，通过对历时语言学的研究，我们可以从语言中窥视人类文明发展的脚步。语言的变化应遵循其内在的规律，顺其自然，而不能人为地强行加以改变。

西班牙语发音和书写之间并非一一对应，这一点必须引起学习者的注意，例如有的书写符号不发音，如h。另一些不同的符号在某些情况下却发音相同，如ge与je，ca与ka，qui与ki，ye与hie，sa与za（在西班牙南部和拉丁美洲地区）。还有些符号，发音的相似度很高，几乎没有区别，如lla，ya和ia，nio和ño。

于是，有专家、学者提出了简化方案。比如取消h，ñ，z，分别把lla和ya，ca和ka，qui和ki等音节合并成一种形式。

针对这种观点，西班牙皇家语言学院制作了一个宣传片，对此加以嘲讽。

我们来看一看这部片子的部分文字内容：

En vista de la evolución del castellano en los últimos años y debido a las aportaciones realizadas por los jóvenes, la Real Academia de la Lengua dará a conocer la reforma de la ortografía española, que tiene como objetivo unificar el español como lengua universal de los hispanohablantes y hacerla más simple.

La reforma se introducirá en las siguientes etapas anuales:

Como inicio del plan, se suprimen las diferencias entre c, q y k y todo sonido parecido al de la k será asumido por esta letra. Así se escribirá: kasa, keso, kijote…

Se simplifikará el sonido de la c y z, de modo ke todas estas letras se convierten en un úniko fonema "s": "El sapato de Sesilia es asul."

Desaparecerá la doble c y será reemplasada por la x: "Tuve un axidente en la Avenida Oxidental."

Grasias a esta modifikasión, los españoles no tendrán desventajas ortográfikas frente a otros pueblos, por la estraña pronunsiasión de siertas letras.

Asimismo, se fusiona la b kon la v; ya ke no existe gran diferensia entre el sonido de la b y la v, por lo kual, a partir del segundo año, desapareserá la v y beremos kómo bastará kon la b para ke bibamos felices y kontentos.

Pasa lo mismo kon la elle y la y. Todo se eskribirá kon y: "Yébeme de paseo a Sebiya, señor Biyar."

La hache, kuya presensia es fantasma, kedará suprimida. Así, ablaremos de abas o alkool. No tendremos ke pensar kómo se eskribe sanaoria y se akabarán esas umiyantes distinsiones entre “echo” y “hecho” .

A partir del tercer año de esta implantasión, todo sonido de erre se eskribirá kon doble r: “Rroberto me rregaló un rradio.”

Para ebitar otros problemas, se fusionan la g y la j para ke así, jitano se eskriba komo jirafa y jeranio komo jefe: “El jeneral jestionó la jerensia.”

No ay duda de ke esta sensiya modifikasión ará que ablemos y eskribamos todos kon más rregularidad y más rrápido rritmo.

在片尾，皇家语言学院发出呼吁：¡Salvemos el idioma español!

你如何看待这种争论？在汉语中是否有过类似的争论？

EJERCICIOS

04–03

I. Siguiendo la grabación, lea las siguientes frases hechas, poniendo atención en la fonética y en la entonación:

1. Si te caes siete veces, levántate ocho.
2. Las cosas suaves siempre penetran en las cosas duras.
3. Es mejor volverse atrás que perderse en el camino.
4. No hay manjar que no empalague, ni vicio que no enfade.
5. La tinta más pobre de color vale más que la mejor memoria.
6. La lengua resiste porque es blanda. Los dientes se rompen porque son duros.
7. Las bendiciones nunca vienen en pares, y los infortunios nunca vienen solos.
8. Si el alumno no supera al maestro, ni es bueno el alumno ni bueno el maestro.
9. Hay tres cosas que nunca vuelven atrás: la palabra pronunciada, la flecha lanzada y la oportunidad perdida.
10. Si tus palabras no aportan nada interesante, utiliza el maravilloso lenguaje del silencio.
11. Cuando te inunde una enorme alegría, no prometas nada a nadie. Cuando te domine un gran enojo, no contestes ninguna carta.
12. No comas todo lo que puedes, no gastes todo lo que tienes, no creas todo lo que oyes, no digas todo lo que sabes.

II. Conjugue los siguientes verbos en todas las personas de los modos y tiempos indicados:

1. En presente del indicativo y del subjuntivo:

accionar, agotar, alternar, alunizar, anhelar, *atribuir*, *avanzar*, *caber*, *caer*, *castigar*, *cerrar*, clavar, *comunicar*, *conducir*, *conseguir*, contemplar, *derretir*, *descender*, *disponerse*, emprender, enfundarse, *enfurecerse*, engañar, *entregar*, *enviar*, *extraer*, grabar, *guiar*, *imponerse*, *introducir*, *nacer*, *ofrecer*, *profetizar*, *recoger*, *referirse*, repartir, reservar, *sacar*, *soler*, transmitir, *volar*;

2. En pretérito perfecto y pluscuamperfecto del indicativo:

ablandar, *abrir*, accionar, adornar, agotar, aparecer, atribuir, aumentar, caer, clavar, comunicar, contemplar, *decir*, derretir, descender, *descubrir*, *devolver*, *disponerse*, emprender, *escribir*, experimentar, gravar, guiar, *hacer*, *imponerse*, profetizar, proseguir, *resolver*, *romper*, sacrificar, simbolizar, sonreír, *suponer*, *ver*, *volver*;

3. En futuro perfecto del indicativo y condicional compuesto:

ablandar, *abrir*, accionar, adornar, agotar, aparecer, clavar, comunicar, contemplar, *decir*, descender, *descubrir*, *devolver*, *disponerse*, emprender, *escribir*, experimentar, gravar, *hacer*, proceder, profetizar, proseguir, *resolver*, *romper*, sacrificar, simbolizar, sonreír, *suponer*, *ver*, *volver*;

4. **En modo imperativo y presente del subjuntivo usado como mandato negativo:**
accionarla, agotarlo, ahuyentarlos, andar rápido, atarlo, *atribuírselo*, clavarlos, *comunicárselo*, *conmoverse*, contemplarlas, *decírmelo*, *descender*, disparar, emprender, enfundarlo, *enfurecerse*, *entregárselo antes del mediodía*, experimentarlos, grabarlo, *hacerlo*, *imponérselo*, *introducir*, limitarse a escuchar, manejarlo, repartir los regalos entre todos, reservarme la habitación en aquel hotel, *ponerlas aquí*, *salir ahora mismo*, *tenerlas*, *venir*.
（斜体部分需笔头重复）

04–04

III. Escuche las preguntas sobre el texto y contéstelas oralmente en español.

IV. Diga a qué se refiere la parte en cursiva. En caso de verbo, diga cuál es su sujeto. Todas las oraciones son del texto:

1. Armstrong y Aldrin contemplan el extraño paisaje que ***se acerca*** precipitadamente.
se acerca:
2. y ***escuchan*** la voz del técnico de Houston, que ***llega envuelta*** entre ruidos cósmicos.
escuchan:
llega envuelta:
3. Pero ***vuelve a oírse*** la voz de Armstrong.
vuelve a oírse:
4. Tenemos ***la imagen***. ¡*Eh* ***chico***! ¡Te vemos descender!
la imagen:
chico:
5. A través de Mundovisión, son millones las personas que ***lo*** ven descender.
lo:
6. Aumentan la emoción y el orgullo d***el astronauta***.
el astronauta:
7. Este es un paso pequeño para ***el hombre*** y un paso gigantesco para la Humanidad.
el hombre:
8. Muy cerca d***el módulo se descubre*** la sima de un profundo cráter.
el módulo:
se descubre:
9. La pericia de Armstrong había logrado imponerse a la ciega marcha de ***la máquina*** y guiar ***el vehículo*** fuera de ***la zona peligrosa***.
la máquina:
el vehículo:
la zona peligrosa:

10. ...***los introduce*** en una bolsa que, después, herméticamente ***cerrada***, entregará a Aldrin.

    los:

    introduce:

    cerrada:

11. Al descender ***este*** del módulo, quince minutos después que ***el comandante***, los dos cosmonautas clavan en el suelo la bandera de los Estados Unidos de Norteamerica.

    este:

    el comandante:

12. ¡Qué fácil y agradable ***resulta*** andar!

    resulta:

13. Experimento cierta fatiga al clavar el tubo. Ahora ***lo*** saco. Es extraño, parece como si ***estuviera mojado***.

    lo:

    estuviera mojado:

14. Primero sube Aldrin, más tarde ***lo hará*** Armstrong.

    lo:

    hará:

15. Las huellas de los primeros hombres que pisan el astro quedan ***grabadas*** en el polvo como recuerdo de ***la gran aventura científica***.

    grabadas:

    la gran aventura científica:

16. Quizá ***se pueda*** atribuir a muy diversos móviles, como por ejemplo, la curiosidad inherente a***l hombre*** por conocer todo lo desconocido.

    se pueda:

    el hombre:

17. ¿Acaso no ha sido este afán cognitivo ***el que ha contribuido*** al constante progreso de la inteligencia humana?

    el que:

    ha contribuido:

18. Pero también ***puede*** proceder de una previsión exageradamente anticipada...

    puede:

19. ...buscar hábitats alternativos para el futuro cuando el Globo Terrestre llegase a estar superpoblado y excesivamente contaminado, ***cosa*** que vienen profetizando algunos autores de ciencia ficción.

    cosa:

20. ...de modo que apenas ***se menciona*** en las propagandas oficiales.
se menciona:

V. Marque con una ✓ la interpretación (o las interpretaciones) que se adecúe(n) a la parte en cursiva:

1. ***Han pasado muchas horas***.
   1) Desde que ha despegado de la Tierra la nave cósmica; ( )
   2) Desde que el módulo se ha separado de la nave; ( )
   3) Desde que la nave se ha puesto a girar alrededor de la luna. ( )
2. Armstrong y Aldrin contemplan ***el extraño paisaje*** que se acerca precipitadamente.
   1) El extraño paisaje lunar; ( )
   2) El extraño paisaje terrestre; ( )
   3) El extraño paisaje cósmico. ( )
3. Armstrong y Aldrin contemplan el extraño paisaje que ***se acerca*** precipitadamente.
   1) El paisaje se acerca al módulo; ( )
   2) El paisaje y el módulo se acercan el uno al otro; ( )
   3) El módulo se acerca al paisaje. ( )
4. Y escuchan la voz del ***técnico*** de Houston, que llega envuelta entre ruidos cósmicos.
   1) El técnico encargado de reparar las naves cósmicas; ( )
   2) El técnico que trabaja en el centro de comando instalado en la Tierra; ( )
   3) El técnico responsable de la construcción de la nave. ( )
5. Y escuchan la voz del técnico de Houston, que llega ***envuelta*** entre ruidos cósmicos.
   1) El técnico ha envuelto su voz con ruidos cósmicos para protegerla; ( )
   2) La voz del técnico llega acompañada de ruidos cósmicos; ( )
   3) La voz del técnico llega con la interferencia de diversos ruidos cósmicos. ( )
6. ***Vía libre para el alunizaje***.
   1) Se ha dado permiso para que los dos cosmonautas alunicen; ( )
   2) Se ha abierto una pista de alunizaje en la superficie lunar; ( )
   3) En el centro de comando en la Tierra se ha accionado algún mecanismo para controlar el alunizaje del módulo. ( )
7. ***Conduzco manualmente***.
   1) Para corregir el error de los mecanismos automáticos que conducían el módulo al interior de un cráter; ( )
   2) Porque al astronauta le parece más cómodo conducir a mano; ( )
   3) Porque para alunizar solo sirven los mecanismos manuales. ( )

8. Si ***en 60 segundos*** el Águila no aluniza, deberá emprender el retorno hacia el Columbia.
   1) En 60 segundos se agota todo el combustible que lleva el Águila; ( )
   2) En 60 segundos se gasta la mitad del combustible que lleva el Águila; ( )
   3) Si el Águila tarda más de 60 segundos en alunizar no le quedará suficiente combustible para retornar al Columbia. ( )
9. El motor ***levanta mucho polvo***.
   1) Porque se acerca a la superficie de la luna; ( )
   2) Porque el módulo ya está en la superficie de la luna; ( )
   3) Porque se ha ensuciado durante el viaje. ( )
10. ***Luz de contacto***.
   1) Se enciende una luz para ponerse en contacto con el centro de comando en la Tierra; ( )
   2) Se enciende una luz para mantenerse en contacto con la nave *Columbia* que gira en torno a la luna; ( )
   3) Se enciende una luz cuando el módulo *Águila* toca la superficie de la luna. ( )
11. Esperamos que ***acciones la cámara de televisión***.
   1) En la Tierra se espera que el astronauta maneje la cámara de televisión para transmitir el paisaje lunar; ( )
   2) En la Tierra se espera que el astronauta ponga en funcionamiento la cámara de televisión que está instalada en alguna parte del módulo y que funciona automáticamente; ( )
   3) Se espera que el cosmonauta accione una cámara de televisión instalada en el centro de control de la Tierra. ( )
12. La pericia de Armstrong había logrado ***imponerse a*** la ciega marcha de la máquina.
   1) Causar la ciega marcha ( )
   2) Vencer la ciega marcha ( )
   3) Detener la ciega marcha ( )
13. ... ***la ciega marcha*** de la máquina
   1) Una marcha que no veía el cosmos ( )
   2) Una marcha automática ( )
   3) Una marcha incontrolada que conducía el módulo a la sima de un cráter ( )
14. ¡Qué ***fácil y agradable*** resulta andar!
   1) Porque la gravedad lunar es solo la sexta parte de la Tierra y los dos astronautas se sienten muy livianos; ( )
   2) Porque hace buen tiempo; ( )
   3) Porque el camino está muy liso y llano. ( )

15. ***Experimento cierta fatiga*** al clavar el tubo... parece como si estuviera mojado.
    1) Porque ha trabajado mucho; ( )
    2) Porque en la luna no es fácil trabajar; ( )
    3) Porque comienza a escasear el oxígeno. ( )

VI. Sustituya la parte en cursiva por algún sinónimo apropiado, según el contexto:

1. ***Han pasado*** ________________ muchas horas.
2. El ***Águila se ha separado*** ________________ del Columbia.
3. Armstrong y Aldrin ***contemplan*** ________________ el extraño paisaje que ***se acerca*** ________________ ***precipitadamente*** ________________.
4. Los mecanismos automáticos nos ***conducían*** ________________ al interior de un cráter.
5. El combustible ***se agota*** ________________ y, si en 60 segundos el Águila no aluniza, deberá ***emprender*** ________________ el retorno hacia el Columbia.
6. Pero ***vuelve a oírse*** ________________ la voz de Armstrong.
7. Armstrong ***comunica*** ________________ a la Tierra.
8. Esperamos que ***acciones*** ________________ la cámara de televisión.
9. Te vemos ***descender*** ________________.
10. ***Aumentan*** ________________ la emoción y el orgullo del astronauta.
11. Los ***introduce*** ________________ en una bolsa que, después, herméticamente cerrada, ***entregará*** ________________ a Aldrin.
12. Los dos cosmonautas ***clavan*** ________________ en el suelo la bandera de los Estados Unidos de Norteamérica.
13. Armstrong y Aldrin ***colocan*** ______________________ varios aparatos científicos que ***transmitirán*** ________________ a la Tierra valiosos datos.
14. ¡Qué fácil y agradable resulta ***andar*** ________________!
15. ...y rocas que presentan hoyos, ***producidos*** ________________ seguramente por ***el impacto*** ________________ de los meteoritos que caen con frecuencia en la luna.
16. Aldrin introduce en el suelo un tubo para ***extraer*** ________________ las muestras.
17. ***Experimento cierta fatiga*** ________________ al clavar el tubo.
18. Con una prisa febril, los dos hombres se disponen a ***realizar*** ________________ las diversas tareas.
19. Tenéis que ***quitar*** ________________ las películas de las cámaras.
20. ***Han permanecido*** ________________ en la Luna dos horas y cinco minutos.

VII. Mejore el estilo del siguiente texto quitando los elementos innecesarios:

En cierta ocasión, el hombre estaba recorriendo la selva cuando él oyó una voz que clamaba:

–¡Sálvame, sálvame de esta hoguera!

Él miró en aquella dirección y él vio a una enorme serpiente que, cercada por un violento círculo de fuego, ella se retorcía de dolor. El hombre actuó con rapidez y él lanzó ágilmente desde un árbol, por encima de las llamas, un tronco que él sostuvo con poderoso esfuerzo mientras la serpiente se enroscaba en él y ella salía del fuego sofocante.

Una vez libre del peligro, dijo esta al hombre que bajaba del árbol:

–Tú me has salvado la vida. ¿Pero tú sabes cuál es la ley de la selva?

Él movió negativamente la cabeza. Entonces la serpiente avanzó y se enroscó a su cuerpo diciéndole:

–Esta es la ley de la selva: El que hace un bien recibe un mal pago. Por esta ley tú vas a morir.

–Yo no puedo creer que lo que tú dices sea verdad. Espera tú unos momentos antes de matarme; déjame tú libres las piernas para que yo pueda caminar unos pasos y nosotros iremos en busca de otros seres que puedan aclararnos esta difícil cuestión.

(La ley de la Selva, Leyenda del Río de la Plata,
Rafael Morales, Aguilar, Madrid, 1977)

VIII. Prescinda del sujeto agente y reorganice la oración con un sujeto paciente:

Ejemplo *Necesitábamos* mucho dinero para esa obra.
Se necesitaba mucho dinero para esa obra.

1. La niña obtuvo esos premios en una fiesta.

____

2. Los Reyes Católicos proporcionaron al navegante genovés una pequeña flota.

____

3. El cosmonauta accionó un mecanismo automático.

____

4. Los marineros realizaron travesías peligrosas.

____

5. El dueño apuntó las cifras en un librito.

____

6. La investigadora introdujo las muestras en una bolsa.

____

7. Fue aquel año cuando los patriotas iniciaron el movimiento independentista.

___

8. ¿Dónde has adquirido esas joyas artísticas?

___

9. Los aborígenes inventaron aquellos artefactos ingeniosos para divertirse.

___

10. Los arqueólogos sacaron a la luz varios vestigios ocultos en la selva.

___

IX. Quite el objeto paciente y convierta la oración activa en oración de voz media:

Ejemplo El agricultor *levantó* una piedra.
El agricultor *se levantó*.

1. La chica pintó una flor.

___

2. La madre envolvió al niño con una manta.

___

3. Los emigrantes adaptaron aquellas plantas al clima del lugar.

___

4. La señora casó a su hija con un viudo.

___

5. El operario enfundó el sofá con una tela gruesa.

___

6. El ignorante hombre quería sacrificar a su hijo a su dios.

___

7. Los sitiados entregaron las armas a los invasores.

___

8. El conductor pinchó la rueda con un clavo.

___

9. El soldado no quería matar a su enemigo.

___

10. La turista contemplaba el paisaje desde la orilla del lago.

___

X. **Ejercicios de léxico:**

A. Empleando en su forma adecuada, complete las oraciones con las voces que se dan a continuación:

agotar agradable aspecto avanzar comunicar conducir descubrir envolver experimentar imponer recoger

1. El cosmonauta que ________ la nave, se dio cuenta de que el vehículo apenas ________. Comprendió que se le estaba __________ el combustible. Pero cuando iba a __________ al centro de control, __________ una extraña fatiga.
2. Los que han viajado por el espacio __________ que, observando desde la nave cósmica, la Tierra ofrece un __________ fantástico. Este cuerpo celeste que habitamos presenta un azul muy __________.
3. No trates de __________ (me) lo que tú piensas. ¿Sabes? No me resulta nada __________ lo que acabas de decir. Me estás __________ la paciencia.
4. Todos sabemos que últimamente el clima mundial __________ enormes cambios. Los científicos se dedican a __________ muestras para comprobar las consecuencias de estos cambios que se manifiestan en la vida animal y vegetal.
5. Los médicos dicen que acaban de __________ unas nuevas medicinas, pero todavía no __________ el resultado.
6. Todos estábamos __________. No podíamos __________ ni un paso más.
7. Con su severo __________, el director recién nombrado __________ en la alborotada reunión.
8. Si queréis ir a __________ champiñones（蘑菇）, seguid ese camino que __________ al bosque.
9. En los periódicos __________ que __________ nuevos vestigios prehistóricos.
10. Muchas gracias por la compañía. Ha sido muy __________ la tarde que hemos pasado juntos.
11. De repente una densa niebla __________ todo el campo. Nuestro autobús apenas podía __________.
12. ¡Cómo se te ocurre __________ un clavo incandescente（烧红的）con una hoja de papel!

B. Diga los vocablos que tengan las mismas raíces que los siguientes:

agotar:

agradable:

aspecto:
comunicar:
conducir:
descubrir:
envolver:
experimentar:
imponer:
recoger:

04–05

C. Al escuchar la perífrasis, diga el vocablo o expresión correspondiente:

1. Hacer funcionar el mecanismo de una cosa: ______________
2. Gastar totalmente una cosa: ______________
3. Introducir una cosa puntiaguda en otra: ______________
4. Relativo a la acción y efecto de conocer cosas mediante la inteligencia: ______________
5. Material que se quema para producir energía o calor: ______________
6. Mirar una cosa con atención y tranquilidad: ______________
7. Iniciar una cosa que implica trabajo o presenta dificultades: ______________
8. Manera de cerrar perfectamente: ______________
9. Motivo que impulsa a una persona a hacer algo con mucho interés: ______________
10. Anunciar, antes que nadie, una cosa que va a suceder: ______________

XI. Conjugue los infinitivos que están entre paréntesis en el tiempo y la persona correspondientes, o póngalos en formas no personales:

___________ (Prepararse), nos pusimos en camino ___________ (esperar) que ___________ (ser) un viaje agradable. ___________ (Llegar) al anochecer a un pequeño pueblo de la sierra, donde ___________ (entrar) ___________ (mojarse) por la lluvia. ___________ (Ir) a la posada y allí ___________ (haber) varios guardias que ___________ (estar) ___________ (buscar) a unos delincuentes. La llegada de extranjeros a este pequeño pueblo no ___________ (ser) muy frecuente y el dueño de la posada con otros dos viejos y un guardia ___________ (tomar) nota de nuestros pasaportes. Como éstos no ___________ (estar) ___________ (escribir) en español, ___________ (quedarse) muy ___________ (asombrarse), pero Sancho, nuestro ayudante vizcaíno, les ___________ (dar) algunas explicaciones y les ___________(decir) que nosotros ___________ (ser) muy importantes. Además, les ___________ (regalar, nosotros) unos cigarrillos y todo el mundo nos ___________ (ayudar) a ___________ (instalarse) cómodamente.

___________ (Ir) a ___________ (vernos) el alcalde del pueblo y la mujer del

dueño nos __________ (llevar) un sillón a nuestra habitación. El jefe de los guardias __________ (cenar) con nosotros. __________ (Ser) un andaluz muy hablador y alegre, que __________ (estar) en la guerra de América del Sur. Nos __________ (contar) sus aventuras, __________ (hacer) muchos gestos. También nos __________ (ofrecer) algunos guardias para que nos__________(acompañar) en el viaje. Le __________ (agradecer, nosotros) su ofrecimiento, pero le __________ (decir) que con nuestro ayudante __________ (tener) bastante. Mientras __________ (cenar), __________ (oír) una guitarra, el ruido de unas castañuelas y varias personas __________ (cantar) una canción popular. El dueño de la posada __________ (reunir) a las personas __________ (aficionarse) a __________ (cantar) y a las muchachas del pueblo para __________ (hacer) una fiesta en nuestro honor.

(Cuentos de la Alhambra, Colección Textos en Español fácil, Washington Irving, 1833: 7-8)

XII. Siempre que sea necesario, rellene los espacios en blanco con un artículo o una preposición o la forma contracta de artículo y preposición:

Casi todo ______ mundo se imagina que España es ______ país suave, dulce, pero ______ realidad es ______ país áspero y melancólico, aunque ______ provincias ______ ______ costa son más alegres. Hay muchas montañas y llanuras ______ ______ árboles, aisladas. No hay ______ aves ______ ______ falta ______ ______ árboles, y esto aumenta ______ soledad. Se ven ______ buitres y ______ águilas volar alrededor ______ ______ picos ______ ______ montañas. Pero esa gran cantidad ______ ______ pájaros que abundan ______ otros países no se encuentran aquí. Solo los hay ______ algunas provincias españolas y casi siempre ______ ______ huertas y jardines que rodean ______ casas.

______ ______ provincias ______ ______ interior ______ España se extienden ______ grandes campos sembrados. Lejos, se divisan algunos pequeños pueblos ______ ______ colinas. Pero, aunque ______ gran parte ______ España no tiene ______ árboles y ______ campos están ______ sembrar, su paisaje tiene ______ nobleza parecida ______ la ______ sus habitantes. ______ grandes llanuras ______ Castilla y ______ ______ Mancha ofrecen ______ belleza ______ ______ mar. Pacen ______ rebaños ______ ______ solitario pastor, inmóvil, ______ ______ palo largo y delgado. También se ven ______ mulos, marchando lentamente y, ______ cuando ______ cuando, pasa ______ campesino solo, ______ ______ escopeta y un puñal ______ ______ peligro que suele haber ______ estas tierras. ______ viajes se hacen siempre ______ ______ compañía ______ otras personas, pues así ______ riesgos son menores. Se llevan armas y solo algunos días se puede viajar.

XIII. Dictado.

XIV. Escuche la grabación y luego haga una versión oral resumida.

XV. Trabajos de casa:

1. Trate de leer el texto con fluidez.
2. Temas de conversación:
   1) Diálogo sobre la historia de la exploración espacial en el mundo;
   2) Diálogo sobre la historia de la exploración espacial en China;
   3) Diálogo sobre lo que piensa cada uno respecto a esta actividad.
3. Traduzca al chino el siguiente texto:

El hombre ha puesto los ojos en el espacio. ¿Qué busca? ¿Trata de comunicarse con seres inteligentes que habitan otros planetas? ¿O procura encontrar, fuera de la Tierra, lugares adonde viajar por placer o para emigrar? En todo caso, es un hecho que ya se ha dado cuenta de que se le van agotando los recursos naturales en el mundo que habita. Puede que nadie sea capaz de dar una respuesta satisfactoria a esos interrogantes, pero es obvio un hecho: el espacio va despertando cada día mayor interés en la gente. Seguro habrás oído decir que se están construyendo naves cósmicas potentes, capaces de ir cada vez más lejos; se lleva a cabo todo tipo de experimentos para explorar la potencialidad de subsistencia humana bajo condiciones sumamente adversas; se han instalado, en diversos lugares, aparatos científicos para recoger información procedente del espacio. Para tener una idea de los avances en este dominio, basta con indicar lo siguiente: el ser humano ya ha dejado sus huellas en la superficie de la luna, así como se han lanzado artefactos a Venus, Marte y otros planetas del sistema solar. Probablemente, los viajes espaciales llegarán a ser, tarde o temprano, una actividad cotidiana.

UNIDAD 5
第五课

1 FUNCIÓN COMUNICATIVA

2 EJEMPLOS CON ALGUNOS VOCABLOS USUALES

brindar, corresponder, cortar(se), distribuir(se), en absoluto, formar(se), imagen, inclinar(se), separar(se), sistema

3 RESPECTO AL LENGUAJE

- Función sintáctica de las concordancias
- Tiempos verbales perfectos e imperfectos

4 CONOCIMIENTO SOCIOCULTURAL

- 正字法（I）

TEXTO

05–01

Geografía de América Latina

En el Hemisferio Occidental emerge, entre el Océano Pacífico y el Atlántico, una enorme masa continental conocida con el nombre de América, en ocasiones llamada también Nuevo Continente o Nuevo Mundo. De él, corresponde a América Latina la parte que queda al sur del Río Bravo (o Río Grande, como se le conoce en los EE.UU.), curso de agua que sirve de frontera entre México y los Estados Unidos, así como entre las dos Américas.

¿Tendrá alguien de ustedes, por casualidad, un mapamundi? ¿Sí? Bien, gracias, lo voy a desplegar. Miren: observando a simple vista, podrán darse cuenta de la ubicación de la región a la que nos referimos. Las naciones que conforman lo que se denomina América Latina, están distribuidas en una vasta y diversa extensión geográfica: toda América del Sur, toda Centroamérica, las Antillas Mayores, que se hallan en el mar Caribe, y una parte de América del Norte. En total, el territorio de América Latina llega casi a los 18 millones de kilómetros cuadrados, o sea, el doble del tamaño de China. La población de esta inmensa superficie supera los 300 millones de habitantes.

Geográficamente, se puede hablar de cuatro zonas fundamentales: la cordillera de los Andes, en occidente; la cordillera del Brasil, en oriente; las llanuras centrales, y las costas.

Los Andes: Si ustedes pudieran observar América desde una gran altura, desde un satélite, por ejemplo, pensarían que junto al Pacífico se halla recostado un inmenso dragón con su cabeza ocupando parte del noroeste de Venezuela y casi toda Colombia; su robusto cuello, el este de Ecuador y el norte del Perú, y su cuerpo recorriendo, en forma paralela, a lo largo de la costa del Perú y los territorios de Bolivia, de Chile y el noroeste de Argentina, y su larga cola pasando por el este de Chile y el oeste de Argentina, hasta perderse entre las pequeñas islas del extremo sur del continente. Este inmenso dragón es la cordillera de los Andes, el más importante sistema montañoso de América y el segundo de la Tierra, después del Himalaya. Su continua actividad volcánica a lo largo de toda su extensión, hace pensar en un dragón que arroja fuego por distintas partes de su cuerpo.

Es en este terreno elevado donde se desarrollaron grandes culturas indígenas en la antigüedad. Ustedes preguntarán por qué. La razón está en algo muy sencillo: es la existencia, en esa latitud tropical o ecuatorial, de tierras fértiles y climas soportables, distribuidos en amplias mesetas, valles y altiplanicies de los Andes, todo lo cual pudo brindar al ser humano de esa región, excelentes condiciones de vida. Hasta hoy día siguen concentradas allí las principales poblaciones indígenas y mestizas de América Latina.

La Cordillera del Brasil: Forma, prácticamente, una inmensa altiplanicie cortada abruptamente frente al mar e inclinada suavemente hacia el interior del continente. Tiene una superficie de más de 5 millones de kilómetros cuadrados con amplias extensiones de suelo fértil bien regado por las lluvias. Actualmente, esta zona alberga a la mayor parte de la población del país.

Tanto los Andes como la altiplanicie del Brasil encierran, en su estructura geológica, abundantes recursos minerales, y pueden contarse entre las regiones potencialmente más ricas de la Tierra.

Llanuras y selvas: Entre los Andes y la gran altiplanicie brasileña, se extiende una serie de vastas llanuras que, siguiendo la orientación de norte a sur, son los llanos del Orinoco, la depresión en que se encuentra la inmensa selva del Amazonas; el Gran Chaco, y por último, la Pampa. Excepto algunas regiones, las amplias llanuras de la Pampa están casi despobladas. Como ustedes recordarán, con excepción de la parte del extremo sur, toda América Latina se halla en la zona tropical o en la ecuatorial. Eso significa que las tierras bajas –las selváticas– son calurosas y húmedas, muy desfavorables para la subsistencia humana.

Al sur de la línea tropical, el paisaje cambia totalmente de aspecto: desaparece la selva y se abre una amplísima región de pastos y baja vegetación. Es la llanura llamada Pampa. Allí, el clima es templado y las posibilidades agrícolas son inmensas.

Al sur de la Pampa comienza la Patagonia, región poco poblada a causa del clima de frío riguroso y de los vientos helados que azotan todo el año ese territorio.

Las costas: La acción del mar se deja sentir en gran parte de la costa latinoamericana, cuyo clima resulta más favorable para la vida humana y bastante conveniente para el cultivo agrícola. Este es el caso de las Antillas, de las islas del Trópico, de algunas áreas costeras situadas entre los grandes sistemas montañosos y el litoral, como la región de la costa brasileña, la costa sur del Golfo de México y el valle Central de Chile.

Pero no todas las regiones costeras son aptas para la agricultura. Algunas, por exceso de lluvias, se hallan cubiertas de espesas selvas, y otras, por una total ausencia de precipitación pluvial, son desérticas. En el último caso, se encuentran las costas del norte de México, tanto del Pacífico como del Atlántico, y las costas del Perú y del norte de Chile. De la costa peruana se podría decir que es un inmenso desierto cruzado, de trecho en trecho, por ríos que descienden de los Andes y que dejan, a su paso, valles fértiles en los que se hallan las ciudades más modernas y pobladas del país.

05–02

VOCABULARIO

pacífico,ca	*adj.*	和平的
Río Bravo		布拉沃河
Río Grande		格兰德河
frontera	*f.*	边界，国境线
mapamundi	*m.*	世界地图
desplegar	*tr.*	展开
a simple vista	*loc.adv.*	一眼看上去
ubicación	*f.*	位置
conformar	*tr.*	组成，构成，形成
Antillas Mayores		大安的列斯群岛
mar Caribe		加勒比海
en total	*loc.adv.*	总共
cuadrado, da	*adj.-s.*	方的；平方
fundamental	*adj.*	基本的
cordillera	*f.*	山脉，山系
los Andes		安第斯山
oriente	*m*	东方，东面
llanura	*f.*	平原
costa	*f.*	海岸
satélite	*m.*	卫星
recostarse	*prnl.*	依傍，依靠
dragón	*m.*	龙
robusto, ta	*adj.*	粗壮
paralelo, la	*adj.*	平行的
cuello	*m.*	脖子
noroeste	*m.*	西北
sistema	*m.*	系统
montañoso, sa	*adj.*	多山的
el Himalaya		喜马拉雅山
continuo, nua	*adj.*	连续的
volcánico, ca	*adj.*	火山的
indígena	*adj.-s.*	土著的；土著人
ecuatorial	*adj.*	赤道的
meseta	*f.*	高地
altiplanicie	*f.*	高原
fértil	*adj.*	肥沃的
soportable	*adj.*	可以忍受的
brindar	*tr.*	给予，赋予
prácticamente	*adv.*	实际上，几乎
abruptamente	*adv.*	陡峭地
inclinar(se)	*tr.;prnl.*	使倾斜；倾斜
suavemente	*adv.*	柔和地，轻微地
albergar	*tr.*	供人居住
encerrar	*tr.*	关闭，包容
abundante	*adj.*	丰富的
recurso	*m.*	资源
mineral	*adj.*	矿物的
potencialmente	*adv.*	潜在地
orientación	*f.*	指引；方向
llano, na	*adj.-s.*	平的；平地
el Orinoco		奥里诺科河
depresión	*f.*	低地
el Amazonas		亚马孙河
el Gran Chaco		大查科
la Pampa		潘帕斯
despoblado, da	*adj.*	无人居住的
con excepción de	*loc.prep.*	……除外
selvático,ca	*adj.*	热带雨林的
desfavorable	*adj.*	不利的
subsistencia	*f.*	生存
pasto	*m.*	牧草
vegetación	*f.*	植物
agrícola	*adj.*	农业的
la Patagonia		巴塔哥尼亚
helado, da	*adj.*	冰冻的
azotar	*tr.*	鞭笞
costero, ra	*adj.*	沿海的
golfo	*m.*	海湾
valle	*m.*	河谷，山谷
apto, ta	*adj.*	适于
agricultura	*f.*	农业
espeso, sa	*adj.*	浓密的
ausencia	*f.*	缺席，缺少
de trecho en trecho	*loc.adv.*	间隔分布

PALABRAS ADICIONALES

caribeño, ña	*adj.*	加勒比的
conformación	*f.*	组成，构成
conforme	*adj.*	与……相符，一致
conformidad	*f.*	一致，相符
conformismo	*m.*	逆来顺受，随遇而安
conformista	*adj.-s.*	逆来顺受（者），随遇而安（者）
continuidad	*f.*	继续，延续
despliegue	*m.*	展开；部署
fertilidad	*f.*	肥沃
fertilizar	*tr.*	使肥沃，施肥
fronterizo, za	*adj.*	边境的，边界的
fundamentalismo	*m.*	原教旨主义
fundamentalista	*adj.-s.*	原教旨主义的；原教旨主义者
fundamentar	*tr.*	打下基础，奠定
fundamento	*m.*	本原，基础，根基
oriental	*adj.*	东方的
orientar	*tr.*	指引
robustecer	*tr.*	使强壮
robustez	*f.*	强壮
sistemático, ca	*adj.*	系统性的；有条理的
totalidad	*f.*	全部
volcán	*m.*	火山

VERBOS IRREGULARES

desplegar: Se conjuga como ***acertar***.

encerrar: Se conjuga como ***cerrar***.

recostarse: Se conjuga como ***acostarse***.

robustecer: Se conjuga como ***establecer***.

VERBOS CON CAMBIOS ORTOGRÁFICOS EN ALGUNAS CONJUGACIONES

albergar: Se conjuga como ***llegar***.

fertilizar: Se conjuga como ***realizar***.

EJEMPLOS CON ALGUNOS VOCABLOS USUALES

I. brindar

A. *intr.* 祝酒

1. Permítanme brindar por el éxito que han obtenido ustedes.
2. Todos los invitados se levantaron, copa en mano, para brindar por el recién llegado.

B. *tr.* 给予，提供

1. El viaje que realicé acompañando a aquella delegación me brindó la oportunidad de conocer muchos países latinoamericanos.
2. La tierra fértil y el clima suave brindan a la población de la zona buenas condiciones de subsistencia.
3. El mío es un pequeño país montañoso con un clima muy desfavorable para la agricultura, pero, por otro lado, la naturaleza nos brinda abundantes recursos minerales que aprovechamos para impulsar nuestro desarrollo industrial.
4. El gran río que atraviesa la provincia brinda buenas condiciones para el transporte fluvial.

II. corresponder

A. *intr.*; *prnl.* ~ a 符合，相符

1. A simple vista, tu cara no corresponde a esta fotografía.
2. La opinión pública critica al gobierno por su política educativa, que no corresponde al proyecto anunciado.
3. Los beneficios que se les brindan a la población no corresponden, en lo más mínimo, a los sacrificios hechos por ella.
4. Lo que acabas de decirnos no corresponde a la realidad.

B. *intr.* ~ a 归于，归属

1. La mayor parte de la Amazonía corresponde a Brasil, y el resto, a Perú y Colombia, en diferentes proporciones.
2. ¿Qué parte de la Patagonia corresponde a Chile?
3. Según el mapa, esa zona selvática corresponde a Ecuador.

C. *intr.* ~ a 轮到，摊到

1. De regreso de su viaje por el mundo, mi abuela repartió los regalos entre todos sus nietos. A mí me correspondió lo más útil y bonito: un poncho boliviano y una camiseta colombiana.

2. La profesora nos encargó muchas tareas de investigación. A David y a mí nos correspondió recoger datos relacionados con las culturas indígenas andinas.
3. Muchos nos ofrecimos como voluntarios para colaborar en el evento. A Amanda le correspondió ser intérprete de la delegación venezolana.

D. *intr.* ～a una persona con una cosa 答谢，礼尚往来

1. Mi amiga me regaló una estatuilla muy bonita, hecha de piedra volcánica. Yo le correspondí con una bufanda de seda.
2. ¿Con qué piensas corresponder a los Martínez, que te agasajaron tan amablemente en su casa?
3. No entiendo por qué Carlota corresponde con desprecio a Héctor, que la adora.

E. correspondiente *adj.* 相应的

1. Con sus correspondientes ventajas geográficas y climáticas de hallarse en la zona ecuatorial, esta altiplanicie perteneció a los indígenas; ahora es de una empresa extranjera.
2. El fundamentalismo religioso – incluso el político – se extiende en el mundo con los correspondientes riesgos de violencia y fanatismo.
3. Todos hemos cumplido con nuestro deber. Ahora, te toca a ti hacer tu parte correspondiente.

III. cortar(se)

A. *tr.* 切，割

1. La madre cortó el pan en varios pedazos.
2. Este cuchillo no corta. Hay que afilarlo.
3. ¡Vaya torpeza la tuya!:¡En lugar de cortar la carne, te has cortado el dedo!

B. *tr.*; *prnl.* 铰，剪

1. Mi sobrina dijo que le molestaban las trenzas（辫子）y me pidió que se las cortara.
2. Espérame un rato. Voy a cortarme el pelo en la peluquería de la esquina.
3. Muchacho, córtate las uñas（指甲）, que las tienes muy largas y sucias.

C. *tr.* 切断

1. Aquella elevadísima cordillera corta la comunicación entre los dos países.
2. En esa parte, el río corta la carretera.
3. Es una meseta ligeramente inclinada hacia el oriente y abruptamente cortada frente al mar.
4. El dueño de la casa amenaza a los inquilinos con cortarles el agua, el gas y la luz si no le pagan puntualmente el alquiler.

IV. distribuir(se)

A. *tr.* 分配

1. En total, tenemos cuarenta y cinco ejemplares de *Sobre la Agricultura en las Zonas del Litoral de América Latina*. ¿Cómo los vamos a distribuir entre los nueve grupos que hemos formado? ¿Cuántos ejemplares le corresponderán a cada grupo?
2. Después de una profunda reflexión sobre el tema, por fin tengo una idea de cómo distribuir, de manera didáctica, los capítulos de la nueva *Gramática* que voy a escribir.
3. No me parece bien distribuir así el poco tiempo de que disponemos.
4. Aunque el país posee abundantes recursos naturales y una industria y una agricultura bastante desarrolladas, la riqueza está muy mal distribuida entre la población.

B. *prnl.* 分布

1. ¿Qué está sucediendo? Según recientes informaciones, numerosas tropas se han distribuido a ambos lados de la frontera de esas dos naciones.
2. Los más importantes poblados rurales del país se hallan distribuidos en las zonas más fértiles y de clima favorable al desarrollo agrícola.
3. En esta ciudad, los centros comerciales están mal distribuidos.

V. en absoluto *loc.adv.* 绝对（不）

1. □ Voy a poner un poco de música, ¿te molesta?
   ■ ¡En absoluto!
2. □ ¿Es verdad que tienes miedo a la oscuridad?
   ■ ¡No, en absoluto!
3. El jefe del equipo dijo que, en absoluto, había que acercarse al volcán en erupción.
4. En esta época de vientos helados no tengo ganas de viajar por esa zona, en absoluto.

VI. formar(se)

A. *tr.* 组成

1. Hace falta formar, con urgencia, un equipo capaz de llevar a cabo este proyecto.
2. Al conocer la situación precaria en que viven los inmigrantes de provincias, nos propusimos formar varios grupos de voluntarios para brindarles ayuda.
3. La noticia de que los fundamentalistas religiosos han formado grupos de manifestantes violentos ha causado una gran conmoción en todo el país.

B. *tr.*; *prnl.* 培养，受教育

1. Según dicen, en tu universidad se ha fundado recientemente una facultad de mineralogía en la que se formarán especialistas capaces de poner en marcha proyectos que permitan explotar los abundantes recursos minerales de las zonas montañosas.
2. Los centros de enseñanza tienen que asumir la misión de formar futuros ciudadanos honestos, inteligentes, laboriosos y capacitados.
3. Este ambiente social me parece totalmente desfavorable para formar una generación de jóvenes capaces de liderar el cambio que necesita el país.
4. ¡Qué coincidencia! Resulta que tu padre se formó en la misma facultad que tú.

VII. imagen *f.* 形象

1. Vista desde un satélite, la cordillera de los Andes, que se extiende en forma paralela a la costa del Pacífico de América del Sur, recuerda la imagen de un gigantesco dragón.
2. Cuando mi amigo Joaquín reapareció ante mí tras mucho tiempo de ausencia, había cambiado tanto de imagen que a duras penas lo pude reconocer.
3. Las imágenes de estas fotos están muy borrosas.
4. Me hablaste tanto de tu novia que cuando me la presentaste, vi que su apariencia correspondía totalmente a la imagen que me había formado de ella.

VIII. inclinar(se)

A. *tr.* 使倾斜

1. ¡Cuidado! No inclines la cesta, que se caen las frutas.
2. Como el cubo（桶）de agua estaba medio vacío, el viajero tuvo que inclinarlo mucho para poder beber.
3. Luego de sentarse, el muchacho se puso a jugar con los pies, e inclinó tanto la silla, que esta se vino abajo en forma estrepitosa y él quedó con un brazo roto.

B. *prnl.* 倾斜

1. Mirad cómo se inclinan los árboles con el viento.
2. Para hablar con el niño, tuve que inclinarme mucho.
3. Diego, para la foto, inclínate un poco más hacia tu novia, así, pero como si estuvieras a punto de darle un tierno beso en los labios.
4. Temo que este edificio se vaya a derrumbar de un momento a otro. Me parece un poco inclinado hacia la derecha.

5. Si vas a Italia, no te olvides de pasar por Pisa y enviarme una foto de la Torre Inclinada.

C. *prnl.* 倾向于

1. Si Hortensia afirma que esa zona residencial puede albergar a mil familias, me inclino a creerlo: ella entiende de esas cosas.
2. No comprendo por qué siempre te inclinas a pensar mal de los demás.
3. En esa discusión, la mayoría se inclinó a darle la razón a Chema, quien sostuvo que en el profundo malestar de la economía mundial se evidenciaba la crisis del sistema capitalista.

IX. separar(se)

A. *tr.* 分开

1. En este montón de monedas, hay algunas de mucho valor histórico. Rosita, trata de separarlas del resto.
2. El río Bravo separa a México y Estados Unidos.
3. La discrepancia política separó a los dos amigos.

B. *prnl.* 分手，离别

1. María y yo nos separamos en 1971. Desde entonces, no nos hemos vuelto a ver.
2. Niño, aquí hay mucha gente; no te separes de mí.
3. Como no estaba de acuerdo con la línea política de su partido, Jaime resolvió separarse de él.
4. El río corría paralelo a la carretera sin separarse de ella en ningún momento.

X. sistema *m.* 系统，制度，方法

1. A pesar de sus diferentes sistemas sociales, los dos países mantienen relaciones muy amistosas.
2. ¿Cuáles son los planetas del sistema solar?
3. No sé cómo explicarte el funcionamiento（运转） de esta máquina. Tiene un sistema muy complicado.
4. ¿Quieres contarles un cuento a los niños, por favor? Es el único sistema de mantenerlos tranquilos.

RESPECTO AL LENGUAJE

I. Función sintáctica de las concordancias

西班牙语有不少与汉语迥异的语法现象，比如，名词分阳性、阴性两大类。如果涉及生命体，为了指明性别，当然十分必要。但是，天地山川、金石土木、衣帽鞋袜、桌椅板凳、锅碗瓢盆，如此等等，哪里有什么雌雄？为什么西班牙语也在它们当中区分阳性和阴性 (cielo / tierra, río / montaña, pupitre / mesa)？

其实，这种区分完全服务于句法需要，并非客观事物的属性反映，指明生命体性别的作用不过是附带为之。西班牙语词汇的形态变化，名词除了阳性、阴性 (género: masculino / femenino)，还有单数、复数 (número: singular / plural)；动词则有人称 (personas gramaticales)、单 / 复数 (número) 和时态 (tiempos verbales) 等变化。

所谓形态一致（或形态呼应）是指：① 当名词和形容词构成一个词组时，两者必须在形态上保持阴、阳性和单、复数的一致。比如：est***a*** vast***a*** exten***sión***, kilómetr***os*** cuadrad***os***。② 动词必须与其主语在人称（我 / 你 / 他等）和单、复数（我 / 我们，你 / 你们，他 / 他们）上相呼应。比如：“¿Tend***rán ustedes***, por casualidad, un mapamundi? Bueno, lo v***oy*** (***yo***) a desplegar.”

得益于这种组句手段，西班牙语的词序比较灵活自由。有时，名词和修饰它的形容词或动词和它的主语可以相距遥远。遇到这种情况就要求我们根据形态呼应的规则仔细分析，找出虽不在一处却相关的词语，以避免理解错误。下面仅举一例来说明这种分析的重要性：“El herido se desmayó dos y tres veces en la cuesta cada vez más ***empinada***.”请注意后面的错误汉译：“伤者昏厥了两三次，愈来愈站不住了。”

上面译文的错误是双重的，首先，empinada 意为“陡峭”，和“站得住站不住”毫不搭界。其次，就是我们这里要说的错误：没有确认这个形容词与哪个名词相关。很显然，它的阴性单数形式呼应的是 la cuesta，而绝不可能是 El herido。因此，这句话的正确译法应该是：“那个受伤的人，在越来越陡的坡路上，接连晕倒了两三次。”

这类分析在比较复杂的文体中更显得尤其重要。比方讲究韵律的诗歌中，就会经常打破常规语序，给理解造成一定的困难。请同学们试着利用形态一致的原则分析下面诗歌中那些距离较远的相关词语：

La cierva y el león

Más ligera que el viento,
precipitada huía
una inocente cierva,
de un cazador seguida.
En una oscura gruta,
entre espesas encinas,
atropelladamente
entró la fugitiva.
Mas, ¡ay!, que un león sañudo,
que ahí mismo tenía
su albergue y era susto
de la selva vecina.
Cogiendo entre sus garras
a la res fugitiva,
dio con cruel fiereza
fin sangriento a su vida.
Si al evitar los riesgos
la razón no nos guía,
por huir de un tropiezo
damos mortal caída.

II. Tiempos verbales perfectos e imperfectos

我们曾在第二册第十四课学过动词的体貌（aspectos verbales）：完成体（perfectivo）和未完成体（imperfectivo）。这是根据语义区分的。而就其时态意义而言又可分为完成时态和未完成时态两类。与完成体和未完成体一样，前者表示事件开始并结束这个全过程，后者只描述事件的进展过程，不涉及它的开始和结束。请认真复习第二册第十四课和第三册第十四课的相关语法项目。本课仅限于列表区分完成时态和未完成时态，以便学习者尽收全貌：

未完成时态		完成时态	
陈述式	虚拟式	陈述式	虚拟式
现在时	现在时	现在完成时	现在完成时
canto	cante	he cantado	haya cantado
过去未完成时	过去未完成时	简单过去时	过去完成时
cantaba	cantara	canté	cantara
将来未完成时	将来未完成时	将来完成时	将来完成时
cantaré	*cantare	habré cantado	*hubiere cantado
简单条件式			复合条件式
cantaría			habría cantado
		前过去时	
		*hube cantado	
		过去完成时	过去完成时
		había cantado	hubiera cantado

注意 带星号（*）的动词形态未曾教授过，因为在现代西班牙语中很少使用，仅仅保留在某些成语、仿古风格或法律文献中。

社会文化常识 CONOCIMIENTO SOCIOCULTURAL

正字法（I）

多年来，简化西班牙语书写规则是学术界和民间一直讨论的话题。2010年，全球西班牙语语言学院协会（Asociación de Academias de la Lengua Española, ASALE）和西班牙皇家语言学院（Real Academia Española, RAE）共同公布了新的正字法。现将这些规则集中梳理。

一、字母的名称

“ch”和“ll”不再是独立的辅音字母，前者是字母“c”和“h”的组合，后者是两个“l”的组合。

辅音“w”和“y”的官方推荐名称分别是“uve doble (doble uve)”和“ye”。

在拉丁美洲地区，辅音“v”也被称为“ve”。为区分“b”和“v”，人们常称“b”为be alta, be grande, be larga；称“v”为ve corta, ve chica, ve chiquita, ve pequeña或ve baja。

二、重音符号的使用

一些原本通过添加或删除重音符号区分词性和词义的单词原则上不再使用重音符号。词性和词义的变化依据语境或上下文确定。

1. 形容词solo和副词solo一律写作solo。如有出现歧义的可能，建议使用solamente，而不是solo，例如：“Visité solamente dos ciudades del país.”

2. 指示代词不再带重音符号，例如：“Estos zapatos son más caros que aquellos.”当然，如果可能产生歧义，仍然需要添加重音符号加以区分。例如在“¿Por qué compraron aquéllos libros usados?”中，aquéllos是主语，代指购书者，而在“¿Por qué compraron aquellos libros usados?”中，aquellos是形容词，修饰中心词libros。为区分二者，前者需要使用重音符号。

3. 连词“o”上不再使用重音符号。

三、前缀与中心词的书写方式

1. 如果中心词是一个单词，一般与前缀连写，例如：subdirector，vicedecano，macroeconómico, exnovio。

如果中心词是一个以上的单词，应与前缀分写，例如：super de moda，ex Primer Ministro，sub comandante en jefe，ex número uno，pro derecho humano。

如果中心词是缩略语、数字或专有名词，前缀和中心词之间应添加“-”，例如：anti-ALCA, mini-USB, sub-16, pro-Putin。

2. 如果并列使用两个前缀，而中心词是一个单词，应在两个前缀后各添加一个“-”，例如：anti- y pro- Chávez。如果中心词是一个以上的单词，则无需使用“-”，例如：anti y

pro Fidel Castro。

3. 当前缀的最后一个元音和中心词的首个元音相同时，可以合并为一个，例如：contrataque，antincendio，prelegir。

但是，如果可能造成词义改变，或者中心词的首字母为“h”，则应当保留两个元音，例如：semihilo，reenunciar（区别于 renunciar），semiilegal。

4. 其他前缀的使用：

pos 与 post：一般使用 pos。如果中心词的首字母是“s”，则使用 post，例如：posguerra，posdiluvio，posmodernidad，pos Edad Media；postsocialismo，postservicio。

tras 与 trans：一般使用 tras，例如：trasoceánico，traspasar，trasparente。如果中心词的首字母是“s”，则使用 trans：transexual，transiberiano。

EJERCICIOS

05-03

I. Siguiendo la grabación, lea las siguientes frases hechas, poniendo atención en la fonética y en la entonación:

1. Basta un solo sabio para conquistar una gran ciudad.
2. Siembra maldad y cosecharás desgracia; con el palo que pegues, serás golpeado.
3. Eres sabio si sabes cuándo hablar y cuándo callar.
4. Fe en lo no visto, esperanza en que va a ocurrir.
5. El comportamiento es un espejo en el que cada uno muestra su imagen.
6. Cometer una injusticia es peor que sufrirla.
7. Más vale buen final, que buen comienzo.
8. La paciencia es un árbol de raíz amarga pero de frutos muy dulces.
9. No presumas de ti mismo; deja que te alaben los demás.
10. El orgullo termina en humillación, mientras que la humildad trae honra.
11. Es más fácil reprimir el primer capricho que satisfacer a todos los que le siguen.
12. Hay silencios que dicen mucho y palabras que no dicen nada.
13. Puedes engañar a todo el mundo algún tiempo. Puedes engañar a algunos todo el tiempo. Pero no puedes engañar a todo el mundo todo el tiempo.
14. Madurar es cuidar lo que dices, respetar lo que escuchas y meditar lo que callas.
15. Una mentira puede salvar tu presente, pero condena tu futuro.
16. El sufrimiento te puede volver más noble o más duro.
17. A veces la última llave es la que abre la puerta.
18. Guardar rencor es tomar veneno y esperar que otro muera.
19. Reprende al amigo en secreto y alábalo en público.
20. Lo que al principio se gana fácilmente, al final no trae ninguna alegría.

II. Conjugue los siguientes verbos en todas las personas de los modos y tiempos indicados:

1. **En presente del indicativo y del subjuntivo:**

   accionar, agotar, *albergar*, azotar, brindar, clavar, *comunicar*, conformar, contemplar, *dar*, *descender*, *desplegar*, *distribuir*, emprender, *encerrar*, enfundar, experimentar, *fatigar*, *fertilizar*, fundamentar, inclinar, orientar, *pensar*, *perderse*, *profetizar*, *propagar*, *recostarse*, *referirse*, reservar, retornar, *robustecer*, *servir*, transmitir, *ubicar*;

2. **En pretérito perfecto y pluscuamperfecto del indicativo:**

   abrir, albergar, azotar, brindar, clavar, comunicar, conformar, contemplar, *cubrir*, *decir*, denominar, derretir, *descubrir*, desplegar, *devolver*, *disponerse*, encerrar, *escribir*,

fertilizar, fundamentar, *hacer*, inclinar, *morir*, orientar, recostarse, *resolver*, *romper*, sacrificar, simbolizar, sonreír, *suponer*, ubicar, *ver*, *volver*;

3. **En futuro imperfecto del indicativo y en condicional simple**:
   agotar, albergar, aparecer, arrojar, azotar, brindar, clavar, comunicar, concentrarse, conformar, cortar, *decir*, desarrollarse, desplegar, *detener*, *disponerse*, emprender, encerrar, extenderse, fundamentar, grabar, *haber*, *hacer*, inclinar, orientar, *poner*, propagar, recostarse, romper, *saber*, *salir*, sonreír, *tener*, transmitir, ubicar, *venir*;
4. **En modo imperativo y presente del subjuntivo usado como mandato negativo:**
   accionarla, agotarlo, ahuyentarlos, *albergarlos*, andar rápido, atarlo, brindárselo, clavarlos, *comunicárselo*, conformarlas, *conmoverse*, contemplarlas, *cruzarlo*, *decírmelo*, *descender*, *desplegarlas*, emprenderlo, *encerrarlos*, *enfurecerse*, *entregárselo antes del mediodía*, experimentarlos, *extenderlo*, *fertilizarlo*, *hacerlo* limitarse a escuchar, manejarlo, orientarnos, *ponerlas aquí*, *recostarse contra la pared*, repartir los regalos entre todos, reservarme la habitación, *robustecerlo*, *salir ahora mismo*, *tenerlas*, *venir*.

（斜体部分需笔头重复）

05–04

III. Escuche las preguntas sobre el texto y contéstelas oralmente en español.

IV. Diga a qué se refiere la parte en cursiva; en caso de que sea verbo, cuál es su sujeto. Todas las oraciones son del texto:

1. En el Hemisferio Occidental ***emerge***, entre el Océano Pacífico y ***el Atlántico***, una enorme masa continental conocida con el nombre de América, en ocasiones ***llamada*** también Nuevo Continente o Nuevo Mundo.
   emerge:
   el Atlántico:
   llamada:
2. De ***él***, corresponde a América Latina la parte que queda al sur del Río Bravo (o Río Grande, como ***se le conoce*** en los EE.UU.), curso de agua que ***sirve*** de frontera entre México y los Estados Unidos, así como entre ***las dos Américas***.
   él:
   se conoce:
   le:
   sirve:
   las dos Américas:

3. ¿Tendrá alguien de ustedes, por casualidad, un mapamundi? ¿Sí? Bien, gracias, ***lo*** voy a desplegar.

   lo:

4. Miren: ***observando*** a simple vista, ***podrán*** darse cuenta de la ubicación de la región a ***la*** que nos referimos.

   observando:

   podrán:

   la:

5. Las naciones que conforman lo que ***se denomina*** América Latina, ***están distribuidas*** en una vasta y diversa extensión geográfica: toda América del Sur, toda Centroamérica, las Antillas Mayores, que ***se hallan*** en el mar Caribe, y una parte de América del Norte.

   se denomina:

   están distribuidas:

   se hallan:

6. La población de ***esta inmensa superficie*** supera los 300 millones de habitantes.

   esta inmensa superficie:

7. Geográficamente, ***se puede*** hablar de cuatro zonas fundamentales: la cordillera de los Andes, en occidente; la cordillera del Brasil, en oriente; las llanuras centrales, y las costas.

   se puede:

8. Si ustedes pudieran observar América desde una gran altura, desde un satélite, por ejemplo, pensarían que junto al Pacífico ***se halla recostado*** un inmenso dragón con ***su*** cabeza ***ocupando*** parte del noroeste de Venezuela y casi toda Colombia; su robusto cuello, el este de Ecuador y el norte del Perú, y su cuerpo ***recorriendo***, en forma paralela, a lo largo de la costa del Perú, los territorios de Bolivia, de Chile y el noroeste de Argentina, y ***su*** larga cola ***pasando*** por el este de Chile y el oeste de Argentina, hasta ***perderse*** entre las pequeñas islas del extremo sur d***el continente***.

   se halla recostado:

   su:

   ocupando:

   recorriendo:

   su:

   pasando:

   perderse:

   el continente:

9. Este inmenso dragón es la cordillera de los Andes, el más importante sistema montañoso de América y ***el segundo*** de la Tierra, después d***el Himalaya***.
   el segundo:
   el Himalaya:
10. Es en ***este terreno elevado*** donde ***se desarrollaron*** grandes culturas indígenas en la antigüedad.
   este terreno elevado:
   se desarrollaron:
11. ***La razón*** está en algo muy sencillo: en la existencia, en esa latitud tropical o ecuatorial, de tierras fértiles y climas soportables, ***distribuidos*** en amplias mesetas, valles y altiplanicies de los Andes, ***todo lo cual*** pudo brindar al ser humano de esa región, excelentes condiciones de vida.
   La razón:
   distribuidos:
   todo lo cual:
12. Hasta hoy día ***siguen concentradas allí*** las principales poblaciones indígenas y mestizas de América Latina.
   siguen concentradas:
   allí:
13. ***Forma***, prácticamente, una inmensa altiplanicie cortada abruptamente frente al mar e ***inclinada*** suavemente hacia el interior d***el continente***.
   Forma:
   inclinada:
   el continente:
14. Tiene una superficie de más de 5 millones de kilómetros cuadrados con amplias extensiones de suelo fértil bien ***regado*** por las lluvias. Actualmente, ***esta zona*** alberga a la mayor parte de la población d***el país***.
   regado:
   esta zona:
   el país:
15. Tanto los Andes como la altiplanicie del Brasil ***encierran***, en sus estructura geológica, abundantes recursos minerales, y ***pueden contarse*** entre las regiones potencialmente más ricas de la Tierra.
   encierran:
   pueden:
   contarse:

16. Entre los Andes y la gran altiplanicie brasileña, ***se extiende*** una serie de vastas llanuras que, ***siguiendo*** la orientación de norte a sur, son los llanos del Orinoco, la depresión en que ***se encuentra*** la inmensa selva del Amazonas; el Gran Chaco, y por último, la Pampa.
    se extiende:
    siguiendo:
    se encuentra:
17. Como ustedes recordarán, con excepción de la parte del extremo sur, toda América Latina se halla en la zona tropical o en ***la*** ecuatorial.
    la:
18. ***Eso*** significa que las tierras bajas –las selváticas–son calurosas y húmedas, muy ***desfavorables*** para la subsistencia humana.
    Eso:
    desfavorables:
19. Al sur de la línea tropical, el paisaje cambia totalmente de aspecto: ***desaparece*** la selva y ***se abre*** una amplísima región de pastos y baja vegetación.
    desaparece:
    se abre:
20. Es la llanura llamada Pampa. ***Allí***, el clima es templado y las posibilidades agrícolas son inmensas.
    Allí:
21. Al sur de la Pampa comienza la Patagonia, región poco poblada a causa del clima de frío riguroso y de los vientos helados que ***azotan*** todo el año ***ese territorio***.
    azotan:
    ese territorio:
22. La acción del mar ***se deja sentir*** en gran parte de la costa latinoamericana, ***cuyo*** clima resulta más favorable para la vida humana y bastante ***conveniente*** para el cultivo agrícola.
    se deja sentir:
    cuyo:
    conveniente:
23. ***Este es el caso*** de las Antillas, de las islas del Trópico, de algunas áreas costeras situadas entre los grandes sistemas montañosos y el litoral…
    Este es el caso:

24. ***Algunas***, por exceso de lluvias se hallan ***cubiertas*** por espesas selvas, y ***otras***, por una total ausencia de precipitación pluvial, son ***desérticas***.

    Algunas:

    cubiertas:

    otras:

    desérticas:

25. ***En el último caso*** se encuentran las costas del norte de México, tanto ***la*** del Pacífico como ***la*** del Atlántico, y las costas del Perú y del norte de Chile.

    En el último caso:

    la:

    la:

26. De la costa peruana ***se podría decir*** que es un inmenso desierto cruzado, de trecho en trecho, por ríos que descienden de los Andes y que dejan, a ***su*** paso, valles fértiles en ***los*** que se hallan las ciudades más modernas y pobladas d***el país***.

    se podría decir:

    su:

    los:

    el país:

V. Sustituya la palabra en cursiva por un sinónimo según el contexto:

1. En el Hemisferio Occidental ***emerge***___________, entre el Océano Pacífico y el Atlántico, una enorme masa continental conocida con el nombre de América, ***en ocasiones*** __________ llamada también Nuevo Continente o Nuevo Mundo.
2. De él ***corresponde*** __________ a América Latina la parte que queda al sur del Río Bravo (o Río Grande, como se le conoce en los EE.UU.), curso de agua que sirve de frontera entre México y los Estados Unidos, así como entre las dos Américas.
3. Bien, gracias, lo voy a ***desplegar***__________.
4. ***Miren***: __________ observando a simple vista, podrán ***darse cuenta de*** __________ la ubicación de la región a la que nos referimos.
5. Las naciones que conforman lo que ***se denomina*** __________ América Latina, están distribuidas en una vasta y diversa extensión geográfica: toda América del Sur, toda Centroamérica, las Antillas Mayores, que ***se hallan*** __________ en el mar Caribe, y una parte de América del Norte.
6. En total, el territorio de América Latina casi ***llega a*** __________ los 18 millones de kilómetros cuadrados,

7. La población de esta ***inmensa*** _____________ superficie supera los 300 millones de ***habitantes*** __________.
8. Si ustedes pudieran ***observar*** _____________ América desde una gran altura, desde un satélite, por ejemplo, ***pensarían*** _____________ que junto al Pacífico se halla recostado un ***inmenso*** __________ dragón, con la cabeza ***ocupando*** __________ parte del noroeste de Venezuela y casi toda Colombia; su robusto cuello, el este de Ecuador y el norte del Perú, cuerpo ***recorriendo*** __________, en forma paralela, a lo largo de la costa del Perú, los territorios de Bolivia y de Chile y el noroeste de Argentina; y su larga cola pasando por el este de Chile y el oeste de Argentina, hasta ***perderse*** _____________ entre las pequeñas islas del extremo sur del continente.
9. Su ***continua*** ____________ actividad volcánica a lo largo de toda su extensión, hace pensar en un dragón que ***arroja*** ____________ fuego por distintas partes de su cuerpo.
10. La razón ***está*** ____________ en algo muy sencillo: es la existencia, en esa latitud tropical o ecuatorial, de tierras fértiles y climas ***soportables*** ________________, distribuidos en amplias mesetas, valles y altiplanicies de los Andes, todo lo cual pudo ***brindar***____________ al ser humano de esa región, ***excelentes*** ____________ condiciones de vida.
11. ***Forma*** ____________, prácticamente, una ***inmensa*** _____________ altiplanicie cortada ***abruptamente*** _____________ frente al mar e inclinada ***suavemente*** _____________ hacia el interior del continente.
12. Tanto los Andes como la altiplanicie del Brasil ***encierran*** _____________ en su estructura geológica, abundantes recursos minerales y pueden ***contarse*** _____________ entre las regiones potencialmente más ricas de la Tierra.
13. Como ustedes recordarán, ***con excepción de*** _____________ la parte del extremo sur, toda América Latina se halla en la zona tropical o en la ecuatorial.
14. Eso ***significa*** _____________ que las tierras bajas –las selváticas– son calurosas y húmedas, muy desfavorables a la ***subsistencia*** _____________ humana.
15. Al sur de la línea tropical, el paisaje cambia totalmente de ***aspecto*** _____________: desaparece la selva y se abre una amplísima región de pastos y baja vegetación.
16. Allí el clima es ***templado*** _______________ y las posibilidades agrícolas son ***inmensas*** _______________.
17. Al sur de la Pampa comienza la Patagonia, región poco poblada a causa del clima de frío riguroso y de los vientos helados que ***azotan*** _________________ todo el año ***ese territorio*** _____________.

18. La acción del mar se deja sentir en gran parte de la costa latinoamericana, cuyo clima resulta más favorable para la vida humana y bastante ***conveniente*** ____________ para el cultivo agrícola.
19. Pero no todas las regiones costeras son ***aptas*** ____________ para la agricultura.
20. Algunas, por exceso de lluvias, se hallan cubiertas de espesas selvas, y otras, por una total ***ausencia*** ____________ de precipitación pluvial, son desérticas.

VI. Sustituya la parte en cursiva por lo que se sugiere entre paréntesis al final de la oración, y reorganícela según convenga:

Ejemplo En el Hemisferio Occidental *emerge*, entre el Océano Pacífico y el Atlántico, *una masa continental* conocida con el nombre de América. (*hallarse, la masa continental*)

La masa continental conocida con el nombre de América se halla en el Hemisferio Occidental, entre el Océano Pacífico y el Atlántico.

1. *De él corresponde a* América Latina la parte que queda al sur del Río Bravo. (*ocupar*)

____

2. Miren: observando a simple vista, podrán darse cuenta de la ubicación de la región *a la que nos referimos*. (*hablar*)

____

3. Más de 300 millones de hombres *habitan* esta vasta extensión. (*vivir*)

____

4. Geográficamente *se puede hablar de* cuatro zonas fundamentales. (*la región, estar dividido)*

____

5. *Si ustedes pudieran observar* América desde una gran altura, desde un satélite, por ejemplo, pensarían que junto al Pacífico se halla recostado un inmenso dragón con su cabeza ocupando parte del noroeste de Venezuela y casi toda Colombia; su robusto cuello, el este de Ecuador y el norte del Perú, y su cuerpo recorriendo, en forma paralela, a lo largo de la costa del Perú, los territorios de Bolivia y de Chile, y el noroeste de Argentina; y su larga cola pasando por el este de Chile y el oeste de Argentina, hasta perderse entre las pequeñas islas del extremo sur del continente. (*observando*)

____

____

____

6. Su continua actividad volcánica a lo largo de toda su extensión, *hace pensar* en un dragón que arroja fuego por distintas partes de su cuerpo. (*Debido a su continua actividad volcánica, presentarse, la imagen de*)

____

____

7. *Es* en este terreno elevado *donde* se desarrollaron grandes culturas indígenas en la antigüedad. (Omita las palabras en cursiva)

____

____

8. La razón está en algo muy sencillo: *es la existencia*, en esa latitud tropical o ecuatorial, de tierras fértiles y climas soportables, distribuidos en amplias mesetas, valles y altiplanicies de los Andes, *todo lo cual* pudo brindar al ser humano de esa región, excelentes condiciones de vida. (*como la región, encontrarse*)

____

____

9. Tiene una superficie de más de 5 millones de kilómetros cuadrados *con* amplias extensiones de suelo fértil bien regado por las lluvias. (*que, abarcar*)

____

____

10. Estas amplias extensiones de suelo fértil bien regado por las lluvias *alberga* actualmente a la mayor parte de la población del país. (*concentrarse*)

____

____

11. Es la llanura llamada Pampa. *Allí* el clima es templado y las posibilidades agrícolas son inmensas. (*donde*)

____

____

12. Al sur de la Pampa comienza la Patagonia, región poco poblada *por* el clima riguroso y *por* los vientos helados que la azotan todo el año. (*a causa de*)

____

____

VII. Traduzca al español las siguientes oraciones. Ojo: a veces hace falta agregar diversos tipos de partículas que están ausentes en la versión china:

1. 我走到门前，敲了敲，没人回应。我又敲了几下，直到听见有人说：“谁呀？”
2. 那次旅行给我提供了一次好机会，可以就近了解那个神秘的高原地区。

3. 我问他，他的家乡在哪里，他说在一条大河的河谷地带，那里土壤肥沃，加之现代化运河系统的灌溉，养育了整个地区三分之一的人口。
4. Agustín，你不觉得桌子有点儿倾斜吗？
5. 外面的嘈杂声最后实在让人受不了了，我不得不站起来，把所有的窗户都关上。
6. 我和你说的那座城市在赤道上，可是气候一点儿也不炎热潮湿。
7. 这个地区矿产资源丰富，人们都说具有发展工业的潜力。
8. 你在地图上给我指出你说的那个小海湾的位置，我就给你提供一条去那儿的最短路线。
9. 我们当时在那个山区迷路了，又没能找到给我们引路的人，便随意踏上一条小径。结果就这样进了那个村子。
10. 条件很不利，你们打算怎么办？

VIII. Conjugue el infinitivo que está entre paréntesis en el tiempo y la persona correspondientes:

1. El hombre con quien me viste es mi novio. Lo _________ (conocer) en una fiesta.
2. Le pregunté si podía acompañarme a pasear por Madrid. Ella me contestó que no ___________ (conocer) la ciudad.
3. El herido ni siquiera gemía, pero todos ___________ (saber, nosotros) que estaba sufriendo.
4. Cuando ellos _________ (saber) que llegaríamos en aquel tren, acudieron a la estación a recibirnos.
5. Como el guardia se había quedado dormido, el prisionero _________ (poder) escaparse fácilmente.
6. Al ver que no __________ (poder) convencerme, se marchó.
7. Hubo un momento que __________ (querer, yo) decírselo todo a mi madre, pero acabé por callarme.
8. Sabía que ____________ (querer, nosotros) impedirle que se acercara al muro, pero a él no le ____________ (importar) y ____________ (avanzar) en esa dirección.
9. Le telefoneé para decirle que ____________ (tener) que viajar solo, pues ninguno de nosotros podíamos acompañarlo.
10. Como nadie ___________ (querer) acompañarlo, ___________ (tener) que viajar solo.

IX. Conjugue el infinitivo, primero en pretérito indefinido, y luego en pretérito imperfecto del indicativo, y a continuación, diga la diferencia que hay entre las dos versiones:

1. El niño ___________ (morirse) de hambre.
   El niño ___________ (morirse) de hambre.

2. Todo el mundo ___________ (gritar): "¡Abajo el tirano!"
   Todo el mundo ___________ (gritar): "¡Abajo el tirano!"
3. Los visitantes ___________ (subir) y ___________ (bajar) por la escalera.
   Los visitantes ___________ (subir) y ___________ (bajar) por la escalera.
4. El profesor ___________ (salir) por esa puerta.
   El profesor ___________ (salir) por esa puerta.
5. Los empleados ___________ (entrar) a trabajar a las nueve.
   Los empleados ___________ (entrar) a trabajar a las nueve.
6. Las luces (encenderse) ___________ y (apagarse) ___________.
   Las luces (encenderse) ___________ y (apagarse) ___________.
7. Cuando ___________ (cruzarse) conmigo, me ___________ (saludar).
   Cuando ___________ (cruzarse) conmigo, me ___________ (saludar).
8. Cuando ___________ (pasar, él) por delante de la tienda, ___________ (quedarse) mirando el escaparate.
   Cuando ___________ (pasar, él) por delante de la tienda, ___________ (quedarse) mirando el escaparate.
9. ¿Por qué ___________ (golpear, tú) al niño?
   ¿Por qué ___________ (golpear, tú) al niño?
10. La biblioteca ___________ (cerrarse) a las diez de la noche.
    La biblioteca ___________ (cerrarse) a las diez de la noche.

X. Traduzca al español las siguientes oraciones:

1. 我一听说老师生病了，就立刻去看他。
2. 你问我的时候，我还什么也不知道。
3. 当时那女人有一个儿子。
4. 那女人生了个儿子。
5. 当时天很黑，大雨滂沱。
6. 昨晚一整晚大雨滂沱。
7. 那天她就是为这个哭的。
8. 见她哭个没完，我不知怎么办才好。
9. 他一口气看完了信，然后抬起头望着我。
10. 他正在读信，所以没发觉我进屋了。

XI. Ejercicios del léxico:

A. Complete las oraciones usando, en forma adecuada, las voces que se dan a continuación:

brindar cortar corresponder distribuir en absoluto
formar imagen inclinar(se) separar(se) sistema

1. ¿Qué ___________ semeja la cordillera de los Andes, observada desde una gran altura?
2. La tierra fértil y el clima suave de esa zona ___________ condiciones muy favorables para la agricultura.
3. Las pocas zonas aptas para el cultivo de cereales están ____________ a lo largo de la costa.
4. En aquella época, esos pequeños poblados indígenas todavía se hallaban ___________ del resto del país por espesas selvas tropicales.
5. La profesora nos indicó en el mapamundi los _______________ montañosos más importantes que hay en el Continente Asiático.
6. Esos islotes ____________ debido a una serie de erupciones volcánicas.
7. No estoy de acuerdo, ____________, con tus criterios fundamentalistas.
8. Esa pequeña meseta suavemente ____________ hacia la orilla del río albergó a los primeros colonos europeos.
9. Conforme al principio de justicia social, no nos parece correcto ____________ de esa manera la riqueza entre la población.
10. Mi prima me había invitado a una función de ópera. Yo le ____________ con una cena en un restaurante de lujo.
11. Esta foto tomada desde el satélite es demasiado antigua, ya no ____________ al estado actual de esa zona selvática.
12. Una inundación ____________ totalmente la comunicación de aquellos poblados de la selva tropical con el resto del país.
13. Una multitud que corría en todas direcciones me ____________ de mis amigos, y me costó mucho trabajo reencontrarlos.
14. Con la orientación de nuestros padres, todos los hijos ___________ en el riguroso respeto a los mayores.
15. Este ejercicio consiste en rellenar los espacios en blanco con las preposiciones ____________.

B. Rellene los espacios en blanco con las preposiciones correspondientes:

1. Todos sabemos lo que tenemos que hacer, pero, ¿qué tarea le corresponde _____ Germán?

2. ¿Crees que tanto la ubicación como el clima de la zona brindan condiciones favorables ______ la agricultura?
3. ¿Cómo se puede vivir así: separado ______ la familia y ______ los amigos? Me parece algo totalmente insoportable.
4. Me incliné ______ el niño para preguntarle si podía indicarme dónde quedaba la sede del gobierno municipal.
5. □ ¿Puedo desplegar el mapamundi ______ esta mesa?
   ■ ¡No, ______ absoluto! Allí voy a dormir esta noche.
6. He traído, ______ total, sesenta ejemplares ______ varias revistas. Los voy ______ distribuir ______ doce alumnos. A ver, ¿cuántos le corresponden ______ cada uno?
7. ¿ ______ cuántos jugadores está formado un equipo ______ fútbol?
8. Noté que te inclinabas ______ aceptar las condiciones que se te querían imponer.
9. El tráfico ______ ese barrio estuvo totalmente cortado ______ un grave incendio que se había producido ______ un hotel.
10. El sistema que has propuesto no nos parece apto ______ ser aplicado ______ las actuales circunstancias.

(Carnaval en Canarias, Fernando Uría,
Santillana / Universidad de Salamanca, Madrid, 1991: 34)

05–05

C. Al escuchar la perífrasis, diga el vocablo o expresión correspondiente:

1. Que abunda o es grande en número: ______________
2. Dar alojamiento a una persona: ______________
3. Conjunto de montañas unidas entre sí: ______________
4. Medida de superficie: ______________
5. Que no es favorable o que perjudica: ______________
6. Que tiene los elementos muy juntos y apretados: ______________
7. Tierra que produce en abundancia: ______________
8. Indicar cómo llegar al lugar adonde se quiere ir: ______________
9. Hacer más robusta una cosa: ______________
10. Conjunto de plantas silvestres o cultivadas de un lugar determinado: ______________

XII. Rellene los espacios en blanco con las preposiciones adecuadas:

Teodoro y Candelaria caminan ______ la plaza ______ España. ______ el jardín ______ Santa Elena, sentada ______ un banco ______ madera, llora una mujer. Su traje es ______ papel y, ______ culpa ______ la lluvia, casi ha desaparecido. No quedan ______ él más que algunos trozos ______ papel mojados y ______ color que apenas sirven ______ ocultar su cuerpo. Tiene frío.

–¡Marilyn!

Teodoro ha reconocido ______ la reina ______ las fiestas, ______ esa chica que dos horas antes brillaba ______ su gran belleza ______ la plaza y era el centro ______ atención ______ todo el pueblo ______ Santa Cruz.

Ahora es un muñeco ______ trapo, un pobre pájaro ______ las plumas mojadas, que ha perdido la luz, el color y las ganas ______ volar.

Candelaria deja ______ Teodoro solo ______ Marilyn. Él se sienta ______ su lado en el banco ______ madera. Marilyn no para ______ llorar.

–Te he buscado durante todo el día. Te han elegido reina ______ las fiestas. Tienes que estar contenta.

–¡Mira cómo me ha puesto la lluvia! ¡Odio la lluvia! ¡Márchate ______ aquí! ¡No quiero ver ______ nadie!

XIII. De las dos formas que están entre paréntesis, tache la que considere incorrecta:

(Érase, fue) una vez una reina muy buena y muy triste. No (había tenido, tenía) hijos, lo que siempre (era, fue) su mayor ilusión, ya que (adoraba, adoró) a los niños.

Un día de invierno, triste y frío, la reina (bordaba, bordó) junto al balcón. Fuera (nevaba, nevó) copiosamente y sin cesar. Mirando los copos de nieve, la reina (se distraía, se distrajo) y (se pinchaba, se pinchó), y una gota de sangre (caía, cayó) sobre las flores de su bordado.

–¡Ay!...–(exclamaba, exclamó) la reina. –¡Qué dichosa (sería, seré) si tuviera una hija blanca, blanca como la nieve!

El hada de la Nieve que (estaba, estuvo) cerca, oyendo el lamento de la reina, (decidía, decidió) complacer sus deseos. Y poco después le (nacía, nació) una hijita de piel muy blanca a la que su madre (ponía, puso) de nombre Blancanieves.

(Curso Intensivo de Español, Ejercicios prácticos, nivel intermedio y superior, R. Fente, J. Fernández, y J. Siles, Sociedad General, Española de Librería, S. A., Madrid, 1980)

05–06

XIV. Dictado.

05–07

XV. Escuche la grabación y luego haga una versión oral resumida.

XVI. Trabajos de casa:

1. Trate de leer el texto con suficiente fluidez.
2. Temas de conversación:
   1) Diálogo sobre la geografía de España;

2) Diálogo sobre la geografía de cualquier país latinoamericano;

3) Diálogo sobre la geografía de las respectivas provincias de cada alumno.

3. Traduzca al español las siguientes oraciones:

1) 除了南美洲和中美洲，北美洲的一部分也属于拉丁美洲。

2) 这个国家的主要城市分布在漫长的海岸线上。

3) 平原上的肥沃土地为农业提供了十分有利的条件。

4) 高耸的山系和湍急的河流把这个热带雨林区和文明地区分隔开来。

5) 我们这个地区富有各种自然资源，所以养育了全国五分之一的人口。

6) 在我们面前耸立起一座陡峭的山峰，就像被一把巨大的砍刀齐齐切开了似的。

7) 高原地势微微向东南倾斜，直到被一条河流切断。

8) 由于自然条件十分不利于人类生存，这个地区几乎荒无人烟。

9) 要是你们打算穿越那片热带雨林，我劝你们找个土著居民为你们引路。

10) 显而易见，照片上的形象与我眼前的这个人一点儿也不相符。

UNIDAD 6 第六课

1 FUNCIÓN COMUNICATIVA

2 EJEMPLOS CON ALGUNOS VOCABLOS USUALES

acomodar(se), brotar, crecer, dudar, en cambio, gozar, perder de vista, señalar, venir, voluntad

3 RESPECTO AL LENGUAJE

- Tematización del complemento directo
- Partícula *LO*
- Estilo indirecto libre

4 CONOCIMIENTO SOCIOCULTURAL

- 正字法（II）

Final de jornada

(Adaptación del cuento del mismo título, Eulalia Galvarriato)

–Madre, denos de merendar.

–Ahora voy, esperad un momento.

La madre cerraba el grifo para que el agua no fuera a rebosar; escurría la ropa que tenía entre las manos, retorciéndola en gruesos cordelones, de los que brotaban cascadas de agua; daba con la ropa unos golpes pausados, firmes, sobre la tabla de lavar; la colocaba abierta, blanca, jugosa de agua limpia, en el balde. Se secaba las manos, que quedaban rosadas y aún parecían rezumar agua fresca. Abría la alacena y sacaba el pan y el tarro de la miel.

No era que esto del tarro de la miel ocurriera todos los días. ¡Ay!, no; ocurría, en realidad, muy pocos días, los menos, en ocasiones señaladas: en los días de santo o cuando había algún otro motivo especial de alegría en la casa. Entonces ¡qué algarabía la de los chicos, qué saltos y qué batir de palmas! Y la verdad era que luego, ya de mayores, comprendían que no era para tanto. Pero, de niños, era uno de los momentos de mayor alegría que recuerdan, de una alegría rebosante, contagiosa, mágica.

Sí, ellos, de pequeños, adoraban a aquella madre mágica; la habían querido siempre; la querían ahora que ya estaba vieja y no servía para nada; eso, quién podría dudarlo: la habían querido siempre y a su padre también. Porque sus padres, los dos, él y ella, cada uno en lo suyo, se habían desvelado por ellos: ella, en la casa, en las faenas, teniéndola alegre y limpia para todos; él, fuera de la casa, trabajando, él solo, para sacarlos adelante a todos ellos y comprarles zapatos y pantalones y vestidos, y mandarlos al colegio a que aprendieran las cuatro reglas.

¡Oh, eso no podía dudarlo nadie!, ¡y nadie lo dudaba! Los vecinos sabían qué clase de familia había sido la suya. Cada domingo, por la tarde, los vecinos habían visto salir a aquella familia, poco a poco mayor y más crecida, todos juntos, de paseo.

Después, claro está, las cosas habían ido cambiando; pero eso no quería decir nada; eso era, nada más, lo natural.

Las hijas, al hacerse mocitas, y los hijos, mozos, habían ido dispersándose un poco; pero ¿podía ser de otra manera? Poco se hubieran reído las vecinas si, todavía ahora, ya grandes los hijos, siguieran viendo salir cada domingo al grupo familiar, codo con codo, cosiditas las niñas, cosiditos – ¡vergüenza da solo el pensarlo! – los muchachos. Ahora, cada cual por su lado. Los padres, naturalmente, lo comprendían muy bien. Alguna vez, todavía, él le decía a alguna de las hijas:

–¿Por qué no vienes hoy con tu madre y conmigo? Si vieras qué paseo más guapo descubrí el otro día…

–Padre, pero es que estoy citada con Fulanita. Hemos quedado ayer, y me espera.

Y allá salían los dos solos, brazo en brazo, el paso igual; igual, tras de las frentes, el pensamiento.

Y los hijos se fueron casando; eso era inevitable: todos eran guapos, ellas y ellos, y bien orgullosos estuvieron siempre sus padres de que fueran así.

Ya hacía tiempo que habían dejado su casa, que ahora, casados los hijos, les venía demasiado grande. Cambiaron con el hijo mayor, que ya esperaba a su quinto retoño y apenas podía moverse en aquellas tres habitaciones; en cambio, para los padres les sobraba, y era tan soleado el pisito nuevo, tan alegre. Es verdad que no lo gozaron mucho tiempo, porque Antonia, la casada con el albañil, tampoco podía moverse, ahora que esperaba a su segundo, en solo dos habitaciones, que además eran sombrías y húmedas para los pequeños. También, claro está, para los viejos, pero éstos eran fuertes, no había ni que comparar, y además la ventaja de lo reducido del alquiler no había que perderla de vista, ahora que ellos se estaban quejando siempre de que no les llegaba. Así sería mejor para todos.

Pero un día, no sé cuál de los hijos se había fijado en la mancha de humedad de la alcoba, que iba subiendo desde el suelo y ya llegaba a medio camino del techo. Total, si hubiera tardado un poco en venir, ya ni se hubiera dado cuenta, porque ya habría alcanzado el techo y estaría toda la pared uniforme y no le hubiera llevado los ojos; fue una pena. Porque se hubieran ahorrado todo este jaleo, este ir y venir, estas discusiones que a nada conducían y a todos los tenían de mal humor.

Ya ellos veían la buena voluntad de sus hijos; ya ellos sabían que querrían tenerlos en un palacio, si pudieran; pero como no podían ... Que los dejaran así; si ellos no querían más, si ellos estaban tranquilos y no creían que era una vergüenza, como los chicos decían.

Y el consejo de familia duraba días y días de discusiones ociosas y agrias, en que todos querían lo mismo y no querían lo mismo.

Ninguno de los hijos podía tenerlos a los dos; eso era evidente. Ninguno tenía el suficiente desahogo económico para podérselo permitir. Pero aunque todos hubieran colaborado en la medida de sus fuerzas, ninguno disponía de una habitación para cederla así, sin más ni más. Había una sola posible solución: que se dividieran, que fuera uno con un hijo, otro con otro; porque así, total para solo dos meses, ya se encontraría un rincón cualquiera donde acomodar de noche un colchón, porque eran seis hermanos, y cada dos meses se irían turnando y haciendo la ronda. Era lo acertado.

Ya podían estar contentos. Pero no lo estaban. Eso era lo fastidioso: que todos se sacrificaran por ellos y ellos no lo supieran apreciar. El viejo andaba hosco, callado; no se metía en nada, eso era verdad, pero era como diciendo: "A mí, de todo esto, ¿qué?". Ella aún era peor, porque no sabía mantenerse a un lado, claro, tan acostumbrada siempre a dirigir: que si los niños estaban mal criados, que si había que educarlos mejor; hasta que, claro, la hija tuvo que pararle los pies y decirle que en su casa y en sus hijos mandaba ella y nada más. Por eso fue el disgusto gordo entre ellas. Y es que los viejos se ponen imposibles y déspotas, y había que cargarse de paciencia con los dos, no solo con la abuela; porque en el disgusto, él se había puesto decididamente de parte de ella, eso, por descontado. No es que dijera nada: seguía tan callado, en su silla, sin meterse en nada, pero bien se veía que estaba disgustado, que con el pensamiento estaba en la otra casa, junto a su mujer, dándole la razón, amparándola, culpando a su hija, enfadado, dolido, furioso con su hija.

06–02

VOCABULARIO

jornada	*f.*	旅程，工作日程
merendar	*intr.*	吃午后点心
rebosar	*intr.*	溢出
escurrir	*tr.*	拧干
retorcer	*tr.*	拧，绞
cordelón	*m.*	粗绳
brotar	*intr.*	发芽，出土；涌出
cascada	*f.*	瀑布
pausado, da	*adj.*	不慌不忙
tabla de lavar		搓板
jugoso, sa	*adj.*	多汁的
balde	*m.*	桶
rosado, da	*adj.*	粉红的
rezumar	*tr.*	渗出
alacena	*f.*	壁橱
tarro	*m.*	罐子
miel	*f.*	蜂蜜
algarabía	*f.*	喧闹
a pies juntillas	*loc.adv.*	双脚并拢
batir	*tr.*	拍打
palma	*f.*	手掌
rebosante	*adj.*	充满，外溢
contagioso, sa	*adj.*	传染的
mágico, ca	*adj.*	有魔力的；神奇的
adorar	*tr.*	崇拜
desvelarse	*prnl.*	彻夜不眠，操心
faena	*f.*	工作
sacar adelante	*perif.verb.*	抚育，培养
cuatro reglas (las)		算术四则
paseo	*m.*	散步；散步的地方
mozo, za	*m.,f.*	小伙子；姑娘
dispersar(se)	*tr.;prnl.*	使散开，散开
codo	*m.*	胳膊肘
coser	*tr.*	缝
vergüenza	*f.*	羞耻
citar	*tr.*	约会
fulano, na	*m.,f.*	张三、李四
retoño	*m.*	嫩芽

soleado, da	*adj.*	充满阳光
gozar	*tr.*	享受
albañil	*m.*	泥瓦匠
sombrío, a	*adj.*	阴暗的
comparar	*tr.*	比较
reducir	*tr.*	缩小
perder de vista	*perif. verb.*	忽略
mancha	*f.*	污渍，斑点
humedad	*f.*	潮湿
alcoba	*f.*	内室
techo	*m.*	屋顶，顶棚
uniforme	*adj.*	一模一样的
ahorrar	*tr.*	节省
jaleo	*m.*	折腾，麻烦
humor	*m.*	脾气，情绪
ocioso, sa	*adj.*	闲散的；无用的
agrio, gria	*adj.*	酸的
evidente	*adj.*	明显，显然
desahogo	*m.*	宽裕
colaborar	*intr.*	合作
medida	*f.*	尺度
sin más ni más	*loc. adv.*	随随便便
acomodar	*tr.*	安置
colchón	*m.*	床垫
turnar	*intr.*	轮流
ronda	*f.*	轮，次
acertado, da	*adj.*	正确的
fastidioso, sa	*adj.*	讨厌的
hosco, ca	*adj.*	脸色阴沉
criar	*tr.*	养活；饲养
educar	*tr.*	教育
parar los pies	*perif.verb.*	制止
disgusto	*m.*	生气
déspota	*amb.*	霸道
por descontado	*loc.adv.*	毫无疑问，不用说
disgustar(se)	*tr.;prnl.*	使不高兴；不高兴
dar la razón	*perif.verb.*	赞同
culpar	*tr.*	怪罪
enfadado, da	*adj.*	生气
dolido, da	*adj.*	不痛快，痛心

PALABRAS ADICIONALES

acierto	*m.*	命中；熟巧；正确
ahogar(se)	*tr.;prnl.*	淹死；闷死
ahorrativo, va	*adj.*	节约的，节俭的
ahorro	*m.*	节俭，节省下（的钱）
albañilería	*f.*	泥瓦活
brote	*m.*	幼芽；苗头
cargador	*m.*	充电器
cargamento	*m.*	一船（车）货物
cita	*f.*	约会
codazo	*m.*	用胳膊肘撞击
colaboración	*f.*	合作
cómodo, da	*adj.*	舒适
comparación	*f.*	比较
comparativo, va	*adj.*	对比的
contagiar	*tr.*	传染，感染
costura	*f.*	缝纫
costurero, ra	*m.,f.*	裁缝
desahogar	*tr.*	宣泄，发泄；使宽裕
descargar	*tr.*	卸下

VERBOS IRREGULARES

merendar: Se conjuga como ***pensar***.
reducir: Se conjuga como ***producir***.
retorcer: Se conjuga como ***mover***.

VERBOS CON CAMBIOS ORTOGRÁFICOS EN ALGUNAS CONJUGACIONES

ahogar: Se conjuga como ***llegar***.
criar: Se conjuga como ***guiar***.
desahogar: Se conjuga como ***ahogar***.
descargar: Se conjuga como ***cargar***.
educar: Se conjuga como ***buscar***.
gozar: Se conjuga como ***lanzar***.
retorcer: Se conjuga como ***ejercer***.

EJEMPLOS CON ALGUNOS VOCABLOS USUALES

I. acomodar(se)

A. *tr.* 安放，安置

1. Oiga, señor, trate de acomodar su equipaje en algún otro lugar más apropiado; aquí, estorba.
2. Recién contratado como camarero en un restaurante, Ernesto todavía no tenía donde alojarse. Cada noche acomodaba su colchón en cualquier rincón de la cocina, y ahí dormía.
3. No acomodes tu cama junto a la pared. ¿No ves la enorme mancha de humedad?

B. *prnl.* 安顿，适应

1. Estaba toda la noche revolviéndose（翻来覆去）, pues le resultaba difícil acomodarse en aquella cama improvisada.
2. Alicia, no te preocupes. Por una sola noche, creo poder acomodarme perfectamente en este sofá.
3. Si tú puedes acomodarte tan fácilmente a las circunstancias, yo no.
4. ¿Ya están todos acomodados en sus habitaciones?

C. acomodado, da *adj.* 富裕的，小康人家

1. A pesar de que provenía de una familia bastante acomodada, no le asustaban las privaciones（匮乏，贫困）.

2. A costa de（花费）muchos sacrificios y esfuerzos, el joven matrimonio pudo alcanzar una situación económica más o menos acomodada.
3. Andrés tenía muchos hermanos, pero como su padre era un comerciante acomodado, los pudo sacar adelante a todos.

D. acomodador, ra *m.,f.* 引座员

1. Cuando llegué al cine, la película ya había comenzado. Tuve que recurrir a un acomodador para que me llevara a mi asiento.
2. Felisa trabajó durante muchos años como acomodadora en un teatro.
3. En el cine de nuestro barrio no hay acomodadores, porque los asientos no están numerados.

II. brotar *intr.* 喷发，涌出

1. Por las yemas（嫩芽）que brotan, verdes, del árbol que tengo cerca de mi ventana, sé que ya ha llegado la primavera.
2. ¡Qué raro!: están brotando nuevos retoños de este pino seco.
3. Cerré con fuerza el grifo pero el agua seguía brotando por la llave.
4. El joven albañil se hirió en un brazo y de la herida comenzó a brotar mucha sangre.
5. Ya no pudo contener por más tiempo su dolor y las lágrimas（眼泪）le brotaron en forma copiosa.

III. crecer *intr.* 成长，增长

1. ¿Te has dado cuenta con qué rapidez crecen los niños?
2. Fue Atila quien dijo: “Por donde pase mi caballo no crecerá la hierba”.
3. Un célebre orador peruano le dijo a Simón Bolívar al terminar su discurso: “Vuestra gloria crece como crecen las sombras cuando el sol declina”.
4. Últimamente, en algunos países de Europa, la población en vez de crecer, decrece.

IV. dudar

A. *intr.*; *tr.* 不相信，不信任

1. No entendemos por qué dudas de nuestra sinceridad.
2. No puedo menos que dar la razón a los que dudan de ti, pues he sido víctima de tus mentiras.
3. Todo el mundo dice que el nuevo hallazgo arqueológico es un suceso que va a cambiar la historia. Yo lo dudo.
4. ¿Todavía dudas de que estemos afrontando una enfermedad contagiosa de mucho peligro?

B. *intr.* 犹豫，迟疑不决

1. Me da la impresión de que el gobierno está dudando en enfrentar la crisis económica del único modo posible: tomando medidas drásticas.

2. Tras la alegría por haber obtenido el premio gordo de la lotería, el joven matrimonio comenzó a dudar entre gastar el dinero en la compra de una casa o en la formación de una gran empresa.
3. Tú estás enterado de todo pero finges no saber; dudo, por eso, de que hayas perdido de vista la importancia del problema que estamos tratando.

C. duda *f.* 疑问，疑团

1. La traición de Fermín era tan evidente que no admitía ninguna duda.
2. Después de compararlas, ¿te queda todavía alguna duda sobre cuál de las teorías es la acertada?
3. Beatriz participó como oradora en el mitin pero no es culpable de los desmanes que cometieron los concurrentes. En eso no cabe ninguna duda.

V. en cambio *loc.conj.* 而，相反

1. La región central del país es fértil y cuenta con un clima suave. En cambio, la septentrional ofrece un paisaje desértico.
2. Mi tío me trataba con mucho cariño; mi tía, en cambio, siempre hacía que me sintiera extraño en su casa.
3. En el sur de China abundan recursos hidráulicos; en cambio, en el norte, se sufre una tremenda escasez de agua.
4. En aquel hotel, bastante modesto en realidad, a mi amiga le tocó una habitación más o menos iluminada; en cambio a mí, me acomodaron en una oscura y pequeña.

VI. gozar

A. *tr.*; *intr.* 享有，享用

1. Tú no has conocido privación alguna. Como has nacido en el seno de una familia acomodada, siempre has gozado (de) la dicha a manos llenas.
2. Este año, la primavera nos ha permitido gozar (de) una temperatura agradable.
3. Sé que esta tarde vamos a gozar (de) una deliciosa merienda.

B. *intr.* ~ + (de) 享有，享受，受用，高兴

1. ¡Cómo gozan esos niños jugando en el parque!
2. ¿Cómo se te ocurrió tratar con un malvado como ese? Goza haciendo sufrir.
3. Mi abuela gozaba de buena salud hasta los 80 años.
4. Acabo de enterarme de que el colaborador que me recomendaste no goza de buena fama.

C. gozo *m.* 享受，高兴

1. ¡Es un verdadero gozo presenciar un paisaje tan bello!
2. La lectura constituía su único gozo.
3. Los niños mostraron su gozo con una algarabía mientras daban saltitos y batían palmas.
4. Es algo desagradable ver cómo algunos manifiestan gozo lanzando palabrotas.

D. gozoso, sa *adj.* 兴高采烈

1. Cuando el padre prometió llevarlas a la playa, las dos niñas, gozosas, se pusieron a dar saltos.
2. ¡Qué gozosa se le ve a Rocío! No es para menos: le han aprobado su ansiado plan de investigación.
3. Os veo muy gozosos. ¿Os ha tocado la lotería?

VII. perder de vista *perif.verb.*

A. 看到（某人，某物）从视野中消失

1. La mujer se quedó viendo cómo se iba su marido hasta que lo perdió de vista entre la gente.
2. Vigilas tanto a Susana, que no la pierdes de vista ni un momento.
3. Aquí hay mucho tráfico. Cuidado con los niños: no los pierdas de vista.
4. Allá, en un punto del horizonte, el jinete y su caballo se perdieron de vista definitivamente.
5. El coche se fue alejando hasta que se perdió de vista en la lejanía.

B. 看不到，注意不到

1. ¡Cómo puedes perder de vista que tus padres se hayan desvelado siempre por ti!
2. Sin perder de vista que en parte tienes razón, creo necesario advertirte que atiendas también a los argumentos de los demás.
3. No hay que perder de vista que el mejoramiento de la situación económica del país se debe a la reducción del gasto público.

VIII. señalar *tr.* 指点，指出

1. ¡Cuidado! Es de mala educación señalar a la gente con el dedo.
2. Señálanos en este mapa la ubicación de tu ciudad.
3. El alcalde señaló una vez más la importancia de hacer todo lo posible para reducir los accidentes de tráfico.
4. Sin poder aguantar más, me levanté del asiento y les señalé, de uno en uno, sus errores, el más grande de los cuales era empeñarse en aquella discusión sin fin.

IX. venir

A. *intr.* 来，来临，来自

1. He venido a revelarles un secreto.
2. Nadie sabía de dónde venía todo aquel extraño cargamento.
3. El tomate, la papa, el maíz, el tabaco, el maní（花生）y otros muchos cultivos vienen de América.

B. *intr.* 冲……而来

1. □ ¡Pero mujer! ¿A qué vienen esos llantos（哭声）?

■ ¿Te importa? No es la primera vez que lo hago. Viéndote entrar y salir de casa como un fantasma, tan indiferente a todo –a mí, a la vida–, no puedo evitar llorar.

2. No entiendo a qué viene todo este jaleo.
3. Explícame a qué viene eso de ofenderme con insultos.

C. *intr.* 对……（合适/不合适，等等）

1. ¡Cómo crece este muchacho! No hace mucho le compré unos zapatos y ya le vienen pequeños.
2. Eso de dar un rodeo por Rusia para luego ir a Italia, no me viene bien. Necesito llegar cuanto antes a Roma.
3. Este uniforme te viene un poco ancho.

D. *intr.* ~ a + *inf.* 大约，大致

1. En las actuales circunstancias, un abrigo de alta costura como este, vendrá a costar, seguro, más de 5.000 euros.
2. ¿Qué viene a significar la palabra *bálsamo* en esa oración? ¿Tal vez *alivio, desahogo*?
3. La importación de este producto viene a ser la ruina de la industria nacional de ese sector.

X. voluntad *f.* 心愿，意愿，意志

1. Contra mi voluntad, tuve que hacerme cargo de aquella desagradable faena.
2. Lo siento. No fue voluntad mía darles a ustedes ese disgusto.
3. Mario es un muchacho de mucha voluntad. Cuando se empeña en algo, no para hasta conseguirlo.
4. Todo el mundo hace tu voluntad no tanto por respeto como por temor a tu tiranía: como jefe, eres un dictador.

RESPECTO AL LENGUAJE

I. Tematización del complemento directo

在展开讲解这个语法项目之前，首先要厘清**主语**和**主题**的区别。在西班牙语这种词形变化十分丰富的语言中，概念很容易界定。**主语**一定是那个决定谓语动词形态的句子成分："La madre ***cerraba*** el grifo para que el agua no fuera a rebosar; ***escurría*** la ropa que ***tenía*** entre las manos, retorciéndola en gruesos correlones, de los que ***brotaban*** cascadas de agua." 在这个语段中，前三个黑斜体谓语动词的主语，鉴于其单数第三人称形式，显然只能是la madre, 尽管这个名词只在一开始出现过一次；而第四个黑斜体谓语动词以其复数第三人称形式标明，它的主语显然是cascadas de agua。也就是说，在西班牙语里，**主语**是个纯语法概念，不能从语用、语义等角度去界定。**主题**则不同。它是说话人的议题重点，反映的是

主观意图。比如我说："***Nadie*** dudaba eso." 这里突出的是 nadie 这个议题，也就是主题，但我也可以说："***Eso*** no ***lo*** dudaba nadie." 因为我想强调的是 eso（主题）。各种语言都有各自主题化的手段。先看咱们的母语。请比较下面的句子：

① 我收拾了屋子，洗了衣服，做了饭。
② 我把屋子收拾了，衣服洗了，饭做了。
③ 屋子收拾了，衣服洗了，饭做了。

请同学们思考一下，它们各自的主题都是什么？具有不同主题的句子，都是在什么样的语境下使用的？汉语主题化的手段是什么？

很显然，句子①的主题是**我**，很可能在这样的语境中使用：**我做了这些事，你呢？**句子②的主题自然是**屋子**等，似乎在回答这样的问题：**今天上午你都干什么了？**句子③的主题仍然是**屋子**等，但是由于施事主语的缺失，变成了受事主语句。这样说话的口气好像在列举已经做过的事情，然后问道：**还有别的事吗？**

这时，回答第三个问题就比较容易了。至少，上面的例句表明，汉语里直接宾语可以这样主题化：1. 使用**把**字句；2. 直接宾语前置于谓语动词，把施事主语句转换为受事主语句。

西班牙语中句子的各种成分也可以通过不同方式主题化，不过本课只讲解直接宾语主题化的常见手段，即直接宾语前置于谓语动词，并同时用宾格代词复指，如例所示：

④ ¡Oh, *eso* no podía dudar*lo* nadie!
⑤ ...además, ***la ventaja*** de lo reducido del alquiler no había que perder***la*** de vista.

II. Partícula *LO*

这个看来不起眼儿的单音节字眼儿其实具有不同的功能和词性，往往会给初学者造成困扰，必须首先弄清概念，然后通过练习，逐步熟练掌握。

① Ya podían estar contentos. Pero no *lo* estaban.
② Eso era *lo* fastidioso: que todos se sacrificaran por ellos y ellos no *lo* supieran apreciar.

在例句①里，lo是中性宾格代词，此处指代形容词contentos。例句②里，第一个lo是中性冠词，可使其后的形容词fastidioso名词化，而第二个lo是中性宾格代词，此处指代前面句子（todos se sacrificaban por ellos）所表达的复杂概念。

请看下面的句子：

例 ③ No era que *esto* del tarro de la miel ocurriera todos los días.

上一句的中性指示代词*esto*可以被lo取代而说成：

例 ④ No era que *lo* del tarro de la miel ocurriera todos los días.

此时，lo的词性明显转换为中性主格代词。

就是说，在不同结构的句子中，小品词lo的词性要视情况而定。这种形式和内容并非一一对称的现象在各种语言中都十分常见。

III. Estilo indirecto libre

早在第一册我们就学过直接引语和间接引语。前者指说话人原原本本地引用他人说的话，其中人称、时态、代词、时间和方位副词等统统保持原样。书写出来，在dice / dijo, pregunta /preguntó等主句动词之后需要添加各类标点符号（：“ ”，— 等）。间接引语则是说话人以自己的视角转述他人的话，其中人称、时态等要素均需按说话人所处的时空适当转换，而在上述主句动词之后还需添加que, si, qué, cómo, cuándo之类的榫合成分。所谓自由间接引语是间接引语的一种变体，其构成是将原引语的主句动词dice / dijo, pregunta / preguntó等略去即可，常见于口语和文学作品中。本单元的课文中就不乏此种手法，其功效在于隐去全能全知的叙述者的身影，将书中人物的音容笑貌直接展示给读者，行文也因此显得更简洁、流畅。请重温下面的句子：

① ...pero ¿podía ser de otra manera? ¡Vergüenza da solo el pensarlo!

② ...pero como no podían... Que los dejaran así; si ellos no querían más, si ellos estaban tranquilos y no creían que era una vergüenza, como los chicos decían.

③ Ya podían estar contentos. Pero no lo estaban. Eso era lo fastidioso: que todos se sacrificaran por ellos y ellos no lo supieran apreciar.

④ ...que si los niños estaban mal criados, que si había que educarlos mejor.

尽管是间接引语，读者感受到的却不是叙述者的口吻，而是书中人物惟妙惟肖的腔调和情绪。

毋庸置疑，尽量多掌握一些这类修辞学知识，定有助于提高文学鉴赏水平。这不仅有利于丰富个人的精神生活，也是当代高素质公民文化修养的重要组成部分。

社会文化常识 CONOCIMIENTO SOCIOCULTURAL

正字法（Ⅱ）

一、大小写

除了我们在一年级学习过的大小写原则之外，新正字法还明确了下列内容：

1. 表示职务的词小写。当这类词与人名共同使用时，只有人名大写，例如：presidente，ministro，rector，consejera；el rey Felipe VI, el papa Pío IX。

2. 表示敬称的词小写，如don，señor，fray，su excelencia，ilustrísimo。但是，称谓词如果以缩略语的形式出现，首字母应大写：Sr. (señor)，Ilmo. (ilustrísimo)，Hno. (honorable)，Mons. (monseñor) 等。

3. 地名或机构名应大写：México，Argentina，Sudáfrica。如果地名带有冠词，冠词也应大写：La Paz，El Cairo，El Colegio de México，且不与介词“a”或“de”缩合：la capital de El Salvador，la dirección de El Colegio de México，等等。

海岸的名称全部大写：Costa Azul，Costa Brava。

半岛的名称应小写：península ibérica，península itálica，península arábiga等。但也有例外：península Valiente。

4. 表示方向的词只有在构成专有名词时大写。其他情况下应小写：“El barco navegaba hacia el sur. Vivió dos años en América del Sur.”

5. 奖项名称中，所有实词的首字母均应大写：el Premio Nobel de Física，el Premio Óscar a la Dirección等。

当这些词用作指称获奖人或奖品时，应小写：“Nos entrevistamos con el premio nobel de literatura.”“El director posó con su óscar ante numerosos periodistas.”

二、小数点的书写

小数点应为实心点，但是也可以使用逗号：3.1415，3,1415。

三、年代的书写

年代的书写法可以是：los 50，los años 50，los cincuenta，los años cincuenta。

四、源自拉丁语的外来语的书写

在外来语中，只有源自拉丁语的成语或词组在书写时需去掉重音符号，同时需使用斜体。例如：*curriculum vitae*，*ad hoc*，*alter ego*，*sui generis*。

EJERCICIOS

06–03

I. Siguiendo la grabación, lea las siguientes frases hechas, poniendo atención en la fonética y en la entonación:

1. Santa Teresa de Jesús (1515-1582): Si en medio de las adversidades persevera el corazón con serenidad, con gozo y con paz, eso es amor.
2. Miguel de Cervantes (1547-1616): El amor es invisible y entra y sale por donde quiere sin que nadie le pida cuenta de sus hechos.
3. Lope de Vega (1562-1635): La raíz de todas las pasiones es el amor. De él nace la tristeza, el gozo, la alegría y la desesperación.
4. Antonio Machado (1875-1939): Dicen que el hombre no es hombre mientras no oye su nombre de labios de una mujer.
5. Jacinto Benavente (1866-1954): Para hacernos amar no debemos preguntar nunca a quien nos ama: ¿Eres feliz?, sino decirle siempre: ¡Qué feliz soy!
6. Jacinto Benavente (1866-1954): Al verdadero amor no se le conoce por lo que exige, sino por lo que ofrece.
7. Federico García Lorca (1898-1936): El más terrible de todos los sentimientos es el sentimiento de tener la esperanza muerta.
8. Amado Nervo (1870-1919): Ama como puedas, ama a quien puedas, ama todo lo que puedas. No te preocupes de la finalidad de tu amor.
9. Jorge Luis Borges (1899-1986): Estar contigo o no estar contigo es la medida de mi tiempo.
10. Jorge Luis Borges (1899-1986) :Uno está enamorado cuando se da cuenta de que otra persona es única.
11. Mario Benedetti (1920-2009): Y para estar total, completa, absolutamente enamorado, hay que tener plena conciencia de que uno también es querido, que uno también inspira amor.
12. Isabel Allende (1942-): Tal vez estamos en el mundo para buscar el amor, encontrarlo y perderlo, una y otra vez. Con cada amor volvemos a nacer y con cada amor que termina se nos abre una herida. Estoy llena de orgullosas cicatrices.
13. Gabriel García Márquez (1928-2014): El problema de la vida pública es aprender a dominar el terror; el problema de la vida conyugal es aprender a dominar el tedio.
14. Gabriel García Márquez (1928-2014): Lo único que me duele de morir es que no sea de amor.
15. Rosa Montero (1951-): El amor no es sino la acuciante necesidad de sentirse con

otro, de pensarse con otro, de dejar de padecer la insoportable soledad del que se sabe vivo y condenado. Y así, buscamos en el otro no quien el otro es, sino una simple excusa para imaginar que hemos encontrado un alma gemela, un corazón capaz de palpitar en el silencio enloquecedor que media entre los latidos del nuestro, mientras corremos por la vida o la vida corre por nosotros hasta acabarnos.

II. Conjugue los siguientes verbos en todas las personas de los modos y tiempos indicados:

1. En presente del indicativo y del subjuntivo:

acertar, acomodar, adorar, *ahogar*, ahorrar, batir, brindar, brotar, citar, comparar, contagiar, contemplar, coser, *crecer*, *criar*, culpar, *desahogar*, *descargar*, desvelarse, disgustar, dispersarse, *educar*, *encerrar*, escurrir, experimentar, *fatigar*, *gozar*, inclinar, *merendar*, *mover*, rebosar, *recostarse*, *reducir*, *reír*, reservar, *retorcer*, *seguir*;

2. En pretérito indefinido del indicativo y pretérito imperfecto del subjuntivo:

acertar, adorar, agotar, *ahogar*, *albergar*, *alcanzar*, *andar*, batir, brindar, brotar, *caber*, *cargar*, citar, clavar, comparar, *comunicar*, *conducir*, contagiar, coser, criar, culpar, *desahogar*, *descargar*, *desplegar*, desvelarse, disgustar, *educar*, escurrir, *gozar*, *mantener*, merendar, rebosar, *reducir*, retorcer, *saber*, *sacrificar*, *simbolizar*, *sonreír*;

3. En futuro imperfecto del indicativo y en condicional simple:

acertar, acomodar, adorar, ahogarse, ahorrar, brotar, citar, colaborar, comparar, comunicar, contagiar, coser, criar, culpar, *decir*, desahogar, descargar, desvelarse, *detener*, disgustar, *disponerse*, dispersar, dividir, educar, escurrir, gozar, *hacer*, *haber*, merendar, rebosar, reducir, retorcer, *saber*, *salir*, turnar, *venir*;

4. En modo imperativo y presente del subjuntivo usado como mandato negativo:

acertar, acomodarse, adorarla, *ahogarlo*, ahorrarlos, batir, brindárselo, citarlas, compararlas, *comunicárselo*, contagiar, coserlos, criarla, culparme, *decírmelo*, *desahogarse*, *descargarlas*, desvelarse, disgustar, dispersar, *educarlos*, *entregárselo*, escurrirlos, *gozar*, *hacerlo*, limitarse a escuchar, manejarlo, *merendar*, orientarnos, pararle, *ponerlas aquí*, rebosar, *reducirlas*, repartir los regalos entre todos, reservarme la habitación en aquel hotel, *retorcerlos*, *salir ahora mismo*, *tenerlas*, *venir*.

（斜体部分需笔头重复）

06–04

III. Escuche las preguntas sobre el texto y contéstelas oralmente en español.

IV. Diga a qué se refiere la parte en cursiva. En caso de que sea verbo, cuál es su sujeto. Todas las oraciones son del texto:

1. La madre cerraba el grifo para que el agua no fuera a rebosar; escurría la ropa que tenía

entre las manos, retorciéndo***la*** en gruesos cordelones, de ***los*** que ***brotaban*** cascadas de agua.

la:

los:

brotaban:

2. ...daba con la ropa unos golpes pausados, firmes, sobre la tabla de lavar; ***la*** colocaba ***abierta, blanca, jugosa*** de agua limpia, en el balde.

   la:

   abierta:

   blanca:

   jugosa:

3. Se secaba las manos, que ***quedaban rosadas*** y aún ***parecían*** rezumar agua fresca.

   quedaban:

   rosadas:

   parecían:

4. ¡Ay! No; ***ocurría***, en realidad, muy pocos días, ***los menos***, en ocasiones señaladas.

   ocurría:

   los menos:

5. Entonces ¡qué algarabía ***la*** de los chicos, qué saltos y qué batir de palmas!

   la:

6. Y la verdad era que luego, ya de ***mayores***, ***comprendían*** que no ***era*** para tanto.

   mayores:

   comprendían:

   era:

7. Pero, de niños, era uno de los momentos de mayor alegría que ***recuerdan***, de una alegría rebosante, contagiosa, mágica.

   recuerdan:

8. Sí, ellos, de pequeños, adoraban a aquella madre mágica; ***la habían querido*** siempre; ***la*** querían ahora que ya ***estaba vieja*** y no ***servía*** para nada.

   la:

   habían querido:

   la:

   estaba vieja:

   servía:

9. ***Eso***, quién podría dudar***lo***: la habían querido siempre y a su padre también.

   Eso:

   lo:

10. Porque sus padres, los dos, ***él*** y ***ella***, cada uno en lo suyo, se habían desvelado por ***ellos***: ella, en la casa, en las faenas, teniéndo***la*** alegre y limpia para todos; él, fuera de la casa, trabajando, él solo, para sacar***los*** adelante a ***todos ellos*** y comprar***les*** zapatos y pantalones, y vestidos, y mandar***los*** al colegio a que aprendieran ***las cuatro reglas***.

    él:

    ella:

    ellos:

    la:

    los:

    todos ellos:

    les:

    los:

    las cuatro reglas:

11. ¡Oh, ***eso*** no ***podía*** dudar***lo*** nadie!

    eso:

    podía:

    lo:

12. Los vecinos sabían qué clase de familia había sido ***la suya***.

    la suya:

13. Cada domingo, por la tarde, los vecinos habían visto salir a aquella familia, poco a poco ***mayor*** y más ***crecida***, ***todos juntos***, de paseo.

    mayor:

    crecida:

    todos juntos:

14. Después, claro está, las cosas habían ido cambiando; pero ***eso*** no quería decir nada; eso era, nada más, lo natural.

    eso:

15. Poco se hubieran reído las vecinas si, todavía ahora, ya grandes los hijos, siguieran viendo salir cada domingo al grupo familiar, codo con codo, ***cosiditas*** las niñas, ***cosiditos*** - ¡vergüenza ***da*** solo el pensar***lo***! - los muchachos.

    cosiditas:

    cosiditos:

    da:

    lo:

16. Ahora, cada cual por su lado. Los padres, naturalmente, ***lo*** comprendían muy bien.

    lo:

17. Alguna vez, todavía, ***él le*** decía a alguna de las hijas: ...

    él:

    le:

18. Y allá salían ***los dos solos***, brazo en brazo, el paso igual; igual, tras de las frentes, el pensamiento.

    los dos solos:

19. Y los hijos se fueron casando; ***eso*** era inevitable: todos eran guapos, ***ellas*** *y* ***ellos***, y bien orgullosos estuvieron siempre sus padres de que ***fueran así***.

    eso:

    ellas:

    ellos:

    fueran:

    así:

20. Ya hacía tiempo que ***habían dejado*** su casa, que ahora, casados los hijos, ***les venía*** demasiado grande.

    habían dejado:

    les:

    venía:

21. ***Cambiaron*** con el hijo mayor, que ya esperaba a ***su quinto retoño*** y apenas podía moverse en aquellas tres habitaciones.

    Cambiaron:

    su:

    quinto retoño:

22. En cambio, para los padres ***les sobraba***, y era tan soleado ***el pisito nuevo***, tan alegre.

    les:

    sobraba:

    el pisito nuevo:

23. Es verdad que no ***lo gozaron*** mucho tiempo, porque Antonia, la casada con el albañil, tampoco podía moverse, ahora que esperaba a ***su segundo***, en solo dos habitaciones, que además eran ***sombrías*** y ***húmedas*** para ***los pequeños***.

    lo:

    gozaron:

    su segundo:

    sombrías:

    húmedas:

    los pequeños:

24. También, claro está, para los viejos, pero ***éstos*** eran fuertes, no había ni que comparar, y además la ventaja de lo reducido del alquiler no había que perder***la*** de vista, ahora que ***ellos*** se estaban quejando siempre de que no les ***llegaba***.

éstos:

la:

ellos:

llegaba:

25. Pero un día, no sé cuál de los hijos se había fijado en la mancha de humedad de la alcoba, que ***iba*** subiendo desde el suelo y ya ***llegaba*** a medio camino del techo.

iba:

llegaba:

26. Total, si ***hubiera tardado*** un poco en venir, ya ni se hubiera dado cuenta, porque ya ***habría alcanzado*** el techo y estaría toda la pared uniforme y no ***le hubiera llevado*** los ojos; ***fue*** una pena.

hubiera tardado:

habría alcanzado:

le:

hubiera llevado:

fue:

27. Porque ***se hubieran ahorrado*** todo este jaleo, este ir y venir, estas discusiones que a nada conducían y a todos ***los tenía*** de mal humor.

se hubieran ahorrado:

los:

tenía:

28. Ya ***ellos*** veían la buena voluntad de sus hijos; ya ellos sabían que ***querrían*** tener***los*** en un palacio, si pudieran; pero como no podían.

ellos:

querrían:

los:

29. Que ***los dejaran así;*** si ellos no querían más, si ellos estaban tranquilos y no ***creían*** que ***era*** una vergüenza, como los chicos decían.

los:

dejaran:

así:

creían:

era:

30. Y el consejo de familia duraba días y días de discusiones ociosas y agrias, en ***que*** todos querían lo mismo y no querían lo mismo.

    que:

31. Ninguno de los hijos podía tener***los*** a los dos; ***eso*** era evidente.

    los:

    eso:

32. Ninguno tenía el suficiente desahogo económico para podér***selo*** permitir.

    se:

    lo:

33. ...que ***se dividieran***, que fuera ***uno*** con un hijo, ***otro*** con otro; porque así, total para solo dos meses, ya ***se encontraría*** un rincón cualquiera donde acomodar de noche un colchón.

    se dividieran:

    uno:

    otro:

    se encontraría:

34. Ya ***podían*** estar contentos. Pero no ***lo*** estaban. ***Eso*** era lo fastidioso: que todos se sacrificaban por ***ellos*** y ellos no ***lo supieran*** apreciar.

    podían:

    lo:

    Eso:

    ellos:

    lo:

    supieran:

35. Por eso fue el disgusto gordo entre ***ellas***.

    ellas:

36. ...él se había puesto decididamente de parte de ***ella, eso***, por descontado.

    ella:

    eso:

37. No es que ***dijera*** nada: ***seguía*** tan callado, en su silla, sin meterse en nada, pero bien ***se veía*** que estaba disgustado, que con el pensamiento estaba en ***la otra casa***, junto a su mujer, dándo***le*** la razón a su mujer, amparándo***la***, culpando a su hija, ***enfadado***, dolido, furioso con su hija.

    dijera:

    seguía:

    se veía:

la otra casa:

le:

la:

enfadado:

V. Marque con una ✓ la/s interpretación/ciónes apropiada/s que corresponda/n al término en cursiva:

1. Unos golpes ***pausados***.
   1) golpes separados por pausas ( )
   2) golpes lentos, sin prisa, sin precipitación ( )
2. Unos golpes ***firmes***.
   1) fuertes ( )
   2) no vacilantes ( )
   3) fijos, definitivos ( )
3. En ocasiones ***señaladas***.
   1) señaladas por alguien ( )
   2) especiales, singulares ( )
   3) especialmente fijas ( )
4. Alegría ***rebosante***.
   1) que sale de la casa ( )
   2) que parece agua que desborda del río ( )
   3) desbordante ( )
5. Alegría ***contagiosa***.
   1) que se transmite a los demás ( )
   2) que llega a ser una enfermedad que contagia ( )
6. Madre ***mágica***.
   1) madre que practica la magia ( )
   2) madre que sabe hacer cosas buenas y sorprendentes ( )
7. Cada uno ***en lo suyo***.
   1) a su manera ( )
   2) en el asunto que le corresponde ( )
   3) con sus propios medios ( )
8. ***Sacarlos adelante***.
   1) sacarlos fuera de la casa ( )
   2) criarlos, mantenerlos y educarlos ( )
   3) hacer que los hijos progresen ( )

9. Aquella familia, poco a poco ***mayor y más crecida***.
   1) con mayor número de personas ( )
   2) con personas crecidas de edad ( )
   3) con más personas cuya edad va creciendo ( )
10. ***Poco*** se hubieran reído las vecinas.
   1) Las vecinas no se habrían reído; ( )
   2) Las vecinas apenas se habrían reído; ( )
   3) Las vecinas se habrían reído mucho. ( )
11. Codo con codo, ***cosiditas*** las niñas.
   1) cosidas con hilo una con otra ( )
   2) muy juntas y cogidas de mano ( )
   3) amarradas una a otra ( )
12. estoy citada con ***Fulanita***:
   1) con una amiga ( )
   2) con una muchacha que se llama Fulana ( )
13. ***igual, tras las frentes, el pensamiento***:
   1) Los dos llevaban el mismo pensamiento tras las frentes; ( )
   2) Los dos paseaban callados, pensando en lo mismo. ( )
14. ya esperaba a su quinto ***retoño***:
   1) hijo ( )
   2) nuevo brote en el tronco de una planta ( )
15. Antonia, la casada con el albañil, ***tampoco podía moverse***, ahora que esperaba a su segundo, en solo dos habitaciones, ...:
   1) No podía moverse porque estaba muy débil; ( )
   2) No podía moverse debido a lo reducido del espacio; ( )
   3) No podía moverse porque andaba muy cargada. ( )
16. ... éstos eran fuertes, ***no había ni que comparar***, ...:
   1) No había nadie que pudiera compararse con ellos; ( )
   2) No hacía falta compararlos con nadie; ( )
   3) Eran fuertes al compararlos con alguien. ( )
17. ...ahora que ellos se estaban quejando siempre de que ***no les llegaba***:
   1) No les alcanzaba el dinero; ( )
   2) No les llegaba el dinero del banco; ( )
   3) No les pagaba la institución en que trabajaban. ( )
18. ***no le hubiera llevado los ojos***:
   1) No se le hubieran sacado los ojos; ( )

2) No le hubiera atraído la mirada; ( )

3) No le hubiera llamado la atención. ( )

19. discusiones ***ociosas***:

1) discusiones en las que no se hacía nada ( )

2) discutían porque eran unos holgazanes ( )

3) discusiones innecesarias e inútiles ( )

20. discusiones ***agrias***:

1) comían cosas agrias durante la discusión ( )

2) discusiones ásperas, desagradables ( )

3) discusiones sin sentido ( )

21. para cederla así, ***sin más ni más***:

1) sin decir nada ( )

2) sin mayores problemas ( )

3) sin pedir nada a cambio ( )

22. ***total*** para solo dos meses:

1) en total ( )

2) la totalidad ( )

3) en una palabra ( )

23. ***Eso era lo fastidioso: que todos se sacrificaran por ellos y ellos no lo supieran apreciar***:

1) Era fastidioso que todos aguantaran sufrimientos por ellos y que ellos no lo supieran valorar; ( )

2) Era fastidioso que todos sacrificaran la vida de ellos sin que se sintieran culpables. ( )

24. ***A mí, de todo esto, ¿qué***?

1) En cuanto a mí, ¿qué provecho he sacado de todo esto? ( )

2) ¿Y a mí qué me dicen de todo esto? ( )

25. ... no sabía ***mantenerse a un lado***:

1) ponerse de parte de alguien ( )

2) mantenerse indiferente a todo, sin meterse en nada ( )

3) permanecer en un rincón de la casa ( )

26. la hija tuvo que ***pararle los pies***:

1) impedirle caminar ( )

2) decirle que no se metiera en sus asuntos ( )

3) prohibirle la entrada en casa ( )

27. el disgusto ***gordo***:

1) con mucha carne y grasa ( )

2) muy grande ( )

28. los viejos se ponen ***imposibles***:

1) imposibles por no oír lo que se les dice ( )

2) imposibles de convencer ( )

3) imposibles de tratar ( )

29. eso, ***por descontado***:

1) eso, por supuesto, sin duda ( )

2) sin contarlo ( )

3) ni hablar ( )

VI. En el texto se narran los cambios de relación que se iban produciendo entre padres e hijos. Notoriamente, se advierten varias escenas bien delimitadas, dadas por la forma en que iba cambiando la situación. Divida el texto en diversas escenas y resuma el contenido de cada una en una sola frase. Por ejemplo: *los sacrificios que hacían los padres en favor de sus hijos y el cariño que reinaba en la familia; la gradual desunión de la familia a medida que crecían los hijos,* etc.

VII. Coloque la parte en cursiva delante del verbo predicativo y efectúe cambios correspondientes en la oración:

1. Les contagié *la gripe* a mis hermanos.

____

2. Mi abuela me cosió *esta chaqueta*.

____

3. El señor ministro reveló *el secreto* en una conferencia de prensa.

____

4. Mira, debes escurrir así *la ropa*.

____

5. Los obreros terminaron *la faena* hace días.

____

6. Los ancianos gozaron poco tiempo *aquella habitación soleada y tranquila*.

____

7. No hay que perder de vista *la ventaja de lo reducido del precio*.

____

8. Un viento helado azota *esta zona* casi todo el año.

____

9. Los ejercicios han adelgazado *a Laura*.

____

10. La profesora distribuyó *las revistas* entre sus alumnos.

____

VIII. Debajo de cada pregunta se dan dos respuestas. La primera es la normal, pero en la segunda, se quiere dar énfasis al elemento en cursiva. Lo que le exige es completarlas según cada caso:

Ejemplo □ *¿Adoraban los hijos a su madre mágica?*
■ *Sí, siempre* ***la*** *habían adorado.*
■ *Naturalmente. A su madre mágica siempre* ***la*** *habían adorado.*

1. □ ¿Dónde habéis acomodado *la cuna* del bebé?
   ■ ______ hemos colocado en un rincón de nuestro dormitorio.
   ■ ¿La cuna? Ah, *la cuna* ________________________________.
2. □ ¿Has probado *el pescado*?
   ■ Sí, acabo de ____________, me parece un poco agrio.
   ■ ¿Cuál? ¿Ese? Sí, *ese pescado* acabo de ___________, me parece un poco agrio.
3. □ ¿No piensas ahorrar *ese dinero* que acabas de recibir?
   ■ No, no... . Justo _________ necesito para comprar una nueva computadora.
   ■ No, *ese dinero* no ____________. Justo ______ necesito para comprar una nueva computadora.
4. □ ¿Cuáles de *los textos* ha seleccionado para recomendárselos a los estudiantes?
   ■ He seleccionado varios de este libro. Pronto ______ ______ recomendaré a los estudiantes.
   ■ He seleccionado varios de distintos libros, pero *los de este* _________ he seleccionado con especial cuidado. Pronto ______ ______ recomendaré a los estudiantes.
5. □ En aquel entonces mi madre nos cosía casi *toda la ropa*.
   ■ ¿Verdad?
   □ Sí, ______ ______ cosía mi madre.
   □ Sí, casi *toda la ropa* ______ ______ cosía mi madre.
6. □ Me han dicho que ustedes criaban *una boa* en casa. ¿Es cierto?
   ■ Sí, ________ criábamos como mascota.
   ■ Sí, *la boa* ______ criábamos como mascota.
7. □ ¿Por qué han culpado ustedes *a Amelia* de lo que han hecho los demás?
   ■ Disculpe, se equivoca usted. No ______ hemos culpado de nada. Es ella quien lo ha confesado todo.

■ Disculpe, se equivoca usted. *A Amelia* no ______ hemos culpado de nada. Es ella quien lo ha confesado todo.

8. □ ¿Podemos descargar *ese camión* por la tarde?
   ■ No, tenéis que descargar______ ahora mismo.
   ■ No, *ese camión* ______ tenéis que descargar ahora mismo.
9. □ ¿Así, con tanta libertad, educas *a tus hijos*?
   ■ Sí, así ______ educo. ¿Te parece mal?
   ■ Escúchame: *a mis hijos* ______ educo yo, y deja de meterte en mis asuntos.
10. □ ¿Sabes que el gerente planea reducirnos *el salario*?
   ■ ¿Quiere reducir ______ de verdad?
   ■ ¿*El miserable salario* ______ ______ va a reducir? No sabe con quiénes se mete: le haremos una huelga.

IX. Ponga en los espacios en blanco los pronombres adecuados (*el, los, la, las, lo*):

1. ¡Cómo puedes creer a pies juntillas（虔诚地）todo ______ que se dice en la prensa!
2. Te aseguro que la decisión que hemos tomado es acertada. ¿Acaso ______ dudas?
3. Dicen ustedes que hay una mancha de humedad en la pared de mi dormitorio. ¿Por qué yo no ______veo?
4. La niña batió las palmas con mucha fuerza y luego, viendo____ rojas, se puso a llorar.
5. ______ ocioso de la discusión determinó que la mayoría de los presentes optara por irse discretamente.
6. En esa zona abundan recursos naturales. ______ importante es saber explotar______ de forma razonable.
7. ¿Que tu suegra se disgustó con mis preguntas? Cuánto ______ siento.
8. ______ de ahorrar algo de dinero para el futuro me parece un gran acierto.
9. Después de tantos años de uso, esta tierra ya está agotada. Hace falta fertilizar______ antes de volver a cultivar algo en ella.
10. La selva amazónica corre el riesgo de desaparecer. Urge tomar medidas drásticas para proteger______.

X. Traduzca al español las siguientes oraciones cuidando de agregar pronombres acusativos, dativos y reflexivos, en muchos casos ausentes en la versión china:

1. 如今办公室人员都配备了电脑，似乎不用再淹没在纸堆里了。
2. 一旦儿女们出生，父母们就得负起责任：养育他们，教育他们，帮助他们成长。
3. 拖把（el estropajo）还在淌水。你再使劲拧拧。
4. 你说的那块低地位于什么地方？你给我在地图上指指看。

5. 房屋主人非常客气，把我们安顿在一个最干净、光照最好的房间。
6. 你看，伤口还在往外冒血。快用手摁紧了，我去找点儿棉花、纱布包扎一下。
7. 你拽着床单的那头。咱俩一块儿来拧干它。
8. 世界地图太大了。想看看它，我们只好把它铺在地上。
9. 奶奶，小心点儿！别紧着往椅子一边歪。您会摔倒的。
10. 我们对那个地区一点儿也不熟悉，需要有人引路。

XI. Ejercicios del léxico:

A. Rellene los espacios en blanco con preposiciones adecuadas o formas contractas de artículo y preposición:

1. La tubería se había roto y ________ la delgada grieta brotaba un fuerte chorro ________ agua.
2. Tu bisabuela es realmente excepcional: ________ sus noventa y ocho años todavía goza ______ buena salud.
3. Afortunadamente, yo tenía un jefe amable y comprensivo. ______ Armando, ______ cambio, le tocó uno muy déspota.
4. Es muy importante que los niños crezcan ______ medio ______ cariño y cuidado ______ los adultos.
5. Pero, hombre, ¿______ qué vienen esos gritos furiosos?
6. ______ oír los disparates que acababa ______ decir el oficinista, me adelanté dispuesto ______ protestar, pero Adurne me dio un ligero codazo ______ impedírmelo, y tuve que callarme ______ mi voluntad.
7. Frente ______ tantos hechos tan evidentes, ¿todavía dudas ______ que Águeda siempre se haya desvelado ______ ti?
8. Antes ______ hacer la cuenta, supuse que mis ahorros venían ______ sumar unos 100 mil euros.
9. Después ______ despedirse ______ besos y abrazos ______ su hijo, la madre se quedó ______ el marco ______ la puerta mirándolo ______ que se perdió ______ vista ______ la lejanía.
10. ¿No entiendes qué quiere decir *jaleo*? Yo no sé cómo explicártelo ______ exactitud. Parece que viene ______ significar algo así como una situación ______ que hay mucho movimiento, ruido, desorden, complicación, dificultad, etc.
11. Bastó ______ que el campesino fertilizara debidamente el suelo ______ que sus cultivos crecieran ______ mucho mayor rapidez.
12. Una enorme flecha dibujada ______ el letrero nos señalaba el destino ______ que nos dirigíamos.
13. ______ oír los comentarios ______ los compañeros, empecé a dudar ______ persistir

en el proyecto o dejarlo.

14. Ese que merodea _______ ahí es un tipo sospechoso. _______ favor, manténganlo vigilado y no lo pierdan ______ vista ______ ningún momento.

B. Complete las siguientes oraciones utilizando la forma adecuada (incluyendo las derivaciones) de las voces que se dan a continuación:

acomodar brotar crecer dudar en cambio gozar
perder de vista señalar venir(se) voluntad

1. Aunque provengo de una familia numerosa y no muy ________, mis padres han hecho grandes esfuerzos por sacarnos adelante a todos los hermanos.
2. La mujer charlaba con sus vecinas, pero en ningún momento ________ a su hijita que correteaba por la plazoleta.
3. Hace días que de la tierra comenzó a ________ un líquido pegajoso y negruzco. Ha acudido un grupo de especialistas para ver de qué se trata.
4. Si has decidido emprender un trabajo tan arriesgado por tu propia _________, allá tú. Yo no digo nada.
5. Al ver que yo __________ si acompañarla o no a hacer compras, mi amiga se enfadó y se fue sola.
6. Mira, ¡qué ________ están los niños merendando!
7. No me cabe ________ de que la economía del país va de mal en peor.
8. No creas que organizamos fiestas con mucha frecuencia. Solo lo hacemos en ocasiones ________.
9. Es mejor que dejemos de hablar de ese tema. ¿No ves que va ________ el malestar entre los presentes?
10. A Ernesto no le gustan las novelas sentimentales. ________, le encanta la ciencia ficción.
11. No entiendo el ________ que experimentas en ese tipo de diversiones.
12. Es verdad que la habitación le resultaba pequeña, sombría y húmeda, pero le ________ bien lo reducido del alquiler.

06–05

C. Al escuchar la perífrasis, diga el vocablo o expresión correspondientes:

1. Que es conveniente u oportuno, algo hecho con acierto: ______________
2. Sentir un cariño o una admiración muy grandes por algo o alguien: ______________
3. Guardar parte del dinero del que dispone, evitar problemas o molestias: ______________
4. Persona que trabaja por oficio en la construcción: ______________

5. Decir a una persona que acuda a una entrevista o a una reunión en un lugar, nombrar a un autor, repetir las palabras de un texto: ____________
6. Acción de realizar un trabajo o una tarea en común varias personas: ____________
7. Atribuir la culpa de una cosa a una persona: ____________
8. Separar en distintas direcciones algo que está junto: ____________
9. Que causa fastidio, molestia o aburrimiento: ____________
10. Sentimiento de la pérdida de la propia estima: ____________

XII. Conjugue los infinitivos que están entre paréntesis en el tiempo y la persona correspondientes, o póngalo en forma no personal:

Un viejecito de barba blanca y larga, bigotes amarillentos, con un canasto al brazo, se acercaba, _________ (alejarse) y _________ (volver) tímidamente a la puerta del cuartel. _________ (Preguntar) a un suboficial:

–¿ _________ (Estar) mi hijo?

El cabo _________ (soltar) la risa.

–El regimiento _________ (tener) trescientos hijos, _________ (faltar) saber el nombre del suyo – _________ (responder) el suboficial.

–Manuel… Manuel Zapata, señor.

El cabo _________ (arrugar) la frente y _________ (repetir), _________ (registrar) su memoria:

–¿Manuel Zapata...? ¿Manuel Zapata...?

Y con un tono seguro:

–No _________ (conocer) ningún soldado de este nombre.

El paisano ___________ (erguirse) orgulloso sobre las gruesas suelas de sus zapatos, y _________ (decir) _________ (sonreír) irónicamente:

–¡Pero si no _________ (ser) soldado! Mi hijo _________ (ser) oficial.

El trompeta, que desde el cuerpo de guardia _________ (oír) la conversación, _________ (acercarse), _________ (codear) al cabo, _________ (decirle) por lo bajo:

– _________ (Ser) el *nuevo*, el recién salido de la Escuela.

El cabo ___________ (envolver) al hombre en una mirada investigadora, y como lo _________ (encontrar) pobre, no _________ (atreverse) a invitarlo al casino de oficiales. Lo _________ (hacer) _________ (pasar) al cuarto de guardia.

(Adaptación del cuento del mismo título, de Olegario Lazo Baeza, militar chileno, autor de *Cuentos militares* y otros libros de cuentos)

06–06

XIII. Dictado.

06–07

XIV. Escuche la grabación y luego haga una versión oral resumida.

XV. Trabajos de casa:

1. Trate de leer el texto con fluidez.
2. Temas de conversación:
   1) Diálogo sobre la relación entre sus padres y abuelos;
   2) Diálogo sobre el futuro cuando sus padres sean mayores de setenta años;
   3) Diálogo sobre el problema de la ancianidad.
3. Traduzca al español las siguientes oraciones:
   1) 要是你觉得我的建议正确，那就接受吧。
   2)（你问）我们喜欢不喜欢我们的女老师？告诉你吧：我们崇拜她。
   3) 你不会游泳，怎么过河？你会被淹死的。
   4) 我可不愿意生闲气，所以尽量避免跟那家伙打照面儿。
   5) 你们对比了两位作家的风格之后，有什么发现？
   6) 我太高兴了，咱们的合作很有成效。
   7) 你别担心。他得的不是什么传染病。
   8) 我第一个在法庭上作证。听了其他证人的证言之后，法官认为我说得对。
   9) 你是知道的：我家的经济状况不允许我这样花钱。
   10) 真烦人！那家伙不停地满嘴胡言。

UNIDAD 7
第七课

1. FUNCIÓN COMUNICATIVA

2. EJEMPLOS CON ALGUNOS VOCABLOS USUALES

   atender, duro, ra, emplear, quemar(se), razón, regalar, rigor, sobrar, soportar, volverse+*adj*.

3. RESPECTO AL LENGUAJE

   - Fenómenos fonéticos en el lenguaje popular y regional
   - Verbos pronominales incoativos: *hacerse, ponerse* y *volverse*
   - Nociones elementales sobre la versificación en español

4. CONOCIMIENTO SOCIOCULTURAL

   - 服饰

07–01

Vida de Martín Fierro

(Adaptación del texto del mismo título,
La vivienda y las costumbres, la Gran Travesía 12,
Biblioteca Universal de los Niños, Santillana, 1973-01-12)

Aquí me pongo a cantar
al compás de la *vigüela*,
que al hombre que lo desvela
una pena *estrordinaria*
como el ave solitaria
con el cantar se consuela.

Así comienza a cantarnos su vida Martín Fierro. La historia la narró el escritor argentino José Hernández. En una *pulpería*, rodeado de unos cuantos gauchos, un hombre ya mayor, Martín Fierro, se pone a relatar sus peripecias, cantando y acompañándose con su *vigüela*.

Martín tiene todas las virtudes del gaucho: es valiente, sobrio y capaz de soportar los rigores de una existencia lastimosa y llena de penalidades.

Soy gaucho y entiendaló
como mi lengua lo *esplica*,
para mí la tierra es chica
y pudiera ser mayor;
ni la víbora me pica
ni quema mi frente el sol.

(…)

Y atiendan la relación
que hace un gaucho perseguido,
que padre y marido ha sido
empeñoso y diligente,

y sin embargo la gente
lo tiene por un bandido.

Fierro recuerda entonces los tiempos en que poseía casa y familia, y no era maltratado arbitrariamente por los poderosos y los representantes de la Justicia. En una ocasión, mientras está cantando y bebiendo con unos amigos en una pulpería, llega el juez de paz para alistar a los hombres en los destacamentos que mantienen la guerra contra los indios en la frontera. Martín es conducido allí, lejos de sus tierras y de su familia. Sus superiores, más que dedicarlos a combatir a los indios, los emplean como trabajadores en sus propiedades, en el cuidado de sus animales, sin pagarles nada por su labor. Y además de no cobrar ningún salario, tiene que regalar su hermoso caballo al coronel.

Aquella vida era insufrible, y después de un duro enfrentamiento con un grupo de indios, en el que Martín se ve en peligro de muerte, decide desertar. Pero cuando llega a su rancho, nada encuentra de su casa. Sus hijos, niños aún, han sido vendidos como peones, y su mujer se ha marchado. El dolor del gaucho es inmenso y canta:

No hallé ni rastro del rancho.
Solo estaba la tranquera.
Por Cristo, si aquello era
pa enlutar el corazón.
Yo juré en esa ocasión
ser más malo que una fiera.

Y el gaucho dolorido, sin familia, se ve obligado a vagabundear y a llevar una vida que él nunca hubiera elegido. Bebe en las pulperías y se vuelve pendenciero y discutidor. Sin proponérselo, da muerte a un hombre –un negro– en una pelea, y tiene que huir, asediado por la policía. Martín no comprende el extraño destino que le impone su triste suerte. Llora su mala ventura y la del gaucho desvalido y sin protección.

Para él son los calabozos,
para él las duras prisiones,
en su boca no hay razones
aunque la razón le sobre;
que son campanas de palo
las razones de los pobres.

(…)

Sin punto ni rumbo fijo
en aquella *inmensidá*
entre tanta *escuridá*
anda el gaucho como duende.
Allí jamás le *sorpriende*
dormido *la autoridá*.

Dormido o no, pero en cuanto se descuida, la policía lo cerca y tras una dura pelea, cuando ya parece vencido, un soldado –el sargento Cruz– se pone de su parte y ambos consiguen huir y quedar libres. Desde ese momento, Martín encuentra en Cruz un amigo inseparable. Juntos deciden atravesar el desierto para guarecerse entre los indios.

Nota: Los versos del Martín Fierro están escritos siguiendo el modelo de la copla popular, de tradición oral; recoge, por eso, no solo el tono y la sintaxis de la lengua hablada sino también el léxico popular, marcado en el presente texto con letras cursivas.

07–02

VOCABULARIO

al compás	*loc.adv.*	由……伴奏
vihuela (vigüela)	*f.*	比韦拉琴，一种六弦琴
solitario, ria	*adj.*	孤独的
consolar(se)	*tr.; prnl.*	安慰
pulpería	*f. (Amer.)*	小酒馆
gaucho, cha	*adj.-s.*	高乔的；高乔人
relatar	*tr.*	讲述
peripecia	*f.*	变故，意外事件
valiente	*adj.*	勇敢
rigor	*m.*	磨难
lastimoso, sa	*adj.*	可怜的
penalidad	*f.*	苦难
víbora	*f.*	毒蛇
picar	*tr.*	咬，啄
relación	*f.*	讲述；关系
perseguir	*tr.*	追捕；迫害
empeñoso, sa	*adj.*	坚持不懈的
diligente	*adj.*	勤奋
bandido, da	*m.,f.*	强盗，土匪
maltratar	*tr.*	虐待
arbitrariamente	*adv.*	随心所欲地
poderoso, sa	*m.,f.*	有权势的人
justicia	*f.*	正义；法律
juez de paz		地方法官
alistar	*tr.*	登记入册；招募
destacamento	*m.*	支队，部队
superior, ra	*m.,f.*	上级，上司
propiedad	*f.*	财产；庄园
regalar	*tr.*	赠送
coronel	*m.*	校官
insufrible	*adj.*	难以忍受的
enfrentamiento	*m.*	交战，接火
desertar	*intr.*	开小差
rancho	*m.*	农舍，农庄；庄园；牧场
peón	*m.*	雇工，短工
rastro	*m.*	踪迹
tranquera	*f.*	栅栏
Cristo		基督
enlutar	*tr.*	戴孝
jurar	*tr.*	发誓
vagabundear	*intr.*	游荡，流浪

elegir	*tr.*	选，挑选
pendenciero, ra	*adj.*	爱打架的
discutidor, ra	*adj.*	爱拌嘴的
asediar	*tr.*	围困
ventura	*f.*	运气
desvalido, da	*adj.*	无依无靠的
protección	*f.*	保护
calabozo	*m.*	牢房
prisión	*f.*	监狱
sobrar	*intr.*	多余
campana	*f.*	钟
rumbo	*m.*	方向
inmensidad	*f.*	无边无际
duende	*m.*	鬼魂，精灵
autoridad	*f.*	当局，执法者；权威
en cuanto	*loc.adv.*	一旦
descuidarse	*prnl.*	不小心
cercar	*tr.*	包围
inesperado, da	*adj.*	意外的
inseparable	*adj.*	不可分离的
guarecerse	*prnl.*	寻找庇护
copla	*f.*	民歌，民谣
sintaxis	*f.*	句法
cursiva	*f.*	斜体（字）

PALABRAS ADICIONALES

ajusticiar	*tr.*	处决
arbitrariedad	*f.*	随心所欲
arbitrario, ria	*adj.*	随心所欲的
asedio	*m.*	围困
banda	*f.*	帮，派；团伙
consolación	*f.*	安慰
consuelo	*m.*	安慰
deserción	*f.*	开小差，逃跑（行为）
desertor, ra	*m.,f.*	开小差的人
diligencia	*f.*	勤奋
elección	*f.*	选择，挑选；选举
electo, ta	*adj.*	当选的
elector, ra	*m.,f.*	选民
empeñarse	*prnl.*	坚持，努力
empeño	*m.*	坚持，努力
hacendado	*m.*	庄园主
juramento	*m.*	宣誓；誓词
lastimar	*tr.*	（在精神或身体上）伤害
luto	*m.*	服丧，治丧
maltrato	*m.*	虐待，欺凌
penalización	*f.*	处罚
penalizar	*tr.*	处罚
pendencia	*f.*	打架；口角
persecución	*f.*	追踪；迫害
perseguidor, ra	*m.,f.*	追踪……的人；迫害……的人
picadura	*f.*	叮咬
picante	*adj.*	辣
picaporte	*m.*	门环
propietario, ria	*m.,f.*	主人，业主
proteccionismo	*m.*	保护主义
protector, ra	*m.,f.*	保护人
ranchería	*f.*	村庄
ranchero, ra	*m.,f.*	庄园主；牧场主；农民
vagabundeo	*m.*	流浪，游荡
venturoso, sa	*adj.*	幸运的（人）

VERBOS IRREGULARES

consolar: Se conjuga como ***volar***.
elegir: Se conjuga como ***corregir***.
guarecer: Se conjuga como ***merecer***.
perseguir: Se conjuga como ***seguir***.

VERBOS CON CAMBIOS ORTOGRÁFICOS EN ALGUNAS CONJUGACIONES

cercar: Se conjuga como ***secar***.
huir: Se conjuga como ***construir***.
penalizar: Se conjuga como ***realizar***.
picar: Se conjuga como ***explicar***.

EJEMPLOS CON ALGUNOS VOCABLOS USUALES

I. atender

A. *tr.*; *intr.* 注意听

1. El conferenciante acaba de explicar el significado de *proteccionismo*, pero como eres el único que no atiende, claro que no entiendes nada.
2. ¡Cómo vas a comprender la lección si no atiendes (a) las explicaciones del profesor!
3. Ningún soldado atendía (a) lo que decía el coronel en su arenga（演讲）, porque no cesaba de repetir los mismos tópicos.

B. *intr.* 听取；考虑到，注意到

1. Atendiendo a los consejos de su amigo, Martín Fierro emprendió la huida.
2. El árbitro se empeñó en penalizar a un jugador de nuestro equipo sin atender en absoluto a sus explicaciones.
3. Atendiendo a los llamados a la paz de la ONU, esos dos países retiraron sus tropas de la frontera.

C. *tr.* 接待

1. Apenas llegamos a la sede del Poder Judicial, le dijimos a la secretaria que nos atendió, que queríamos ver al juez de paz.
2. La noche nos sorprendió cerca de una ranchería, donde la gente, visiblemente pobre, nos atendió con mucha amabilidad.
3. ¡Qué arbitrariedad! Esa oficina solo atiende cuando le da la gana.

II. duro, ra *adj.* 坚硬的；艰苦的；强硬的，严厉的

1. Para el hambre y el apuro no hay pan duro.
2. Ya sabes, en esta época, los trenes van repletos（满）, pero, quién sabe, a lo mejor, puedes conseguir billetes para tu familia en cama dura.
3. Al pobre gaucho lo encerraron en una prisión sombría donde lo sometieron a duros castigos.
4. En el ejército, nos prepararon para soportar condiciones climáticas muy duras.
5. Al oír mis críticas, mi jefe me dirigió una mirada muy dura.
6. Al pobre peón le tocó en suerte un patrón de carácter muy duro.

III. emplear

A. *tr.* 使用

1. ¿Saben ustedes qué herramientas emplean los albañiles?
2. Creo que es demasiado pequeña la aguja que empleas para coser la camisa.
3. Profesor, ¿qué diccionario empleó usted para traducir el *Martín Fierro*?
4. No es muy económico emplear detergente de esta marca para lavar la ropa.
5. El propietario empleó diez horas en cosechar el trigo de su hacienda.

B. *tr.* 雇佣

1. El ingeniero propuso emplear, a lo más, diez cargadores para embarcar toda esa mercancía.
2. Maximiliano vagabundeó varios días por la ciudad con la esperanza de que alguien lo empleara en algún oficio para ganarse, por lo menos, un pedazo de pan.

IV. quemar(se)

A. *tr.* 烧

1. Un terrible incendio forestal quemó una inmensa extensión del bosque, algo así como cien canchas de fútbol.
2. Niños, dejen de jugar con fuego. Van a quemar la casa.
3. Cuando planches, ten cuidado: la plancha muy caliente puede quemar la ropa.

B. *tr.* 灼伤

1. ¡Cuidado! En esta zona tropical, el sol del mediodía les puede quemar la piel.
2. No toques esa planta. El líquido que rezuman sus hojas te va a quemar las manos.
3. La sopa estaba tan caliente que me quemó la boca.

C. *intr.* 烫

1. Cuidado con la comida, que está muy caliente y quema.
2. No se puede pasear por la playa al mediodía. La arena quema.
3. No toques la estufa, ¿no sabes que quema?

D. *prnl.* 燃烧；糊，焦

1. En la época de sequía el bosque se quema fácilmente.
2. Si no pones el arroz a fuego lento, se quemará.
3. ¿Qué pasa aquí? Huele a pelo quemado.

V. razón *f.* 道理，理智

A. tener ~, tener toda la ~, asistir a alguien la ~ 有理，atender a ~ (en plural) 听劝

1. □ Insisto en que nadie, mucho menos un dirigente, debe actuar así, arbitrariamente.
   ■ Tiene usted razón.
2. Tuviste toda la razón en defender la libertad de expresión.
3. No quiero discutir con ustedes, pero estoy convencido de que me asiste la razón.
4. Allá tienen ustedes la consecuencia de haber elegido director a un tipo que nunca atiende a razones.

B. dar ~ de algo 告诉，告知

1. Pregunté a muchos pero nadie me pudo dar razón de lo que le había pasado a mi amigo mordido por una víbora.
2. Cuando el gaucho retornó al pueblo, descubrió que había desaparecido su rancho. Anduvo mucho tiempo averiguando el paradero de su mujer y sus hijos, pero nadie le pudo dar razón.
3. ¿Alguien nos puede dar razón del resultado de las últimas elecciones?

C. dar la ~ 赞同，说（某人）有理

1. Me consolaba pensando que, por lo menos, tú me habías dado la razón en aquella discusión en que todo el mundo estaba en mi contra. (En lengua culta, se dice: *en contra de mí*)
2. Está bien que te hayas empeñado en hacer prevalecer tu criterio. Te doy la razón.
3. Nadie le dio la razón al árbitro, que insistía en penalizar injustamente a uno de nuestros jugadores.

VI. regalar *tr.* 赠送，馈赠

1. Anteayer, un amigo que vive en una remota zona montañosa, vino a visitarme y me regaló varios tarros de miel silvestre.
2. La novia de Ramón le regaló, para su cumpleaños, una camisa cosida por ella misma.
3. Nunca he probado frutas tan jugosas como las que me has regalado.

VII. rigor

A. *m.* 严谨；严格；严酷

1. Tengo que poner especial empeño en mi tesis, pues su tema exige mucho rigor científico.
2. A Santiago no solo lo acusaron injustamente de desertor sino que también lo castigaron con excesivo rigor.

3. Los rigores del invierno nos hicieron desistir de establecernos en esa fría ciudad del norte.

B. riguroso, sa *adj.* 严谨的；严格的；严酷的

1. Un juez tiene que ser honesto y justiciero, pero no demasiado riguroso.
2. El profesor dio muestras de haber sido muy riguroso en la preparación de la clase sobre el *proteccionismo*, pues fue muy claro y convincente.
3. Tenéis que saber que en esta institución se aplica una disciplina muy rigurosa.
4. A los colonos recién llegados a la Antártida, les esperaba un clima riguroso durante todo el año.

C. rigurosidad *f.* 严谨；严格；严肃

1. En cualquier investigación científica lo primordial es la rigurosidad científica.
2. Nos impresionó la rigurosidad con que el coronel llevaba a cabo la aplicación de la disciplina castrense.
3. Como profesor de ustedes, lo que les exijo es una elemental rigurosidad académica.

VIII. sobrar

A. *intr.* 剩余，多余，多出

1. En la mesa sobran dos cubiertos. Retíralos, por favor.
2. Al ver que todavía le sobraba dinero después de comprar la computadora, se le ocurrió invitar a cenar a su prima.
3. Comprendiendo que la pareja quería hablar a solas, le dije a Renato: “Vámonos. Aquí, sobramos.”
4. Aunque me sobraban razones, no conseguí convencerlo.

B. sobras *f. pl.* 剩饭

1. Como no tenía ganas de cocinar, recalentó las sobras del día anterior.
2. □ ¿Qué piensas hacer con las sobras de la cena?
   ■ Serán, mañana, el desayuno de los cerdos.
3. No está bien que las sobras se queden tanto tiempo fuera de la nevera.

C. de sobra 多余，足够多

1. Lo que piensas agregar a tu discurso está de sobra.
2. Teníamos motivos de sobra para no admitirte en nuestro equipo.
3. Con tres metros de tela tienes de sobra para hacerte un vestido.

IX. soportar

A. *tr.* 承受

1. La mesa parece endeble. No podrá soportar el peso de ese enorme paquete de libros.
2. Me temo que la camioneta no soportará tanto cargamento.
3. El techo de la casa era fuerte pero, aun así, no pudo soportar la enorme cantidad de nieve acumulada en tres días de incesante nevada, y se vino abajo.

B. *tr.* 忍受

1. Sin poder soportar más el maltrato del capataz, los peones se declararon en huelga.
2. Aunque nacido y crecido en el sur, ya estoy acostumbrado al riguroso invierno del norte y lo soporto muy bien.
3. Tendido en la calle, mientras esperaba la ambulancia, el hombre soportó con estoicismo el dolor de su pierna rota.

C. insoportable *adj.* 难以承受的，难以忍受的，受不了

1. ¿Sabes lo que te digo? Tu arbitrariedad y tu hipocresía te hacen totalmente insoportable.
2. Oye, Laura, hazme un favor: saca a estos niños afuera. Su algarabía es insoportable.
3. Lo que se ha hecho con ustedes me parece una injusticia insoportable. ¿Por qué no protestan?

X. volverse + *adj.* 变，变成，变得

1. Ha llegado la primavera y los campos se vuelven verdes.
2. No sé qué pasa. De repente, nuestra profesora se ha vuelto muy severa con nosotros.
3. ¿Te has vuelto loco? ¿Cómo se te ha ocurrido meterte en un negocio tan sucio?
4. Nos sorprendió que una persona tan áspera como él se hubiera vuelto tan amable.
5. No entiendo por qué últimamente te has vuelto tan pendenciero.

RESPECTO AL LENGUAJE

I. Fenómenos fonéticos en el lenguaje popular y regional

任何一种语言都会有口语和书面语的区别以及因地域分布较广而产生的方言差异，西班牙语当然也不例外。本课仅就课文中出现的某些语音现象做一简略归纳，以期引起学习者们关注，及早逐步排除可能因此造成的交流障碍。

西班牙语中，广义的地域差异当然是指本土和拉丁美洲之间的不同。在前几册中多少涉及过相关议题，同学们不妨回过头去复习一下。狭义地讲，西班牙本土各地区和拉丁美洲各个国家之间也存在着不少明显的差异，希望同学们主动查阅各种资料，自学掌握这方面的知识，这无疑将对就业后提高工作能力大有裨益。

下面我们简略归纳一下课文中反映出的这类语音现象：

规范形式	变异形式
autoridad (inmensidad)	autori***dá*** (inmensi***dá***)
entiéndalo	entienda***ló***
extraordinario	e***s***traordinario
oscuridad	***e***scuri***dá***
sorprende	sorpr***ie***nde
vihuela	vi***gü***ela

与上述变异特征一致，我们还能经常听到：bondá, ciudá, tranquilidá, esplicar, esponer, güeso, güerta, 等等。

还有一种无论在西班牙还是拉丁美洲都十分常见的变异，就是略去过去分词中的最后一个辅音 d，于是我们便经常听到：andao, besao, colocao, decío, duchao, hablao, nacío, pasao, seguío, temío，等等。

当然，这种现象较多出现在口语中或文学作品的仿口语对话中。这样说话的人如果将其付诸笔头，便会采用规范形式。

II. Verbos pronominales incoativos: *hacerse, ponerse* y *volverse*

西班牙语中有几个动词的代词式常用于表示某种状态、性状、情绪、过程等开始出现。就其体貌功能而言，可称之为起始貌动词，该动词后面要求接名词或形容词，其作用类似系动词句中的表语。比较常见的是 hacerse, ponerse 和 volverse。下面分别讲它们的用法：

1 hacerse + ***n./ adj.*** **表示：llegar a ser algo o convertirse en algo**。

例

① La hija de Esmeralda era un encanto cuando niña pero, luego, no sé cómo, ***se hizo una mujer amargada***.

② A todos nos sorprendió que Héctor ***se hubiera hecho rico*** de la noche a la mañana.

③ Hijo, eso lo comprenderás cuando ***te hagas mayor***.

2 ponerse + ***adj.*** **表示：comenzar a manifestar algún estado físico o anímico**。

例

④ El gaucho ***se puso muy triste*** al encontrar su rancho en ruinas y su mujer y sus hijos desaparecidos.

⑤ El coronel ***se puso furiosísimo*** cuando le dijeron que habían desertado varios de sus soldados.

⑥ No ***se pongan nerviosos***. Nada se consigue con desesperación. Si nos calmamos, entre todos acabaremos por encontrar una solución al problema.

3 volverse + ***adj.*** **表示：pasar a manifestar una cualidad o un estado**。

例

⑦ Después de sufrir tanto, Nacho ***se volvió muy pesimista***.

⑧ Al toparse con un rebaño de ovejas, los lobos ***se volvieron locos*** aullando y corriendo de un lado a otro.

⑨ Con la escasez de víveres la situación del país ***se volvió insostenible***.

III. Nociones elementales sobre la versificación en español

人类语言都具有一定程度的音乐性。无论是音节清脆铿锵，还是语句抑扬顿挫，如果运用得当，必然会产生听觉上的愉悦感。口才好的人之所以能吸引听众，当然要靠丰富充实，足以启人心智的讲话内容，但也需要遣词造句的技巧。优秀的文学作品尤其讲究行文的音乐美，散文如此，韵文更是如此，因为音乐性是它品质高低的决定性因素之一。实际上，诗和歌在遥远的古代就已紧密结合在一起。中国的《诗经》《楚辞》《乐府》、宋词，等等，其实都是当时流行音乐的歌词。西班牙语诗歌的演化史也呈现出十分相似的特征。

诗歌艺术品格的优劣，当然首先取决于它的内容和意象，但这两者必须附丽于悦耳的音乐美才能有效地打动人心。我们在这里关注的主要是格律诗，因为自由体诗歌遵循的原则稍有不同。那么，格律诗音乐美的要素究竟是什么呢？不妨让我们先来赏析一首杜甫的七言绝句：

两个黄鹂鸣翠柳，
一行白鹭上青*天*，
窗含西岭千秋雪，
门泊东吴万里*船*。

首先映入眼帘的是每行诗句的字数（= 音节）完全相同，均为七个，所以称作七言诗。中国古典诗歌根据诗句的音节数的不同，将其分为三言诗、四言诗、五言诗和七言诗。其次，我们还发现，第二行和第四行诗句的最后一个音节的元音（= 韵母）相同（在古典格律诗中声调也得一致），都是 an，这叫做尾韵，就是说格律诗要押韵，汉语古典诗歌尾韵的排列一般是：ABAB, ◯ A ◯ A（◯ = 不押韵，这首诗便属于此类），AA ◯ A（比如：故人西辞黄鹤**楼** / 烟花三月下扬**州** / 孤帆远影碧空尽 / 唯见长江天际**流**）。当然也可能有其他排列方式，这里就不一一列举了。如果我们把每句诗都反复吟咏几遍，便会感觉到诗中还巧妙利用汉语特有的声调，交替使用平声（第一、二声）和仄声（第三、四声），从而造成高低起伏的效果，再配合以 XX / XX / XXX（两个 / 黄鹂 / 鸣翠柳）这样的节奏，音乐感便凸现出来。中国古典格律诗还有一个独具特色的艺术特征，那就是其中经常使用意象的对仗和词类的对称（两个 / 一行，黄鹂 / 白鹭，鸣 / 上，翠柳 / 青天。第三、四行诗中也使用了同样的技巧，请同学们自己找出来）。这就像宏伟建筑的对称，给人以稳定和谐的感觉。不是说建筑是凝固了的音乐吗？所以这也可以看作是一种较为抽象的音乐美。

西班牙语格律诗当然也依靠类似的方法来营造音乐感，但在细节上与汉语却有明显区别。先说押韵（常见的也是尾韵）。

为了说清这个议题，首先要把词汇按照重音所在位置分为三类：① 重音在倒数第二个音节的 palabras llanas；② 重音在最后一个音节的 palabras agudas；③ 重音在倒数第三个音节的 palabras esdrújulas。押韵通常只在同类词汇间进行。其次，韵脚分为两种：音节韵 = 从最后一个重读元音开始，整个音节相同，比如：sabroso, reposo, dichoso 可以押韵；querida, sucedida, vida 可以押韵；元音韵 = 从最后一个重读元音开始，只要元音相同就可以押韵，比如：pena, deja, seca, alerta, reja 可以押韵，calzar, pan, cendal, gran, ciudad 可以押韵，madre / aire 可以押韵，等等。韵脚的分布方式相当繁复多样，常见的有：ABAB, ABBA, ABC BCD EDF……如此连环扣一直延续。其他可能性还有很多，这里就不一一列举了。

按照格律，在一首诗里，每行诗句的音节数必须相同，汉语里有五言诗、七言诗等，西班牙语中也有类似情况，但比起汉语诗歌来要复杂得多。首先音节计数要看最后一个单词的重音落在哪里。如果是 palabra llana，按实际数量计算；如果是 palabra aguda，则按实际数量加一计算；如果是 palabra esdrújula 则按实际数量减一计算。下面举例说明：

Soy gaucho y ***entiendaló***
como mi lengua lo ***esplica***,
para mí la tierra es chica
y pudiera ser mayor;
ni la víbora me pica
ni quema mi frente el sol.

由于第二行诗最后的单词是 palabra llana, 因此可以作为计数的基准，请同学们数一下音节，得数是八（在诗歌中，两个强元音也可以组成连音：***lo es****plica*，就是说，黑斜体部分是一个音节）。现在按照上面说过的原则，就可以看出所有的诗句都是八个音节（请注意辅音和元音连音都只能算一个音节）。

其次，诗句可以很短（两个音节）。但由于西班牙语中多音词的数量远远超过汉语，所以诗句也可以很长，甚至达到十七八个音节。不过最常见的还是八音节和十六音节。

另外，重音的分布也是营造节奏感的重要手段，必须根据诗句的长度按一定规则安排。这里就不详细介绍了。

社会文化常识 CONOCIMIENTO SOCIOCULTURAL

服饰

西班牙语国家，特别是拉丁美洲国家民族众多，服装丰富多彩。

poncho 是其中较有代表性的一个。poncho 类似中国的套头披肩。它用一整块皮革或厚布制成，正中开一个口子，穿戴时往头上一套，身体的上半部即被遮盖，稍长一些的款式可达膝部。

poncho 历史悠久，是阿根廷、秘鲁、智利、哥伦比亚、玻利维亚、巴西等国安第斯山区土著的传统服装，主要在气候较为寒冷的地区使用。虽然名称相同，但各国的 poncho 又各具特色。例如，玻利维亚的 poncho 用彩色布料制作；阿根廷的 poncho 的花纹分潘帕斯草原式和印加式。哥伦比亚的 poncho 不是由四周下垂的布制成，而是只分身前和身后两片。

poncho 在不少拉美国家已成为民族服饰的代名词。2008 年，亚太经合组织（APEC）峰会在秘鲁举行时，秘鲁政府为各国首脑定制的会议服装就是 poncho。在秘鲁、玻利维亚等安第斯山麓国家，用羊驼等当地特有动物的毛织成的 poncho 也成为了国外游客争相购买的旅游纪念品。

EJERCICIOS

07–03

I. Siguiendo la grabación, lea el siguiente poema:

EL MONTE Y EL RÍO

En mi patria hay un monte.
En mi patria hay un río.
Ven conmigo.
La noche al monte sube.
El hambre baja al río.
Ven conmigo.
¿Quiénes son los que sufren?
No sé, pero me llaman.
Ven conmigo.
No sé, pero son míos.
Y me dicen: –Sufrimos.
Ven conmigo.
Y me dicen: –Tu pueblo,
tu pueblo desdichado,
entre el monte y el río,
con hambre y con dolores,
no quiere luchar solo,
te está esperando, amigo.
Oh tú, la que yo amo,
pequeña, grano rojo
de trigo.
Será dura la lucha,
y la vida será dura.
Pero vendrás conmigo.

Pablo Neruda

II. Conjugue los siguientes verbos en todas las personas de los modos y tiempos indicados:

1. En presente del indicativo y del subjuntivo:

acomodar, agotar, ahorrar, ajusticiar, *albergar*, alistar, asediar, *atender*, brindar, *cercar*, colaborar, comparar, *comunicar*, *conducir*, *consolar*, culpar, descuidarse, desertar, disgustar, *elegir*, empeñarse, enlutar, *entender*, *fatigar*, *gozar*, *guarecerse*, *huir*, jurar, lastimar, maltratar, narrar, *penalizar*, *perseguir*, *picar*, regalar, relatar, *reducir*, sobrar, soportar, vagabundear;

2. En pretérito perfecto y pluscuamperfecto del indicativo:

abrir, ajusticiar, alistar, asediar, cercar, colaborar, comparar, consolar, culpar, *decir*, *descubrir*, descuidarse, desertar, *devolver*, *disponerse*, elegir, empeñarse, enlutar, *escribir*, guarecerse, *hacer*, *imponer*, jurar, lastimar, maltratar, penalizar, perseguir, picar, *proponerse*, regalar, relatar, *resolver*, *romper*, vagabundear, *ver*, *volver*;

3. **En pretérito indefinido del indicativo e pretérito imperfecto del subjuntivo:**
   andar, *ahogarse*, ahorrar, agotar, ajusticiar, *albergar*, alistar, asediar, brotar, citar, *comunicar*, *conducir*, consolar, culpar, descuidarse, desertar, disgustar, *elegir*, empeñarse, enlutar, *fatigar*, *gozar*, guarecerse, *huir*, *imponer*, jurar, lastimar, maltratar, *penalizar*, *perseguir*, *picar*, *proponerse*, *reducir*, regalar, relatar, sobrar, vagabundear;
4. **En modo imperativo y presente del subjuntivo usado como mandato negativo:**
   acomodarlas, ahorrarlo, ajusticiarlos, *albergarlas*, alistarlos, asediar, brindárselo, *cercar*, colaborar, comparar, *comunicar*, *conducir*, *consolarla*, culpar, descuidarse, desertar, disgustar, *elegirlo*, empeñarse, enlutar, *fatigar*, *gozar*, *guarecerse*, jurármelo, lastimar, maltratar, *penalizar*, *perseguirlos*, *picar*, *reducir*, regalárselas, relatárselo, sobrar, vagabundear.

（斜体部分需笔头重复）

07–04

III. Escuche las preguntas sobre el texto y contéstelas oralmente en español.

IV. Diga a qué se refiere la parte en cursiva, y en caso de que sea verbo, señale cuál es el sujeto. Todas las oraciones pertenecen al texto:

1. que al hombre que ***lo desvela***
   una pena extraordinaria
   como el ave solitaria
   con el cantar ***se consuela***.
   lo:
   desvela:
   se consuela:
2. Así ***comienza*** a cantarnos ***su*** vida Martín Fierro.
   comienza:
   su:
3. La historia ***la*** narró el escritor argentino José Hernández.
   la:
4. En una pulpería, ***rodeado*** de unos cuantos gauchos, un hombre ya mayor, Martín Fierro, se pone a relatar ***sus*** peripecias, cantando y ***acompañándose*** con ***su*** vigüela.
   rodeado:
   sus:
   acompañándose:
   su:

5. Martín tiene todas las virtudes del gaucho: es valiente, sobrio y ***capaz*** de soportar los rigores de una existencia lastimosa y ***llena*** de penalidades.

   capaz:

   llena:

6. Soy gaucho y ***entiendaló***

   como mi lengua ***lo esplica***,

   para mí la tierra es chica

   y ***pudiera*** ser mayor;

   ni la víbora me pica

   ni ***quema*** mi frente el sol.

   Y ***atiendan la relación***

   que ***hace un gaucho perseguido***,

   que padre y marido ha sido

   empeñoso y diligente,

   y sin embargo la gente

   lo tiene por un bandido.

   entienda:

   lo:

   lo:

   esplica:

   pudiera:

   quema:

   atiendan:

   la relación:

   hace:

   un gaucho perseguido:

   empeñoso:

   diligente:

   lo:

7. Fierro recuerda entonces los tiempos en que ***poseía*** su casa y familia, y no era maltratado arbitrariamente por ***los poderosos*** y ***los representantes de la Justicia***.

   poseía:

   los poderosos:

   los representantes de la Justicia:

8. En una ocasión, mientras ***está*** cantando y bebiendo con unos amigos en una pulpería llega el juez de paz para alistar a los hombres en los destacamentos que ***mantienen*** la guerra contra los indios en la frontera.

   está:

   mantienen:

9. ***Sus*** superiores, más que dedicar***los*** a combatir a los indios, ***los*** emplean como trabajadores en ***sus*** propiedades, en el cuidado de ***sus*** animales, sin pagar***les*** nada por ***su*** labor.

   Sus:

   los:

   los:

   sus:

   sus:

   les:

   su:

10. Y además de no cobrar, ***tiene que*** regalar ***su*** hermoso caballo al coronel.

    tiene que:

    su:

11. Aquella vida era insufrible, y después de un duro enfrentamiento con un grupo de indios, en ***el*** que Martín se ve en peligro de muerte, ***decide*** desertar.

    el:

    decide:

12. El dolor d***el gaucho*** es inmenso y canta:

    el gaucho:

13. Por Cristo, si ***aquello*** era
    pa enlutar el corazón.

    aquello:

14. Sin ***proponérselo***, da muerte a un hombre –un negro– en una pelea, y tiene que huir, ***asediado*** por la policía.

    proponerse:

    lo:

    asediado:

15. Martín no comprende el extraño destino que ***le impone su*** triste suerte, y llora su mala ventura y ***la*** d***el gaucho desvalido y sin protección***.

    le:

    impone:

    su:

la:

el gaucho desvalido y sin protección:

16. Para ***él*** son los calabozos,
    para él las duras prisiones,
    en ***su*** boca no hay razones
    aunque la razón ***le sobre***;
    que ***son*** campanas de palo
    las razones de los pobres.
    Sin punto ni rumbo fijo
    en aquella inmensidá
    entre tanta escuridá
    anda el gaucho como duende.
    Allí jamás ***le sorpriende***
    dormido la autoridá.
    él:
    su:
    le:
    sobre:
    son:
    le:
    sorpriende:
    dormido:
17. ***Dormido*** o no, pero en cuanto ***se descuida***, la policía ***lo*** cerca, y tras una dura pelea, cuando ya ***parece vencido***, un soldado se pone de ***su*** parte y ***ambos*** consiguen huir y quedar libres.
    Dormido:
    se descuida:
    lo:
    parece vencido:
    su:
    ambos:
18. ***Juntos deciden*** atravesar el desierto para guarecerse entre los indios.
    Juntos:
    deciden:

V. Marque entre las interpretaciones con una ✓ la(s) que se adecúe(n) a la parte en cursiva:

1. Que al hombre que lo ***desvela***/ una pena extraordinaria.
   1) Le quita el sueño; ( )
   2) Le hace sufrir; ( )
   3) Lo atormenta. ( )
2. ***Como el ave solitaria/ con el cantar se consuela***.
   1) El ave solitaria se entretiene cantando; ( )
   2) El ave solitaria no puede hacer otra cosa sino cantar; ( )
   3) El ave solitaria solo cantando sufre menos por la soledad. ( )
3. En una pulpería, ***rodeado*** de unos cuantos gauchos, un hombre ya mayor, Martín Fierro, se pone a relatar...
   1) en compañía de ( )
   2) sitiado ( )
   3) cercado ( )
4. Martín Fierro se pone a relatar sus peripecias, cantando y ***acompañándose con*** su vigüela.
   1) en compañía de ( )
   2) al compás de ( )
   3) siguiendo ( )
5. Para mí la tierra es ***chica***
   1) Porque la he recorrido tanto, que para mis ansias de libertad y aventura, parece reducida; ( )
   2) porque no resulta suficientemente grande como para recorrerla a caballo; ( )
   3) joven. ( )
6. ***Ni la víbora me pica/ ni quema mi frente el sol***.
   1) porque trata de evitar todo eso; ( )
   2) porque vive en un país frío y sin víboras; ( )
   3) Conozco tanto el lugar, que todo me es familiar, hasta lo que para otros es un peligro. ( )
7. Que ***padre y marido ha sido/ empeñoso y diligente***.
   1) Que está casado y con hijos; ( )
   2) Que ha sido un hombre trabajador y responsable con su familia; ( )
   3) Que se empeña en casarse y tener hijos. ( )
8. Sus superiores, ***más que*** dedicarlos a combatir a los indios, los emplean como trabajadores en sus propiedades, ...
   1) Los dedican más a combatir a los indios que a trabajar en sus propiedades; ( )
   2) En vez de dedicarlos a combatir a los indios, los emplean como trabajadores en sus propiedades; ( )

3) Los emplean como trabajadores en sus propiedades y también los dedican a combatir a los indios. ( )

9. Y además de no cobrar, tiene que ***regalar*** su hermoso caballo al coronel.
   1) No se trata de un regalo, sino más bien de un despojo; ( )
   2) Se lo regala porque respeta mucho al coronel; ( )
   3) Se lo regala porque intenta pedir algún favor al coronel. ( )
10. Por Cristo, si aquello era/ pa ***enlutar el corazón***.
    1) ponerse una tela negra en el pecho, al lado del corazón ( )
    2) sumir el corazón en una profunda oscuridad ( )
    3) sentirse sumamente triste y desgraciado ( )
11. Yo juré en esa ocasión/ ser ***más malo*** que una fiera.
    1) Ya había sido bastante malo y ahora decidió ser peor; ( )
    2) Decidió pagar el mal con el mal; ( )
    3) Comprendió que en un mundo tan cruel e injusto no le quedaba sino, en respuesta, ser también un hombre feroz y violento. ( )
12. ***En su boca no hay razones***.
    1) porque siempre dice disparates; ( )
    2) porque no sabe razonar; ( )
    3) porque, injustamente, nadie reconoce que tiene razón. ( )
13. Que son ***campanas de palo***/ las razones de los pobres.
    1) porque no suena, no se oye; ( )
    2) porque se deshace en seguida; ( )
    3) porque nadie hace caso de ellas. ( )
14. Sin punto ni rumbo fijo/ en aquella ***inmensidad***.
    1) Se refiere a la enorme y desolada extensión de la pampa por donde tiene que huir; ( )
    2) Se refiere a lo grande que es la injusticia; ( )
    3) Se refiere a la dimensión de su sufrimiento. ( )
15. Entre tanta ***escuridad***.
    1) Se refiere a la incertidumbre que siente por su destino; ( )
    2) Se refiere a la injusticia y la arbitrariedad a que está sometido; ( )
    3) Se refiere a la oscuridad de la noche en la pampa y al amparo que le brinda para seguir huyendo. ( )

VI. En el español, el orden de las palabras es bastante flexible, especialmente en los versos donde puede alterarse enormemente por la necesidad del ritmo y la rima. Lo que se le pide en este ejercicio es modificar el orden sin cambiar el sentido de la oración y a veces incluso para aclararlo.

Ejemplo que al hombre que lo desvela
una pena extraordinaria
como el ave solitaria
con el cantar se consuela.

El hombre a quien una pena extraordinaria lo desvela, se consuela con el cantar, como el ave solitaria.

1. Así comienza a contarnos su vida Martín Fierro.

____

2. La historia la narró el escritor argentino José Hernández.

____

3. En una *pulpería*, rodeado de unos cuantos gauchos, un hombre ya mayor, Martín Fierro, se pone a relatar sus peripecias, cantando y acompañándose con su vigüela.

____

____

4. Y atiendan la relación/ que hace un gaucho perseguido/ que padre y marido ha sido empeñoso y diligente, ...

____

____

5. Pido a los Santos del Cielo/ Que ayuden mi pensamiento – *Les pido en este momento/ Que voy a cantar mi historia/ Me refresquen la memoria/ Y aclaren mi entendimiento.* (Solo la parte en cursiva)

____

____

6. Que no me trabe mi lengua/ Ni me falte la palabra – *El cantar mi gloria labra/ Y poniéndome a cantar/* Cantando me han de encontrar/ Aunque la tierra se abra. (Solo la parte en cursiva)

____

____

7. ... después de un duro enfrentamiento con un grupo de indios, en el que Martín se ve en peligro de muerte, decide desertar.

____

____

8. No me haga al lado de la güeva (hueva) / Aunque vengan degollando – Con los blandos yo soy blando/ Y soy duro con los duros/ *Y ninguno en un apuro/ Me ha visto andar titubeando*. (Solo la parte en cursiva)

____

9. ...juré en esa ocasión/ ser más malo que una fiera.

____

10. Sin proponérselo, da muerte a dos hombres en una pelea, y tiene que huir, asediado por la policía.

____

____

11. Para él son los calabozos, / para él las duras prisiones, / en su boca no hay razones/ aunque la razón le sobre; / *que son campanas de palo/ las razones de los pobres./ Sin punto ni rumbo fijo/ en aquella inmensidad/ entre tanta oscuridad/ anda el gaucho como duende./ Allí jamás le sorprende/ dormido la autoridad*. (Solo la parte en cursiva)

____

____

____

____

12. Tras una dura pelea, cuando ya parece vencido, un soldado se pone de su parte.

____

____

VII. En español, la poesía es un género en el que se permite una gran libertad sintáctica, es decir, un permanente trastrueque del orden de las palabras, lo que ciertamente dificulta la lectura y la comprensión. En este caso, el lector puede servirse de las flexiones morfológicas para detectar los lazos sintácticos entre palabras, por separadas que se hallen. El siguiente ejercicio es quizá un poco difícil, pero no deja de ser interesante, porque mediante él se puede aprender a leer y a comprender poemas. Lo que se requiere de usted es que diga con qué palabra está relacionada lógica y semánticamente la que está en cursiva, y en caso de que sea verbo, cuál es el sujeto:

1. Por entre unas matas,
   Seguido de perros,
   (No diré corría),
   Volaba un conejo.
2. Cuando en las obras del sabio
   no encuentra defectos,

Contra la persona cargas
Suele hacer el necio.

3. Hubo un rico en Madrid (y dicen que era
aún más necio que rico)
cuya casa magnífica *adornaban*
muebles exquisitos.
Ya tenemos estantes. –Pues ahora
(el buen hombre dijo),
–¡Echarme yo a buscar doce mil tomos!
¡No es mal ejercicio!
Perderé la chaveta, saldrán *caros*,
y *es* obra de un siglo…
Pero, ¿no era mejor poner*los* todos
de cartón *fingidos*?

4. No a pares, a docenas *encontraba*
las Monas en Tetuán, cuando cazaba,
un Leopardo. Apenas *lo veían*,
a los árboles *todas* se subían
quedando de*l contrario* tan *seguras*,
que *pudiera* decir: –¡No están *maduras*!

5. Hablando de esta suerte,
el Ciervo vio venir a un lebrel fiero.
Por evitar su muerte,
parte al espeso bosque muy *ligero*;
pero el cuerno retarda su salida
con una y otra rama entretejida.

Más, *libre* del apuro
a duras penas *dijo* con espanto:
–Si me veo seguro,
pese a mis cuernos, fue por correr tanto.
¡Lleve al Diablo lo hermoso de mis cuernos!
¡Haga mis feos pies el Cielo *eternos*!

VIII. Modifique los vocablos que están entre paréntesis según las exigencias del contexto:

1. Es en la Cordillera de los Andes donde ____________ (desarrollarse) grandes culturas indígenas en la antigüedad.
2. La Cordillera de Brasil forma, prácticamente, una inmensa altiplanicie ____________ (cortado) abruptamente frente a la costa e ____________ (inclinado) suavemente hacia el interior del continente.
3. No todas las regiones costeras son aptas para la agricultura. ____________ (Alguno), por exceso de lluvias, ____________ (estar ocupado) por espesas selvas y ____________ (otros), por faltar la lluvia en absoluto, ____________ (aparecer desértico).
4. Los detalles concretos de la fundación de Roma y de su historia primitiva _______________ (estar envuelto) en una oscuridad que probablemente nunca será ____________ (disipado).
5. El joven se acercó y vio a varias personas que, ____________ (cercado) por un círculo de furiosas llamas, ____________ (tratar) de salvarse del peligro.
6. El prisionero pidió al soldado que le dejara ____________ (suelto) las manos para que pudiera escribir unas cuantas líneas a su familia.
7. Por razones de sobra ____________ (conocido), nada o muy poco se ha hecho para eliminar la desigualdad entre los países avanzados y los subdesarrollados.
8. El extranjero saludó a unos aborígenes a ____________ (quien) preguntó por el nombre del lugar.
9. Los sitiados saben que se encuentran frente a un enemigo que, ____________ (solo), no ____________ (poder) vencer.
10. Miles y miles de animales acudían al lago para beber sus aguas y _____________ (las aguas) ensuciaban y enturbiaban al mismo tiempo.

IX. En las siguientes estrofas de *Martín Fierro*, señale los vocablos cuya pronunciación es diferente a la del español estándar y diga su forma normativa:

1. Nací como nace el peje
   En el fondo de la mar.
   Naides me puede quitar
   Aquello que Dios me dio.
   Lo que al mundo truje yo
   Del mundo lo he de llevar.
2. Y sepan cuantos escuchan
   De mis penas el relato,
   Que nunca peleo ni mato

Sino por necesidá;
Y que a tanta alversidá
Solo me arrojó el mal trato.

3. Junta esperencia en la vida
Hasta pa dar y prestar,
Quien la tiene que pasar
Entre sufrimiento y llanto.
Porque nada enseña tanto
Como el sufrir y el llorar.

4. Y sentao junto al jogón
A esperar que venga el día,
Al cimarrón le prendía
Hasta ponerse rechoncho.
Mientras su china dormía
Tapadita con su poncho.

5. Y verlos al cair la noche
En la cocina riunidos,
Con el juego bien prendido
Y mil cosas que contar,
Platicar muy divertidos
Hasta después de cenar.

X. Analice la métrica de las estrofas de Martín Fierro que aparecen en el texto para indicar:

A. el número de sílabas de cada verso;

B. el tipo de rima (consonancia / asonancia) y su distribución.

1. Aquí me pongo a cantar
al compás de la *vigüela*,
que al hombre que lo desvela
una pena *estrordinaria*
como el ave solitaria
con el cantar se consuela.

2. Soy gaucho y *entiendaló*
como mi lengua lo *esplica*,
para mí la tierra es chica
y pudiera ser mayor;

ni la víbora me pica
ni quema mi frente el sol.

3. Y atiendan la relación
que hace un gaucho perseguido,
que padre y marido ha sido
empeñoso y diligente,
y sin embargo la gente
lo tiene por un bandido.

XI. Ejercicios del léxico:

A. Complete las oraciones usando las voces, o sus derivados, que se dan a continuación:

atender ***duro*** ***emplear*** ***quemar*** ***razón***
regalar ***rigor*** ***sobrar*** ***soportar*** ***volver***

1. En esa época, en la hacienda de Gutiérrez ___________ doce peones.
2. ¿Acaso le das ___________ a un propietario que maltrata a sus obreros?
3. Sin ___________ a las explicaciones que le dimos, el árbitro se empeñó en penalizar a uno de nuestros jugadores.
4. El pueblo se vio obligado a rebelarse ya que la arbitrariedad de los gobernantes llegó a ser ___________ .
5. No debemos esperar que se nos ___________ la justicia social. Luchando es como la conseguiremos.
6. El enfrentamiento entre esos dos grupos políticos se va ___________ cada día más violento.
7. No me puedo imaginar cómo pudo _______________ mi abuelo las _______________ condiciones de trabajo en aquella mina de carbón.
8. ¿Sabes cuántas casas ___________ en aquel incendio?
9. Niña, no toques el vaso: ___________ .
10. Los peones del rico hacendado se negaron a comer ___________ recalentadas.
11. ¿No te parece excesivo el tiempo ___________ en un trabajo tan sencillo?
12. Me costó acostumbrarme a la ___________ disciplina del Ejército.
13. Sus amigos dudaban de que Ernesto fuera capaz de _____________ _____________ del invierno de aquella zona siberiana.
14. Descuide, señora, su hijo será bien ___________ en mi casa.
15. De este dinero, no nos ___________ ni un centavo después de pagar la cena.

B. Siempre que sea necesario, rellene los espacios en blanco con un artículo o una preposición, o la forma contracta de artículo y preposición:

1. Puede que tengas toda ___________ razón, pero no me convences.
2. ¿Qué está haciendo ___________ juez, que no atiende ___________ ___________ declaraciones ___________ ___________ testigos?
3. Oriol, muy impaciente, se tomó apresuradamente ___________ leche hirviendo y se quemó ___________ lengua y ___________ garganta.
4. ___________ ver que nadie le daba ___________ razón, se marchó molesto.
5. Rosario, ¿quieres regalarle algo ___________ tu prima? Entonces, elige algunos libros ___________ estos.
6. El gaucho no comprendía por qué ___________ llamada Justicia se hubiera vuelto tan dura ___________ él.
7. ¿ ___________ quiénes piensas repartir ___________ libros que traes ___________ ___________ paquete?
8. Ya no insistas más. No te asiste ___________ razón.
9. ¿Alguien nos podrá dar ___________ razón ___________ lo sucedido?
10. Mamá, ___________ dinero que me has dado para comprar libros, todavía sobran unos cien euros. ¿Te los devuelvo o me los guardo ___________ mí?

07–05

C. Al escuchar la perífrasis, diga el vocablo o expresión correspondiente:

1. Aplicar la pena de muerte a un reo: ______________
2. Cualquier acto contrario a la razón o las leyes: ______________
3. Ayudar a una persona a soportar una pena o disgusto: ______________
4. Que hace las cosas con cuidado, atención o interés, u obra con rapidez o prontitud: ______________
5. Tomar a una persona o una cosa entre varias para un fin determinado: ______________
6. Insistir en hacer o decir una cosa firmemente: ______________
7. Afirmar, o negar una cosa poniendo por testigo a una divinidad, una persona, el honor o cosas muy queridas y respetadas: ______________
8. Ir detrás de una persona o un animal que huye con el fin de alcanzarla: ______________
9. Política económica orientada a proteger el comercio de un país controlando las importaciones a fin de hacer más costosa la entrada de productos extranjeros: ______________
10. Dicha, felicidad, suerte, fortuna: ______________

XII. Conjugue los infinitivos que están entre paréntesis en el tiempo y la persona correspondientes:

___________ (Nacer, yo) durante la guerra –¡esa que ___________ (empezar) el 39 y ___________ (terminar) el 45! (O: en 1939, en 1945) –, aunque, como ___________ (ser) lógico, no ___________ (saber, yo) hasta más tarde que la guerra ___________ (ser) guerra ..., y que la vida no ___________ (ser) solamente así.

No ___________ (saber, yo) cuánto tiempo, pero yo ___________ (vivir) solo con mi madre, e ___________ (ir, nosotros) mucho al pueblo de mis abuelos, donde ___________ (poderse) comer bien.

Mi padre me ___________ (traer) un camión de carlinga roja y trasera de plata que él ___________ (hacer) en la cárcel para mí. Lo ___________ (aceptar), pero no ___________ (jugar) con él: ___________ (ser) como el regalo de un desconocido.

___________ (Recordar, yo) un desmayo de mamá al leer una carta. [___________ (deber) de ser de él, ___________ (deber) de ser la carta en que le ___________ (decir) que ___________ (ir) a fusilarle].

Mi padre ___________ (volver), pero lleno de amargura.

Mi hermana ___________ (nacer) después, y no me ___________ (dar) ninguna envidia ni celos como ___________ (decir) los pedagogos.

Abuelo y abuela ___________ (ser) un mundo aparte, alegre, alegre al principio, porque luego...

(Otro tiempo, en La Otra Gente, Colección Textos en Español fácil, Pedro Antonio de Urbina, Sociedad General Española de Librería, S. A., Madrid, 1976)

07–06

XIII. Dictado.

07–07

XIV. Escuche la grabación y luego haga una versión oral resumida.

XV. Trabajos de casa:

1. Trate de leer el texto con fluidez.
2. Temas de conversación:
   1) Diálogo sobre la vida de Martín Fierro;
   2) Recital de poesía en español;
3. Traduzca al español las siguientes oraciones:
   1) 在她的学生们的要求下，阿根廷老师用吉他伴奏唱了一首他们国家的民歌。
   2) 你怎么可以随心所欲地对待他人呢？
   3) 当时，我设法安慰母亲，她正为我兄弟会不会出事儿担惊受怕呢。
   4) 关于这个问题，我们不想再补充什么了。

5) 突然下起倾盆大雨。我们不得不在一个房檐下躲避。
6) 一个意外事件把我们兄弟俩分开了。
7) 我向你发誓，不是我挑选的这些书。
8) 你们知道为什么没有处决那个可怕的罪犯吗？有个高级官员保护他！
9) 你别再死乞白赖地想说服他。没用的。
10) 你稍不注意，活儿就会弄糟的。

UNIDAD 8 第八课

1 FUNCIÓN COMUNICATIVA

2 EJEMPLOS CON ALGUNOS VOCABLOS USUALES

a través de, capricho, carecer, complicar(se), distinguir(se), estimar, mezclar(se), resultado, sensación, utilizar

3 RESPECTO AL LENGUAJE

- Un uso de la preposición *POR*
- Recursos para evitar la repetición
- Metáfora: los tropos

4 CONOCIMIENTO SOCIOCULTURAL

- 拉丁音乐

TEXTO

08–01

La población de las dos Américas

La primera visión que se tiene al pasear por algunas ciudades de Estados Unidos y, sobre todo, de América Latina, es la de un enorme y complicado muestrario de rasgos étnicos diferentes. ¡Qué diversidad de tipos van y vienen por las calles! Unos espigados, otros regordetes, otros rubios, otros morenos, otros amarillos, otros negros, otros del color del bronce, cada cual con sus características propias, como el cabello, que puede ser lacio, rizado, ondulado. En fin, una singular muestra de las posibilidades genéticas. Así, con esta acentuada diversidad, un cuadro como este no es habitual en Asia, en algunos países africanos, donde se conserva cierta homogeneidad étnica, tampoco en Europa, pese al ligero toque heterogéneo como consecuencia de las recientes migraciones masivas.

Como se sabe, tal diversidad es el resultado histórico de una mezcla de etnias –el mestizaje–, en un prolongado proceso –invasión, colonización, inmigración– que tuvo lugar en el continente americano.

Este hecho histórico remite a una necesaria pregunta: entonces, ¿quiénes fueron los primeros pobladores de esa extensa región de la Tierra, antes de la llegada de los europeos? Gracias a abundantes fósiles y a otros hallazgos arqueológicos, se sabe que en otros continentes, la presencia humana se remonta, si no a millones, por lo menos a centenares de miles de años. En África, por ejemplo, se han encontrado fósiles de seres vivos que probablemente andaban ya en dos patas y eran capaces de utilizar instrumentos de madera. Se estima que esta criatura –mitad mono, mitad hombre–, vivió hace 4 millones de años. En Asia, Europa y Australia se han desenterrado vestigios fosilizados de hombres primitivos que existieron entre 2 millones y 100 mil años atrás. Pero hasta la fecha, no se han descubierto todavía en las dos Américas –la del Norte y la del Sur–, pruebas de la existencia humana anterior al período paleolítico. Por eso, algunos expertos se inclinan a creer que los primeros pobladores de esas tierras habían emigrado desde Asia a través del estrecho de Bering. Es decir, los aborígenes americanos –por un error histórico denominados *indios*–, tenían ascendencia asiática. Sin embargo, las diferencias genéticas, nada desdeñables, que se observan entre ellos mismos, vienen a complicar la hipótesis. Según las áreas geográficas que ocupaban, los nativos americanos se ubicaban, a grandes rasgos, en los siguientes grupos:

I. Los que ocupaban el área de más allá del Círculo Ártico y Groenlandia eran los esquimales cuyas características étnicas eran: baja estatura, ojos ligeramente rasgados como los de los chinos, cabellos muy negros, lacios y poco flexibles.

II. Los que vivían en la zona comprendida entre el golfo de México y el gran bosque canadiense eran un conjunto de tribus –rivales entre sí– de nativos de piel cobriza, pelo negrísimo y nariz aguileña.

III. Los que poblaban la región del actual México eran numerosas y diversas tribus, algunas de las cuales guardaban una gran semejanza con la población andina de América del Sur: tenían el tipo de piel cobriza, nariz aguileña y grandes ojos rasgados, tipo achinado, piel algo amarilla y nariz ancha. Constituyeron una población bastante numerosa y fueron los que crearon las grandes civilizaciones maya y azteca.

IV. Los que habitaban las regiones andinas eran pobladores cuyos rasgos físicos eran semejantes a los de los ya mencionados en el párrafo anterior. Pertenecieron a dos grandes agrupaciones étnicas, fundadoras del Imperio de los Incas: los quechuas y los aimaras.

Los viajes de Cristóbal Colón hacia lo que después sería el continente americano dejaron la vía abierta a lo que vendría después: en el siglo XVI, los españoles iniciarían la aventura de conquistar las nuevas tierras, muchas de las cuales estaban todavía por descubrir. Fue una acción arriesgada y sangrienta que les permitió someter bajo su dominio a dos grandes imperios: el azteca y el inca. Cumplida esta etapa, vino la siguiente, que duró tres siglos: el dominio colonial. En esta larga permanencia de los españoles en tierras americanas, sucedieron muchas cosas: la drástica disminución de la población nativa debido a las duras condiciones de trabajo; la imposición de una lengua y una religión, que quedarían establecidas como una importante herencia cultural; la llegada, para resolver el problema de la carencia de la fuerza de trabajo, de pobladores africanos, en calidad de mano de obra esclavizada. En esta época también se produjo otro fenómeno que marcaría la identidad de estas regiones: el mestizaje étnico. Los tres siglos de dominio español en el vasto territorio –desde México hasta la Patagonia–, llegaron a su fin cuando se puso en marcha una insurrección –las Guerras de la Independencia–, que al triunfar, hizo posible el nacimiento de numerosas repúblicas independientes que hoy conforman la enorme comunidad de países denominada América Latina.

Durante esta época, los nuevos países abrieron sus puertas a todo, principalmente al comercio, actividad que hizo posible un fenómeno –la inmigración– que tendría una enorme repercusión en el perfil demográfico de aquellos que la estimularon con políticas especiales. La lógica consecuencia fue que se produjeron verdaderas oleadas de inmigrantes procedentes, por lo general, de Europa: españoles, portugueses, ingleses, franceses, italianos, alemanes, irlandeses, holandeses.

Alguien dijo, alguna vez, que América –incluido Estados Unidos– era un crisol de razas. Incluso, un eminente pensador mexicano, José Vasconcelos, llegó a decir, en su obra *La raza cósmica* (1925), que América Latina estaba destinada a albergar una nueva raza llena de energía y capacidad creativa, una *raza cósmica*, que no era sino una síntesis, por obra del mestizaje, de las otras cuatro existentes.

Cuando uno contempla el panorama de cualquier ciudad de América Latina, y ve la gran diversidad de rasgos étnicos producida por el mestizaje, no puede evitar pensar en todo lo que hay detrás de eso: un largo proceso histórico que supone no precisamente encuentros felices –basta recordar lo que fue la época de la Colonia–, sino actos abominables de violencia y humillación que se ejercieron sobre las etnias nativas; luego, más tarde, la apertura de otro proceso en un ambiente diferente, en que por lo menos había la opción de decidir: la mezcla racial debe de haber sido algo así como una fiesta de la libertad.

08–02

VOCABULARIO

muestrario	*m.*	样品展示
espigado, da	*adj.*	细长的，苗条的
regordete	*adj.*	矮胖的
bronce	*m.*	古铜；青铜
cabello	*m.*	头发
lacio, cia	*adj.*	平直
rizado, da	*adj.*	卷曲
ondulado, da	*adj.*	波浪状的
genético, ca	*adj.*	基因的
acentuado, da	*adj.*	明显，显著
habitual	*adj.*	惯常的
homogeneidad	*f.*	划一性
toque	*m.*	笔触
heterogéneo, a	*adj.*	不划一的
consecuencia	*f.*	结果
migración	*f.*	移民
masivo, va	*adj.*	大量的
mezcla	*f.*	混合
colonización	*f.*	殖民
inmigración	*f.*	入境移民
remitir	*tr.*	提交，交付
fósil	*m.*	化石
arqueológico, ca	*adj.*	考古的
remontar(se)	*tr.*	追溯
instrumento	*m.*	工具
estimar	*tr.*	估计；敬慕
criatura	*f.*	生灵，造物
Australia		澳大利亚
fosilizado, da	*adj.*	化石化的
prueba	*f.*	证据
paleolítico, ca	*adj.-s.*	旧石器的；旧石器时代
experto, ta	*adj.-s.*	专业的；专家
emigrar	*intr.*	出境移民
estrecho de Bering		白令海峡
error	*m.*	错误
desdeñable	*adj.*	可以轻视的
complicar	*tr.*	使复杂化
Groenlandia		格陵兰
esquimal	*adj.-s.*	因纽特的；因纽特人
estatura	*f.*	身高，身材
rasgado, da	*adj.*	细长的（眼睛）
flexible	*adj.*	易弯曲的；灵活的
comprender	*tr.*	包括
canadiense	*adj.-s.*	加拿大的；加拿大人
piel	*f.*	皮肤
cobrizo, za	*adj.*	古铜色的
pelo	*m.*	毛发
aguileño, ña	*adj.*	鹰钩鼻子
poblar	*tr.*	居住
tribu	*f.*	部落
semejanza	*f.*	相像
achinado, da	*adj.*	像中国人似的
párrafo	*m.*	段落
agrupación	*f.*	组，群
fundador, ra	*adj.-s.*	奠基的；奠基人
quechua	*adj.-s.*	克丘亚的；克丘亚人
aimara	*adj.-s.*	艾马拉的；艾马拉人
arriesgado, da	*adj.*	冒险的

sangriento, ta	*adj.*	血腥的
disminución	*f.*	减少
imposición	*f.*	强加
carencia	*f.*	缺乏
esclavizado, da	*adj.*	被奴役的
identidad	*f.*	特征，身份
ponerse en marcha	*perif. verb.*	启动
insurrección	*f.*	起义，反抗
oleada	*f.*	浪潮
holandés, a	*adj.-s.*	荷兰的；荷兰人
crisol	*m.*	坩埚；熔炉
eminente	*adj.*	杰出的
síntesis	*f.*	综合，结合
panorama	*m.*	全景
abominable	*adj.*	可厌的，可怕的
apertura	*f.*	打开，开启
opción	*f.*	选择

PALABRAS ADICIONALES

arqueología	*f.*	考古学
carecer	*intr.*	缺乏
colono, na	*m.,f.*	殖民者，移民
complicación	*f.*	复杂化
desdeñar	*tr.*	蔑视，藐视
emigración	*f.*	迁出移民
emigrante	*amb.*	迁出移民者
erróneo, a	*adj.*	错误的
espiga	*f.*	穗
estima	*f.*	尊重，尊敬
estimación	*f.*	估计；尊敬
genética	*f.*	遗传学
genetista	*amb.*	遗传学家
habituar	*tr.*	使习惯
heterogeneidad	*f.*	不划一性
homogéneo, a	*adj.*	划一的
inclinación	*f.*	倾斜，倾向
onda	*f.*	波，波浪
ondulación	*f.*	波动
ondular	*intr.*	波动

VERBOS IRREGULARES

carecer: Se conjuga como *parecer*.

poblar: Se conjuga como *contar*.

VERBOS CON CAMBIOS ORTOGRÁFICOS EN ALGUNAS CONJUGACIONES

acentuar: Se conjuga como *continuar*.

complicar: Se conjuga como *explicar*.

habituar: Se conjuga como *continuar*.

EJEMPLOS CON ALGUNOS VOCABLOS USUALES

I. a través de *loc.prep.* 横跨，通过

1. La luz del amanecer penetraba en la sala a través de los vidrios del amplio ventanal.
2. Los romanos oyeron los gritos de los numantinos a través de la muralla.
3. Según una hipótesis, los primeros pobladores del Nuevo Continente llegaron a esta región, procedentes de Asia, a través del estrecho de Bering.
4. A través del análisis genético se ha llegado a saber que aquella tribu que lleva miles de años viviendo en Asia es de origen africano.
5. Me he enterado del resultado de la negociación a través de Felipe, que sirvió de intérprete de las dos delegaciones.

II. capricho

A. *m.* 古怪想法；任性

1. ¿Por qué ese capricho tuyo de cambiar el color de tu cabello cada dos por tres?
2. ¡Vaya capricho de estos niños!: ¡querer ir al cine a estas horas de la noche!
3. Tú no entiendes ni jota de arqueología. ¿Por qué, entonces, ese capricho de coleccionar cráneos prehistóricos?
4. No tengo ningún interés por seguir los caprichos de la moda (时装), no porque no tenga dinero para comprarme un nuevo traje a la semana sino porque detesto la frivolidad.
5. ¿Conoces *Los caprichos* de Goya? Son unos grabados que satirizan de manera despiadada al clero y a la nobleza de aquellos tiempos.
6. En el área de la música, el *capricho* es una composición breve y animada.

B. caprichoso, sa *adj.* 古怪的，任性的

1. Perdóname la franqueza: esa nieta tuya es una niña muy caprichosa, ¿no te has fijado que cambia de humor a cada rato? Con ese modo de ser, uno nunca sabe lo que pretende.
2. Este nuevo reglamento no es más que una caprichosa ocurrencia de nuestros superiores para modificar, en favor de ellos, tanto el horario como las formas del trabajo.
3. El clima caprichoso de la primavera de Beijing –días espléndidos, llenos de sol, de pronto azotados por fuertes vientos y fríos repentinos–, impide disfrutar de la belleza del verdor y de las flores.

III. carecer 缺乏

A. *intr.* ~ de

1. En un principio, los colonos recién llegados a esa zona despoblada carecían de todo lo necesario para su subsistencia.
2. Para mí, tu acusación contra el vecino carece de pruebas. Te aconsejo retirarla.

3. Si carecemos de instrumentos indispensables, no podemos iniciar este trabajo.

B. carencia *f.*

1. La carencia de recursos de subsistencia, obligó a la mayoría de la población a emigrar a otras zonas.
2. El psicólogo de nuestra facultad dice que el carácter áspero de esa chica puede deberse a la carencia de cariño familiar durante su infancia.
3. La carencia de ciertas vitaminas en la alimentación puede traer graves consecuencias a la salud.

C. carente *adj.* ~ de

1. Suena a paradoja lo que dices, ¿cómo puede haber un experto carente de experiencia?
2. Dudo de que un arqueólogo de tanto renombre como él haya formulado una hipótesis tan carente de fundamento científico.
3. Un tipo carente de escrúpulo es capaz de cualquier acto abominable.

IV. complicar(se)

A. *tr.* 使复杂化

1. Tu trabajo está bien hecho. No lo compliques agregándole más cosas.
2. El abominable comportamiento de uno de los integrantes del grupo, complicó la situación de los demás.
3. Las dos naciones estaban a punto de firmar la paz, pero la inoportuna intervención de las potencias extranjeras vino a complicar el asunto, tanto que no se pudo evitar la guerra.
4. Con la política de recortes presupuestarios, solo se consigue complicar aún más el ya complicado plan de recuperación económica.

B. *prnl.* 复杂化

1. Con la puesta en marcha de ese absurdo proyecto del gerente, se complicó la situación financiera de la empresa.
2. La discusión se complicó cuando Germán planteó el tema de la inmigración.
3. El problema no se habría complicado tanto si tú no hubieras cometido el error de plantear la renuncia del director.

C. *prnl.* ~ la vida 自找麻烦，自寻烦恼

1. Atengámonos a las consecuencias de lo que hemos hecho y no nos compliquemos la vida echándonos la culpa los unos a los otros.
2. Todo te sale bien pero te complicas la vida por puro gusto.
3. Gabriel era un hombre tan vital y optimista que no se complicaba la vida con nada.

D. complicado, da *adj.* 复杂，繁复

1. La heterogeneidad social de vuestro equipo puede ocasionar problemas muy complicados.
2. Explícame con palabras sencillas qué es la *identidad* de una persona. No me confundas con esas disquisiciones（探究，论述）filosóficas tan complicadas.

3. La conquista y la colonización del Nuevo Continente fue un proceso muy complicado; por eso resulta difícil de resumir en una conferencia.

E. complicación *f.* 复杂，杂乱无章

1. Qué complicación: justo cuando me dispongo a tomar un taxi para dirigirme al aeropuerto, me doy cuenta de que he olvidado en casa mi pasaporte y los billetes de avión. Vuelvo corriendo pero no puedo entrar porque también he olvidado, adentro, las llaves.
2. ¿Tanta complicación por la pérdida de una bicicleta? Deja ya de llorar y de alborotar al vecindario, toma el desayuno y anda a trabajar tranquila.
3. El médico le hizo un minucioso chequeo a mi amigo. Luego, me llevó aparte y me dijo que la enfermedad se mantenía estable pero que si no se cuidaba, podrían presentarse complicaciones.

V. distinguir(se)

A. *tr.* 辨别，分清

1. ¿Sabes distinguir la diferencia de significado que hay entre *migración* e *inmigración*?
2. De lejos, distinguimos a Antonieta por su cuerpo regordete.
3. Hay que distinguir lo cierto de lo erróneo（错误的）.
4. Para que yo la distinguiera entre la multitud, Martina se puso un vestido rojo muy vistoso.

B. *prnl.* 突出

1. José se distingue por su inteligencia; Gonzalo, por su rectitud.
2. En el afán de distinguirse de sus compañeros, Orlando pone diligencia en el trabajo pero no lo consigue, pues le falta algo que a ellos les sobra: iniciativa y perseverancia.
3. Viendo que hablaba poco y trataba de pasar desapercibido, le pregunté por qué era así, y él me dijo que detestaba distinguirse entre la gente, que no estaba habituado a llamar la atención.

C. distinguido, da *adj.* 有名的，杰出的

1. Hemos elegido presidente de nuestra asociación de traductores a un lingüista distinguido.
2. El pobre huérfano no solo salió adelante en los estudios sino que, después, llegó a ser un juez muy distinguido en el país.
3. Distinguido Primer Ministro (总理) : Antes que nada, quiero expresarle mi agradecimiento por haberme proporcionado esta oportunidad de conocer su gran país.
4. Distinguidos invitados: Con las palabras del presidente de la Asociación, damos comienzo a la fiesta en honor del señor embajador.

VI. estimar

A. *tr.* 珍视，尊重

1. Estimo mucho este reloj porque es el regalo de mi madre cuando cumplí quince años.
2. Me da la sensación de que no estimas demasiado nuestra amistad.

3. A Daniel, los alumnos lo estimábamos como amigo, no simplemente como profesor.
4. Luisa es una compañera estimada por todos.

B. estimado, da *adj.* 尊敬的，尊贵的

1. Estimado señor embajador: Permítame decir unas cuantas palabras para agradecer su invitación.
2. Señoras y señores, estimados amigos: Ahora damos comienzo a la función.
3. Estimada tía: Voy a hacer un brindis especial con los familiares y amigos por dos razones muy gratas: su reciente jubilación y su cumpleaños. Salud.

C. *tr.* 估计，估价

1. Los especialistas han estimado este cuadro en medio millón de euros.
2. ¿En cuánto estiman ustedes esta joya?
3. Se estima que los accidentes de tráfico han disminuido este año en un 17% .

VII. mezclar(se)

A. *tr.* 混合，掺和

1. Yo no sabía qué tipo de experimentos estaba haciendo el experto en química. Solo vi que mezclaba unas sustancias raras con agua en un crisol y luego lo ponía a calentar a fuego lento.
2. Pero ¿qué piensas hacer mezclando en la olla ingredientes tan incompatibles como la leche y los mariscos? No puedo imaginar el plato que te va a salir de esa mezcla que me parece demasiado extravagante.
3. No está bien que mezcléis en un mismo estante libros de materias heterogéneas.
4. Es muy interesante enseñar en un centro en el que se mezclan alumnos de distintas edades y nacionalidades.

B. *prnl.* 掺和，参与；联姻

1. Ya te decía que no era conveniente que te mezclaras en un lío de familia.
2. A la gente de aquella tribu amazónica no le gustaba que los foráneos se mezclasen con ellos en sus ritos religiosos.
3. En la Europa medieval, la aristocracia no se mezclaba con otras capas sociales.

VIII. resultado *m.* 结果

1. He aquí el resultado de la colonización del Nuevo Continente: una heterogénea mezcla de elementos raciales y culturales.
2. Te repito: el resultado de la imposición de las nuevas directivas va a ser sumamente contraproducente.
3. He hecho todo lo posible para evitar que eso suceda, pero sin resultados.
4. ¿Ha dado algún resultado la reciente exploración arqueológica en esa zona?

IX. sensación

A. *f.* dar, producir, provocar la /una ~ 感觉

1. Aquel lugar desértico producía una sensación de soledad.
2. El color rojo provoca una sensación de calidez.
3. Al mirar fijamente unos minutos el dibujo, me dio la sensación de que el papel comenzaba a ondular. ¿Cómo se explica esta ilusión óptica?

B. *f.* 轰动效应

1. La joven escritora tiene un estilo único y fascinante. Cualquiera de sus novelas causa sensación.
2. El reciente hallazgo de un hábitat paleolítico ha provocado sensación en el círculo científico por su enorme utilidad en la tarea de descifrar ciertos enigmas prehistóricos.
3. Si te presentas en la fiesta con esa indumentaria esquimal, serás la sensación, te lo aseguro.

X. utilizar *tr*. 用，使用

1. A causa de su descomunal tamaño, mi sobrino se vio en la necesidad de utilizar, como cama, dos colchones tirados en el suelo.
2. Si no hay suficientes hoteles para albergar a los deportistas que vienen a las competiciones, utilizaremos los dormitorios de escuelas y universidades.
3. Se me ha olvidado traer el diccionario. ¿Puedo utilizar el tuyo?
4. ¿Sabes qué tipo de instrumentos utilizaban los hombres de la época paleolítica?

RESPECTO AL LENGUAJE

I. Un uso de la preposición *POR*

和其他语言一样，在西班牙语里，介词用于构成一个数量有限的封闭系列（serie cerrada）。这就决定了它们用法的多样性和在语篇中出现的高频率，比如 a, de, para, por，等等。本课课文中就有介词 por 的一个常见的用法："En el siglo XVI, los españoles iniciarían la aventura de conquistar las nuevas tierras, muchas de las cuales estaban todavía *por descubrir*." 就是说，por + *inf.* 这种组合可以表示**将来的事件或有待实现的事件**（algo futuro / algo pendiente de realización）。我们再来看几个例句：

① En tu tesis todavía quedan algunos errores gramaticales *por corregir*.

② Inmediatamente después del terrible tsunami, un grupo de voluntarios internacionales llegó a una playa cubierta de cadáveres que estaban aún *por reconocer*.

③ Espérame un rato. Todavía tengo algunas otras cosas *por comprar*.

II. Recursos para evitar la repetición

为了避免重复，使语句更加精炼，西班牙语中经常使用各种词汇、语法和修辞手段。比较常见的有：

1 各种代词（主格、宾格、与格等人称代词，物主代词、指示代词、不定代词、关系代词，名词化的形容词，代词化的冠词）。

例 ① ¡Qué diversidad de tipos van y vienen por las calles! ***Unos*** espigados, ***otros*** regordetes, ***otros*** rubios, ***otros*** morenos, ***otros*** amarillos, ***otros*** negros, ***otros*** del color del bronce, cada cual con sus características propias, como el cabello, que puede ser lacio, rizado, ondulado.（不定代词）

② Cumplida ***esta etapa***, vino ***la siguiente,*** que duró tres siglos: el dominio colonial.（名词化的形容词）

③ ***Los*** que vivían en la zona comprendida entre el golfo de México y el gran bosque canadiense eran un conjunto de tribus –rivales entre sí– de nativos de piel cobriza, pelo negrísimo y nariz aguileña.（代词化的冠词）

④ Pero hasta la fecha, no se han descubierto todavía en las dos Américas –***la*** del Norte y ***la*** del Sur–, pruebas de la existencia humana anterior al período paleolítico.（代词化的冠词）

2 同义词或近义词。

例 ⑤ De todos es sabido que el español tiene *modales de bárbaro*. Aún peor: consideramos nuestra ***grosería*** un rasgo idiosincrásico y hasta nos enorgullecemos de ***ella***.

（用 ***grosería*** 取代 modales de bárbaro，意思相近。最后为了避免重复 ***grosería***，使用了夺格代词 ella）。

3 上义词或泛义词。

例 ⑥ Gracias a abundantes fósiles y a otros hallazgos arqueológicos, se sabe que en otros continentes, la presencia ***humana*** se remonta, si no a millones, por lo menos a centenares de miles de años. En África, por ejemplo, se han encontrado fósiles de ***seres vivos*** que probablemente andaban ya en dos patas y eran capaces de utilizar instrumentos de madera. Se estima que ***esta criatura*** –mitad mono, mitad hombre–, vivió hace 4 millones de años.

（对 humano 而言 seres vivos 和 esta criatura 都是它的上义词，意思 较为宽泛）。

4 概括性词语。

例 ⑦ ***Este hecho histórico*** remite a una necesaria pregunta: entonces, ¿quiénes fueron los primeros pobladores de esa extensa región de la Tierra, antes de la llegada de los europeos?

⑧ Sin embargo, las diferencias genéticas, nada desdeñables, que se observan

entre ellos mismos, vienen a complicar ***la hipótesis***.
（这两句中都用了概括性词语涵盖上面涉及的复杂概念）

III. Metáfora: los tropos

比喻在人类语言中俯拾皆是。咱们汉语中所说的井**口**、街**口**、洞**口**、袖**口**，桌子**腿**、椅子**腿**、床**腿**，书记的**左右手**，女儿是父母的**小棉袄**等，都是根据这些自然、社会事物与人的器官或用品的某些相似之处而创造的比喻说法。比喻的产生最初可能是为了解决这样一个矛盾：数量有限的词语难以与世间无限多的事物一一对应，只好充分发掘已有语汇的潜力，将其原本所指事物的某些特质与新鲜事物的相似之处进行类比，并借此扩充其所指对象。比如**网络**一词产生之初仅仅指称网状的东西，后来逐渐扩展到抽象事物上：人际关系可以形成一个个的网络，追捕逃犯的执法行动也可以看作是一种网络。如今则越来越多地用在当代信息技术上，几乎成了这个领域的专业术语。就是说，比喻起初不过是为了解决人们的日常交流需求，随着文人学士的不断使用，将其提升为增强话语感染力和说服力的一种手段，从而形成了一种学问，叫做修辞学（Retórica）。

上面所列举的比喻，都是直接借用旧有词语来指称另一对象或新出现的事物，这在修辞学上叫做**暗喻**（metáfora）。如果增添**好像**……**一样**、**犹如**……**一般**、**仿佛**……**似的**等词语就变成了**明喻**（símil）。

下面就请同学们在本课课文中找出所有比喻手法。

① Así, con esta acentuada diversidad, un cuadro como este no es habitual en Asia ni en algunos países africanos, donde se conserva cierta homogeneidad étnica, tampoco en Europa, pese al ligero toque heterogéneo como consecuencia de las recientes migraciones masivas.

② Los viajes de Cristóbal Colón hacia lo que después sería el continente americano dejaron la vía abierta a lo que vendría después.

③ Durante esta época, los nuevos países abrieron sus puertas a todo, principalmente al comercio, actividad que propiciaría un fenómeno –la inmigración– que tendría una enorme repercusión en el perfil demográfico de aquellos que la estimularon con políticas especiales. La lógica consecuencia fue que se produjeron verdaderas oleadas de inmigrantes procedentes, por lo general, de Europa.

④ Alguien dijo, alguna vez, que América –incluido Estados Unidos– era un crisol de razas. Incluso, un eminente pensador mexicano, José Vasconcelos, llegó a decir, en su obra *La raza cósmica.*

⑤ ...más tarde, la apertura de otro proceso en un ambiente diferente, en que por lo menos había la opción de decidir: la mezcla racial debe de haber sido algo así como una fiesta de la libertad.

社会文化常识 CONOCIMIENTO SOCIOCULTURAL

拉丁音乐

拉丁音乐的概念最初在 20 世纪 50 年代的美国出现，指所有源于拉丁美洲国家的音乐，用于区别美国本土的非洲音乐或其他地区音乐。拉丁音乐既包括拉美西班牙语国家的音乐，也包括拉美葡萄牙语国家或英语国家的音乐，以及“移植”到拉丁美洲的非洲音乐。

拉丁音乐形式丰富多彩，既有传统的萨尔萨（la salsa）、昆比亚（la cumbia）、探戈（el tango），也包括波萨诺瓦（Bossa nova）、摇滚、重金属、爵士等现代音乐。在语言上，拉丁歌曲的歌词可以是西班牙语、葡萄牙语或英语。

在音乐风格上，拉丁音乐吸收了欧洲音乐、非洲黑人音乐、拉美印第安音乐以及亚洲音乐的特点，风格多样，充满活力。

浪漫、热情是拉丁文化的主要特征，这一点也反映在拉丁音乐上。多年来，拉丁音乐以其独具特色的节奏及文化背景而备受世界乐坛的关注。拉丁歌者也层出不穷。近几年流行乐坛中出现的瑞奇・马丁（Ricky Martin）、马克・安东尼（Marc Anthony）、恩里克・伊格莱西亚斯（Enrique Iglesias）、夏奇拉（Shakira）、詹尼佛・洛佩兹（Jennifer López）等都是拉丁音乐新生代的代表。

EJERCICIOS

08–03

I. Siguiendo la grabación, lea el siguiente poema:

VALLE LOZANO

¿Dígame mi labriego
cómo es que ha andado
en esta noche lóbrega
este hondo campo?
¿Dígame de qué flores
untó el arado,
que la tierra olorosa
trasciende a nardos?
¿Dígame de qué ríos
regó este prado,
que era un valle muy negro
y ora es lozano?
Otros, con dagas grandes
mi pecho araron:
pues ¿qué hierro es el tuyo
que no hace daño?
Y esto dije – y el niño
riendo me trajo
en sus dos manos blancas
un beso casto.

José Martí

II. Conjugue los siguientes verbos en todas las personas de los modos y tiempos indicados:

1. En presente del indicativo y del subjuntivo:

acentuar, *albergar*, *carecer*, *cercar*, colaborar, comparar, *complicar*, *consolar*, crear, culpar, descuidarse, desdeñar, *ejercer*, *elegir*, emigrar, empeñarse, encontrar, estimar, *fatigar*, *gozar*, *guarecerse*, *habituar*, maltratar, mezclar, *perseguir*, *poblar*, *probar*, *reducir*, regalar, relatar, remitir, remontarse, sobrar, suceder, *utilizar*;

2. **En futuro imperfecto del indicativo y condicional simple:**

   acentuar, ajusticiar, carecer, cercar, colaborar, comparar, complicar, culpar, *decir*, descuidarse, desdeñar, elegir, emigrar, empeñarse, estimar, guarecerse, *haber*, habituar, *hacer*, jurar, lastimar, mezclar, perseguir, poblar, *poder*, *poner*, regalar, remitir, remontarse, *salir*, suceder, *tener*, vagabundear, *venir*;

3. **En pretérito indefinido del indicativo y pretérito imperfecto del subjuntivo:**

   acentuar, adorar, *ahogarse*, agotar, *albergar*, carecer, citar, *complicar*, consolar, *constituir*, *dar*, desdeñar, disgustar, *elegir*, emigrar, empeñarse, estimar, *fatigar*, *gozar*, guarecerse, habituar, jurar, lastimar, maltratar, mezclar, *perseguir*, poblar, *producir*, regalar, relatar, remitir, remontarse, resolver, suceder, *suponer*;

4. **En futuro perfecto del indicativo y condicional compuesto:**

   abrir, acentuar, carecer, cercar, colaborar, comparar, complicar, comprender, *cubrir*, culpar, *decir*, *descubrir*, descuidarse, desdeñar, *devolver*, disgustar, *disponer*, emigrar, empeñarse, *escribir*, estimar, habituar, jurar, lastimar, *poner*, remitir, remontarse, *resolver*, *romper*, suceder, *suponer*, *volver*.

（斜体部分需笔头重复）

08–04

III. Escuche las preguntas sobre el texto y contéstelas oralmente en español.

IV. Diga a qué se refiere la parte en cursiva, y en caso de que sea verbo, señale cuál es su sujeto. Todas las oraciones son del texto:

1. La primera visión que ***se tiene*** al pasear por algunas ciudades de Estados Unidos y, sobre todo, de América Latina, es ***la*** de un enorme y complicado muestrario de rasgos étnicos diferentes.

   se tiene:

   la:

2. ***Unos*** espigados, ***otros*** regordetes, ***otros*** rubios, otros morenos, otros amarillos, otros negros, otros del color del bronce, ***cada cual*** con sus características propias, como el cabello, que puede ser ***lacio***, ***rizado***, ***ondulado***.

   Unos:

   otros:

   otros:

   cada cual:

   lacio:

   rizado:

   ondulado:

3. ***Este hecho histórico*** remite a una necesaria pregunta: entonces, ¿quiénes fueron los primeros pobladores de ***esa extensa región*** de la Tierra, antes de la llegada de los europeos?
   Este hecho histórico:
   esa extensa región:
4. En África, por ejemplo, ***se han encontrado*** fósiles de seres vivos que probablemente andaban ya en dos patas y eran capaces de ***utilizar*** instrumentos de madera.
   se han encontrado:
   utilizar:
5. ***Se estima*** que ***esta criatura*** –mitad mono, mitad hombre–, vivió hace 4 millones de años.
   Se estima:
   esta criatura:
6. En Asia, Europa y Australia ***se han desenterrado*** vestigios fosilizados de hombres primitivos que existieron entre 2 millones y 100 mil años atrás.
   se han desenterrado:
7. Pero hasta la fecha, no ***se han descubierto*** todavía en las dos Américas –***la*** del Norte y ***la*** del Sur–, pruebas de la existencia humana ***anterior*** al período paleolítico.
   se han descubierto:
   la:
   la:
   anterior:
8. Por eso, algunos expertos se inclinan a creer que los primeros pobladores de ***esas tierras*** habían emigrado desde Asia a través del estrecho de Bering.
   esas tierras:
9. Es decir, los aborígenes americanos, por ***un error histórico*** denominados *indios*, ***tenían*** ascendencia asiática.
   un error histórico:
   tenían:
10. Sin embargo, las diferencias genéticas, nada ***desdeñables***, que ***se observan*** entre ***ellos mismos***, ***vienen*** a complicar ***la hipótesis***.
    desdeñables:
    se observan:
    ellos mismos:
    vienen:
    la hipótesis:

11. Según las áreas geográficas que ***ocupaban***, los nativos americanos se ubicaban, a grandes rasgos, en los siguientes grupos.
    ocupaban:
12. ***Los que*** ocupaban el área de más allá del Círculo Ártico y Groenlandia eran los esquimales ***cuyas*** características étnicas eran: baja estatura, ojos ligeramente rasgados como ***los*** de los chinos, cabellos muy negros, lacios y poco ***flexibles***.
    Los que:
    cuyas:
    los:
    flexibles:
13. Los que vivían en la zona comprendida entre el golfo de México y el gran bosque canadiense eran un conjunto de tribus –***rivales*** entre ***sí***– de nativos de piel cobriza, pelo negrísimo y nariz aguileña.
    rivales:
    sí:
14. Los que poblaban la región del actual México eran numerosas y diversas tribus, algunas de ***las cuales*** guardaban una gran semejanza con la población andina de América del Sur: ***tenían*** el tipo de piel cobriza, nariz aguileña y grandes ojos rasgados, tipo achinado, piel algo amarilla, nariz ancha. ***Constituyeron*** una población bastante numerosa y fueron los que crearon las grandes civilizaciones maya y azteca.
    las cuales:
    tenían:
    Constituyeron:
15. Los que habitaban las regiones andinas eran pobladores ***cuyos*** rasgos físicos eran semejantes a ***los*** de ***los ya mencionados*** en el párrafo anterior. ***Pertenecieron*** a dos grandes agrupaciones étnicas, fundadoras del Imperio de los Incas: los quechuas y los aimaras.
    cuyos:
    los:
    los ya mencionados:
    Pertenecieron:
16. ***Fue*** una acción arriesgada y sangrienta que ***les permitió*** someter bajo ***su*** dominio a dos grandes imperios: ***el azteca*** y ***el inca***.
    Fue:
    les:
    permitió:
    su:

el azteca:

el inca:

17. ***Cumplida*** esta etapa, vino ***la siguiente***, que duró tres siglos: el dominio colonial.

Cumplida:

la siguiente:

18. En esta larga permanencia de los españoles en tierras americanas, sucedieron muchas cosas: la drástica disminución de la población nativa debido a las duras condiciones de trabajo; la imposición de ***una lengua*** y ***una religión***, que ***quedarían establecidas*** como una importante herencia cultural; ***la llegada***, para resolver el problema de la carencia de la fuerza de trabajo, de pobladores africanos, en calidad de mano de obra ***esclavizada***.

una lengua:

una religión:

quedarían establecidas:

la llegada:

esclavizada:

19. En esta época también se produjo otro fenómeno que marcaría la identidad de ***estas regiones***: el mestizaje étnico.

estas regiones:

20. Los tres siglos de dominio español en el vasto territorio –desde México hasta la Patagonia–, ***llegaron*** a ***su*** fin cuando ***se puso*** en marcha una insurrección–las Guerras de la Independencia–, que al ***triunfar***, ***hizo posible*** el nacimiento de numerosas repúblicas independientes que hoy conforman la enorme comunidad de países denominada América Latina.

llegaron:

su:

se puso:

triunfar:

hizo:

posible:

21. Durante esta época, ***los nuevos países*** abrieron sus puertas a todo, principalmente al comercio, actividad que ***hizo posible un fenómeno*** –la inmigración– que tendría una enorme repercusión en el perfil demográfico de ***aquellos*** que ***la estimularon*** con políticas especiales. La lógica consecuencia fue que se produjeron verdaderas oleadas de inmigrantes ***procedentes***, por lo general, de Europa: españoles, portugueses, ingleses, franceses, italianos, alemanes, irlandeses, holandeses.

los nuevos países:

hizo:

posible:

un fenómeno:

aquellos:

la:

estimularon:

procedentes:

22. Incluso, un eminente pensador mexicano, José Vasconcelos, llegó a decir, en ***su*** obra *La raza cósmica* (1925), que América Latina estaba destinada a albergar una nueva raza llena de energía y capacidad creativa, una *raza cósmica*, que no ***era*** sino una síntesis, por obra del mestizaje, de ***las otras cuatro existentes***.

    su:

    era:

    las otras cuatro existentes:

23. Cuando ***uno*** contempla el panorama de cualquier ciudad de América Latina, y ve la gran diversidad de rasgos étnicos ***producida*** por el mestizaje, no puede evitar pensar en todo lo que hay detrás de ***eso***: un largo proceso histórico que supone no precisamente encuentros felices –basta recordar lo que fue la época de la Colonia–, sino actos abominables de violencia y humillación que ***se ejercieron*** sobre las etnias nativas; luego, más tarde, la apertura de otro proceso en un ambiente diferente, en que por lo menos había la opción de decidir: la mezcla racial debe de haber sido algo así como una fiesta de la libertad.

    uno:

    producida:

    eso:

    se ejercieron:

V. Sustituya la parte en cursiva por un sinónimo, teniendo en cuenta el contexto:

1. La primera *visión* ___________ que se tiene al pasear por algunas ciudades de Estados Unidos y, sobre todo, de América Latina, es la de un enorme y complicado muestrario de *rasgos étnicos* ___________ diferentes.
2. En fin, una *singular* ___________ muestra de las *posibilidades* ___________ genéticas.
3. Así, con esta *acentuada* ___________ diversidad, un *cuadro* ___________ como este no es habitual en Asia ni en algunos países africanos, donde *se conserva* ___________ cierta homogeneidad étnica, tampoco en Europa, pese al *ligero* ___________ toque heterogéneo como *consecuencia* ___________ de las recientes masivas migraciones.

4. Como se sabe, tal diversidad es el resultado histórico de una mezcla de etnias –el mestizaje–, en un *prolongado* __________ proceso –invasión, colonización, inmigración– que *tuvo lugar* __________ en el continente americano.
5. Este hecho histórico remite a una necesaria *pregunta* __________ : entonces, ¿quiénes fueron los primeros *pobladores* __________ de esa *extensa* __________ región de la Tierra, antes de la llegada de los europeos?
6. Gracias a abundantes fósiles y a otros *hallazgos* ______________ arqueológicos, se sabe que en otros continentes, la *presencia* ____________ humana se remonta, si no a millones, por lo menos a centenares de miles de años.
7. En África, por ejemplo, *se han encontrado* ______________ fósiles de seres vivos que *probablemente* ______________ andaban ya en dos patas y eran capaces de utilizar *instrumentos* __________ de madera.
8. *Se estima* __________ que *esta criatura* __________ –mitad mono, mitad hombre–, vivió hace 4 millones de años.
9. En Asia, Europa y Australia *se han desenterrado* __________ vestigios fosilizados de hombres primitivos que *existieron* __________ hace de 2 millones a 100 mil años.
10. Pero hasta *la fecha* __________ , no *se han descubierto* __________ todavía en las dos Américas –la del Norte y la del Sur–, *pruebas* __________ de la existencia humana anterior al período paleolítico.
11. Por eso, algunos *expertos* __________ *se inclinan* __________ a *creer* __________ que los primeros pobladores de esas tierras habían emigrado desde Asia a través del estrecho de Bering.
12. Es decir, los *aborígenes* __________ americanos, por *un error* __________ *histórico* __________ denominados indios, tenían *ascendencia* __________ *asiática* __________ .
13. Sin embargo, las diferencias genéticas, *nada desdeñables* __________ , que *se observan* __________ entre ellos mismos, vienen a *complicar* __________ la hipótesis.
14. Según las *áreas* ______________ geográficas que ocupaban, los nativos americanos *se ubicaban* __________ , a grandes rasgos, en los siguientes grupos ...
15. Los que *poblaban* __________ la región del actual México eran numerosas y diversas tribus, algunas de las cuales *guardaban* ______________ una gran semejanza con la población andina de América del Sur.
16. Los viajes de Cristóbal Colón hacia lo que después sería el continente americano *dejaron la vía abierta a* __________ lo que vendría después.
17. En el siglo XVI, los españoles *iniciarían* ____________ la aventura de conquistar las nuevas tierras, muchas de las cuales estaban todavía por descubrir.
18. *Cumplida* ____________ esta etapa, vino la siguiente, que duró tres siglos: el dominio colonial.

19. En esta larga permanencia de los españoles en tierras americanas, *sucedieron* __________ muchas cosas: la drástica disminución de la población nativa debido a las duras condiciones de trabajo; la imposición de una lengua y una religión, que quedarían establecidas como una importante herencia cultural; la llegada, para *resolver* ____________ el problema de la *carencia* _____________ de la fuerza de trabajo, de pobladores africanos, en calidad de mano de obra esclavizada.
20. En esta época también se produjo otro *fenómeno* __________ que *marcaría* __________ la identidad de estas regiones: el mestizaje étnico.
21. Los tres siglos de dominio español en el vasto territorio –desde México hasta la Patagonia–, *llegaron a su fin* _____________ cuando se puso en marcha y triunfó una insurrección –las Guerras de la Independencia–, que hizo posible *el nacimiento* ____________ de numerosas repúblicas independientes que hoy *conforman* __________ la enorme comunidad de países denominada América Latina.
22. Cuando uno contempla *el panorama* ______________ de cualquier ciudad de América Latina, y ve la gran diversidad de rasgos étnicos producida por el mestizaje, *no puede evitar* ____________ pensar en todo lo que hay detrás de eso: un largo proceso histórico que supone no necesariamente encuentros felices –basta recordar lo que fue la época de la Colonia–, sino actos abominables de violencia y humillación que se ejercieron sobre las etnias nativas.
23. Luego, más tarde, la apertura de otro proceso en un ambiente diferente, en que por lo menos había la *opción* _____________ de decidir: la mezcla racial debe de haber sido algo así como una fiesta de la libertad.

VI. Con sus propias palabras, explique, en español, lo que significan las siguientes expresiones:

Ejemplo muestrario: *Colección o conjunto de muestras de un producto. En el texto, se usa metafóricamente para referirse a una escena donde se exhiben distintos tipos de personas.*

1. espigado:
2. regordete:
3. posibilidades genéticas:
4. homogeneidad:
5. inmigrar:
6. tener lugar:
7. arqueología:
8. complicar la hipótesis:
9. a grandes rasgos:

10. más allá del Círculo Ártico:
11. identidad de una persona:
12. opción de decidir:

VII. Traduzca al español las siguientes oraciones:

1. 两个世纪以前，那个国家的西北部地区还有许多可以住人的地方。
2. 考古小组的女队长估计，尚有一万平方米的地区有待勘察。
3. 为了让我们知道他有多么大量的工作要做，考古学家给我们指了指考察区域内刚出土的化石。
4. 工程师断言在项目启动之前，还有许多问题要解决。
5. 警察找到了几具尸体，还有待辨认，所以他们的身份还没有确定。
6. 让工人先别走。还有几辆满载货物的卡车要卸货。
7. Agustín，等我一会儿。我还有几份文件要存档。
8. 还不能确定这块石头是不是旧石器时代的工具。还有不少疑问需要澄清。
9. 你别想成为当代哥伦布，因为已经没有待发现的未知大陆了。
10. 难道可以了解曾经存在过的、目前正存在着的和将来会存在的一切吗？

VIII. Recurriendo a todos los medios de que disponga para mejorar el estilo, evite las repeticiones innecesarias y las palabras superfluas que hay en las siguientes oraciones:

1. El abominable comportamiento de Augusto ha apartado a Augusto de todos sus amigos.
2. ¿Te has fijado en la nariz aguileña de Inés? Pero la nariz de su hermana es ancha. No parecen de la misma etnia.
3. La colonización de América por europeos se inició en el siglo XVI. ¿Sabes cuándo comenzó la colonización de África?
4. Ya le dije a Jaime que su proyecto me parecía bastante arriesgado, pero se empeñó en poner en marcha su proyecto.
5. Gracias a los ejercicios deportivos que no cesa de practicar, a los setenta y tantos años, Luzmila conserva un cuerpo delgado y flexible. Pero su amiga Carmina, de la misma edad, tiene el cuerpo gordo y torpe, todo esto, porque no hace ejercicios: hasta le da pereza salir de paseo.
6. ¿Es cierto que las mujeres rubias suelen tener cabello lacio y muchas morenas tienen cabello rizado?
7. Yo sé que la mezcla étnica de europeo y aborigen americano da como resultado un mestizo. ¿Cómo se llama la mezcla étnica producida entre europeo y africano?
8. Inmigración es el vocablo que designa la migración entrante. ¿Cuál es el vocablo que designa la migración saliente?

9. Tú ya conoces cuál es mi opción; en cambio yo, no sé nada de tu opción.
10. Marcela ha corregido todos sus errores ortográficos en su trabajo, pero yo todavía no he corregido mis errores ortográficos.

IX. Traduzca al español las siguientes oraciones:

1. 听说你有一张世界地图。可以借给我吗？
2. 农民的生活是改善了。工人的生活是不是也改善了？
3. 这地区的气候不利于人的生存，却有利于某些动物的生存。
4. 我刚买了几本新书，现在就拿给你看看。
5. Javier 说他没收到那封信。你为什么还没交给他？
6. 东部的资源已经得到充分利用，而西部的资源还有待开发。
7. 那位哥斯达黎加朋友坚持要送我一件礼物，我只好接受了。
8. 离道路不远处有一座小山，我的家就位于山脚下。
9. 她总带着那个包，你知道里头装的是什么吗？
10. 你要用我的电脑？我这就去给你拿来。

X. En los siguientes extractos, subraye las expresiones figuradas y diga si son símiles o metáforas:

1. Hoy todos esos usos corteses, esas convenciones amables que las sociedades fueron construyendo a lo largo de los siglos para facilitar la convivencia, parecen haber desaparecido en España barridas por el huracán del desarrollo económico y de una supuesta modernización de las costumbres.
2. Pero en realidad, los buenos modales no son sino una especie de gramática social que nos enseña el lenguaje del respeto y de la ayuda mutua. Alguien cortés es alguien capaz de ponerse en el lugar del otro.
3. Pero la mayoría continúa siendo gentil con encomiable tenacidad, y así, poco a poco, están ayudando a desasnar al personal celtíbero.
4. Las colas de los supermercados, con sus suaves y atentas cajeras latinoamericanas, son como cursillos acelerados de educación cívica.
5. La obra que lo ha colocado en la cumbre de la literatura universal se titula *El Ingenioso Hidalgo Don Quijote de la Mancha*.
6. Aparte de este gran monumento literario universal, Cervantes dejó, entre novelas, cuentos, comedias y poemas, una buena cantidad de obras notables.
7. Zeus decidió privar a los hombres del fuego, elemento valioso para la vida, ya que sin él no solo tenían que comer los alimentos crudos sino que no podían aprender a trabajar los metales, ni disponer de una llama encendida en las casas, fuera para disipar la oscuridad nocturna, fuera para ahuyentar el frío invernal. Así, la flor roja quedaba

reservada únicamente para los dioses del Olimpo.

8. –Este es un paso pequeño para el hombre y un salto gigantesco para la Humanidad– dice Armstrong, de pie, sobre la Luna.
9. Si ustedes pudieran observar América desde una gran altura, desde un satélite, por ejemplo, pensarían que junto al Pacífico se halla recostado un inmenso dragón con su cabeza ocupando parte del noroeste de Venezuela y casi toda Colombia; su robusto cuello, el este de Ecuador y el norte del Perú, y su cuerpo recorriendo, en forma paralela, a lo largo de la costa del Perú, los territorios de Bolivia, de Chile y el noroeste de Argentina; y su larga cola pasando por el este de Chile y el oeste de Argentina, hasta perderse entre las pequeñas islas del extremo sur del continente.
10. Poco se hubieran reído las vecinas si, todavía ahora, ya grandes los hijos, siguieran viendo salir cada domingo al grupo familiar, codo con codo, cosiditas las niñas, cosiditos –¡vergüenza da solo el pensarlo!– los muchachos.

XI. Ejercicios del léxico:

A. Complete las oraciones, empleando los verbos dados a continuación en su forma simple o pronominal, según convenga:

complicar(se)   distinguir(se)   estimar(se)   mezclar(se)   utilizar(se)

1. Hasta mediados del siglo pasado, en esa región, para cultivar la tierra, ____________ todavía unas herramientas tan primitivas como las del período paleolítico.
2. La insurrección de una etnia minoritaria ____________ la situación política del país ya deteriorada desde hacía algún tiempo.
3. ¡Qué curioso! Esos dos ríos confluyen en el mar, en el mismo punto, sin __________ sus aguas, y eso se ve en el hecho de que cada cual mantiene, a lo largo de un considerable recorrido, su propio color.
4. ¡Tonto! ¿No te das cuenta de que el tipo ese solo trataba de __________ (te) como instrumento de su venganza?
5. No __________ la vida metiéndose donde no te llaman.
6. Era tal la semejanza de los dos gemelos que nos costó __________ (los).
7. Se desenterraron fósiles de hombres primitivos. __________ que esas criaturas debieron de vivir hacía más de 3 millones de años.
8. Escúchame: no ___________ las dos sustancias. El resultado puede ser muy peligroso.
9. Los dos arqueólogos ______________ siempre, pues nunca dejaron de hacer descubrimientos, algunos de ellos de enorme importancia.

10. Al profesor Suárez lo ____________ (nosotros) tanto por su erudición como por su rectitud.

B. Traduzca al español las siguientes oraciones:

1. 要是她想留下来，那就留下来吧。我们可不能因为她的任性误了飞机。
2. 尊贵的客人们，让我们举杯庆祝今天把大家聚在一起的大喜事：我儿子的婚礼。
3. 尊敬的先生，我从您那儿得到不少恩泽，特致此函表示感谢。
4. 对这些化石的研究有什么成果吗？
5. 走在那片广阔无垠的荒漠上，你会觉到永远走不到任何地方。
6. 你能区分西班牙人和意大利人吗？
7. 我的忠告是：不论说话还是写东西，你都别用那些古怪的字眼儿。
8. 最新的考古发现使得人类的起源理论变得更加复杂了。
9. 那些人宁愿与世隔绝，而不愿跟任何人杂居。
10. 我通过一些朋友认识了那个女人。
11. 由于缺乏必要条件，我们不得不放弃那个雄心勃勃的项目。
12. 考古学家们估计，那个半猿半人生灵的出现可以追溯到四百万年前。

08–05

C. Al escuchar la perífrasis, diga el vocablo o expresión correspondientes:

1. Algo extremadamente desagradable, detestable, que causa repugnancia y horror: ______________
2. Que corre riesgos, osado, temerario: ______________
3. Acción y efecto de colonizar, es decir, convertir un territorio en una colonia: ______________
4. Mostrar falta de aprecio o de interés hacia una persona o una cosa: ______________
5. Que se distingue por sus cualidades o méritos: ______________
6. Que puede doblarse fácilmente sin romperse: ______________
7. Persona dedicada profesionalmente a la genética: ______________
8. Que está formado por elementos de distinta naturaleza: ______________
9. Vista de una amplia zona de terreno; también, aspecto o visión general de un tema, un asunto o una situación: ______________
10. Resumen organizado de un asunto o una materia; también: reunión de elementos distintos que forman un todo: ______________

XII. Siempre que sea necesario, rellene los espacios en blanco con una preposición o la forma contracta de artículo y preposición:

Antonio Machado nació _____ Sevilla, _____ las cuatro y media _____ la madrugada _____ 26 _____ 1875, _____ el Palacio _____ las Dueñas, propiedad, _____ 1612, _____ los duques ______ Alba, que alquilaban las casas que pertenecían ______ palacio ______ familias modestas. _____ una _____ estas casas vivían los padres _____ Antonio Machado. Él mismo escribe: “Nací _____ Sevilla una noche _____ julio _____ 1875 _____ el famoso Palacio _____ las Dueñas, que está _____ la calle _____ mismo nombre.”

El futuro poeta crece _____ un ambiente tranquilo, _____ complicaciones, pero culto. Su abuelo y su padre (famosos folklorista), intelectuales los dos, reunían ______ el patio _____ su casa _____ los catedráticos, profesores y artistas más famosos _____ Sevilla.

Siempre recordaría Machado aquella amplia casa _____ su huerto, el silencioso patio _____ una fuente, un naranjo y un limonero.

(Antonio Machado, Colección Textos en Español fácil, Cornelia de Bermúdez, Sociedad General Española de Librería, S.A., Madrid, 1978)

08–06

XIII. Dictado.

08–07

XIV. Escuche la grabación y luego haga una versión oral resumida.

XV. Trabajos de casa:

1. Trate de leer el texto con fluidez.
2. Desarrolle estos temas de conversación:
   1) Diálogo sobre la diversidad étnica de América Latina;
   2) Diálogo sobre el mestizaje étnico de América Latina;
   3) Diálogo sobre la ventaja o desventaja de la heterogeneidad demográfica de un país.
3. Traduzca al español las siguientes oraciones:
   1) 你知道中国的气候带大致上分为几个吗?
   2) 我不记得国家是哪一年推行的开放政策。
   3) 在那个古墓的出土文物中有几件大型青铜器皿。
   4) 新到的移民主要定居在一道山脉和一条大河围成的区域内。
   5) 不要忽视这个地区居民中显现出的族群多样化动向，这是由一个新的人口现象，即大规模移民造成的。
   6) 殖民时期的原住民人口骤然减少是什么原因造成的?
   7) 我觉得你对水灾造成的损失评估是错误的。
   8) 面对那个国家复杂的政治形势，必须采取谨慎而灵活的态度。
   9) 近一段时期以来，气候突变越来越常态化。
   10) 没有人打算接受强加的新规定。

UNIDAD 9
第九课

1 FUNCIÓN COMUNICATIVA

2 EJEMPLOS CON ALGUNOS VOCABLOS USUALES

a cargo de, depositar, desempeñar, desplazarse, en comparación con, equivaler, intervenir, otorgar, singular, suspender

3 RESPECTO AL LENGUAJE

- Locución prepositiva *prep.* + *n.* + *prep.*: *en busca de*
- Variantes de conjunciones concesivas
- Diferencia entre *país*, *nación*, *estado*

4 CONOCIMIENTO SOCIOCULTURAL

- 花卉“语言”

Los Juegos Olímpicos

(Adaptación de Los griegos, Néstor Míguez (traductor), Isaac Asimov,
Alianza Editorial S.A., Madrid, 1981)

A lo largo de toda su historia, Grecia siempre ha estado rodeada de estados más grandes, más ricos y más poderosos. Si solo se consulta el mapa, en comparación con sus vecinos, siempre parece una tierra pequeña y sin importancia.

Sin embargo, no hay tierra más famosa que Grecia: ningún pueblo ha dejado en la historia una huella más profunda que los griegos.

Los que vivieron hace veinticinco siglos en esas tierras, los antiguos griegos, escribieron fascinantes relatos sobre sus dioses y sus héroes y aún más fascinantes relatos sobre sí mismos. Construyeron hermosos templos, esculpieron maravillosas estatuas y escribieron magníficas obras de teatro. Dieron, además, algunos de los más grandes pensadores que ha tenido el mundo.

Nuestras ideas modernas sobre política, medicina, arte, drama, historia y ciencia se remontan a esos antiguos pobladores de tierra tan prodigiosa. Aún leemos sus escritos, estudiamos sus matemáticas, meditamos sobre su filosofía y contemplamos asombrados hasta las ruinas y fragmentos de sus bellos edificios y de sus estatuas. Toda la civilización occidental desciende directamente de la obra de los antiguos griegos, y la historia de sus triunfos y desastres nunca pierde su efecto de fascinación.

Y aún quedan entre nosotros muchos remanentes de la cultura griega, que a pesar de su aparente poca trascendencia histórica, goza de una singular popularidad en el mundo contemporáneo.

Hacia el año 1.000 a. C. se libraban constantes guerras entre las diversas ciudades-estado griegas, hechos que, sin embargo, no los hicieron olvidar su origen común. Hubo siempre algunos factores que los mantuvieron unidos aun en medio de las más enconadas guerras. Así, por una parte, todos hablaban griego, de modo que siempre se sentían helenos, en contraposición con los bárbaros, que hablaban otras lenguas raras; por otra, conservaron el recuerdo de la guerra de Troya -en ese entonces, todos los griegos formaron un solo ejército-en dos maravillosos poemas escritos por un rapsoda inmortal: Homero.

Otro importante factor de unificación era que tenían un conjunto común de dioses. Los detalles de las festividades religiosas variaban de una *polis* a otra, pero todas reconocían a Zeus como el dios supremo, al mismo tiempo que rendían, también, homenaje a los otros dioses.

Lo mismo se puede decir de una serie de actividades en las que intervenían todos los griegos, como las fiestas que acompañaban a ciertos ritos religiosos. En ellas, solía haber carreras y otros eventos deportivos, incluso, torneos musicales y literarios, en que se ponía en evidencia el alto valor que asignaban los griegos a los productos del espíritu.

El más importante de los eventos deportivos eran los Juegos Olímpicos, que se realizaban cada cuatro años. La tradición hace remontar su origen a una carrera en la que intervino Pélope, el abuelo de Agamenón, para conquistar la mano de una princesa. Según esto, habría sido originalmente una fiesta micénica. Sin embargo, la lista oficial de los ganadores de torneos comienza en el 776 a. C., año que, por lo común, es considerado como el inicio de los Juegos Olímpicos.

Tan importantes llegaron a ser estos Juegos para los griegos que dividían el tiempo en períodos de cuatro años, a los que daban el nombre de Olimpíadas. Según este sistema, el 465 a. C. sería el tercer año de la Olimpíada LXXVIII, por ejemplo.

Los Juegos Olímpicos se celebraban en la ciudad de Olimpia, situada en la región central occidental del Peloponeso, pero no se llamaban olímpicos en honor de la ciudad, sino en el de Zeus Olímpico, el dios principal de los griegos, a quien se asignaba como morada el monte Olimpo. Por la misma razón, la ciudad se llamaba Olimpia.

La montaña tiene casi 3.200 metros de altura y es la más elevada de Grecia. Está situada en el límite norte de Tesalia, a unos 16 kilómetros del mar Egeo. A causa de su altura (y porque las primitivas tribus griegas quizá tenían santuarios en su vecindad, antes de desplazarse hacia el sur), esa montaña fue considerada la morada particular de los dioses. Por esta razón, la religión basada en las referencias que se encuentran en los textos de Homero y Hesíodo conforma la *religión olímpica*.

Olimpia era sagrada por los Juegos y por los ritos religiosos vinculados con ellos, de modo que los tesoros que eran ofrendados a Zeus podían ser depositados tanto allí como en Delfos. Los representantes de diferentes ciudades-estado podían reunirse allí aunque sus ciudades estuviesen en guerra, por lo que servía como territorio neutral. Y siempre sucedía que, poco antes de iniciarse los Juegos Olímpicos (hasta poco después de finalizados), se suspendían temporalmente las guerras para que los griegos pudiesen viajar a Olimpia y volver de ella en paz.

Los Juegos estaban abiertos a todos los griegos, y estos acudían de todas partes como espectadores y también como participantes en ellos. De hecho, dar permiso a una ciudad para tomar parte en los Juegos equivalía a considerarla oficialmente como griega.

Cuando los Juegos Olímpicos se hicieron importantes y populares y Olimpia se llenó de tesoros, surgió naturalmente una gran competencia entre las ciudades vecinas por el derecho a organizar y dirigir los Juegos. No obstante, mientras estos duraron, siempre fue Olimpia quien tenía a su cargo la organización del evento, solo con breves interrupciones, por ejemplo, en el 700 a. C., tuvo que ceder este honor a Élide, ciudad situada a unos 40 kilómetros al noroeste de ella.

Había también otros juegos importantes en los que participaban todos los griegos, pero todos fueron creados dos siglos después de la primera Olimpíada. Entre ellos estaban los Juegos Píticos, que se realizaban en Delfos cada cuatro años, entre Olimpíada y Olimpíada; los Juegos Ístmicos, que se efectuaban en el golfo de Corinto; y los Juegos Nemeos, que tenían lugar en Nemea, a 16 kilómetros al sudoeste del istmo. Tanto los Juegos Ístmicos como los Nemeos se celebraban con intervalos de dos años.

Los ganadores de esos juegos no recibían dinero ni ningún premio valioso en sí mismo; lo que obtenían era algo de incalculable valor: honor y renombre, cuyo símbolo era una guirnalda hecha de hojas de emblemático valor. El vencedor de los Juegos Olímpicos recibía una guirnalda de hojas de olivo y el de los Juegos Píticos, una de laurel. Como se sabe, el laurel estaba consagrado a Apolo, y las guirnaldas hechas con estas hojas suponían una recompensa particularmente adecuada para el que sobresalía en cualquier campo de la actividad humana. Aún hoy decimos de quien ha realizado algo importante que "se ha ganado sus laureles", pero si después cae en la indolencia y no hace nada de importancia, decimos que "se ha dormido en sus laureles".

09–02

VOCABULARIO

estado	*m.*	国家	unir	*tr.*	联合
en comparación con	*loc.prep.*	与……相比	enconado, da	*adj.*	激烈的
templo	*m.*	寺，庙	heleno, na	*adj.*	希腊的
pensador, ra	*m.,f.*	思想家	contraposición	*f.*	相对，对照
matemáticas	*f.pl.*	数学	rapsoda	*amb.*	（古希腊）游吟诗人
meditar	*intr.*	思考，沉思	unificación	*f.*	统一
fragmento	*m.*	碎片；片断	detalle	*m.*	细节
desastre	*m.*	灾难	*polis*	*f.*	希腊城邦
fascinación	*f.*	入迷，着迷	intervenir	*intr.*	参与
remanente	*m.*	残余，残迹	rito	*m.*	仪式
aparente	*adj.*	表面的	torneo	*m.*	竞赛
popularidad	*f.*	流行，普及	musical	*adj.*	音乐的
a. C. (antes de Cristo)		公元前	poner en evidencia	*perif. verb.*	表明
ciudades-estado		城邦	Pélope		珀罗普斯

Agamenón		阿伽门农
conquistar la mano	*perif. verb.*	求婚
originalmente	*adv.*	最初，原来
micénico, ca	*adj.*	迈锡尼的
Olimpíada	*f.*	（两届奥林匹克运动会间的）四年
Olimpia	*f.*	奥林匹亚城
Peloponeso		伯罗奔尼撒
morada	*f.*	住处，住宅
situarse	*prnl.*	位于，坐落于
Tesalia		色萨利
mar Egeo		爱琴海
santuario	*m.*	神庙
vecindad	*f.*	毗邻；邻居
desplazarse	*prnl.*	位移
particular	*adj.*	特殊的
Hesíodo		赫西俄德
tesoro	*m.*	宝贝，财宝
ofrendar	*tr.*	献祭品
depositar	*tr.*	存放
Delfos		提佛
neutral	*adj.*	中立
suspender	*tr.*	中断
temporalmente	*adv.*	暂时
paz	*f.*	和平
espectador, ra	*m.,f.*	观众
participante	*amb.*	参与者
permiso	*m.*	准许
equivaler	*intr.*	等于
popular	*adj.*	人民的，民间的
competencia	*f.*	竞赛
tener a su cargo	*perif. verb.*	负责
organización	*f.*	组织
Élide		伊利亚州
interrupción	*f.*	打断，中断
pítico, ca	*adj.*	阿波罗的
ístmico, ca	*adj.*	地峡的
Corinto		科林图
nemeo, a	*adj.*	尼米亚的
Nemea		尼米亚
sudoeste	*m.*	西南
istmo	*m.*	地峡
intervalo	*m.*	间隔
renombre	*m.*	名声，声誉
símbolo	*m.*	象征
guirnalda	*f.*	花环
emblemático, ca	*adj.*	标志性的
hoja	*f.*	叶子
laurel	*m.*	月桂树
Apolo		阿波罗
recompensa	*f.*	补偿
adecuado, da	*adj.*	合适的
sobresalir	*intr.*	突出
indolencia	*f.*	漠然；懒散

PALABRAS ADICIONALES

apariencia	*f.*	表面
desastroso, sa	*adj.*	极其糟糕的
fragmentación	*f.*	分为碎块
fragmentar	*tr.*	将……分为碎块
fragmentario, ria	*adj.*	不完整，支离破碎
intervención	*f.*	干涉；参与；发言
meditación	*f.*	思考，琢磨
meditativo, va	*adj.*	思索的
musicalidad	*f.*	音乐的旋律节奏感
musicógrafo, fa	*m.,f.*	研究音乐的专家
musicología	*f.*	音乐学，音乐研究
popularizar	*tr.*	使普及
trascendente	*adj.*	重要的；影响深远的

VERBOS IRREGULARES

equivaler: Se conjuga como ***valer***.
intervenir: Se conjuga como ***venir***.
sobresalir: Se conjuga como ***salir***.

VERBOS CON CAMBIOS ORTOGRÁFICOS EN ALGUNAS CONJUGACIONES

desplazar: Se conjuga como ***rechazar***.
popularizar: Se conjuga como ***realizar***.
situar: Se conjuga como ***continuar***.

EJEMPLOS CON ALGUNOS VOCABLOS USUALES

I. a cargo de *loc.prep.* 由……承担，负责

1. Estos días estoy ocupadísimo: tengo a mi cargo la organización de un ciclo de conferencias.
2. Señor alcalde, pierda usted cuidado: la reparación de ese templo antiguo está a cargo de un equipo de ingenieros muy competentes.
3. He decidido dejar a cargo de las chicas más hábiles de la facultad la confección de unas guirnaldas de flores naturales. ¿Para qué servirán? Será una sorpresa.
4. La tarea de fijar los detalles de los preparativos del evento correrá a mi cargo.

II. depositar

A. *tr.* 放置；存钱

1. Algunos nativos llegaron hasta un santuario en cuyo altar depositaron un objeto de madera. ¿Qué era eso? ¿Un símbolo de su fe o una ofrenda a la divinidad?
2. Después de depositar un ramo de flores en la tumba de mi abuela, hice, según la costumbre, varias reverencias en señal de respeto y homenaje a su memoria.
3. Dos voluntarios depositaron cuidadosamente al herido en una camilla y de inmediato se lo llevaron al hospital.
4. Camila no ganaba mucho, pero hacía todo lo posible por depositar mensualmente (每月) algún dinero en el banco, por si le sucediera algo.

B. *tr.* 寄予

1. Pero, muchacho, ¿por qué caes en semejante indolencia? Vas a decepcionar a tus padres, que depositan en ti sus esperanzas.

2. Me dolió mucho la traición de mi amigo, sobre todo, porque yo había depositado en él toda mi confianza.
3. ¡Cómo puedes defraudar de esa manera a las personas que tanta confianza han depositado en ti!

III. desempeñar

A. *tr.* 充当，扮演

1. La popularidad de la actriz que dices se debe a los importantes papeles que ha desempeñado en múltiples películas.
2. Mi primo es sencillo y bonachón pero en el teatro siempre desempeña el rol de malvado.
3. Me asignaron un papel insignificante en la obra, pero me esforcé por desempeñarlo bien.
4. El impresionante panorama de la cultura actual en sus múltiples manifestaciones pone en evidencia el importante rol que ha desempeñado la Grecia Antigua en la formación y evolución de la civilización occidental.

B. *tr.* 履行，承担

1. Dámaso es la persona adecuada para desempeñar el cargo de confianza que ustedes acaban de crear.
2. La función que debe desempeñar todo gobernante es, entre otras cosas, lograr el bienestar de todos en un ambiente de libertad y de justicia social.
3. Soy consciente de que he desempeñado bien mi cargo de funcionario de la empresa y no pido más recompensa que el reconocimiento de ustedes.

IV. desplazarse *prnl.* 移动

1. Desplazarnos de la aldea al santuario que se halla entre montañas resultó más difícil de lo que esperábamos. Como solo había camino de herradura, tuvimos que hacerlo, al comienzo a caballo y después a pie.
2. Todos los cuerpos celestes (天体) se desplazan en el espacio cósmico regidos por leyes físicas.
3. Todos se quedaron pasmados al enterarse de que la isla que habitaban se había desplazado, en dos años, un cuarto de kilómetro hacia el sudoeste.
4. Durante la Olimpíada, multitud de griegos se desplazaban desde diversos rincones del país para acudir a la ciudad de Olimpia, donde se celebraba el evento.
5. Los pueblos nómadas (游牧) se desplazan constantemente de un lugar a otro en busca de pastos para sus animales.

V. en comparación con *loc.prep.* 与……相比

1. En comparación con otros, este poema me gusta más, en particular, por su singular musicalidad.

2. En comparación con otros pueblos, el mío no es ni más grande ni más próspero, pero tiene un buen motivo para enorgullecerse: allí, tuvo lugar un importante acontecimiento histórico.
3. En comparación con sus amigas, Penélope es sumamente alegre y sobresale por su inteligencia.

VI. equivaler *intr.* 等于

1. Un euro equivale a más de siete yuanes.
2. Te aconsejo no hacer ese viaje ahora: caminar a oscuras por esos precipicios equivale a suicidarse.
3. Tienes que estudiar todas las asignaturas a conciencia porque suspender en dos de ellas equivale a perder la matrícula.
4. Tu sueldo es de tres mil euros. Dime, ¿a cuánto equivale eso en yuanes?

VII. intervenir

A. *intr.* 参与，干预，干涉

1. Cuando los nativos de la isla empezaron a hablar de los problemas de su aldea, yo quise intervenir, pero ellos me dieron a entender con señas que no me estaba permitido hacerlo.
2. Te advierto: si intervienes en la disputa de ellos, no harás más que complicar la situación.
3. Algunas potencias se creen con derecho de intervenir en los asuntos internos de otros países.
4. El conflicto de esa zona se complicó aún más desde que intervino en él un país fabricante de armas.

B. *intr.*（在会上）发言，参与

1. Durante toda la discusión, él se mantuvo callado, sin intervenir, como mero espectador.
2. En un intervalo de la conferencia, un joven estudiante se acercó al presidente y le pidió permiso para intervenir en la siguiente sesión.
3. La reunión de ayer fue un desastre total porque intervinieron en ella algunas personas con evidentes malas intenciones.

C. intervención *f.* 干涉；发言

1. Sin tu intervención en aquel lío, no sé qué habría sido de mí.
2. La intervención extranjera trajo como consecuencia la fragmentación de aquel país.
3. La intervención de Paulina en el Congreso (大会) nos fascinó a todos. Fue algo maravilloso.
4. Pese a su aparente sencillez, la intervención del profesor Gómez aportó al debate temas de mucha trascendencia.

VIII. otorgar *tr.* 给予

1. A Wilfredo le otorgaron tres semanas de permiso para que cuidara a su padre enfermo.
2. ¿A qué escritor le van a otorgar este año el Premio Nóbel? ¿Será una recompensa para tanto sacrificio que supone escribir toda la vida?
3. A partir del próximo año, el Estado otorgará becas de estudio en el extranjero a los alumnos que alcancen el nivel de excelencia en sus tesis de graduación.
4. Luego de dos años de espera, por fin el banco le otorgó un jugoso crédito a la empresa con que pudo no solo reconstruir su estructura empresarial sino reunificar su sistema administrativo.
5. Solo las universidades tienen la potestad de otorgar títulos profesionales.
6. Quien calla, otorga.

IX. singular *adj.* 奇特的，独一无二的；单数的

1. Entre las cosas más llamativas que vieron los extranjeros en la aldea, se halla una muy singular, consistente en una plataforma de madera con cuatro ruedas pequeñas usada por la gente para desplazarse a cualquier lugar.
2. Vaya costumbre singular esa de ofrendar comida al espíritu de los antepasados.
3. ¡Enhorabuena, chico! Te han otorgado un premio singular: viajar con toda tu familia por el río Yangtzé, durante dos semanas. Con el tiempo, este viaje tendrá en tu memoria el valor de un tesoro incalculable.
4. En español existen dos números gramaticales: el singular y el plural.

X. suspender

A. *tr.*; *intr.* 中断；（考试）不及格，打不及格

1. La facultad suspendió las clases para que los estudiantes pudieran acudir a un torneo deportivo.
2. Las guerras civiles entre los griegos se suspendían durante la Olimpíada.
3. La reunión quedó suspendida a causa de un suceso inesperado.
4. El árbitro le dijo al jugador: estás suspendido, no podrás jugar durante un mes.
5. Mi sobrino siempre suspende en matemáticas.
6. Si estudiamos bien, nadie podrá suspendernos en ninguna asignatura.

B. suspendido, da *p.p.* 悬空

1. No te imaginas lo fascinante que resultó el espectáculo que presencié anoche: varios acróbatas permanecieron suspendidos en el aire durante muchos minutos. Quisiera saber cómo lo consiguieron.
2. ¿Conocen ustedes la expresión *Espada de Damocles*? No tienen más que imaginar una espada suspendida de un hilo sobre la cabeza de una persona.
3. Hemos visto cómo explotaba en el aire un objeto desconocido y cómo, luego, caían sus fragmentos sobre el lago, de cuya superficie desaparecieron. Lo raro de todo esto

fue que no se hundieron hasta el fondo sino que quedaron suspendidos en medio del agua.

C. suspensión *f.* 中断

1. La suspensión temporal de la guerra entre las ciudades-estado permitía a los griegos acudir a la Olimpíada.
2. ¡Qué mortificación! Últimamente, la suspensión de vuelos en los aeropuertos es algo muy habitual.
3. Todo el mundo sospechaba que, detrás de la suspensión de aquel evento cultural, estaban las manos del gobierno.

RESPECTO AL LENGUAJE

I. Locución prepositiva *prep. +n. +prep.: en busca de*

西班牙语中有一类短语，由**介词** + **名词** + **介词**构成，就其句法功能和特征而言，实际上不过是结构复杂的介词而已。这是因为：① 它不能脱离后面的名词，像副词那样单独使用；② 只能位于名词之前。

① Si solo se consulta el mapa, Grecia, ***en comparación con*** sus vecinos, parece una tierra pequeña y sin importancia.

② Así, por una parte, todos hablaban griego, de modo que siempre se sentían helenos, ***en contraposición con*** los bárbaros, que hablaban otras lenguas raras.

③ Los Juegos Olímpicos se celebraban en la ciudad de Olimpia, situada en la región central occidental del Peloponeso, pero no se llamaban olímpicos ***en honor de*** la ciudad, sino en el de Zeus Olímpico, el dios principal de los griegos, a quien se asignaba como morada el monte Olimpo. Por la misma razón, la ciudad se llamaba Olimpia.

我们还可以举出其他例子：

④ Óscar está convaleciente de una prolongada enfermedad. Precisamente, ***en consideración a*** eso, las autoridades le ampliaron su licencia en el trabajo.

⑤ ***En contraste con*** otros participantes en el debate, Magdalena no leyó su ponencia: improvisó.

⑥ Un pequeño grupo de soldados penetraron en la selva ***en persecución del*** desertor.

II. Variantes de conjunciones concesivas

西班牙语中至少有三个表示**让步**含义的连词：aunque, a pesar de (que), pese a (que)。它们的语义虽然基本相同，但其句法特征却既有相同之处，又有不同之处。

1 三者都可以引导从句：

① Los representantes de diferentes ciudades-estado podían reunirse allí ***aunque*** sus ciudades estuviesen en guerra, por lo que la sede de la Olimpiada servía como territorio neutral.

② Sin embargo, ***a pesar de que*** muchos de sus soldados mostraron gran temor, el inca permaneció sereno.

③ Lo ignoraba todo, pues nadie lo había advertido de lo que ocurría, ***pese a que*** muchos lo sabían: los hermanos Vicario llevaban horas recorriendo el pueblo y pregonando a los cuatro vientos que buscaban a Santiago Nasar para matarlo.

2 a pesar de 和 pese a 可以不引导从句，而只带一个名词或名词短语：

④ ***A pesar de*** *su aparente poca trascendencia histórica*, goza de una singular popularidad en el mundo contemporáneo.

⑤ Así, con esta acentuada diversidad, un cuadro como este no es habitual en Asia ni en algunos países africanos, donde se conserva cierta homogeneidad étnica, tampoco en Europa, ***pese al*** *ligero toque heterogéneo* como consecuencia de las recientes masivas migraciones.

3 aunque 也可以不引导从句，但其后只能带形容词。此时，其含义与 pero 相同：

⑥ Sí, ***aunque*** *poca,* me han dado una recompensa por mi trabajo.

III. Diferencia entre *país, nación, estado*

这三个名词经常可以指代同一个实体，即汉语里的**国家**，但就其内涵而言，三者的侧重面各不相同。país 是地理概念，即一个国家的地域、领土，即占有的空间。所以有时候也可对应汉语里的**区域**、**地方**、**家乡**，等等。而 nación 似乎具有较明显的人文含义，指涉的是文化认同一致的人群，在一定的语境中，其汉语对应词可能是**民族**。Estado 更多指向行政管理层面，即一个国家的政治结构，有时，相当于汉语里的**政府**。在我们的母语中，并不时常着意区分这三个侧面所界定的次概念，往往笼统地用**国家**一词覆盖三者，从而给理解和翻译，特别是汉译西造成一些障碍，值得业内人士谨慎对待。下面不妨列举几个汉语句子，请大家先思考一下，对应**国家**的该是哪个西班牙语词汇，然后再着手翻译：

① 他在国外待了几年，最近刚回**国**。

② 在**国家**主权问题上，必须知道，它是不可放弃的。

③ 大伙儿尽管放心，想必**国家**会支持咱们这样的企业的。

④ 我几乎跑遍了所有拉美**国家**，对它们很熟悉。
⑤ 总统是**国家**元首吗？
⑥ 那个愚蠢的官员以为辱骂别人便是捍卫**国家**尊严。

请看参考译文：

① Él estuvo varios años en el extranjero. Hace poco, regresó a su ***país***.
② En lo que se refiere a la soberanía de la ***nación***, hay que asumir que es algo irrenunciable.
③ Pierdan cuidado, ustedes. Se supone que el ***Estado*** debe apoyar una empresa como la nuestra.
④ He recorrido casi todos los ***países*** latinoamericanos y puedo decir que los conozco muy bien.
⑤ ¿Es el jefe de ***Estado*** el Presidente del gobierno?
⑥ El estúpido funcionario creía que estaba defendiendo la dignidad de la ***nación*** insultando a los demás.

社会文化常识 CONOCIMIENTO SOCIOCULTURAL

花卉“语言”

花卉在人类生活中占有重要地位。各国人民除了用花卉美化生活外，还赋予了各种花卉丰富的象征意义。这种意义被称为花卉“语言”。

在西班牙语国家文化中，花卉语言十分丰富，例如：

玫瑰花（rosa）：红玫瑰象征爱情；黄玫瑰象征友谊；白玫瑰象征纯洁。

山茶花（camelia）：象征永恒不变的友谊。

雏菊（margarita）：象征纯洁。

栀子花（gardenia）：象征喜悦。

郁金香（tulipán）：表示爱情。

康乃馨（clavel）：象征高贵，出类拔萃。

百合（lirio）：象征纯洁、高贵和喜悦。

向日葵（girasol）：表示仰慕和爱情。

三色堇（pensamiento）：表示相思。

勿忘我（nomeolvides）：表示对爱情忠贞不渝。

鉴于花卉的象征意义，我们在送花时要注意选择适当的品种。当然，除了不同的花卉具有不同的寓意外，花卉颜色也是在馈赠时需要考虑的因素。例如，红色代表激情和喜庆，所以在节日中应送红色的花。黄色让人联想起阳光和温暖，因此，送黄色的花有助于提升人的情绪。黄色有时也和悲伤联系在一起，所以，在慰藉亲友时，也要送黄色的花。白色除了象征纯洁之外，还寓意美好的未来，因此，在表示祝福时，最好送白色的花。

EJERCICIOS

09–03

I. Siguiendo la grabación, lea los siguientes poemas:

TREN

Lo importante es irnos
y no donde vamos
y nunca llegar más lejos
que antes de partir.

Claudio Rodríguez Fer

GUERRA

La vejez en los pueblos.
El corazón sin dueño.
El amor sin objeto.
La hierba, el polvo, el cuervo.
¿y la juventud?

En el ataúd.

El árbol solo y seco.
La mujer como un leño
de viudez sobre el lecho.
El odio sin remedio.
¿Y la juventud?

En el ataúd.

Miguel Hernández

II. Conjugue los siguientes verbos en todas las personas de los modos y tiempos indicados:

1. En presente del indicativo y del subjuntivo, usado como mandato negativo:

ahorrarlo, *albergarlas*, basarse, brindar, *cercarlo*, *complicarla*, comparar, depositar, descuidarse, *desplazarse*, *elegir*, empeñarse, *equivaler*, *fatigarse*, fragmentar, *gozar*, *guarecerse*, *intervenir*, meditar, ofrendar, *perseguir*, *popularizarlos*, *reducir*, relatar, *situar*, *sobresalir*, suspender, unir;

2. **En futuro imperfecto del indicativo y en condicional simple:**
   acentuar, basarse, carecer, comparar, *componer*, conquistar, *decir*, depositar, desdeñar, desplazar, elegir, *equivaler*, estimar, fragmentar, *haber*, *hacer*, *intervenir*, jurar, meditar, mezclar, ofrendar, polarizar, *poder*, *poner*, regalar, *salir*, situar, *sobresalir*, suspender, *tener*, unir, vagabundear, *venir*;
3. **En pretérito indefinido del indicativo y en pretérito imperfecto del subjuntivo:**
   adorar, agotar, *ahogarse*, basarse, brotar, citar, *complicar*, *dar*, depositar, descuidarse, *desplazar*, disgustar, emigrar, empeñarse, equivaler, estimar, *fatigar*, fragmentar, habituar, *intervenir*, jurar, meditar, mezclar, ofrendar, *perseguir*, *popularizar*, *reducir*, regalar, relatar, situar, sobresalir, unir;
4. **En pretérito perfecto del indicativo y del subjuntivo:**
   abrir, basarse, carecer, cercar, comprender, *cubrir*, culpar, *decir*, depositar, *descubrir*, desplazarse, *devolver*, disgustar, *disponer*, empeñarse, equivaler, *escribir*, estimar, fragmentar, intervenir, mezclar, meditar, ofrendar, *poner*, popularizar, *resolver*, *romper*, situar, sobresalir, unir, *volver*.

（斜体部分需笔头重复）

III. Escuche las preguntas sobre el texto y contéstelas oralmente en español.

IV. Desarrolle las siguientes ideas:

1. Situación geográfica e importancia histórica de la Antigua Grecia.

   ____

2. Su herencia cultural.

   ____

3. Su presencia en el mundo moderno, especialmente en Occidente.

   ____

4. Uno de sus remanentes culturales que goza de mayor popularidad en el mundo contemporáneo fuera del terreno académico y artístico.

   ____

5. Factores que mantuvieron unida la Antigua Grecia a pesar de las constantes guerras libradas entre sus diversas ciudades-estado.
   1) Lingüístico:

   ____

2) Político-militar e histórico:

____

3) Religioso:

____

4) Otras manifestaciones culturales:

____

6. Juegos Olímpicos

1) Su origen:

____

2) Frecuencia:

____

3) Olimpíada:

____

4) Lugar de celebración:

____

7. Ubicación del monte Olimpo y su importancia.

____

8. Razones que determinan el carácter sagrado de la ciudad de Olimpia.

____

9. Suspensión de las guerras.

____

10. Significado de la autorización para tomar parte en los Juegos.

____

11. Competencia entre diversas ciudades-estado por el derecho de organizar los Juegos.

____

12. Otros juegos importantes en los que participaban todos los griegos.

____

13. Premios otorgados en esos juegos.

____

14. Expresiones idiomáticas derivadas de esas actividades.

____

V. Aunque es preferible hacer el ejercicio oralmente contestando *VERDADERO* o *FALSO*, marque, de acuerdo con el contenido del texto, con la letra V los enunciados correctos y con la F, los falsos:

1. Históricamente hablando, Grecia siempre ha sido un país sin importancia.

2. El antiguo pueblo griego ha dejado, en la historia, huellas más profundas que ninguna otra nación.
3. Los griegos que viven en el mundo contemporáneo han escrito fascinantes relatos sobre sus dioses, héroes y sobre sí mismos.
4. De los maravillosos templos que construyeron los antiguos griegos y las bellas estatuas que esculpieron todavía quedan valiosos vestigios que aún asombran a la gente de hoy.
5. La antigua Grecia dio a la cultura occidental los más grandes autores de su historia en los campos más diversos, como la filosofía, la literatura, la historia, el arte. Incluso, hubo célebres oradores que deslumbraban con su elocuencia.
6. Las ideas modernas sobre política, medicina, arte, teatro, historia y ciencia deben mucho a los antiguos griegos.
7. Toda la civilización humana desciende directamente de la antigua cultura griega.
8. Hacia el año 1.000 a.C., toda Grecia ya formaba un solo estado unificado.
9. Las constantes guerras libradas entre diversas ciudades-estado hicieron que los griegos se olvidasen de su origen común.
10. Los factores que mantuvieron unidos a los griegos, a pesar de las más enconadas guerras, son la lengua común, la memoria de la Guerra de Troya en la que los soldados griegos estaban incorporados en un solo ejército, las similares creencias religiosas y las actividades de carácter cultural y deportivo en las que tomaban parte todos los griegos sin importar a qué *polis* perteneciesen.
11. Los Juegos Olímpicos tuvieron su origen en una carrera en la que intervino el abuelo de Agamenón, que buscaba conquistar la mano de una princesa.
12. Los Juegos Olímpicos se efectuaban cada cuatro años, por eso el intervalo entre una y otra celebración se llamaba Olimpíada.
13. Los Juegos Olímpicos deben su nombre a la ciudad de Olimpia, que era donde tenía lugar este tipo de actividades.
14. Se llama *olímpica* la religión porque los griegos creían que sus dioses, incluido Zeus, el más importante de todos, vivían en el monte Olimpo.
15. Las guerras entre las ciudades-estado continuaban aún en la época de los Juegos Olímpicos.
16. Los Juegos estaban abiertos a todos los griegos. Dar permiso a una ciudad para participar en ellos equivalía a incorporarla a la comunidad helénica.
17. Las sucesivas celebraciones de los Juegos determinaron que Olimpia acumulara infinidad de tesoros, lo que despertó una reñida competencia entre las ciudades vecinas por el derecho a organizar y dirigir el popular evento.

18. Otros juegos, tales como los Ístmicos y los Nemeos fueron creados antes que los Olímpicos.
19. Los ganadores de estos juegos obtenían premios muy valiosos.
20. Los Juegos Olímpicos de la antigua Grecia no solo volvieron a escenificarse en el mundo contemporáneo con el mismo nombre y el mismo espíritu de la versión original, sino que influyeron en la creación de expresiones idiomáticas de muchas lenguas europeas y de otras partes. Por ejemplo: *ganarse sus laureles, dormirse en sus laureles*. (En chino existe una expresión parecida, probablemente traducida de alguna lengua europea. ¿Sabe usted cuál es?)

VI. Teniendo en cuenta el contexto, sustituya las palabras en cursiva por sus sinónimos que figuran en el texto:

1. *Debido a* ______________ la gran cantidad de tesoros que iban a dar a Olimpia como resultado de su derecho a organizar y dirigir los Juegos Olímpicos, surgió una fuerte competencia entre ella y sus vecinas por obtener ese honor y sus ventajas.
2. La montaña Olimpo, *ubicada* ____________ en el Peloponeso, tiene casi 3.200 metros de altura y es la más elevada de Grecia.
3. Los Juegos Píticos *se efectuaban* _______________ en Delfos cada cuatro años, entre Olimpíada y Olimpíada.
4. ¿Sabe cómo *viajaban* ____________ los griegos procedentes de todos los rincones del país para acudir a los Juegos Olímpicos? ¿A pie, a caballo, en carro?
5. Los griegos rendían culto a las mismas deidades con Zeus como el máximo mandatario. Pero, los ritos religiosos *se diferenciaban* _______________ , de una polis a otra, en algunos detalles.
6. *Pese a* __________________ las enconadas guerras que se libraban entre las diversas ciudades-estado, los griegos no se olvidaban de su origen común.
7. Opinar sobre ese tema equivale a *meterse* ____________ en un asunto ajeno.
8. En ese pequeño templo se efectuaban ritos *relacionados con* ____________ el culto al sol.
9. Pélope participó en aquella carrera para *pedir la mano a* ____________ una princesa.
10. A lo largo de la historia, la ciudad de Olimpia *cumplió* ____________ la función de organizadora de los Juegos Olímpicos, y lo hizo con pocas interrupciones.
11. Los dos ministros de Asuntos Exteriores *interrumpieron* ____________ sus negociaciones porque surgieron otros problemas que las complicaron aún más.
12. En aquellos tiempos, una simple guirnalda de hojas de laurel era una recompensa invalorable no solo para los que triunfaban en los deportes sino también para los que *se destacaban* ____________ en cualquier campo de la actividad humana.

VII. Complete las oraciones con locuciones prepositivas de estructura similar a *en busca de*, formadas con la derivación nominal de los verbos que se dan a continuación:

agradecer ***apoyar*** ***auxiliar*** ***considerar*** ***defender*** ***favorecer***
perjudicar ***procurar*** ***protestar*** ***recompensar*** ***solicitar*** ***ver***

Ejemplo *beneficiar*

Habrá que popularizar el uso de este tipo de aperos agrícolas ***en beneficio de*** la población rural.

1. La ONU premió espléndidamente al doctor Muñoz, al entregarle, ____________ los esfuerzos que él había hecho para mejorar la salud pública, un valioso donativo para el laboratorio que él dirige.
2. El lobo y la loba tenían que recorrer una gran extensión de la estepa ____________ alimentos para sus crías.
3. ____________ la trascendencia del problema decidimos someterlo a la opinión del señor rector.
4. Los habitantes de aquella pequeña ciudad salieron a la calle ____________ la arbitraria directiva del gobierno municipal.
5. Era muy afectado al hablar: en vez de decir, por ejemplo, vengo a solicitar una visa, decía: vengo ____________ una visa.
6. Hicimos una huelga contra la empresa ____________ nuestro compañero injustamente despedido.
7. Muchos voluntarios acudieron ____________ los damnificados del desastre.
8. Fue aquel año cuando se inició la lucha a nivel nacional ____________ la unificación del país.
9. ____________ el reducido número de participantes, los organizadores decidieron suspender la celebración del acto.
10. Le regalé una blusa de seda a la dueña de la casa ____________ lo bien que me había atendido durante medio año.
11. Todo eso lo hicimos ____________ nuestros derechos.
12. Escúchame bien: todo lo que hagas ____________ mi familia, lo vas a pagar muy caro cuando yo sea grande.

VIII. Transforme en sintagmas nominales las subordinadas de las siguientes oraciones concesivas y haga las modificaciones correspondientes utilizando otras locuciones de índole concesiva. Ojo: en algunos casos es mejor conservar la oracion subordinada pese al cambio del enlace concesivo:

Ejemplo ***Aunque***, *aparentemente, Grecia siempre ha parecido un país pequeño y sin importancia, en el mundo no hay otro que haya influido tanto en la civilización humana.*

→ ***A pesar de (Pese a)*** *la apariencia de Grecia de ser un país pequeño sin importancia, en el mundo no hay otro que haya influido tanto en la civilización humana.*

1. ***Aunque*** ________________ esos hermosos templos tienen diez siglos de existencia, siguen todavía en pie.
2. ***Aunque*** ________________ ese político tuvo gran poder en su época, no ha dejado ninguna huella de importancia en la historia de su país.
3. ***Aunque*** ___________________ esas obras sobre la revolución estaban estrictamente prohibidas en ese país, la gente, valiéndose de extrañas y fascinantes artimañas, las conseguía y las leía clandestinamente.
4. Fausto no percibía bien su difícil situación, por eso aseguraba que ***aunque*** ____________ tuviera la salud muy deteriorada, haría un viaje alrededor del mundo.
5. El drama fue una verdadera fascinación para los asistentes al teatro, ***aunque*** ________________ su calidad es dudosa según los críticos.
6. El niño le aseguró a su papá que, ***aunque*** ________________ los problemas matemáticos del examen fueran muy difíciles, los resolvería antes del tiempo fijado.
7. Nunca pude comprender por qué en muchos lugares, los campesinos no salían de pobres ***aunque*** ________________ trabajaban duro y tenían buenas tierras.
8. ***Aunque*** ________________ aquella antigua civilización desapareció hace miles de años, todavía se conservan algunos remanentes de ella.
9. ***Aunque*** ________________ Úrsula mostraba a diario un singular rendimiento en el trabajo, nadie supo apreciar sus virtudes de eficiente secretaria.
10. Los Juegos Olímpicos se llevaban a cabo regularmente ***aunque*** ________________ hubiera enconadas guerras –que se suspendían, en realidad –entre las ciudades-estado.

IX. Traduzca al español las siguientes oraciones:

1. 我们国家被群山围绕。
2. 中国是由多民族组成的国家。
3. 非洲这个国家争论了很长时间的问题是，究竟哪种选择更好：国家分裂还是统一？

4. 国家有责任保护经济上的弱势群体。
5. 那个官员告诉我们，我们的问题与国家的外交政策紧密相关。
6. 你们记得恩格斯在他的某部著作里就国家和家庭的起源说了些什么吗？
7. 居然还有大国认为自己有权干涉别国的内政，真是没法容忍！
8. 你知道有多少国家是联合国成员吗？
9. 很多欧洲国家是十九世纪出现的。
10. 咱们去这些国家旅游不用签证。

X. Sustituya la parte en cursiva por *cualquier* o *cualquiera* y efectúe los cambios necesarios en el resto de la oración. Traduzca al chino tanto la versión original como la resultante:

1. *Los* ____________ turistas ____________ que querían ____________ instalarse en el hotel, tenían ____________ que mostrar sus pasaportes.
2. En *todas las* ______________ aldeas ______________ en que nos alojábamos ____________ , la gente improvisaba fiestas en nuestro honor.
3. Di la noticia a *los* ____________ que todavía no la saben ____________ .
4. *Los* ____________ que han estado ____________ en Granada, aunque fuera un día, no pueden ____________ menos que guardar para siempre la impresión de belleza de La Alhambra.
5. *Todos los* ____________ caminos ____________ que se divisan ____________ desde aquí, conducen ____________ a la ciudad.
6. *Todos los* ____________ que saben ____________ tocar un poco la guitarra te pueden ____________ enseñar bastante.
7. *Todos los* ____________ que estaban ____________ presentes podían ____________ intervenir en la discusión.
8. Se desplazaban en *los* ____________ vehículos ____________ de que disponían ____________ .
9. Háblame de *las* ______________ películas ______________ que te han gustado ______________ .
10. *Todos los* ____________ que se mojen ____________ así, de esta manera, caerán ____________ enfermos ____________ sin duda alguna.

XI. Ejercicios del léxico:

A. Complete el texto utilizando las palabras y locuciones que se dan a continuación:

a (mi, tu, su…) cargo (de) ***depositar*** ***desempeñar*** ***desplazar(se)*** ***singular***
en comparación ***equivaler*** ***intervenir*** ***otorgar*** ***suspender***

Micaela Sánchez es una geóloga de renombre internacional. Tiene __________ , junto con otros colegas, la tarea de detectar los movimientos sísmicos en una extensa zona. Ella es consciente del importante papel que ____________ en un asunto tan vital como la seguridad de millones de personas y sabe que cualquier negligencia o error suyo ____________ a una catástrofe en la que morirían decenas de miles de personas. De modo que se dedica por entero a su trabajo sin tener apenas tiempo para descansar. Así, ____________ meritoriamente en muchas operaciones de diagnóstico, de evacuación y de rescate.

____________ muchos de sus compañeros, ella es la trabajadora que menos ha disfrutado de vacaciones. No obstante, incluso en esos pocos días de ocio, tiene el ____________ hábito de llevarse consigo algunos aparatos portátiles para ir observando fenómenos geológicos fuera de lo normal.

En una de esas ocasiones, apenas ______________ las maletas en el hotel cuando recibió una llamada de mucha urgencia: según algunos pescadores, en una isla cercana se estaban produciendo cosas raras. Micaela acudió allá y descubrió que, efectivamente, la isla __________ unos metros mar adentro de su posición original. Tuvo que ___________ sus vacaciones y reunirse con su equipo para entregarse a intensas labores en prevención de una catástrofe.

En vista de su dedicación y competencia, el Estado le ______________ el título de *Heroína Nacional*.

B. Traduzca al español las siguientes oraciones:

1. 我警告你别掺和这件事，除非你想惹麻烦。
2. 新到的那人走到大厅一角，放下皮箱。
3. 由于下雨，我们只好暂停工作。
4. 他抬头往上一看，一把长剑悬在头顶。
5. 他因为尽职尽责而受到嘉奖。
6. 怎么？你西班牙语又不及格？
7. 有多少学生代表在大会上发言？
8. 这笔钱我打算存进银行。
9. 我曾经寄希望于你，看来我错了。
10. 五四运动中，青年学生起了很大作用。
11. 在这出戏中，他们给我安排了一个很难的角色。我不知道该怎么演。
12. 祝贺你！你在讨论会上的发言棒极了。

09–05

C. Al escuchar la perífrasis, diga el vocablo o expresión correspondientes:

1. Que es bueno o conveniente para una cosa: ____________

2. Que parece pero en realidad no es: ______________
3. Lucha por conseguir el mismo objetivo: ______________
4. Desgracia grande: ______________
5. Muy reñido y violento: ______________
6. Perezoso, sin ganas de moverse o de trabajar: ______________
7. Pensar, considerar algo en forma detenida: ______________
8. Especialista que comenta o escribe sobre la música: ______________
9. Que no se inclina por ninguna de las partes enfrentadas: ______________
10. Asomar, hacia, entre otras cosas, la parte superior de un todo. Ser más importante que otros, distinguirse por alguna cualidad: ______________

XII. Conjugue los infinitivos que están entre paréntesis en el tiempo y la persona correspondientes o en las formas no personales del verbo, según convenga:

__________ (Pasearse) dos caballeros estudiantes por las riberas del río Tormes, __________ (hallar) debajo de un árbol __________ (dormir) a un muchacho de unos once años, _____________ (vestirse) como labrador. __________ (Mandar, ellos) a un criado que le _____________ (despertar): __________ (despertar, el muchacho), y le _____________ (preguntar) de dónde ___________ (ser) y qué ____________ (hacer) _____________ (dormir) en aquella soledad. A lo cual el muchacho __________ (responder) que el nombre de su tierra __________ (olvidársele), y que __________ (ir) a la ciudad de Salamanca a __________ (buscar) un amo a quien __________ (servir), por solo que le __________ (ayudar) para __________ (estudiar). Le __________ (preguntar) si __________ (saber) __________ (leer), __________ (responder) que sí, y __________ (escribir) también.

–De esa manera – __________ (decir) uno de los caballeros–, no __________ (ser) por falta de memoria __________ (olvidar) el nombre de tu patria.

–Sea por lo que fuese– __________ (responder) el muchacho –, que ni el de ella, ni el de mis padres __________ (saber) ninguno hasta que yo __________ (poder) __________ (honrarlos) a ellos y a ella.

–Pues ¿y cómo los __________ (pensar) __________ (honrar)? – __________ (preguntar) el otro caballero.

–Con mis estudios – __________ (responder) el muchacho–; __________ (ser) famoso por ellos: porque yo __________ (oír) __________ (decir) que de los hombres __________ (hacerse) los obispos.

09–06

XIII.Dictado.

09–07

XIV. Escuche la grabación y luego haga una versión oral resumida.

XV. Trabajos de casa:

1. Trate de leer el texto con fluidez.
2. Temas de conversación:
    1) Grecia moderna: su situación geográfica, territorio, población, capital, economía, etc.
    2) Grecia antigua: el origen de su cultura, las ciudades-estado más famosas, vestigios de monumentos que todavía permanecen en pie, su influencia en la civilización humana.
    3) Anécdotas relacionadas con las Olimpíadas modernas.
3. Traduzca al español las siguientes oraciones:
    1) 我觉得你参与这场争论是不合适的。
    2) 你知道这个短语吗？表象欺人。
    3) 跟他又黑又瘦的表弟 Samuel 正好相反，Gustavo 是个白胖子。
    4) 你瞎掺和对大伙是一场灾难。
    5) 现在咱们来看看方案的一些细节。
    6) 在那么困难的情况下你居然袖手旁观，真叫我吃惊。
    7) 你要是认为自己可以长生不老，那可就大错特错了。
    8) 听了我的问题，女老师沉思了一会儿，然后从书架上抽出一本书，翻到一页，指给我看我想记住的那条警句。
    9) 你们看见那座耸立于建筑群中的高塔了吗？你们要参观的博物馆就在那儿。
    10) 我们不得不暂时中断工作，因为系主任紧急召集我们开会。

UNIDAD 10 第十课

1 FUNCIÓN COMUNICATIVA

2 EJEMPLOS CON ALGUNOS VOCABLOS USUALES

a lo largo de, comprender, concebir, demostrar, obedecer, ordenar, penetrar, puro / ra, reemplazar, respetar

3 RESPECTO AL LENGUAJE

- Adverbio relativo *donde*, con y sin antecedente, en oración especificativa y explicativa
- Adverbio relativo *como*
- Función anafórica de los pronombres demostrativos en retórica

4 CONOCIMIENTO SOCIOCULTURAL

- 拉丁美洲人物：切·格瓦拉

10–01

Leyenda sobre la fundación de Roma

(Adaptación de La República Romana, Néstor Míguez (traductor), Isaac Asimov, Alianza Editorial S.A., Madrid, 1981)

Extendida hacia el Sur desde el Continente Europeo hay una península que penetra en el mar Mediterráneo. Mide unos 800 kilómetros de largo y su forma se asemeja mucho a una bota, pues tiene una punta bien formada y un tacón elevado. Se la conoce con el nombre de Italia.

En esta península surgió un Estado que llegó a ser el más grande, el más poderoso y el más respetado de la antigüedad. Fue, en sus comienzos, una pequeña ciudad, pero a lo largo de los siglos llegó a dominar todo el territorio comprendido entre el océano Atlántico y el mar Caspio, y desde la isla de Inglaterra hasta el Nilo superior.

Visto desde hoy, su sistema de gobierno tenía muchos defectos, pero era mejor que cualquier otro anterior a él. Con el tiempo, llevó la paz y la prosperidad durante siglos a un mundo que había sido sacudido por guerras continuas. Y cuando finalmente se derrumbó, los tiempos que siguieron fueron tan duros y miserables que durante mil años los hombres lo juzgaron retrospectivamente como una época de grandeza y felicidad.

En un aspecto, fue, ciertamente, único. Fue la época de la Historia en que todo el Occidente civilizado se halló bajo un solo gobierno centralizado. Por ello, sus leyes y tradiciones han influido en todos los países del Occidente actual.

Los detalles concretos de la fundación de Roma y de su historia primitiva están envueltos en una oscuridad que probablemente nunca será disipada. Pero en años posteriores, cuando Roma llegó a ser la mayor ciudad del mundo, los historiadores romanos tejieron fantasiosos cuentos sobre la fundación de la ciudad y los sucesos que siguieron. Son, en realidad, mitos cuyos detalles carecen de toda veracidad histórica pero que tienen la importancia de ser vestigios del modo de pensar de la gente de aquellos tiempos, concebidos como historias fabulosas que han atravesado los siglos y aún se las recuerda.

Cuando los romanos dieron forma final a sus mitos, la civilización griega hacía tiempo que había pasado por su apogeo. A pesar de ello, aún era muy admirada por sus portentosas realizaciones. El mayor suceso de la historia primitiva de Grecia había sido la Guerra de Troya, y los creadores romanos de leyendas se esforzaron por hacer remontar a esa guerra los comienzos de su historia. Particularmente, fue el poeta latino, Virgilio, quien contaría en su poema *La Eneida*, los comienzos del famoso Imperio Romano.

En la Guerra de Troya, un ejército griego atravesó el mar Egeo para llegar a la costa noroccidental de Asia Menor, donde se hallaba la ciudad de Troya. Después de un largo asedio, los griegos la tomaron y la incendiaron. De la ciudad en llamas escapó uno de los más valientes héroes troyanos: Eneas. Con algunos otros sobrevivientes, zarpó en veinte barcos en busca de un lugar donde construir una nueva ciudad que reemplazara a la que habían destruido los griegos. Fue así como desembarcó en la costa septentrional de África, donde se acababa de fundar la ciudad de Cartago, bajo la conducción de la reina Dido. Esta se enamoró del bello Eneas, y, por un momento, el troyano pensó en quedarse en África, casarse con Dido y convertirse en rey de Cartago. Sin embargo, los dioses sabían que este no era su destino. Enviaron un mensajero para ordenarle que partiese, y Eneas, obediente, se marchó apresuradamente sin decir nada a Dido. La pobre reina, al verse abandonada, cayó en la desesperación y se suicidó.

Este fue el momento romántico culminante de la leyenda de Eneas, y a los romanos debe de haberles complacido el modo cómo se relacionaba esto con las historias primitivas de Roma y de Cartago. Siglos después de la época de Dido, Roma y Cartago libraron gigantescas guerras, en las que Cartago finalmente perdió, por lo que parecía apropiado que la primera gobernante cartaginesa muriera de amor por un antepasado del pueblo romano. Cartago perdió en el amor y en la guerra.

Eneas llegó a la costa sudoccidental de Italia, la región de Lacio, gobernada por un rey llamado Latino que, supuestamente, dio su nombre a la región, al pueblo y a su lengua. Eneas se casó con la hija de Latino y después de una breve guerra con ciudades vecinas se impuso como gobernante. Sus descendientes llegaron a ser reyes. Como ocurre siempre, se produjeron incesantes conflictos internos en la familia real. Uno de los reyes fue arrojado del trono por su hermano menor. La hija del verdadero rey dio a luz a dos hermanos gemelos, a quienes el usurpador ordenó matar para que no le disputasen el gobierno de la ciudad cuando creciesen. Por ello, a los niños los colocaron en una cesta, que fue lanzada al río Tíber. El usurpador supuso que morirían sin que él tuviese que matarlos en persona.

Pero la cesta encalló en la costa, a unos 20 kilómetros de la desembocadura del río, al pie del monte que más tarde sería llamado Palatino. Allí los encontró una loba, que se hizo cargo de ellos, amamantándolos. Los hechos referidos son poco creíbles, pero para los romanos de entonces y de después tenían un enorme valor simbólico, pues la leyenda demostraba que ellos descendían de unos antepasados que habían absorbido, cuando niños, el coraje y la bravura de los lobos. Algún tiempo más tarde, un pastor halló a los gemelos, se los quitó a la loba, se los llevó a su hogar y los crió como hijos suyos, y le puso a uno, el nombre de Rómulo y, al otro, de Remo.

Ya crecidos, los gemelos condujeron una revuelta que expulsó al usurpador del trono y restableció en el poder a su abuelo, el rey legítimo. Pero en cuanto al lugar donde construir una nueva ciudad propia, los dos hermanos tuvieron una violenta disputa. Decidieron consultar a los dioses. Por la noche, cada uno se plantó en la colina que había elegido y esperó los presagios que traería el alba. Tan pronto como el amanecer iluminó el cielo, Remo vio pasar volando seis águilas (o buitres). Pero a la puesta del sol, Rómulo vio doce. Remo sostuvo que había ganado porque sus aves habían aparecido primero; pero Rómulo señaló que sus aves eran más numerosas. En la lucha que sobrevino, Rómulo mató a Remo y comenzó a construir, en el Palatino, las murallas de su nueva ciudad, sobre la cual iba a gobernar. La llamó Roma en su propio honor, ya que *Rómulo* significa "pequeña Roma". La fecha de la fundación de Roma, según la tradición, es el año 753 a.C.

10–02

VOCABULARIO

fundación	*f.*	建立
Mediterráneo	*adj.-s.*	地中海的；地中海
asemejarse	*prnl.*	像……
bota	*f.*	靴子
tacón	*m.*	鞋跟
respetar	*tr.*	尊重
mar Caspio		里海
Inglaterra		英国
sacudir	*tr.*	摇撼；震撼
derrumbar	*tr.*	使坍塌
miserable	*adj.*	贫困的，悲惨的
juzgar	*tr.*	判断，评价
retrospectivamente	*adv.*	回顾式地
felicidad	*f.*	幸福
ciertamente	*adv.*	确实，的确
civilizado, da	*adj.*	文明的
centralizar	*tr.*	集中，聚拢
influir	*intr.*	影响
concreto, ta	*adj.*	具体的
posterior	*adj.*	后来的
historiador, ra	*m.,f.*	历史学家
fantasioso, sa	*adj.*	奇妙的
mito	*m.*	神话
veracidad	*f.*	真实，真话
concebir	*tr.*	孕育；产生（想法）；设想
portentoso, sa	*adj.*	令人钦佩的
realización	*f.*	实现；成就
Virgilio		维吉尔
La Eneida		埃涅阿斯纪
noroccidental	*adj.*	西北方的
Asia Menor		小亚细亚
escapar	*intr.*	逃跑
Eneas		埃涅阿斯
refugiado, da	*m.,f.*	难民
zarpar	*intr.*	起锚
septentrional	*adj.*	北面的
Cartago		迦太基
conducción	*f.*	引导
Dido		狄多
apresuradamente	*adv.*	匆忙地
desesperación	*f.*	绝望
suicidarse	*prnl.*	自杀
romántico, ca	*adj.*	浪漫的
culminante	*adj.*	顶端的
complacer	*tr.*	使满意

relacionar	*tr.*	使联系
apropiado, da	*adj.*	适当，恰当
cartaginés	*adj.-s.*	迦太基的；迦太基人
amor	*m.*	爱情
sudoccidental	*adj.*	西南方的
Lacio		拉齐奥
supuestamente	*adv.*	据说
Latino		拉丁
descendiente	*amb.*	后代
incesante	*adj.*	不断的
conflicto	*m.*	冲突
interno, na	*adj.*	内部的
trono	*m.*	宝座，王位
dar a luz		生下，产下
gemelos	*adj.-s.*	孪生的；孪生子
usurpador, ra	*m.,f.*	篡位者
disputar	*tr.*	争夺
río Tíber		台伯河
en persona	*loc.adv.*	亲自
encallar	*intr.*	搁浅
desembocadura	*f.*	河口
Monte Palatino		帕拉蒂诺山
hacerse cargo de		负责，承担
amamantar	*tr.*	哺乳
simbólico, ca	*adj.*	象征的
demostrar	*tr.*	表明
absorber	*tr.*	吸吮
coraje	*m.*	勇气
bravura	*f.*	悍勇
pastor, ra	*m.,f.*	牧人
Rómulo		洛摩罗斯
Remo		瑞摩斯
revuelta	*f.*	动乱
expulsar	*tr.*	驱逐
restablecer	*tr.*	重建
legítimo, ma	*adj.*	合法的
violento, ta	*adj.*	暴力的
disputa	*f.*	争吵，争夺
plantarse	*prnl.*	站立
colina	*f.*	山丘
presagio	*m.*	预言，征兆
alba	*f.*	早霞，清晨
buitre	*m.*	秃鹫
puesta del sol		日落
sostener	*tr.*	坚持认为
sobrevenir	*intr.*	突然发生

PALABRAS ADICIONALES

amoroso, sa	*adj.*	充满爱意的
conducir	*tr.*	引向；通向；驾驶
conducta	*f.*	行为，举动
conducto	*m.*	管道，渠道；途径
conductor, ra	*m.,f.*	司机；引导者
respetable	*adj.*	值得尊重的
respetuoso, sa	*adj.*	恭敬有礼的

VERBOS IRREGULARES

complacer: Se conjuga como ***placer***.
concebir: Se conjuga como ***servir***.
conducir: Se conjuga como ***traducir***.
demostrar: Se conjuga como ***mostrar***.
influir: Se conjuga como ***construir***.
restablecer: Se conjuga como ***establecer***.
sobrevenir: Se conjuga como ***venir***.
sostener: Se conjuga como ***tener***.

VERBOS CON CAMBIOS ORTOGRÁFICOS EN ALGUNAS CONJUGACIONES

bautizar: Se conjuga como ***realizar***.
centralizar: Se conjuga como ***realizar***.
juzgar: Se conjuga como ***llegar***.

EJEMPLOS CON ALGUNOS VOCABLOS USUALES

I. a lo largo de *loc.adv.* 沿着

1. Las aguas destruyeron los diques (堤防) construidos a lo largo del río.
2. Caminando a lo largo de esta orilla, se llega a la desembocadura del río.
3. Una interminable columna de refugiados que huían de la guerra se habían afincado (落脚) a lo largo de la frontera sur de nuestro país.
4. Es una vergüenza constatar que, a lo largo de toda la historia, nadie, ni persona ni régimen, haya podido desterrar el terrible mal de la injusticia social.
5. ¿Saben ustedes lo que está ocurriendo en este momento a lo largo y ancho (四面八方) del país?

II. comprender

A. *tr.* 懂，理解

1. No comprendemos por qué hace falta centralizarse tanto el poder.
2. Comprendo tu enfado: a nadie le gusta que le quiten la razón teniéndola de sobra.
3. Si supieras francés, habrías comprendido lo malicioso de sus palabras.
4. Nadie comprendía cómo un conflicto tan insignificante pudo haber influido tan negativamente en las relaciones de esos dos países.

5. Comprendemos tu desesperación, pero permítenos ser francos: dudamos de la veracidad de la historia que nos has contado.

B. *tr.* 包括，包含

1. El territorio de ese pequeño país comprende una parte continental y un archipiélago de numerosas islas.
2. El arqueólogo dijo que la zona por explorar comprendía toda la parte septentrional de este distrito y una estrecha franja meridional de otro limítrofe.
3. Todos los aspectos están comprendidos en el proyecto que nos proponemos realizar este año.
4. En el mapa no se advierte, pero toda la extensión comprendida entre la cordillera y el océano es una llanura árida.

III. concebir

A. *tr.* 形成概念，想出，设想

1. ¿No puedes concebir mejor idea que perder el tiempo y la paciencia disputando con tu mejor amigo por una cosa tan insignificante?
2. Creímos que eso del robo al banco por una banda de cinco enanos era una historia fantasiosa concebida para entretener a quien quisiera oírla, pero resultó siendo la más pura verdad.
3. No puedo concebir que esa persona tan irresponsable y negligente se haya hecho cargo de ese delicado asunto.

B. concepto *m.* 概念

1. El concepto de belleza que hay en Occidente no es el mismo que hay en Oriente.
2. Fue una desastrosa conducción del programa porque el nuevo presentador de la T.V. no tenía ni el menor concepto de cómo hacerlo.
3. Profesora, ¿puede usted definirme el concepto de *veracidad*?

IV. demostrar *tr.* 证明，表明

1. Las discusiones que sobrevinieron después de aquel suceso demostraron lo que yo ya sospechaba.
2. No me parece nada apropiada tu obstinación en demostrar tu teoría.
3. Los hallazgos arqueológicos recientes han demostrado que la hipótesis formulada por el famoso paleontólogo sobre las mariposas fosilizadas era acertada.

V. obedecer

A. *tr.* 听话，服从

1. No tienes ningún derecho de intervenir en nuestros asuntos, menos aún de exigir que te obedezcamos.
2. Los marineros se rebelaron contra su capitán que les obligaba a obedecer órdenes absurdas.

3. Todo buen ciudadano tiene la obligación de obedecer el mandato de la ley.
4. Jaime no supo desempeñar adecuadamente su función, y esa es la razón por la que no pudo lograr que nadie lo obedeciera.

B. obediente *adj.* 听话，顺从

1. "Los niños obedientes se van al cielo", le dijo la mujer a su pequeño. "¿Y los mayores?," dijo el chico. "También," dijo ella. "Entonces mi papá no va a ir al cielo porque nunca te obedece."
2. Ser obediente no siempre es una virtud, pues cuando se exagera, puede resultar siendo servilismo .
3. No veo con buenos ojos a las personas que no saben juzgar porque no razonan y son muy obedientes.
4. Normalmente, eres respondón y rebelde, pero, ¿qué ha pasado para que te hayas vuelto el más obediente de todos?

C. obediencia *f.* 驯服，服从

1. Resultaba incómodo ver cómo la gente de ese pueblo tenía una obediencia ciega a las autoridades.
2. ¿Te impresiona su obediencia? Es totalmente fingida. En realidad te odia.
3. La obediencia no es siempre muestra de respeto. Tenlo en cuenta.
4. El muy estúpido se complacía en la obediencia de la gente que lo rodeaba, y no se daba cuenta de que todos querían sacar de él algún provecho.

VI. ordenar

A. *tr.* 整理

1. Mira cómo tienes tus libros: están tirados por todo el cuarto. ¡Ordénalos!
2. Perdón, estos días no puedo asistir a ninguna fiesta. Nos hemos mudado y tengo que ordenar la nueva casa.
3. Mientras ordenaba sus estantes, tenía el oído puesto en nuestra conversación, tanto, que intervenía en ella de rato en rato.
4. Déjeme ordenar mis ideas. A ver si consigo expresarme mejor.

B. *tr.* 命令

1. –Arrójense al suelo y dejen de disparar–, ordenó el jefe a los soldados.
2. El usurpador ordenó matar a los hijos gemelos del rey legítimo.
3. El capitán le ordenó al soldado que condujese el camión grande.
4. Han ordenado que luego de levantarnos, sacudamos las sábanas, ¿sabes por qué?

VII. penetrar *intr.* 进入，渗入，插入

1. Al penetrar el agua en el suelo, formaba una mancha cada vez más grande.
2. ¡Qué frío! ¡Penetra hasta los huesos (骨头)!

3. Penetramos apresuradamente en una casucha abandonada para protegernos de la inesperada lluvia torrencial.
4. Los invasores penetraron en la aldea sigilosamente a medianoche y la incendiaron.
5. ¿Cómo se llaman cada una de las tres penínsulas que penetran en el Mediterráneo?

VIII. puro, ra

A. *adj.* 纯粹，纯净，纯洁

1. El agua del grifo no es muy pura. Es mejor no tomarla sin hervirla previamente.
2. No te engañes: con la puesta del sol, el aire puede volverse más fresco, pero no necesariamente más puro.
3. ¿Saben lo que han descubierto los exploradores? ¡Un montón de oro puro!
4. ¡Qué azul más puro el de este cielo!
5. No es posible concebir una lengua pura, pues todas han recibido, a lo largo de su evolución, la influencia de muchas otras.
6. Cuando era joven, me encantaba tomar café puro: ahora lo tengo que mezclar con un poco de agua o de leche.

B. *adj.* 纯粹，纯属

1. No miento. Lo que acabo de contaros acerca de la revuelta que se ha producido en aquella zona es la pura verdad.
2. Los hechos posteriores demostraron que las protestas contra la gratuidad de la enseñanza era pura pantomima de los interesados en la enseñanza privada.
3. Me preocupa la conducta de mi amigo: suele hablar solo y da la impresión de vivir en la más pura fantasía.
4. Las promesas de volver a pintar los edificios de la universidad son puras palabras. Estoy seguro de que el rector, tarde o temprano, acabará por olvidarlas.

IX. reemplazar *tr.* 替换，取代

1. Dicen que el actual gerente se va a jubilar pronto. ¿Sabes tú quién lo va a reemplazar?
2. Como Valentina no podía seguir en el cargo de decana a causa de su enfermedad, hubo que buscar a alguien que la reemplazara.
3. ¿Cómo se te ha ocurrido reemplazar tu computadora tan buena por otra nueva pero con problemas de funcionamiento?
4. Pienso reemplazar mi equipo de sonido por otro más moderno. ¿Qué te parece?

X. respetar

A. *tr.* 尊敬，尊重

1. Todos los amigos de Nicolás lo respetan por su franqueza y rectitud.
2. ¿Sabes por qué respeto tanto a Isidora? Porque nunca baja la cabeza ante nadie.
3. ¿Cómo pretendes que la gente te respete si ni siquiera te respetas a ti mismo?

4. Roma trajo paz y prosperidad a un mundo sacudido por guerras continuas. Con este prestigio, pronto llegó a ser, en la antigüedad, un imperio muy respetado.
5. ¡Cuidado con lo que dices! Ten en cuenta que tienes que respetar a las damas presentes.

B. *tr.* 顾及，遵守
1. A pesar de no estar de acuerdo con mi criterio, me dijo que lo respetaba.
2. Los invasores incendiaron casi todos los edificios del pueblo, sin respetar ni siquiera los monumentos históricos.
3. A nadie se le permite el deplorable privilegio de no respetar las leyes.

RESPECTO AL LENGUAJE

I. Adverbio relativo *donde*, con y sin antecedente, en oración especificativa y explicativa

1 关系副词 donde 可带先行词，也可不带先行词。

例 ① El perro se metió en una pequeña ***cueva donde*** el puma no podía entrar.
② No te metas ***donde*** no te llaman.

2 关系副词 donde 带先行词时，它所引导的从句是定语从句，因此有限定性和解释性的区别。

例 ③ Es en este terreno elevado ***donde*** se desarrollaron grandes culturas indígenas en la antigüedad.
④ Al atravesar estas montañas teníamos que bajarnos de los mulos y llevarlos por las laderas junto a horrorosos precipicios, ***donde*** se escondían los bandidos.

例句 ③ 中的 donde 引导的从句用来限定先行词 terreno elevado 的外延，指代发展了古代重要土著文化的那块高地，是限定性的。例句 ④ 则不同，donde 引导的从句用来说明 horrorosos precipicios 的内涵，指出它不过是所有这类悬崖峭壁中的任何一个，没有特指作用，是解释性的。

口语中，解释性定语从句之前要有停顿，书写上用逗号隔开。限定性从句则无此种停顿。下面再举出一些例子，请细心揣摩两类从句之间的差别：

限定性：

⑤ Un pastor me condujo al pueblo ***donde*** mi amigo tenía su hacienda.
⑥ Eneas trató de evitar lugares ***donde*** ya hubiera gobernante.
⑦ ¿Ves aquella colina ***donde*** se alza una torre?

⑧ Los refugiados soñaban con llegar a un país ***donde*** les dieran buena acogida.

解释性：

⑨ Finalmente, Eneas llegó a la parte sudoccidental de Italia, ***donde*** gobernaba un rey llamado Latino.

⑩ Los dos amigos caminaron hasta la esquina, ***donde*** se separaron para ir cada uno a su casa.

⑪ Eneas desembarcó en la costa septentrional de África, ***donde*** se hallaba Cartago, la ciudad fundada por Dido.

3 关系副词 donde 可根据主句或从句动词的要求带相应的介词。

⑫ Este era el foso ***hacia donde*** conducían la nave los mandos automáticos.

⑬ Se acercó al estante ***de donde*** luego sacó el libro que yo había pedido.

⑭ De lejos divisamos la plaza, ***adonde*** llegaba en ese momento una gran multitud.

⑮ Iré ***adonde*** me mandes.

4 如果限定性从句的主语与主句主语一致，从句中可用原形动词。

⑯ Con algunos otros refugiados, Eneas zarpó en veinte barcos en busca de un lugar ***donde construir*** una nueva ciudad.

⑰ El viajero entró en la casucha y miró alrededor sin saber ***dónde*** depositar su maleta.

⑱ Como no tenía ***dónde*** sentarme, permanecí de pie durante toda la función.

II. Adverbio relativo *como*

关系副词 como 用来引导方式状语从句，可以不带先行词。

① Ignoraba ***cómo*** tenía que saludarlo.

② Hacedlo ***como*** se os ha mandado.

③ Los pícaros llevan al cortesano ante un telar y hacen ***como*** que trabajan.

como 带先行词时，与关系代词十分相近。不过它的先行词可以是名词，常见的有 modo, manera, forma, arte 等，也可以是副词，最常见的是 así 及其他副词、副词词组。

④ A los romanos debe de haberles complacido ***el modo cómo*** se relacionaban las historias primitivas de Roma y Cartago.

⑤ Fue ***así cómo*** Eneas desembarcó en la costa septentrional de África.

⑥ Se comportó ***correctamente***, ***como*** correspondía a un joven bien educado.

⑦ Contestó con ***firmeza***, ***como*** me lo imaginaba.

III. Función anafórica de los pronombres demostrativos en retórica

指示代词 este, ese, aquel 等经常用来复指语段中已经出现过的名词，以避免重复，彰显行文洗练流畅。比如课文中的句子："Fue así como desembarcó en la costa septentrional de

África, donde se acababa de fundar la ciudad de Cartago, bajo la conducción de la reina Dido. *Esta* se enamoró del bello Eneas.”

如果需要复指两个以上的名词，则可利用 este, ese, aquel 等指称不同空间距离（近、较远、更远）的特征来分别取代沿语段前推依次出现的名词，就是说，最后出现的名词用 este 系列取代，在这之前的用 ese 系列，最远的用 aquel 系列。

① Son tres las penínsulas que penetran en el Mediterráneo: la Ibérica, la Itálica y la Balcánica. ***Esta*** es la más oriental en cuya parte meridional está Grecia, ***esa*** se halla en medio ocupada por Italia y ***aquella*** es la más occidental y abarca los territorios de España, Portugal y Andorra.

② Remo y Rómulo eran hermanos gemelos, pero ***este*** mató a ***aquel*** para ocupar el trono.

社会文化常识 CONOCIMIENTO SOCIOCULTURAL

拉丁美洲人物：切·格瓦拉

切·格瓦拉因其传奇的经历和在拉丁美洲政治上的重要地位而多次被搬上银幕。沃尔特·塞勒斯（Walter Salles）的电影《摩托日记》（*Diario de motocicleta*）便是其中一个。电影记录了切·格瓦拉驾驶摩托车从阿根廷出发，北上穿越南美大陆的旅行。途中，青年格瓦拉目睹了秘鲁、智利、委内瑞拉等国贫富悬殊的社会现实，看到了包括麻风病人在内的贫苦大众因缺医少药，饱受病痛之苦的悲惨场景，因此萌生了建立公平、自由的拉丁美洲的理想。

切·格瓦拉，原名埃尔内斯托·格瓦拉，1928 年生于阿根廷罗萨里奥省一个富裕的农场主家中。青年时期，他曾经学医，希望依靠自己的医术为穷人解除病痛。后投身政治，立志通过武装斗争改变拉丁美洲国家贫富悬殊的现实。他参加了菲德尔·卡斯特罗领导的古巴革命，并在革命成功后在古巴政府中任中央银行行长和部长等职务。

20 世纪 60 年代，格瓦拉离开古巴，先后到中南美洲的尼加拉瓜、委内瑞拉、哥伦比亚、秘鲁、玻利维亚、阿根廷和非洲的刚果（金）组建游击队，发动武装斗争。1967 年，格瓦拉在玻利维亚被捕，并被秘密处死。

和玻利瓦尔相同，格瓦拉的理想是建立统一的拉丁美洲国。他曾经在游历拉美大陆后，在自己 24 岁生日的日记中写道：

Creemos, y después de este viaje más firmemente que antes, que la división de América en nacionalidades inciertas e ilusorias es completamente ficticia. Constituimos una sola raza mestiza, que desde México hasta el estrecho de Magallanes presenta notables similitudes etnográficas. Por eso, tratando de quitarme toda carga de provincialismo exiguo, brindo por Perú y por América Unida.

EJERCICIOS

10–03

I. Siguiendo la grabación, lea los siguientes poemas:

MI ALMA GEMELA

Los años pasan y yo sigo en tu busca,
error tras error, complican tu encuentro,
los años pasan y yo sigo solo,
aunque sé que al fin llegará el día de nuestro reencuentro.

George Pellicer

LA PALOMA

Se equivocó la paloma,
se equivocaba.
Por ir al norte fue al sur,
creyó que el trigo era el agua.
Creyó que el mar era el cielo
que la noche la mañana.
Que las estrellas rocío,
que la calor la nevada.
Que tu falda era tu blusa,
que tu corazón su casa.
(Ella se durmió en la orilla,
tú en la cumbre de una rama.)

Rafael Alberti

II. Conjugue los siguientes verbos en todas las personas de los modos y tiempos indicados:

1. **En presente del indicativo y en el modo imperativo:**
   absorber, amamantarlo, amar, basarse, *bautizarlas*, *centralizarla*, *complacer*, *concebir*, *conducir*, *demostrárnoslo*, depositarlos ahí, derrumbar, disputarlas, *equivaler*, escapar, expulsarlos, *intervenir*, *hacerse cargo de eso*, *influir*, *intervenir*, *juzgar*, plantarse, *realizar*, relacionar, respetar, sacudir, *sobrevenir*, *sostener*, zarpar;
2. **En futuro perfecto del indicativo y en condicional compuesto:**
   absorber, amar, asemejar, bautizarlos, centralizarlas, complacerse, *componer*, concebir,

conducir, *cubrir*, *decir*, demostrármelo, derrumbar, *descubrir*, disputar, encallar, escapar, expulsar, *hacer*, influir, intervenir, juzgar, *poner*, respetar, restablecerse, sacudir, sobrevenir, sostener, suicidarse, zarpar;

3. En pretérito imperfecto del indicativo:

absorber, amar, asemejar, bautizar, centralizar, complacerse, concebir, conducir, dar, demostrar, derrumbarse, disputar, empeñarse, encallar, equivaler, escapar, expulsar, intervenir, influir, *ir*, juzgar, relacionar, respetar, restablecerse, sacudir, *ser*, situar, sobrevenir, sostener, suicidarse, unir;

4. En pretérito indefinido del indicativo y en pretérito imperfecto del subjuntivo:

absorber, amar, asemejar, *bautizar*, *centralizar*, complacer, *concebir*, *conducir*, *dar*, demostrar, derrumbar, *disponer*, disputar, encallar, escapar, expulsar, *hacer*, *influir*, *intervenir*, *juzgar*, plantarse, relacionar, respetar, restablecer, sacudir, *sobrevenir*, *sostener*, suicidarse, zarpar.

（斜体部分需笔头重复）

10–04

III. Escuche las preguntas sobre el texto y contéstelas oralmente en español.

IV. Diga a qué se refiere la parte en cursiva, y en caso de que sea verbo, cuál es su sujeto. Todas las oraciones son del texto:

1. ***Extendida*** hacia el Sur desde el Continente Europeo, hay una península que penetra en el mar Mediterráneo. ***Mide*** unos 800 kilómetros de largo y ***su*** forma se asemeja mucho a una bota, pues tiene una punta bien formada y un tacón elevado. ***Se la conoce*** con el nombre de Italia.

   Extendida:

   Mide:

   su:

   Se conoce:

   la:

2. En esta península surgió un Estado que llegó a ser ***el más grande***, ***el más poderoso y el más respetado*** de la antigüedad.

   el más grande, ***el más poderoso y el más respetado***:

3. ***Fue***, en sus comienzos, una pequeña ciudad, pero a lo largo de los siglos ***llegó*** a dominar todo el territorio comprendido entre el océano Atlántico y el mar Caspio, y desde la isla de Inglaterra hasta el Nilo superior.

   Fue:

   llegó:

4. ***Visto*** desde hoy, su sistema de gobierno tenía muchos defectos, pero era mejor que ***cualquier otro*** anterior a ***él***.
   Visto:
   cualquier otro:
   él:
5. Con el tiempo, llevó la paz y la prosperidad durante siglos a ***un mundo*** que había sido sacudido por guerras continuas.
   un mundo:
6. Cuando finalmente ***se derrumbó***, los tiempos que siguieron fueron tan duros y miserables que durante mil años los hombres ***lo*** juzgaron retrospectivamente como una época de grandeza y felicidad.
   se derrumbó:
   lo:
7. En un aspecto ***fue***, ciertamente, ***único.***
   fue:
   único:
8. Fue la época de la Historia en que todo el Occidente civilizado se halló bajo ***un solo gobierno centralizado***.
   un solo gobierno centralizado:
9. Por ***ello***, sus leyes y tradiciones han influido en todos los países del Occidente actual.
   ello:
10. Los detalles concretos de la fundación de Roma y de su historia primitiva ***están envueltos*** en una oscuridad que probablemente nunca ***será disipada***.
    están envueltos:
    será disipada:
11. Roma llegó a ser la mayor ciudad d***el mundo***, los historiadores romanos tejieron fantasiosos cuentos sobre la fundación de ***la ciudad*** y los sucesos que siguieron.
    el mundo:
    la ciudad:
12. ***Son***, en realidad, mitos ***cuyos*** detalles carecen de toda veracidad histórica pero que ***tienen*** la importancia de ser vestigios del modo de pensar de la gente de aquellos tiempos, ***concebidos*** como historias fabulosas que han atravesado los siglos y aún ***se las recuerda***.
    Son:
    cuyos:
    tienen:
    concebidos:

se recuerda:

las:

13. Cuando los romanos dieron forma final a ***sus mitos***, la civilización griega hacía tiempo que había pasado por ***su*** apogeo.

sus mitos:

su:

14. A pesar de ***ello***, aún ***era muy admirada*** por ***sus*** portentosas realizaciones.

ello:

era muy admirada:

sus:

15. El mayor suceso de la historia primitiva de Grecia había sido la Guerra de Troya, y los creadores romanos de leyendas se esforzaron por hacer remontar a ***esa guerra*** los comienzos de ***su*** historia.

esa guerra:

su:

16. Después de un largo asedio, los griegos tomaron ***la ciudad*** y ***la*** incendiaron.

la ciudad:

la:

17. Con algunos otros sobrevivientes ***zarpó*** en veinte barcos en busca de un lugar donde construir una nueva ciudad que reemplazara a ***la*** que habían destruido los griegos.

zarpó:

la:

18. ***Esta*** se enamoró del bello Eneas, y, por un momento, ***el troyano*** pensó en quedarse en África.

Esta:

el troyano:

19. Los dioses sabían que ***este*** no era ***su*** destino.

este:

su:

20. ***Enviaron*** un mensajero para ordenar***le*** que partiese.

Enviaron:

le:

21. ***Este*** fue el momento romántico culminante de la leyenda de Eneas, y a los romanos ***debe*** de haber***les*** complacido el modo cómo se relacionaba ***esto*** con las historias primitivas de Roma y de Cartago.

Este:

debe:

les:

esto:

22. Siglos después de la época de Dido, Roma y Cartago libraron gigantescas guerras, en ***las*** que Cartago finalmente perdió, por lo que parecía apropiado que ***la primera gobernante cartaginesa*** muriera de amor por ***un antepasado del pueblo romano***.

    las:

    la primera gobernante cartaginesa:

    un antepasado del pueblo romano:

23. Eneas llegó a la costa sudoccidental de Italia, donde gobernaba un rey, llamado Latino, que supuestamente, dio su nombre a ***la región***, al pueblo y a ***su lengua***.

    la región:

    su lengua:

24. Eneas se casó con la hija de Latino y después de una breve guerra con ciudades vecinas ***se impuso*** como gobernante.

    se impuso:

25. ***Sus*** descendientes llegaron a ser reyes.

    Sus:

26. La hija del verdadero rey dio a luz a dos hermanos gemelos, a quienes ***el usurpador*** ordenó matar para que no ***le disputasen*** el gobierno de ***la ciudad*** cuando ***creciesen***.

    el usurpador:

    le:

    disputasen:

    la ciudad:

    creciesen:

27. Por ***ello***, a ***los niños los colocaron*** en una cesta, que fue lanzada al río Tíber.

    ello:

    los niños:

    los:

    colocaron:

28. El usurpador supuso que ***morirían*** sin que él tuviese que matar***los*** en persona.

    morirían:

    los:

29. ***Allí los*** encontró una loba, que se hizo cargo de ***ellos***, amamantándo***los***.

    Allí:

    los:

    ellos:

los:

30. ***Los hechos referidos*** son poco creíbles, pero para los romanos de entonces y de después ***tenían*** un enorme valor simbólico, pues ***la leyenda*** demostraba que ***ellos*** descendían de unos antepasados que habían absorbido, cuando niños, el coraje y la bravura de los lobos.

    Los hechos referidos:

    tenían:

    la leyenda:

    ellos:

31. Algún tiempo más tarde, un pastor halló a los gemelos, ***se los*** quitó a la loba, ***se los llevó*** a su hogar y ***los*** crió como hijos suyos, bautizándo***los*** Rómulo y Remo.

    se:

    los:

    se llevó:

    los:

    los:

    los:

32. Ya ***crecidos***, los gemelos condujeron una revuelta que ***expulsó*** al usurpador del trono y ***restableció*** en el poder a su abuelo, el rey legítimo.

    crecidos:

    expulsó:

    restableció:

33. ***Decidieron*** consultar a los dioses. Por la noche, cada uno se plantó en la colina que ***había elegido*** y ***esperó*** los presagios que ***traería*** el alba.

    Decidieron:

    había elegido:

    esperó:

    traería:

34. Tan pronto como el amanecer iluminó el cielo, Remo vio pasar volando seis águilas (o buitres). Pero a la puesta del sol, Rómulo vio ***doce***.

    doce:

35. Remo sostuvo que había ganado porque ***sus aves*** habían aparecido primero.

    sus aves:

36. Rómulo mató a Remo y comenzó a construir en el Palatino las murallas de su nueva ciudad, sobre ***la cual*** iba a gobernar.

    la cual:

V. Teniendo en cuenta el contexto, sustituya la parte en cursiva por un sinónimo:

1. Extendida hacia el Sur desde el Continente Europeo, ***hay*** ____________________ una península que ***penetra*** ________________ en el mar Mediterráneo.
2. Mide unos 800 kilómetros de largo y su forma ***se asemeja*** mucho ***a*** ________________ una bota, pues tiene una punta bien formada y un tacón ***elevado*** ________________.
3. En esta península ***surgió*** ________________ un Estado que llegó a ser el más grande, el más poderoso y el más respetado de la antigüedad.
4. Fue, en ***sus comienzos*** __________________ , una pequeña ciudad, pero a lo largo de los siglos llegó a ***dominar*** ________________ todo el territorio comprendido entre el océano Atlántico y el mar Caspio, y desde la isla de Inglaterra hasta el Nilo superior.
5. ***Visto desde hoy*** __________________ , su sistema de gobierno tenía muchos defectos, pero era mejor que cualquier otro anterior a él.
6. Y cuando finalmente ***se derrumbó*** ________________ , los tiempos que siguieron fueron tan duros y miserables que durante mil años los hombres lo ***juzgaron*** ________ _______ retrospectivamente como una época de grandeza y felicidad.
7. En un ***aspecto*** ________________ , fue, ***ciertamente*** ________________ , único.
8. Fue ***la época*** ________________ de la Historia en que todo el Occidente civilizado ***se halló*** ________________ bajo un solo gobierno centralizado.
9. Por ***ello*** ________________ , sus leyes y tradiciones han influido en todos los países del Occidente ***actual*** ________________ .
10. Los detalles concretos de la fundación de Roma y de su historia primitiva están ***envueltos*** ________________ en una oscuridad que ***probablemente*** ________________ nunca será disipada.
11. Pero en años posteriores, cuando Roma llegó a ser la mayor ciudad del mundo, los historiadores romanos ***tejieron fantasiosos cuentos*** ______________________ sobre la fundación de la ciudad y los sucesos que siguieron.
12. Son, en realidad, mitos cuyos ***detalles*** __________________ carecen de ***toda veracidad histórica*** _____________________ , pero que tienen la importancia de ser vestigios del modo de pensar de la gente de aquellos tiempos, ***concebidos*** ________________ como historias fabulosas que han atravesado los siglos y aún se las recuerda.
13. Cuando los romanos ***dieron forma final a*** ________________ sus mitos, la civilización griega hacía tiempo que había pasado por su apogeo.
14. A pesar de ello, aún era muy admirada por sus ***portentosas realizaciones*** ____________ ______.
15. El mayor ***suceso*** ___________________ de la historia primitiva de Grecia había sido la Guerra de Troya, y los creadores romanos de leyendas ***se esforzaron*** ________________ por hacer remontar a esa guerra ***los comienzos*** ________________ de su historia.

16. ***Particularmente*** ____________________ , fue el poeta latino, Virgilio, quien ***contaría*** ______________ en su poema La Eneida, los comienzos del famoso Imperio Romano.
17. En la Guerra de Troya, un ejército griego ***atravesó*** ______________ el mar Egeo para llegar a la costa noroccidental de Asia Menor, donde ***se hallaba*** ______________ la ciudad de Troya.
18. Después de un largo ***asedio*** ______________ , los griegos ***tomaron*** ______________ la ciudad y la incendiaron.
19. De la ciudad en llamas escapó uno de los más ***valientes*** ______________ héroes troyanos: Eneas.
20. Con algunos otros ***sobrevivientes*** ________________ , zarpó en veinte barcos en busca de un ***lugar*** ___________________ donde construir una nueva ciudad que ***reemplazara*** ______________ a la que habían destruido los griegos.
21. Fue así como desembarcó en la costa septentrional de África, donde se acababa de ***fundar*** ______________ la ciudad de Cartago, bajo ***la conducción*** ______________ de la reina Dido.
22. Esta se enamoró del bello Eneas, y, por un momento, el troyano ***pensó en*** _________ _____ quedarse en África, casarse con Dido y convertirse en rey de Cartago.
23. ***Sin embargo*** ______________ , los dioses ***sabían*** ______________ que este no era su destino.
24. ***Enviaron*** ______________ un mensajero para ordenarle que partiese, y Eneas, obediente, se marchó ***apresuradamente*** _________________ sin ***decir nada a*** ______ _________ Dido.
25. La pobre reina, al verse abandonada, cayó en la desesperación y ***se suicidó*** _________ _____ .
26. Este fue el momento romántico culminante de la leyenda de Eneas, y a los romanos debe de haberles ***complacido*** ____________________ el modo cómo ***se relacionaba*** ______________ esto con las historias primitivas de Roma y de Cartago.
27. Siglos después de la época de Dido, Roma y Cartago libraron gigantescas guerras, en las que Cartago finalmente ***perdió*** ________________ , por lo que parecía ***apropiado*** ______________ que la primera gobernante cartaginesa muriera de amor por un antepasado del pueblo romano.
28. Eneas llegó a la costa sudoccidental de Italia, la región de Lacio, gobernada por un rey llamado Latino que, ***supuestamente*** ______________ , dio su nombre a la región, al pueblo y a su lengua.
29. Eneas se casó con la hija de Latino y después de una ***breve*** ______________ guerra con ciudades vecinas se impuso como ***gobernante*** ______________ .

30. Como ocurre siempre, ***se produjeron*** _______________ incesantes conflictos internos en la familia real.
31. Uno de los reyes fue ***arrojado*** _______________ del trono por su hermano menor.
32. La hija del ***verdadero*** ______________ rey dio a luz a dos hermanos gemelos, a quienes el usurpador ordenó matar para que no le ***disputasen*** _______________ el gobierno de la ciudad cuando ***creciesen*** _______________ .
33. Por ello, a los niños los ***colocaron*** _______________ en una cesta, que fue ***lanzada*** _______________ al río Tíber.
34. El usurpador ***supuso*** ________________ que ***morirían*** _______________ sin que él tuviese que matarlos en persona.
35. Allí los ***encontró*** _______________ una loba, que ***se hizo cargo de*** _______________ ellos, amamantándolos.
36. Los hechos referidos son poco creíbles, pero para los romanos de entonces y de después tenían un enorme ***valor*** _____________ simbólico, pues la leyenda demostraba que ellos descendían de unos antepasados que ***habían absorbido*** _______________ , cuando niños, el coraje y la bravura de los lobos.
37. Algún tiempo más tarde, un pastor ***halló*** _______________ a los gemelos, se los quitó a la loba, los llevó a su ***hogar*** _______________ y los crió como hijos suyos. A uno le ***puso el nombre de*** _______________ Rómulo y, al otro, (de) Remo.
38. Ya ***crecidos*** _______________ , los gemelos ***condujeron*** ___________________ una revuelta que ***expulsó*** _______________ al usurpador del trono y restableció en el poder a su abuelo, el rey legítimo.
39. Pero en cuanto al ***lugar*** _______________ donde construir una nueva ciudad propia, los dos hermanos tuvieron ***una violenta disputa*** _______________ .
40. Por la noche, cada uno ***se plantó*** __________________ en la colina que ***había elegido*** _______________ y esperó los presagios que traería el alba.
41. Remo ***sostuvo*** _______________ que había ganado porque sus aves habían aparecido primero; pero Rómulo ***señaló*** _______________ que sus aves eran más numerosas.
42. En la lucha que ***sobrevino*** __________________ , Rómulo mató a Remo y comenzó a construir, en el Palatino, las murallas de su nueva ciudad, sobre la cual iba a gobernar.
43. La llamó Roma en su propio honor, ya que Rómulo ***significa*** _____________________ "pequeña Roma".

VI. Modifique la estructura de la oración según la indicación dada al final:

1. Extendida hacia el Sur desde el Continente Europeo, hay una península que penetra en el mar Mediterráneo. Mide unos 800 kilómetros de largo y su forma se asemeja mucho a la de una bota. (**Inicie la oración con:** *La península Itálica...*)

2. En esta península surgió un Estado que llegó a ser el más grande, el más poderoso y el más respetado de la antigüedad. (**Inicie la oración con:** *Fue en esta península...*)

3. *A lo largo de los siglos llegó a dominar* todo el territorio comprendido entre el océano Atlántico y el mar Caspio, y desde la isla de Inglaterra hasta el Nilo superior.(**Quite la parte en cursiva e inicie la oración con:** *A lo largo de los siglos, llegó a dominar...* **intercalando en alguna parte adecuada el sintagma** *abarcar la extensión.*)

4. Cuando finalmente se derrumbó, los tiempos que siguieron fueron tan duros y miserables que durante mil años los hombres lo juzgaron retrospectivamente como una época de grandeza y felicidad. (**Reorganice la oración según la siguiente fórmula:** *A pesar de sus defectos y final derrumbe, los hombres ... y esto fue así porque...*)

5. Son, *en realidad*, mitos cuyos detalles carecen de toda veracidad histórica pero que tienen la importancia de ser vestigios del modo de pensar de la gente de aquellos tiempos, concebidos como historias fabulosas que han atravesado los siglos y aún se las recuerda. (**Quite la parte en cursiva e inicie la oración con** *Aunque*, **efectuando otras modificaciones necesarias**.)

6. Cuando los romanos dieron forma final a sus mitos, la civilización griega hacía tiempo que había pasado por su apogeo. A pesar de ello, aún era muy admirada por sus realizaciones pasadas. (**Inicie la oración con:** *Los romanos que dieron forma final a sus mitos seguían...* **para reconstruir las dos oraciones uniéndolas**.)

7. El mayor suceso de la historia primitiva de Grecia había sido la Guerra de Troya, y los creadores romanos de leyendas se esforzaron por hacer remontar, hasta esa guerra, los comienzos de su historia. (**Inicie la oración con:** *Como el mayor suceso de la historia de Grecia...*)

8. En la Guerra de Troya, un ejército griego atravesó el mar Egeo para llegar a *la costa noroccidental de Asia Menor*, donde se hallaba *la ciudad de Troya*. (**Intercambie de lugar las dos partes en cursiva**.)

____

____

9. Los griegos tomaron la ciudad y la incendiaron. *De la ciudad* escapó uno de los más valientes héroes troyanos. (**Inicie el periodo con la parte en cursiva para unir las dos oraciones simples en una compuesta de subordinación**.)

____

____

10. Fue así como desembarcó en la costa septentrional de África, donde se acababa de fundar la ciudad de Cartago, *bajo la conducción de la reina Dido*. (**Sustituya la parte en cursiva por un sintagma encabezado por alguna forma no personal del verbo** *gobernar*.)

____

____

11. El troyano pensó en quedarse en África, casarse con Dido y convertirse en rey de Cartago. Sin embargo, los dioses sabían que este no debía ser su destino.(**Reorganice las dos oraciones simples en una compuesta según la fórmula:** *El troyano no pudo ... ni... ni...*)

____

____

12. Eneas, *obediente* a los dioses, se marchó apresuradamente sin *decir nada* a Dido. (**Sustituya la primera parte en cursiva por una oración subordinada y la segunda por** *despedirse*.)

____

____

13. La pobre reina, al verse abandonada, *cayó en la desesperación y se suicidó*. (**Transforme la parte en cursiva en una construcción consecutiva utilizando el adjetivo** *tal*.)

____

____

14. *Este fue* el momento romántico culminante de la leyenda de Eneas, y a los romanos debe de haberles complacido el modo cómo se relacionaba esto con las historias primitivas de Roma y Cartago. (**Quite la parte en cursiva y reorganice la oración iniciándola con:** *El momento romántico culminante de la leyenda de Eneas demuestra...*)

____

____

15. ... Roma y Cartago libraron gigantescas guerras, en las que Cartago finalmente perdió, *por lo que* parecía apropiado que la primera gobernante cartaginesa muriera de amor por un antepasado del pueblo romano. (**Elimine la parte en cursiva y reorganice la oración iniciándola con** *Como...*)

____

____

16. Eneas llegó a la costa sudoccidental de Italia, donde gobernaba un rey, llamado Latino, *que* supuestamente, dio su nombre a la región, al pueblo y a su lengua. (**Sustituya la parte en cursiva por otro pronombre relativo.**)

____

____

17. La hija del verdadero rey dio a luz a dos hermanos gemelos, a *quienes* el usurpador ordenó matar *para que no* le disputasen el gobierno de la ciudad cuando crecieran. (**Quite la parte en cursiva y reorganice la oración iniciándola con:** *Cuando la hija del verdadero rey*...y agrega luego: *porque temía...*)

____

____

18. Por ello, a los niños los colocaron en una cesta, *que fue lanzada* al río Tíber. (**Transforme la oración subordinada en una coordinada enlazada por la conjunción** *y*.)

____

____

19. Ya crecidos, los gemelos condujeron una revuelta que expulsó al usurpador del trono y restableció en el poder a su abuelo, el rey legítimo. (**Reorganice la oración iniciándola con:** *Ya crecidos, los gemelos expulsaron...*)

____

____

VII. Con sus propias palabras, explique, en español, lo que significan las siguientes expresiones:

1. con el tiempo:
2. retrospectivamente:
3. están envueltos en una oscuridad:
4. como historias fabulosas que han atravesado los siglos:
5. hacía tiempo había pasado por su apogeo:
6. este no era su destino:
7. el momento romántico culminante:
8. la cesta encalló en la costa:

VIII. Rellene los espacios en blanco con *que* o *donde* según convenga:

1. Eneas desembarcó, junto con otros compatriotas suyos, en la costa septentrional de África, _______________ ya existía una ciudad recién fundada bajo la administración de la reina Dido.
2. Según los arqueólogos, los instrumentos de piedra ____________ acaban de desenterrar, pertenecen a la época neolítica.
3. ¿Sabes cuál es la construcción más emblemática ________________ hay en el centro de la ciudad?
4. El desierto ____________ se hallan las Pirámides y la Esfinge no queda muy lejos de El Cairo.
5. La cantidad de piedra __________________ se requirió para construir la mayor de las pirámides egipcias fue tal que bastaría para alzar un muro más alto que un hombre y de cuatro mil kilómetros de largo.
6. El guía nos condujo al interior de una selva ____________ todavía se conservaban las ruinas de una antigua ciudad.
7. Los emigrantes tuvieron que establecerse en aquella región casi desértica, ____________ se dedicaron, con muchas dificultades, a cultivar algodón.
8. Iré a ____________ resulte fácil encontrar empleo.
9. Al amanecer, se levantó un fuerte viento ____________ disipó las nubes.
10. El intérprete dijo a los turistas que no quedaba muy lejos el hotel ____________ tenían reservadas las habitaciones.

IX. Enlace las dos oraciones independientes mediante el adverbio relativo *donde*. Diferencia el carácter especificativo y explicativo de la oración subordinada según el caso:

1. Esta es la casa. En ella ocurrió la tragedia que todos conocemos.

   ____

2. Mi padre, tras muchos años de ausencia, volvió al pueblo. En él había ejercido la profesión de abogado durante muchos años.

   ____

3. Un grupo de soldados logró forzar la puerta del cuarto. En él se hallaban encerrados algunos de sus compañeros.

   ____

4. A partir de entonces, comencé a tener contacto con la llamada *alta sociedad*. Allí conocí la más espantosa corrupción y degeneración (退化，堕落).

   ____

5. Subimos a la cumbre de la montaña. Desde ella se puede contemplar el bonito panorama de la ciudad.

____

6. Los aborígenes se reunieron en el santuario. En él depositaron ofrendas en homenaje de una deidad mitad hombre mitad elefante.

____

7. El periodista visitó una de las prisiones. Allí los abusos contra los presos le impresionaron fuertemente.

____

8. La joven escritora quería visitar la zona minera. Allí varios de sus familiares sufrieron en carne propia la injusticia social.

____

9. Los observadores internacionales llegaron al barrio más miserable de la ciudad. En él acababa de producirse un violento conflicto entre inmigrantes de dos etnias diferentes.

____

10. Remo y Rómulo se plantaron en sus respectivas colinas. En ellas esperaban que se presentaran presagios que les ayudarían a decidir en qué sitio construir una nueva ciudad propia.

____

X. Traduzca al español las siguientes oraciones:

1. 由于没地方放箱子，他只好搁在桌子上。
2. 被围城池的最后一名居民见无路可逃，决定从高塔顶端跳下自杀。
3. 我对旅店主人说需要一只盒子装自己的东西。
4. 旅游者跑遍半个城市寻找落脚的旅馆。
5. 那些难民要求的仅仅是一个过夜的角落。
6. 新人们已经知道该在哪里举行婚礼了。
7. 农夫终于搞到一小块土地栽种他的果树。
8. 那孩子灵机一动，知道该在哪儿藏匿自己的玩具了。
9. 航海者们打算在一个小岛登陆，建造自己的城池。
10. 王子没有任何国土可以建立自己的王国。

XI. Reorganice la oración cambiando la parte en cursiva, de modo que pueda utilizar el adverbio relativo *como*:

1. El latín vulgar, al imponerse sobre las hablas aborígenes, sufrió notables cambios, dando origen, de *esta manera*, a una multitud de lenguas nuevas.

____

2. En esas zonas comenzaron a confundir algunos sonidos: *así*, surgieron discrepancias lingüísticas.

    ____

3. El rey *simulaba* (假装) ponerse el traje. (这句要用 como si。)

    ____

4. Maldad contra maldad y bondad por bondad. *¿Esta es la manera en que hay que tratar a la gente*?

    ____

5. Se comportó correctamente. *Era lo que debía hacer* un joven bien educado.

    ____

6. Dejad de disputar. *Así no deben actuar* los buenos amigos.

    ____

7. Los dos se despidieron llorando. *Parecía que* nunca más se fueran a ver. (这句要用 como si。)

    ____

8. Los numantinos *querían* romper el cerco, pero ignoraban *el modo*.

    ____

9. Los romanos abrieron una zanja profunda a lo largo de la muralla. *Así*, pudieron evitar que los asediados huyeran en busca de refuerzos.

    ____

10. Los asediados empezaron a matarse entre sí *en un momento de desesperación*.

    ____

XII. Ejercicios del léxico:

A. Complete las siguientes oraciones utilizando, en forma adecuada, los siguientes vocablos:

a lo largo ***comprender*** ***conducir*** ***demostrar*** ***obedecer***
ordenar ***penetrar*** ***puro*** ***reemplazar*** ***respetar***

1. La multitud enfurecida forzó el portón a empujones y logró ________________ en el espacioso patio.
2. Si piensas cambiar de opinión, yo ___________ tu voluntad.
3. No creas en las palabras bonitas de ese desconocido. ¡Son ___________ mentira!
4. A medio camino de nuestro destino, el capitán ___________ detener la marcha.
5. ¡Qué lástima! Se ha secado el manantial del que brotaba el agua más ___________ de la zona.

6. El barco de los investigadores hizo un recorrido ___________ de la costa noroccidental de la isla en busca de la desembocadura de algún río que les permitiera seguir navegando aguas arriba.
7. A pesar de su pequeñez territorial, Grecia no dejaba de ser ___________ y admirada, en la antigüedad, por otras naciones, debido a sus portentosas realizaciones culturales.
8. Yo no ___________ cómo puedes vivir en una habitación llena de polvo, y con la ropa, los libros y los papeles tirados por todas partes. ¿Por qué no la ___________ un poco?
9. Cuesta creer que tú hayas concebido la idea de confiar en una persona incompetente la misión de ___________ la empresa.
10. Eneas sostuvo, ante su gente, que encontraría algún lugar donde fundar una nueva ciudad para ___________ su Troya destruida por los griegos.
11. El gobernador amenazaba con castigar duramente a cualquiera que no lo ___________ .
12. A pesar de su absoluta ___________ a los superiores, nunca le han premiado.
13. El territorio que ocuparon los invasores ___________ muchas ciudades importantes.
14. La torpeza de tus movimientos ___________ que es la primera vez que ___________ un coche.
15. Esas manchas de humedad ___________ que el agua ya había ___________ en el edificio.

B. Traduzca al español las siguientes oraciones:

1. 罗马变成了它那个时代最强大、最受景仰的帝国。
2. 罗马的辽阔国土包括了几乎整个欧洲以及非洲的一部分。
3. 欧洲大陆有三个半岛深入到地中海。
4. 在历史的长河中，我们曾看到众多帝国的崛起和覆灭。
5. 你别生气。我刚说的纯粹是开玩笑。
6. 他以为把我们都制伏了，要求我们绝对服从。
7. 我不是求你，而是命令你。
8. 那些逃离国内战争的难民，一越过边界就被警察带到一个集中营去。
9. 你没注意到他的表情吗？那副笑脸不仅说明他很喜爱你，而且跟你在一起他很舒心。
10. 罗马灭亡时，欧洲没有兴起另一个帝国取代它吗？

10–05

C. Al escuchar la perífrasis, diga el vocablo o expresión correspondientes:

1. Atraer y retener un cuerpo alguna sustancia (líquido o gas): _____________
2. Amanecer: _____________
3. Dar leche a su cría la hembra de los mamíferos: _____________
4. Reunir varias cosas en un centro común o bajo una dirección única: _____________

5. Proporcionar satisfacción: ______________
6. Que alcanza el punto más alto, el apogeo, el máximo esplendor, etc.: ______________
7. Venirse una cosa abajo: ______________
8. Producir algún efecto en una persona o cosa: ______________
9. Formarse una opinión sobre una persona o cosa: ______________
10. Seguir viviendo después de un suceso catastrófico: ______________

10–06

XIII. Dictado.

10–07

XIV. Escuche la grabación y luego haga una versión oral resumida.

XV. Trabajos de casa:

1. Trate de leer el texto con fluidez.
2. Temas de conversación:
   1) Italia moderna: su situación geográfica, territorio, población, capital, economía, etc.
   2) Roma antigua: su origen, su expansión en el mundo antiguo, su influencia, su decadencia y derrumbe final.
   3) Anécdotas que conozca sobre la historia de la Antigua Roma.
3. Traduzca al español el siguiente texto:

关于古罗马建城的具体细节，时至今日已无从知晓，但是却世代流传着一个奇幻的传说。那是古罗马的史学家们构思出来的，他们试图把民族的源头追溯到著名的特洛伊战争，从而把自己的早期历史与古希腊历史联系起来。

根据这个传说所述，他们的开山鼻祖是一名特洛伊英雄，是那场战争灾难的少数幸存者之一。他跟其他死里逃生者从被敌人占领的祖国扬帆启程，准备寻觅一方土地，建造新城，来取代被希腊人付之一炬的特洛伊。他历经磨难，最后抵达意大利西南部海岸，终于有幸落下脚来，娶了当地的公主，并因此登上王位。不过历史另有宿命在恭候他。

很多年以后，实际上是他的一个后代决定在现今所在地重建新城，并用自己的名号Rómulo（意为：小罗马）为其命名。

提示：请不要被汉语短文中一些花里胡哨的说法唬住，其实很多时候译成西班牙语时不过是极平常的语汇。比如“付之一炬”该怎么译，你在课文中就能找到对应的动词。汉语行文似乎比较讲究铿锵的节奏和华丽的辞藻，这可能是魏晋南北朝骈体文余韵未消。当然，西班牙语里也会有富丽堂皇的文风，就是所谓的巴洛克风格（el barroquismo）。不过一般来说，却倾向于简约朴素。希望同学们多多注意两个文化群体的这种迥异的偏好。

UNIDAD 11 第十一课

1 FUNCION COMUNICATIVA

2 EJEMPLOS CON ALGUNOS VOCABLOS USUALES

atropellar, armar(se), encerrar(se), espléndido / da, estremecer(se), hundir(se), rasgo, reflejar(se), restregar(se), valorar

3 RESPECTO AL LENGUAJE

- Usos del condicional simple
- Los relativos *que*, *quien*, *como*, etc. con infinitivo

4 CONOCIMIENTO SOCIOCULTURAL

- 拉丁美洲人物：伊莎贝尔·阿连德与《幽灵之家》

TEXTO

La pulsera

(Adaptación del cuento del mismo título, Mercedes Ballesteros)

Felisa leyó en voz alta:

– *Rasgo de honradez.* Eladia García Viñas, de treinta y seis años, que trabaja de asistenta, encontró en la mañana de ayer, al hacer la limpieza de la sala de un cine, una pulsera valorada en ciento cincuenta mil pesetas, que luego la entregó en la Comisaría del Distrito de la Inclusa. La dueña de la joya, que resultó ser la ciudadana uruguaya, doña Nila Salcedo, gratificó espléndidamente a Eladia.

Felisa se puso un jersey y se metió en la cama. Fue repasando en la memoria sus lecturas. Siempre, de las casas adonde iba a trabajar, se llevaba un periódico envolviendo las alpargatas. Luego, de noche, lo leía. "La ex emperatriz Soraya hace deporte de invierno." "La princesa Grace de Mónaco espera un niño…" Se iba durmiendo mecida por las noticias del mundo, de ese mundo extraño, fabuloso, del que ella formaba parte, pero que no la conocía. "Rasgo de honradez".

¿Y si ella encontrara una pulsera así, la devolvería? Sí. ¿Y si no la devolviera? Cogería el tren. "Deme un billete de tercera". No; de primera. ¡Ciento cincuenta pesetas! Viajaría de día para leer los nombres de las estaciones. Y luego el coche de su pueblo. Asomada a la ventanilla le vendría al sentido el olor del campo tierno de su tierra. "Yo bajo en Echalar". Los pastos jugosos y el aire fino. Las pezuñas de los bueyes que se hunden en la tierra blanda de lluvia. Las voces de los arrieros a la amanecida y el pienso fresco. "Rasgo de honradez."

Se ahogaba en el cuartucho sin ventilación. ¡Si al menos pudiese abrir el ventanuco que daba al corredor! Podría respirar, respirar el aire encerrado de la casa de vecindad y la humedad del patio, y no ese hedor a basura, a sudores. Pero su compañera de habitación, aquella vieja le armaría una gresca. Por no oirla… "Una pulsera valorada en ciento cincuenta mil pesetas". Una fortuna.

El frío de la madrugada la estremeció. Restregó uno contra otro los pies ateridos, como piedras.

En el duermevela se le juntaban todos los recuerdos, dándole vueltas y vueltas como un *tiovivo*. "¿Cómo se llamaba el hombre que te perdió?" Lázaro. Nombre de muerto. Lázaro. El hombre que la perdió. "Mientras me vivió la niña, aún…" Luego nada. "En Madrid, trabajando de asistenta, se sacan buenos cuartos. Eso deberías tú hacer." "Volveré por fiestas." No volvió.

"Una pulsera valorada en…" El sueño lo revolvía todo. Le raspaba la mejilla la tela áspera que le servía de almohada. "Voy a juntar para ir por fiestas a mi pueblo". El brillo de los cohetes en la noche de plenilunio. Y luego las vaquillas y el baile en la plaza, y el toro de fuego. "La princesa Grace de Mónaco…" Roncaba aquella vieja mendiga y resoplaba en su catre.

Se durmió. Soñaba siempre con la niña. "Más le ha valido. Para la vida que le esperaba". Eso le decían. Pero ella sabía que no, que no había nada mejor que la vida, fuese la que fuese. "Un angelito al cielo". No, en el cielo no estaría tan bien como en el cobijo de su regazo. En el cielo, nadie, ni los santos, ni Dios mismo la querría tanto, la arrullaría y le cantaría para que durmiese, como ella le cantaba. "Calla, hereje, que ofendes a Dios". Su hija lloraría de noche en el cielo, en el mismísimo cielo, y llamaría a su madre.

A la mañana siguiente, telefoneó a la agencia para pedir las señas de la casa adonde iría a trabajar. Era lejos, en un barrio nuevo: el metro, el autobús y una buena caminata. Preguntando y preguntando llegó adonde iba.

La faena de siempre. "¿Cómo se llama usted?". Lavar, fregar suelos. Otra casa, otra cocina, otro cubo para fregar, pero siempre lo mismo. Era el mundo, la gente, los que no sabían nada de ella, ni de la niña, ni de las palomeras de Echalar, ni de la feria de su pueblo. El mundo que no la conocía.

A las seis terminó la faena. Se calzó, echó en el capacho la cena. "¿Me puedo llevar estos papeles?"

Ya anochecía y anduvo sin rumbo por el barrio extraño. "Me hace el favor: ¿voy bien para la parada del autobús?" Siguió andando. Las luces de los automóviles pasaban como ráfagas. Aquello debía de ser como una carretera. "Me he vuelto a extraviar." No había nadie a quién preguntar. Se levantó viento, un viento helado. Y venga a dar vueltas y vueltas sin orientarse. "¡Hay que ver lo grandísimo que es Madrid!"

Bajó la acera para cruzar, sin cuidarse de volver la cabeza. Todo fue en un segundo. El frenazo del coche, el golpe tremendo y el dolor, el dolor horrible, como fuego que le subía del vientre a la boca.

Surgió gente de donde parecía que no hubiese nadie y se armó un revuelo. El mismo taxi que la había atropellado la llevaba a la Casa de Socorro. En el trayecto, recobró el sentido. Había desaparecido el dolor. Era como si ya no tuviese cuerpo. Y la voz de Lázaro, el forastero. Entre los ojos cerrados le volvió el brillo de la mirada de él.

¡Qué vértigo! El hombre de fuera con su mirada triste de muerte, con su nombre de muerto. Se rebulló en el asiento. "Rasgo de honradez. Una pulsera valorada…" Ahí estaba seguramente la pulsera. No podía mirarla, le faltaban las fuerzas para acercar aquello a la altura de sus ojos, pero sabía bien lo que era. Cogería el coche de su pueblo y vería el manso paisaje reflejado en las aguas del río, las lomas húmedas y las casonas de Donamaría y Labayen; el jugoso valle de Bertizaran. Toda la tierra suya. No podía abrir los ojos y se le aflojaba la mano con la que quería apresar la pulsera. "Yo bajo en Echalar." "Ya he llegado. Ya noto el olor de mi aldea. Ya he vuelto. ¡Creí que nunca volvería!"

"Mujer atropellada y muerta por un automóvil." La noticia entre todas las noticias del mundo, del enorme mundo que no sabía nada de ella.

Mercedes Ballesteros (1913 - 1995), escritora española

Novelas: *La cometa y el Eco, Eclipse de Tierra, Taller, Mi hermano y yo por esos mundos, La sed.*

Teatro: *Quiero ver al Doctor* (en colaboración con Claudio la Torre), *Una mujer desconocida, Las mariposas cantan, Lejano pariente sin sombrero.*

Otras obras: *Tienda de nieve, Gracia y desgracia, Vida de Avellaneda, Así es mi vida.*

11–02

VOCABULARIO

pulsera	*f.*	镯子
honradez	*f.*	诚实
valorar	*tr.*	估价
peseta	*f.*	比塞塔（西班牙旧币）
inclusa	*f.*	育婴堂
ciudadano, na	*m.,f.*	公民
uruguayo, ya	*adj.-s.*	乌拉圭的；乌拉圭人
gratificar	*tr.*	奖赏
espléndido, da	*adj.*	光彩夺目的
alpargata	*f.*	麻制凉鞋
exemperatriz	*f.*	前皇后
Mónaco		摩纳哥
mecer	*tr.*	摇晃
fabuloso, sa	*adj.*	神奇的
sentido	*m.*	感觉
tierno, na	*adj.*	嫩的
pezuña	*f.*	蹄子
buey	*m.*	阉牛，耕牛
hundir	*tr.*	使陷入
arriero	*m.*	赶脚夫
amanecida	*f.*	清晨
pienso	*m.*	饲料
cuartucho	*m.*	房间（蔑称）
ventilación	*f.*	通风
ventanuco	*m.*	窗子（蔑称）
corredor	*m.*	走廊
hedor	*m.*	臭味
basura	*f.*	垃圾
sudor	*m.*	汗
gresca	*f.*	大吵大闹
fortuna	*f.*	运气，财富
estremecer	*tr.*	使发抖，震撼
restregar	*tr.*	揉搓
aterido, da	*adj.*	冻僵了的
duermevela	*f.*	似睡非睡
tiovivo	*m.*	旋转木马
perder	*tr.*	坑害
revolver	*tr.*	翻动，搅动
raspar	*tr.*	挠，刮
mejilla	*f.*	脸颊
áspero, ra	*adj.*	粗糙的
almohada	*f.*	枕头
brillo	*m.*	光芒

cohete	*m.*	火箭，爆竹
plenilunio	*m.*	望月，满月
vaquilla	*f.*	斗（小）牛
toro de fuego		民间节日焚烧的纸牛
roncar	*intr.*	打呼噜
mendigo, ga	*m.,f.*	乞丐
resoplar	*intr.*	大声喘息
catre	*m.*	折叠床
ángel (angelito)	*m.*	天使
cobijo	*m.*	栖身处
regazo	*m.*	膝头，怀抱
arrullar	*tr.*	鸽子叫；唱催眠曲
hereje	*adj.-s.*	异教的；异教徒
seña	*f.*	（课文中）地址
barrio	*m.*	（市）区
caminata	*f.*	（步行）路程
cubo	*m.*	桶
palomera	*f.*	鸽子窝
feria	*f.*	市集
calzar(se)	*prnl.*	穿鞋
capacho	*m.*	草筐
anochecer	*intr.*	天黑
automóvil	*m.*	汽车
ráfaga	*f.*	一阵（风）
extraviarse	*prnl.*	迷路
acera	*f.*	人行道
frenazo	*m.*	踩刹车
tremendo, da	*adj.*	可怕的
vientre	*m.*	肚子
revuelo	*m.*	骚动
atropellar	*tr.*	轧，压
socorro	*m.*	救助
trayecto	*m.*	路途
recobrar	*tr.*	恢复
vértigo	*m.*	眩晕
rebullirse	*prnl.*	蠕动，扭动
manso, sa	*adj.*	温顺的，柔和的
loma	*f.*	山脊
casona	*f.*	宅第
aflojar	*tr.*	放松
apresar	*tr.*	抓住

PALABRAS ADICIONALES

afortunado, da	*adj.*	幸运的
aspereza	*f.*	粗糙
basurero, ra	*m.,f.* *m.*	垃圾清运工 垃圾站；垃圾桶
brillar	*intr.*	发光
ciudadanía	*f.*	公民（身份）
estremecimiento	*m.*	发抖，震撼
hundimiento	*m.*	下沉
mecedora	*f.*	摇椅
perdición	*f.*	毁掉，堕落
ronquido	*m.*	呼噜声
ternura	*f.*	温柔
ventilar	*tr.*	通风

VERBOS IRREGULARES

anochecer: Se conjuga como ***amanecer***.
estremecer: Se conjuga como ***merecer***.
restregar: Se conjuga como ***cerrar***.
revolver: Se conjuga como ***volver***.

VERBOS CON CAMBIOS ORTOGRÁFICOS EN ALGUNAS CONJUGACIONES

ahogar: Se conjuga como ***llegar***.
calzar: Se conjuga como ***alcanzar***.
extraviar: Se conjuga como ***desviar***.
gratificar: Se conjuga como ***complicar***.
mecer: Se conjuga como ***vencer***.
roncar: Se conjuga como ***tocar***.

EJEMPLOS CON ALGUNOS VOCABLOS USUALES

I. atropellar

A. *tr.* 轧，挤压

1. Conduce con cuidado y no vayas a atropellar a los transeúntes (行人).
2. No pierdas de vista al niño, que lo puede atropellar cualquier vehículo.
3. La calle era muy angosta, tanto que, para abrirse paso, la gente se atropellaba.

B. *tr.* 践踏

1. Bajo aquella dictadura (专制独裁), la dignidad humana era frecuente y descaradamente (明目张胆地) atropellada.
2. Con estas medidas, ustedes están atropellando los derechos de los ciudadanos.
3. ¿Cómo has podido concebir semejante idea? Con ese programa tuyo vas a atropellar el honor de todos nosotros.

II. armar(se)

A. *tr.* 组装

1. ¡Cuidado! Se trata de un artefacto de estructura muy complicada. Si lo desmontamos, temo que no seamos capaces de volver a armarlo.
2. Proporcióname las piezas necesarias y yo te armaré un nuevo ordenador.
3. Con la instalación del nuevo equipo de alta tecnología, se ha reducido sensiblemente el tiempo necesario para armar un automóvil.

B. *tr.* 引起，造成；策划

1. Hablando de aquel período histórico de Roma, el conferenciante dijo que resultaba muy curioso que nadie se hubiera dado cuenta de la conspiración que estaba armando el usurpador para expulsar del trono al legítimo rey.
2. ¡Vaya jaleo que han armado ustedes metiéndose donde nadie los ha llamado!
3. ¿Te acuerdas del escándalo que se armó en el país cuando se reveló la corrupción que había en la cúpula del gobierno?

III. encerrar(se)

A. *tr.* 关闭

1. Al ver que se avecinaba una tormenta de nieve, el pastor se precipitó a encerrar su rebaño en el redil.
2. Como la periodista no dejaba de protestar contra las injusticias del gobierno, este la encerró en un manicomio (疯人院) con el argumento de que estaba loca.
3. ¡Cómo se puede dejar sueltos en la ciudad tantos perros rabiosos! Por favor, llévenselos a un lugar adecuado y enciérrenlos en jaulas (笼子).
4. Finalmente, mi bisabuelo decidió donar a un museo el valioso manuscrito (手稿) que tenía oculto desde la vez que lo encerraron por tres años en la cárcel.

B. *prnl.* 关门闭户，自我封闭

1. Tras una violenta disputa con su mujer, Camilo se encerró muy enfurecido en su oficina, donde permaneció todo el día sin salir.
2. La madre se inquietó mucho al ver que su hija, no bien llegaba a la casa, se encerraba en su habitación y no salía de ella sino cuando la familia se sentaba a la mesa a comer. Ella también lo hacía pero no hablaba con nadie.
3. El juez no pudo obtener ninguna declaración del acusado, pues este permaneció todo el tiempo encerrado en un mutismo impenetrable.
4. A raíz de aquel trágico suceso, Ramiro se encerró en sí mismo y no quiso tener trato con nadie.

IV. espléndido, da

A. *adj.* 光辉灿烂，辉煌的，棒极了的

1. Hacía un día espléndido: brillaba el sol, soplaba una suave brisa, y nosotros podíamos contemplar, desde la colina, un hermoso panorama de la ciudad.
2. Ya te dije que mi amiga es una magnífica actriz. Los diarios de hoy coinciden en afirmar que su actuación de anoche fue realmente espléndida.
3. Los griegos crearon una admirable y espléndida civilización.
4. La sorpresa con que nos esperaban los amigos fue una fiesta espléndida y de veras inolvidable.

B. esplendor *m.* 光辉顶点，壮丽至极，盛况

1. A pesar de que Grecia había perdido su esplendor, los romanos seguían admirando sus portentosas realizaciones culturales.
2. ¿Sabes en qué época la poesía china alcanzó su mayor esplendor?
3. El potentísimo telescopio Hubble es capaz de captar, a millones de años-luz de la Tierra, las galaxias en todo el esplendor de su inmensidad.
4. El gerente todavía soñaba con recobrar el pasado esplendor de su empresa.

C. espléndidamente *adv.* 光彩夺目；丰厚（馈赠），热情款待

1. No era una fiesta de mucha importancia en el pueblo, pero ese día, todo el mundo salió a la calle espléndidamente vestido.
2. Era una persona buena y generosa que, a pesar de sus escasos recursos, solía atender espléndidamente a sus invitados.

V. estremecer(se)

A. *tr.* 使震惊，使震动

1. El alunizaje del módulo *Águila*, por suave que hubiera sido, debió de estremecer un poco la superficie de la luna.
2. El crimen sangriento que se cometió en la zona residencial estremeció a todos los vecinos.
3. La rebelión de los esclavos dirigidos por Espartaco estremeció los cimientos (地基) del Imperio Romano.
4. Nos estremecía pensar en el riesgo que corrías viajando solo por aquellos lugares desérticos.

B. *prnl.* 发抖，颤抖

1. Como la temperatura del agua de la piscina era de 20 grados centígrados, sabía que al mínimo contacto con ella me estremecería de frío, y ese día preferí no nadar.
2. La princesa se estremeció con la noticia de que sus hijos gemelos habían desaparecido misteriosamente.
3. Al oír aquel grito en el silencio de la noche, nos estremecimos de pánico.

VI. hundir(se)

A. *tr.* 使陷入

1. El cruel asesino le hundió una y otra vez el puñal en el pecho a la víctima.
2. Una violenta tormenta hundió la pequeña embarcación del pescador.
3. Las sucesivas guerras emprendidas por Roma contra Cartago acabaron por derrotarla y hundirla definitivamente.
4. La grave crisis económica hundió a la mayoría de la población en la miseria.

B. *prnl.* 沉没，崩溃

1. El techo del edificio recién construido se hundió cuando retiraban los equipos de construcción.

2. Los geólogos han pronosticado que esos islotes que se ven desde la costa, se hundirán poco a poco, hasta desaparecer.
3. El Imperio Romano se hundió en medio de la más espantosa depravación.

VII. rasgo *m*. 笔触；相貌特征，特征；值得嘉奖的表现

1. En la pared de aquella antigua mansión se ha descubierto una inscripción hecha con letras de rasgos extraños.
2. Mi prima tiene un don muy especial: basta con echar un vistazo a cualquier desconocido para retener grabados en la memoria sus rasgos faciales.
3. El principal rasgo demográfico de América Latina es su heterogeneidad.
4. A pesar de su aparente timidez, Vicente fue el primero en saltar al lago donde se ahogaba una niña. Este rasgo altruista suyo le ha granjeado la simpatía de todo el mundo.

VIII. reflejar(se)

A. *tr.* 反射，映照，反映

1. En ese salón estaban colgados una serie de espejos que reflejaban imágenes desfiguradas.
2. Al ver su imagen reflejada en el espejo, el mono quiso tocar, tanteando con la mano, lo que había al otro lado.
3. El rostro de Rómulo reflejaba claramente toda su satisfacción que sentía al ver que el presagio le favorecía.
4. La fantástica leyenda sobre la fundación de Roma refleja el modo de pensar de la gente de aquellos tiempos.

B. *prnl.* 反映

1. La cordillera con sus cumbres cubiertas de nieve se reflejaba nítidamente en la apacible superficie del lago.
2. La influencia griega está reflejada en muchos rasgos culturales romanos.
3. Su buena educación se refleja en sus finos modales.

IX. restregar(se)

A. *tr.* 摩擦，擦，蹭

1. La empleada empezó su labor restregando un trapo mojado sobre la superficie del suelo.
2. Para quitar las manchas de pintura, tuve que restregar fuertemente el cepillo sobre la parte exterior de la bañera.
3. Isidora, por favor, restriega la encimera poniendo algo de detergente en el trapo. Si no, no podrás quitar tanta mugre acumulada allí.

B. *prnl.* 揉搓，蹭

1. La niña se despertó restregándose los ojos.

2. Mi hermana me hablaba sin dejar de restregar la ropa que estaba lavando.
3. Al ver regresar al dueño, el gatito se le acercó y se restregó contra sus piernas.

X. valorar *tr.* 估价；看重，珍重

1. ¿En cuántos euros valoras ese par de pulseras?
2. El director del museo dijo que habían intentado robar un cuadro de Velázquez valorado en varios millones de dólares.
3. Los historiadores romanos valoran mucho el símbolo que representa la leyenda de los dos gemelos amamantados por una loba.
4. Está visto que no valoras en su justa medida todo lo que han hecho tus padres por ti.

RESPECTO AL LENGUAJE

I. Usos del condicional simple

简单条件式表示过去将来的事件，与真正的将来时相比，简单条件式涵盖的时间范围要广泛得多。比如在“Me prometió que lo haría.”中就有三种可能性：他答应要做这件事，而且确实已经做了；他答应要做这件事，现在正在做；他答应做这件事，但是至今还没有做，而是等着将来去做。就是说，简单条件式所指的时间范围相当宽泛，既可以指过去的某一时间，也可以延伸到现在乃至将来。简单条件式这种时间所指的宽泛性，常常被用来表示设想之类的含义，其时值可以是过去、现在或将来。

① Entonces, el usurpador pensó que seguramente los hermanos gemelos ya ***estarían muertos***.

意为：八成已经……(Por su valor temporal equivale a *estaba*.)

② Indudablemente, ***se ventilaría*** mejor este cuarto si tuviese al menos un ventanuco.

意为：想必是…… (Por su valor temporal equivale a *ventila*.)

③ Yo no ***suspendería*** la labor en tu situación.

意为：我才不会…… (Por su valor temporal equivale a *suspenderé*.)

本课简单条件式的大量用法，基本上都具有这种**设想**的含义。例如：

Se ahogaba en el cuartucho sin ventilación. ¡Si al menos pudiese abrir el ventanuco que daba al corredor, ***podría*** respirar! (...) pero (...) aquella vieja le ***armaría*** una gresca.

Pero ella sabía que no, (...) en el cielo, nadie, (...) la ***querría*** tanto, la ***arrullaría*** y le ***cantaría***. (...) Su hija ***lloraría*** de noche (...) (...) y ***llamaría*** a su madre.

在上面两个段落中，即使把指出时间背景的动词 se ahogaba 和 sabía 换成现在时，后面一系列简单条件式也仍要保持不变，只有这样才不致失去**设想**的含义。如果根据常规的时态一致规则将其转换成将来时，**设想**的含义立即消失，转而表示**将来一定会**之类的意思。

II. Los relativos *que*, *quien*, *como*, etc. con infinitivo

上一课讲到，关系副词 donde 引导的从句中的主语跟主句主语一致或不确指时，其动词用原形，而且根据动词的要求，关系副词前面可带相应的介词。关系代词 que, quien 和关系副词 como 也可以组成同类结构。例如：

① No había nadie a quién ***preguntar***. (主语无须明指)
其中的介词 a 是动词 preguntar 要求的。

② Como en casa no teníamos qué ***comer***, fuimos a un restaurante.

③ Entró en la oficina con la carta de recomendación, pero no sabía a quién ***dirigirse***.

④ No tengo con qué ***escribir***. Préstame tu lapicero.

⑤ En fin, hija mía, una vez llegada a Montevideo, ya sabes a quién ***acudir***.

⑥ Ideas no le faltarán, pero el asunto está en que no sabe cómo ***expresarlas***.

社会文化常识 CONOCIMIENTO SOCIOCULTURAL

拉丁美洲人物：伊莎贝尔·阿连德与《幽灵之家》

当代拉丁美洲文学对世界文学产生了巨大的影响。在许多外国读者看来，拉美作家笔下，他们的土地——拉丁美洲，是一个充满“魔幻”的世界。而他们自己则认为，作品中的人和事不过是新大陆的真实写照。

许多拉丁美洲当代作家把个人生活经历和重大的社会、历史事件作为创作素材，一方面以文学的笔触反映国家现实，记录百姓生活，另一方面通过文学人物揭露社会不公，呼吁人间正道，为外国读者了解拉丁美洲的社会提供了重要窗口。

智利女作家伊莎贝尔·阿连德（Isabel Allende）就是这类作家之一。1970 年 9 月，左翼的人民联盟候选人、社会党领导人萨尔瓦多·阿连德（Salvador Allende）在智利大选中获胜。同年 11 月 3 日，以阿连德为总统的人民联盟政府宣告成立。这是继 1959 年古巴革命胜利后，拉丁美洲当代政治历史上发生的又一重大事件。阿连德在执政期间实行一系列重大的经济和社会改革，触动了美国在智利的利益。1973 年，在美国的支持下，以皮诺切特为首的军人发动政变，推翻了民选政府。阿连德在政变中自杀。之后，皮诺切特的军人政权执政长达三十年，是拉丁美洲最血腥的独裁政权之一。

智利当代著名作家伊莎贝尔·阿连德是萨尔瓦多·阿连德的侄女。她的成名作《幽灵之家》（*La casa de los espíritus*）描述了在拉美国家社会发生变革的背景下，主人公 CLARA DEL VALLE 一家四代人的生活。小说后半部的许多情节与阿连德政府执政前后的智利情况非常相似，从一个侧面反映了当时的政治和社会生活，为人们了解 20 世纪下半叶的智利提供了一个视角。

1993 年，《幽灵之家》被搬上银幕，中文译名为《金色豪门》。电影由伊莎贝尔·阿连德亲自担任编剧，比利·奥古斯特（Bille August）导演。梅丽尔·斯特里普（Meryl Streep）、格伦·克洛斯（Glenn Close）、杰瑞米·艾恩斯（Jeremy Irons）、薇诺娜·瑞德（Winona Ryder）、安东尼奥·班德拉斯（Antonio Banderas）和范尼莎·雷德格瑞夫（Vanessa Redgrave）等著名演员都在电影中饰演了角色。

Frases de *La casa de los espíritus:*

“El cristianismo, como casi todas las supersticiones, hacía al hombre más débil y resignado. No había que esperar una recompensa en el cielo, sino pelear por sus derechos en la tierra.”

“Esto sirve para tranquilizarnos la conciencia. Pero no ayuda a los pobres. No necesitan caridad, sino justicia.”

EJERCICIOS

11–03

I. Siguiendo la grabación, lea los siguientes poemas:

SINMÚN

Viento loco, tierra seca,
boca sedienta, sediento.
Mundo ciego, arena en el cielo.
Polvo, tormenta, tormento.

Vuela y entierra y aúlla
la arena de duna en duna.
Tierra que aterra y entierra
en cielo vuelto y revuelto.

Max Aub

ENCUENTRO

Si la vida
nos regala otro encuentro
te dejaré ser tú
seré
sencillamente yo

Escucharé
la melodía
de tu música
y la mía
cuando se unan.

María Clara González

II. Conjugue los siguientes verbos en todas las personas, modos y tiempos indicados:

1. En presente del indicativo y del subjuntivo:

aflojar, *ahogarse*, *anochecer*, apresar, arrullar, atropellar, brillar, *calzarse*, *complacer*, *concebir*, *conducir*, *estremecer*, *extraviarse*, *demostrar*, derrumbar, *equivaler*, *gratificar*, *intervenir*, hundir, *mecer*, rebullirse, recobrar, reflejar, respetar, resoplar, *restregar*, *revolver*, *sostener*, *roncar*, valorar, ventilar.

2. En futuro imperfecto del indicativo y en condicional simple:

aflojar, ahogarse, anochecer, apresar, arrullar, asemejar, atropellar, brillar, calzarse, *componer*, concebir, cubrir, *decir*, descubrir, disputar, escapar, estremecer, expulsar, extraviarse, *hacer*, hundir, influir, *intervenir,* mecer, recobrar, respetar, revolver, roncar, sacudir, *sobrevenir*, *suponer*, valorar, ventilar;

3. En pretérito imperfecto del indicativo:

absorber, aflojar, ahogarse, amar, anochecer, arrullar, atropellar, bautizar, brillar, calzarse, complacerse, concebir, conducir, demostrar, disputar, empeñarse, equivaler, estremecer, extraviarse, hundir, influir, intervenir, *ir*, juzgar, mecer, recobrar, respetar, restregar, revolver, *ser*, sobrevenir, sostener, valorar, ventilar;

4. En pretérito indefinido del indicativo y en pretérito imperfecto del subjuntivo:

absorber, aflojar, *ahogarse*, anochecer, apresar, arrullar, atropellar, *calzarse*, *concebir*, *conducir*, *disponer*, disputar, escapar, estremecerse, extraviarse, *hacer*, *influir*, *intervenir*, *juzgar*, recobrar, respetar, revolver, *roncar*, sacudir, *sobrevenir*, *sostener*, valorar, ventilar.

(斜体部分需笔头重复)

11–04

III. Escuche las preguntas sobre el texto y contéstelas oralmente en español.

IV. Diga a qué se refieren las palabras en cursiva, y en caso de que sean verbos, señale cuál es su sujeto. Todas las oraciones son del texto:

1. Eladia García Viñas, de treinta y seis años, que trabaja de asistenta, encontró en la mañana de ayer, al ***hacer*** la limpieza de la sala de un cine, una pulsera valorada en ciento cincuenta mil pesetas, que luego ***la entregó*** en la Comisaría del Distrito de la Inclusa.

   hacer:

   la:

   entregó:

2. La dueña de ***la joya***, que resultó ser la ciudadana uruguaya doña Nila Salcedo, ***gratificó*** espléndidamente a Eladia.

   la joya:

   gratificó:

3. ***Fue*** repasando en la memoria ***sus*** lecturas. Siempre, de las casas adonde ***iba*** a trabajar, ***se llevaba*** un periódico envolviendo las alpargatas. Luego, de noche, ***lo*** leía.

   Fue:

   sus:

   iba:

   se llevaba:

   lo:

4. Se iba durmiendo mecida por las noticias del mundo, de ese mundo extraño, fabuloso, d***el*** que ella formaba parte, pero que no ***la conocía***.

   el:

   la:

   conocía:

5. ***Asomada*** a la ventanilla ***le vendría*** al sentido el olor del campo tierno de ***su*** tierra.

   Asomada:

   le:

   vendría:

   su:

6. ***Se ahogaba*** en el cuartucho sin ventilación. ¡Si al menos ***pudiese*** abrir el ventanuco que ***daba*** al corredor! ***Podría*** respirar, respirar el aire encerrado de la casa de vecindad y la humedad del patio, y no ese hedor a basura, a sudores.

   Se ahogaba:

   pudiese:

   daba:

   Podría:

7. Pero ***su*** compañera de habitación, aquella vieja ***le*** armaría una gresca. Por no oir***la***...

   su:

   le:

   la:

8. "Una pulsera valorada en ciento cincuenta mil pesetas". ***Una fortuna***.

   Una fortuna:

9. El frío de la madrugada ***la*** estremeció. ***Restregó uno*** contra ***otro*** los pies ateridos, como piedras.
   la:
   Restregó:
   uno:
   otro:
10. En el duermevela ***se le juntaban*** todos los recuerdos, ***dándole*** vueltas y vueltas como un tiovivo.
    se juntaban:
    le:
    dando:
    le:
11. ¿Cómo se llamaba el hombre que ***te*** perdió?
    te:
12. El hombre que ***la*** perdió.
    la:
13. "Mientras me vivió ***la niña***, aún ..."
    la niña:
14. "En Madrid, trabajando de asistenta, ***se sacan*** buenos cuartos. ***Eso*** deberías tú hacer."
    se sacan:
    Eso:
15. No ***volvió***.
    volvió:
16. El sueño ***lo*** revolvía todo.
    lo:
17. ***Le*** raspaba la mejilla la tela áspera que ***le servía*** de almohada.
    Le:
    le:
    servía:
18. Roncaba ***aquella vieja mendiga*** y resoplaba en ***su*** catre.
    aquella vieja mendiga:
    su:
19. Soñaba siempre con ***la niña***.
    la niña:

20. Más ***le ha valido***. Para la vida que ***le esperaba***.

    le:

    ha valido:

    le:

    esperaba:

21. Eso ***le decían.***

    le:

    decían:

22. Pero ella sabía que no, que no había nada mejor que la vida, fuese ***la*** que fuese.

    la:

23. ***Un angelito*** al cielo.

    Un angelito:

24. No, en el cielo no ***estaría*** tan bien como en el cobijo de ***su*** regazo.

    estaría:

    su:

25. En el cielo, nadie, ni los santos, ni Dios mismo ***la*** querría tanto, ***la*** arrullaría y ***le*** cantaría para que durmiese, como ***ella*** le cantaba.

    la:

    la:

    le:

    ella:

26. ***Calla***, ***hereje***, que ***ofendes*** a Dios.

    Calla:

    hereje:

    ofrendes:

27. ***Era*** lejos, en un barrio nuevo: el metro, el autobús y una buena caminata.

    Era:

28. ¿Cómo se llama ***usted***?

    usted:

29. Otra casa, otra cocina, otro cubo para fregar, pero siempre ***lo mismo***.

    lo mismo:

30. Y ***venga*** a dar vueltas y vueltas sin orientarse.

    venga:

31. ***Todo*** fue en un segundo.

    Todo:

32. ***Surgió*** gente de donde ***parecía*** que no hubiese nadie y ***se armó*** un revuelo.
    Surgió:
    parecía:
    se armó:
33. ***Había desaparecido*** el dolor.
    Había desaparecido:
34. Entre ***los ojos cerrados le volvió*** el brillo de la mirada de ***él***.
    los ojos cerrados:
    le:
    volvió:
    él:
35. ***El hombre de fuera*** con su mirada triste de muerte, con ***su nombre de muerto***.
    El hombre de fuera:
    su nombre de muerto:
36. No podía mirar***la***, ***le faltaban*** las fuerzas para acercar ***aquello*** a la altura de sus ojos.
    la:
    le:
    faltaban:
    aquello:
37. No podía abrir los ojos y ***se le aflojaba*** la mano con ***la*** que quería apresar la pulsera.
    se aflojaba:
    le:
    la:
38. La noticia entre todas las noticias del mundo, del enorme mundo que no ***sabía*** nada de ***ella***.
    sabía:
    ella:

V. En la lección 6, hemos estudiado el estilo indirecto *libre*. Repáselo para luego compararlo con otra modalidad lingüística y literaria que aparece en esta lección. Es algo parecido, pero tiene rasgos que lo hacen un poco diferente. En él no se anteponen ni se posponen verbos anunciadores tales como *dijo*, *preguntó*, *pidió*, *pensó*, etc., ni otros signos propios del estilo directo, a la frase que se inserta en el discurso narrativo del autor como una intromisión del personaje, en voz del narrador. Y esto es lo que tiene usted que hacer en este ejercicio:

1. Enumerar todas las secuencias de este tipo;

2. Decir a quién se le atribuye el enunciado;
3. Indicar si realmente lo ha emitido o solo concebido en la mente.

VI. En el texto hay muchas secuencias donde se ha omitido algo en favor de la agilidad y rapidez de estilo. Lo que tiene que hacer en este ejercicio es localizarlas y luego completar la idea agregando lo que considere que podría haberse dicho:

Ejemplo Deme un billete ***de tercera***.
Se omite la palabra ***clase***.

VII. De entre las expresiones o términos numerados del 1 al 3, escoja la forma cuyo scgnificado se aproxima al de la parte en cursiva:

1. Eladia García Viñas, de treinta y seis años, que trabaja de ***asistenta***, encontró en la mañana de ayer, al hacer la limpieza de la sala de un cine, una pulsera valorada en ciento cincuenta mil pesetas, que luego la entregó en la Comisaría del Distrito de la Inclusa.
    1) ayudante
    2) persona que asiste a un evento
    3) sirvienta
2. La princesa Grace de Mónaco ***espera un niño***...
    1) Espera que algún niño llegue a visitarla.
    2) Está embarazada.
    3) Espera que su hijo regrese del colegio.
3. Se iba durmiendo ***mecida*** por las noticias del mundo, ...
    1) Antes de dormirse, le pasaban por la cabeza tantas noticias que sentía un mareo como si estuviera meciéndose en una cuna.
    2) Antes de dormirse se sentía sacudida por las noticias.
    3) Se revolvía agitadamente en la cama repasando las noticias.
4. Asomada a la ventanilla, ***le vendría al sentido el olor*** del campo tierno de su tierra.
    1) El olor se le acercaría hasta tocarla.
    2) Percibiría el olor.
    3) Sentiría intensamente cómo le llegaba el olor.
5. ...el olor del ***campo tierno*** de su tierra.
    1) campo que recibe mucho cariño
    2) campo capaz de despertar ternura
    3) campo suave, blando, húmedo, cubierto de plantas tiernas

6. Los pastos jugosos y ***el aire fino***.
    1) aire limpio y puro
    2) brisa suave y fresca
    3) aire que, al soplar, simula un hililllo delgado
7. ***Por no oírla***… "Una pulsera valorada en ciento cincuenta mil pesetas."
    1) Al no oírla, se puso a pensar en las noticias.
    2) Como no la oía comenzó a repasar las noticias.
    3) Para no oír a la vieja rezongante se entretenía pensando en las noticias.
8. ***Una fortuna***.
    1) Cuantiosa riqueza
    2) Buena suerte
    3) Felicidad
9. ¿Cómo se llamaba el hombre que ***te perdió***?
    1) que te perdió de vista.
    2) que dejó de verte.
    3) que te complicó la vida causándote daño.
10. Lázaro. ***Nombre de muerto***.
    1) Comenzó a llamarse Lázaro después de haber muerto.
    2) Nombre que significa hombre muerto.
    3) Al aludir a Lázaro –personaje bíblico resucitado por Jesucristo luego de permanecer varios días muerto–, sugiere la idea de muerte.
11. El sueño ***lo revolvía todo***.
    1) En el sueño, todo era confusión.
    2) En el sueño se mezclaban todos los recuerdos.
    3) En el sueño todo se complicaba.
12. ***El brillo de los cohetes*** en la noche de plenilunio. Y luego ***las vaquillas y el baile*** en la plaza, y ***el toro de fuego***.
    1) Se refiere a ciertos fenómenos naturales que aparecen en determinada época del año.
    2) Son actividades que se efectúan todos los días en su tierra.
    3) Son formas de diversión en la celebración de determinadas fiestas en el pueblo.
13. ***Más le ha valido. Para la vida que le esperaba***.
    1) Para la niña mejor ha sido la muerte, porque le esperaba una vida miserable.
    2) La muerte le ha servido para entrar en otra vida mejor.
    3) Para ella, la muerte tiene el mismo valor que la vida.

14. Pero ella sabía que no, que no había nada mejor que la vida, ***fuese la que fuese***.
    1) De cualquier manera, la vida tenía un lado mejor.
    2) Lo mejor de la vida estaba en la propia vida.
    3) En el mundo, lo mejor era la vida, aunque fuera la más miserable.
15. ***Un angelito al cielo***.
    1) La niña, al morir, se había ido al cielo, convertida en angelito, según la fe religiosa.
    2) La imagen de un angelito se reflejaba en el cielo.
    3) Las vecinas vieron subir al cielo a un angelito.
16. Era el mundo, la gente, los que ***no sabían nada de ella***, ni de la niña, ni de las palomeras de Echalar, ni de la feria de su pueblo.
    1) Se refiere al hecho de que todos desconocían cómo se llamaba ella y de dónde era.
    2) Se refiere al mundo desconocido en que ella se desenvolvía.
    3) Era el desconocimiento y la indiferencia del mundo frente a todo lo relacionado con ella: sus alegrías, sus sufrimientos, sus aspiraciones.
17. Y ***venga a dar*** vueltas y vueltas sin orientarse.
    1) Alguien le dice: "Venga, aquí, a dar vueltas y vueltas."
    2) Exclamación que equivale a: ¡Y otra vez a repetir las vueltas!
    3) Espera que alguien venga a dar vueltas.
18. ¡***Hay que ver lo grandísimo que es Madrid***!
    1) Exclamación que equivale a: ¡No te imaginas lo grande que es Madrid!
    2) Es necesario ver a Madrid como una ciudad muy grande.
    3) En Madrid hay cosas muy grandes que ver.
19. … vería el ***manso*** paisaje reflejado en las aguas del río, …
    1) afable
    2) humilde
    3) suave y apacible
20. ***el jugoso valle*** de Bertizaran.
    1) valle con frutas jugosas
    2) valle húmedo, verde, fértil
    3) valle lluvioso

VIII. Teniendo en cuenta el contexto, sustituya las palabras en cursiva por sus sinónimos:

1. ***Rasgo*** ____________ de honradez.
2. …una pulsera, ***valorada*** ____________ en ciento cincuenta mil pesetas…
3. La dueña de la joya, que resultó ser la ciudadana uruguaya, doña Nila Salcedo, ***gratificó*** ____________ espléndidamente a Eladia.

4. … de ese mundo extraño, ***fabuloso*** ____________, del que ella formaba parte, …
5. Restregó uno contra otro los pies ***ateridos***____________, como piedras.
6. En el duermevela se le ***juntaban*** ____________ todos los recuerdos, …
7. En Madrid, asistiendo, ***se sacan buenos cuartos*** ____________.
8. ***La faena*** ____________ de siempre.
9. En el trayecto ***recobró el sentido*** ____________.
10. No podía mirarla, ***le faltaban*** ____________ las fuerzas para acercar aquello a la altura de sus ojos, …
11. No podía abrir los ojos y se le aflojaba la mano con la que quería ***apresar*** ______________ la pulsera.
12. La noticia entre todas las noticias del mundo, del ***enorme*** ______________ mundo que no sabía nada de ella.

IX. Conjugue, primero, el infinitivo que está entre paréntesis en el tiempo y la persona correspondientes, y luego, ponga los verbos principales en presente, por ejemplo: *se pregunta*, *todos le dicen*, etc. y ve qué consecuencias puede haber respecto a los verbos entre paréntesis.Traduzca al chino las resultantes de ambos casos:

1. Justina se preguntaba qué ____________ (hacer) si la asignaran a ese cargo. ¿____________ (Resolver) todos los problemas o ____________ (morirse) de angustia?
2. Todos le decían que al morir, su hija había pasado a otro mundo mejor. Podía ser verdad, pensaba. Allá, a lo mejor, no ____________ (haber) hombres que la perdieran a una. Una no ____________ (humillarse) tanto trabajando como asistenta en casas ajenas y no ____________ (dormir) en un cuartucho sin ventilación y maloliente en compañía de una vieja mendiga gruñona.
3. A veces me ponía a pensar cómo ____________ (tratar) a mis alumnos si yo fuera profesor. Seguramente les ____________ (querer) mucho y les ____________ (enseñar) con mucha paciencia. Pero no por eso ____________ (dejar) de ser exigente con ellos.
4. Alguna gente afirmaba que con el dinero se podía hacer todo, pero yo lo dudaba. ¿____________ (Comprarse) la amistad? ¿____________ (Ganarse) el respeto?

X. Sustituya el futuro imperfecto de indicativo por el condicional simple y diga qué cambios de matiz se ha producido. Traduzca las oraciones originales y las resultantes al chino:

1. Será necesario castigar severamente a esa gente.

____

2. Te acompañaré con mucho gusto.

____

3. Le gustará intervenir en la conferencia.

____

4. Ventilaré frecuentemente la habitación.

____

5. Sin guía, te extraviarás.

____

6. Asomada a la ventanilla le vendrá al sentido el olor del campo tierno de su tierra.

____

7. Ahí podrán ustedes respirar el aire fresco.

____

8. La vieja le armará una gresca.

____

9. Este hombre te perderá.

____

10. De esa manera recobraréis lo que os pertenece.

____

XI. Traduzca al español las siguientes oraciones:

1. 我们不知道怎么去你说的那个警察局。
2. 家庭服务员没有收拾垃圾的家伙。
3. Amalia 终于找到一张报纸来包她的凉鞋。
4. Nicolás 突然灵机一动想到该把拣到的珠宝交给谁了。
5. Sandra 终于找到了擦面颊的手绢。

6. 我当时真不知道该怎么奖赏那个帮了我忙的小男孩。
7. Berta 需要另一个女孩跟她合住一个房间。
8. 没人知道如何给那副首饰估价。
9. 脚夫在走廊里找到放他折叠床的角落。
10. 在那种情况下，你本该知道向谁求助。

XII. Ejercicios del léxico:

A. Traduzca al chino las siguientes oraciones fijándose especialmente en las palabras destacadas a la cabeza de cada grupo, cuya traducción varía según el caso:

armar(se)

1. En la historia no han faltado casos en que naciones pequeñas y débiles consiguieron expulsar a invasores poderosos, *armados* hasta los dientes.
2. ¿Cómo se te ha ocurrido desmontar el reloj si no eres capaz de *armarlo* de nuevo?
3. Noto algo raro en esa gente. Parece que está *armando* alguna intriga.
4. No veo el motivo de *armar* semejante gresca.

asistir

1. Trataremos de encontrar el mejor cirujano de la ciudad para que *asista* al joven atropellado por un automóvil.
2. Ya deja de disputar con Gumersinda. No te *asiste* la razón.
3. El ingeniero pidió que, para armar el gigantesco artefacto que había inventado, lo *asistieran* por lo menos diez técnicos.
4. Todo el mundo se disputaba por *asistir* a aquella celebración que, según decían, sería fabulosa.

atropellar

1. Al chofer lo metieron en la cárcel por *haber atropellado* a un anciano.
2. De repente, el ladrón salió de su escondite y se abrió paso *atropellando* a los policías que lo rodeaban.
3. ¿Cómo pudiste tolerar que *atropellaran* tus derechos?
4. La corrupción y la impunidad son formas vergonzosas y deplorables con las que *se atropella* a diario la moral y las leyes de un país.

encerrar(se)

1. Iván ha tenido su coche *encerrado* bajo llave en el garaje durante los seis meses que duró su ausencia. Ahora que ha vuelto, no lo puede usar porque ha perdido la llave y forzar la cerradura le está resultando un asunto muy complicado.
2. Señora, por favor, lleve sus gallinas al corral y *enciérrelas* allí para que no salgan a estropear los cultivos.
3. ¿Qué extraño rito celebrará ese grupo de gente, que ha tenido que *encerrarse* en ese sótano oscuro y húmedo?
4. Sonia dijo que *se encerraría* todo el día en su habitación para que nadie la molestara, porque le urgía terminar su tesis de doctorado.

espléndido

1. Normalmente, en esta época llueve mucho en este pueblo, pero el tiempo les ha regalado a ustedes, para su paseo, un *espléndido* día de sol.
2. Os agradezco que me hayáis invitado a vuestra casa: fue una *espléndida* fiesta la que organizasteis en honor de la profesora venezolana recién llegada.
3. Los ganadores del torneo no pudieron quedar más contentos con los *espléndidos* obsequios recibidos de manos del alcalde de la ciudad.
4. Todos los presentes felicitaron calurosamente a la joven pianista por su *espléndido* concierto de música barroca.

estremecer(se)

1. A pesar de una cuidadosa asistencia médica, la paciente seguía *estremeciéndose* con unos extraños escalofríos.
2. Aquel escándalo de corrupción que involucraba a varios altos funcionarios fue de tal magnitud que *estremeció* a toda la nación.
3. Al enterarme de lo que habías hecho, *me estremecí* de rabia e indignación, tanto que tardé mucho en recobrar la calma.
4. Aquella noche, una estruendosa explosión de origen desconocido *estremeció* toda la zona residencial.

hundir(se)

1. Pasan cosas raras en esta zona pesquera. ¿De qué van a vivir, digo yo, esos pescadores que, en protesta por los bajos precios del pescado, *hunden* sus barcas?

2. La noticia estremeció a todo el mundo. A mí, especialmente, me dio la sensación de que *se me hundía* el suelo.
3. Debido a la mala calidad de los materiales empleados, *se hundió* el puente recién construido. Las autoridades han iniciado una investigación para dar con los culpables.
4. Cuando *se hundió* el Imperio Romano, Europa entró en un período histórico denominado Edad Media.

perder(se)

1. No te imaginas lo olvidadizo que es ese hijo mío. Cada vez que regresa del colegio, se lamenta de *haber perdido* algo.
2. Cualquiera *se* puede *perder* en una tumultuosa manifestación como esta, así que, mejor, dame la mano y no me sueltes, pase lo que pase.
3. ¿Todavía no comprendes que ha sido tu falta de honradez lo que te *ha perdido*?
4. Está a la vista que el equipo B va a *perder*.

rasgo

1. Le pedí un autógrafo a la escritora y ella me escribió una dedicatoria con letra de *rasgos* tan enmarañados, que resultó una cosa ininteligible.
2. Dicen que los perros no reconocen a las personas por sus *rasgos* físicos, sino por su olor.
3. Profesor, ¿me puede resumir en pocas palabras los *rasgos* principales del humanismo?
4. Aquel *rasgo* de heroicidad de Humberto nos sorprendió a todos, pues siempre lo habíamos creído un muchacho indiferente y temeroso.

reflejar(se)

1. Se miró en el espejo y se llevó un gran susto: la figura que *se reflejaba* en él no parecía suya.
2. ¡Qué bonito paisaje con la montaña cubierta de vegetación, *reflejada* en el lago!
3. La forma atropellada en que hablaba *reflejaba* a las claras su agitación.
4. El director filmó una nueva película que *reflejaba* muy bien los conflictos sociales de su país.

valorar

1. La fortuna que poseen esas personas está *valorada* en miles de millones.
2. Lo que más *valoro* en Sergio es su honradez.
3. Todavía no se sabe cómo *valorar* el significado del más reciente hallazgo arqueológico.
4. Me pone enfermo la gente incapaz de *valorar* la importancia de la amistad.

B. Traduzca al español las siguientes oraciones:

1. “你要是再这么调皮捣蛋，我要把你关进房间整整一天”，母亲威胁她那刚刚打碎三个盘子的孩子。
2. 一走进那个灯火通明的大厅，我突然感到一阵眩晕。
3. 工程师们建议拆除旧桥，建一座新的。
4. 别再用那双脏手揉眼睛了。
5. 你那个朋友是个性格古怪的人，到处为一点儿小事大吵大闹。
6. 过分的赞扬毁了那个年轻作家。
7. 你一个人关在房间鼓捣什么乱七八糟的事呢？
8. 那次针对一所医院发动的可怕的恐怖袭击震惊了全体居民。
9. 我们不能容忍你这样任意作践他人。
10. 在博物馆看到的那件珍宝，你看值多少欧元？
11. 我坚持认为他的话反映了大多数人的情绪。
12. 使劲擦一擦。不然桌上的污垢去不掉。

11–05

C. Al escuchar la perífrasis, diga el vocablo o expresión correspondientes:

1. Poner floja una cosa: ______________
2. Impedir que una persona o un animal respiren: ______________
3. Despedir destellos de luz: ______________
4. Sueño fatigoso e interrumpido con frecuencia: ______________
5. Perder el camino: ______________
6. Persona que no está de acuerdo con los dogmas de la religión: ______________
7. Volver a poseer una cosa que se tuvo antes: ______________
8. Remover algo o dándole vueltas / cambiar de sitio las cosas, sin orden: ______________
9. Órgano o función fisiológica que permiten percibir impresiones externas como sonido, imagen, olor, etc.: ______________
10. Acción y efecto de hacer circular el aire en un lugar cerrado: ______________

11–06

XIII. Dictado.

11–07

XIV. Escuche la grabación y luego haga una versión oral resumida.

XV. Trabajos de casa:

1. Trate de leer el texto con fluidez.
2. Temas de conversación:
   1) Imagine una breve biografía de la protagonista del texto;

2) Relate su historia como si fuese una conocida suya;
3) Refiera en qué consiste una vida de empleada de casa, y hágalo basándose en un caso que conozca.

3. Traduzca al español las siguientes oraciones:
   1) Marco，把绳子放松点儿，它快要断了。
   2) 我跳进湖里去救那个快淹死的小孩。
   3) 夜幕降临时，我们才到达目的地。
   4) 并非所有闪光的东西都是金子。
   5) 在这个巨大的购物中心我总是迷失方向。
   6) 你不知道吗？所有的朋友都很欣赏你的忠诚老实。
   7) 请诸位放心。病人已经恢复知觉了。
   8) 你别再一个劲儿搅和那碗汤了。你会把它弄得一塌糊涂。
   9) 咱们的感觉功能有：视觉、听觉、嗅觉、味觉和触觉。
   10) 两个城市之间的路程很短，用不了多长时间就走到了。

UNIDAD 12
第十二课

1 FUNCIÓN COMUNICATIVA

2 EJEMPLOS CON ALGUNOS VOCABLOS USUALES

ahorrar, al servicio de, calcular, exagerar, fabuloso, sa, funcionar, gracias a, marcar, medio, resolver(se)

3 RESPECTO AL LENGUAJE

- Construcciones preposicionales
- Variante de la coordinación disyuntiva *sea*... *o*...

4 CONOCIMIENTO SOCIOCULTURAL

- 拉丁美洲人物：庇隆夫人埃维塔

TEXTO

12–01

De la máquina de Pascal al cerebro electrónico

(Adaptación del texto del mismo título,
Invenciones y descubrimientos, la Gran Travesía 9,
Biblioteca Universal de los niños, Santillana, Madrid, 1972)

Calcular ha sido una preocupación constante en todas las civilizaciones. El hombre primitivo juntó sus dedos y los recorrió uno a uno para contar las fases de la luna; el egipcio midió sus tierras ayudado por la regla y el compás; el comercio fenicio floreció gracias al equilibrio mercantil de pesas y balanzas; el griego se entretuvo en el teorema y el cálculo del círculo y el romano controló sus riquezas por medio de un ábaco. Gracias a esta metódica costumbre, la técnica fue perfeccionándose y posibilitando una ciencia cada vez más profunda y más precisa.

Pero a medida que la ciencia se hacía más extensa, los cálculos eran cada vez más complicados. Una simple suma es una operación sencilla de resolver, pero muchas sumas sencillas, un millón de sumas distintas, por ejemplo, es una operación muy laboriosa y necesita mucho tiempo. Si además de las sumas hay que hacer algunas restas, cientos de multiplicaciones y dividir el producto un millar de veces, no hay cabeza humana que no se fatigue y renuncie a buscar el resultado.

Cada época tuvo su instrumento para resolver el problema del cálculo. En la nuestra tenemos *la computadora electrónica*, llamada también cerebro electrónico, nombre quizás un poco exagerado, pero que otorga a este aparato una categoría superior a las demás máquinas existentes.

Pocos inventos habrán tenido tantos inventores como este *cerebro electrónico*. La computadora es la suma de muchos descubrimientos, de varios siglos de perfeccionamientos, de nuevas teorías matemáticas. Dos factores lo hicieron posible en nuestro siglo: uno, de carácter técnico, fueron los progresos realizados en electrónica, y otro, de carácter matemático, el descubrimiento del *sistema binario* por el que se rigen todas las computadoras.

Los primeros cerebros electrónicos que funcionaron en el mundo fueron los norteamericanos, construidos por encargo del gobierno durante la Segunda Guerra Mundial, y encontraron aplicación, sobre todo, en la dirección automática del tiro de las baterías antiaéreas y en estudios de energía nuclear.

Después de la guerra se vieron claramente las enormes ventajas que las computadoras ofrecían en los más diversos campos, desde los organismos de administración pública a la industria, la investigación científica, etc., y empezaron a usarse en gran escala.

Pero la historia de la primera computadora, aunque no electrónica, se remonta a mediados del siglo XVII. La invención de esta calculadora mecánica tuvo lugar en Francia, en 1642, bajo el reinado de Luis XIII, aunque el invento no llegó a generalizarse hasta mucho tiempo después, casi en el siglo XIX.

El inventor de esta máquina fue Blas Pascal, hijo de un pagador real del ejército. Sin duda fue este oficio paterno el que lo llevó a idear una máquina que simplificara las operaciones que su padre, y seguramente toda la familia, debían realizar todos los meses al pagar a los soldados.

El mecanismo de la máquina de Pascal, contemplado desde nuestra época, resulta sencillo. Se trata de engranajes de diversos tamaños: a cada diez vueltas de la rueda de las unidades se mueve una vez la de las decenas, cada diez vueltas de las decenas equivale a una vuelta de las centenas y así sucesivamente.

Un mecanismo semejante es el que se utiliza en el cuentakilómetros de los automóviles: un engranaje marca los metros. Cada mil vueltas, un kilómetro, etc. También las máquinas registradoras de algunos establecimientos funcionan de forma semejante a la "máquina aritmética" de Pascal.

Luego, muchos otros inventores fueron perfeccionando la calculadora de Pascal, pero la máquina no sufrió ningún cambio esencial: continuaba siendo mecánica, accionada por una manivela, y solo era útil para realizar operaciones aritméticas.

Sin embargo, pese a la gran distancia técnica que separa la "máquina aritmética" de un moderno cerebro electrónico, su principio de funcionamiento responde a la misma idea: la de ahorrar tiempo y esfuerzo mental al transformar operaciones matemáticas laboriosas en una sucesión de operaciones elementales.

Actualmente la aplicación del cerebro electrónico se ha extendido a tantos campos que resulta difícil decir en qué terrenos no se utiliza. Basta con ver cualquier empresa, sea industrial, comercial o financiera, cualquier oficina, administrativa, turística o de otra índole para enterarse de la comodidad, eficiencia, precisión y hasta creatividad que depara el ingenioso artefacto a las actividades humanas. Lo más sorprendente es que viene penetrando cada día en mayor número de casas. Si tú dispones de un ordenador individual, o incluso portátil y además estás conectado con el internet, comprenderás lo que significa la llamada *época informática*.

Los inventos de los últimos tiempos se han incorporado tanto a la vida cotidiana que nos parecen cosas demasiado corrientes, desprovistas de lo que son en realidad: auténticas maravillas. Así, a nadie le llama la atención ver volar un avión o estar dentro de él, desplazándose en el aire, y son muy pocos los que se ponen a pensar que, para realizar el *milagro* de que un aparato tan grande y pesado levante vuelo y se deslice a velocidad en el espacio, la ciencia ha tenido que batallar por largo tiempo para dominar a la naturaleza en un punto que siempre pareció imposible: vencer la ley de la gravedad. ¿Y quién se maravilla hoy ante un televisor viendo en la pantalla un suceso que está teniendo lugar en ese mismo momento a miles de kilómetros? Nadie. ¿Qué pasaría si reviviéramos a un científico de otros tiempos y le dijéramos que las imágenes se pueden transmitir a la distancia y, para comprobarlo, lo sentáramos frente a un televisor? Antes de interesarse por los mecanismos de su funcionamiento, su primera reacción sería, probablemente, maravillarse. Y en ese estado de maravilla se quedaría por mucho tiempo.

Los inventos nos han hecho más cómoda la vida pero algunos, por el mal uso que les hemos dado, han causado y siguen causando daños, sobre todo, a los jóvenes. Y así vamos, como simples usuarios de un sinnúmero de inventos antiguos y recientes –el Internet, el teléfono móvil, los sistemas de las redes sociales–, valiéndonos de ellos para resolver importantes problemas de nuestra vida, sin darnos cuenta de que hemos perdido nuestra capacidad de asombro y de maravilla.

12–02

VOCABULARIO

máquina	*f.*	机器
Pascal		帕斯卡尔
cerebro	*m.*	大脑
electrónico, ca	*adj.*	电子的
calcular	*tr.*	计算
fase	*f.*	月相；阶段
regla	*f.*	尺子
compás	*m.*	圆规
fenicio, cia	*adj.*	腓尼基的
florecer	*intr.*	开花；繁荣
equilibrio	*m.*	平衡
pesa	*f.*	砝码，秤砣
balanza	*f.*	天平，秤
teorema	*m.*	原理，定理
círculo	*m.*	圆
ábaco	*m.*	算盘
metódico, ca	*adj.*	有条理的
perfeccionar	*tr.*	使完善
posibilitar	*tr.*	使有可能
a medida que	*loc.adv.*	随着
extenso, sa	*adj.*	广阔，广泛
suma	*f.*	加法；和
laborioso, sa	*adj.*	勤劳的；费力的
resta	*f.*	减法
multiplicación	*f.*	乘法
dividir	*tr.*	除，除去
millar	*m.*	成千
fatigar(se)	*tr.; prnl.*	使疲劳
renunciar	*intr.*	放弃
otorgar	*tr.*	给予，授予
categoría	*f.*	范畴，等级

inventor, ra	*m.,f.*	发明人
perfeccionamiento	*m.*	完善
sistema binario		二进位制
regir	*tr.*	统治，支配
por encargo de	*loc.adv.*	受……委托
tiro	*m.*	射击，发射
batería antiaérea		高射炮
nuclear	*adj.*	核子的
organismo	*m.*	机构
administración	*f.*	管理
industria	*f.*	工业
investigación	*f.*	研究，调查
escala	*f.*	梯子；规模；范围
a mediados de	*loc.adv.*	中期，中叶
calculadora	*f.*	计算器
mecánico, ca	*adj.*	机械的
reinado	*m.*	在位期
generalizar	*tr.*	普及，推广
pagador, ra	*m.,f.*	付款人；出纳
paterno, na	*adj.*	父亲的
idear	*tr.*	想出
seguramente	*adv.*	想必
engranaje	*m.*	机件；结构
unidad	*f.*	单位；个位
decena	*f.*	十位
cuentakilómetros	*m.*	计程器
registrador, ra	*adj.*	记录的
establecimiento	*m.*	商业机构
aritmético, ca	*adj.*	算术的
esencial	*adj.*	实质的
manivela	*f.*	手柄
pese a	*conj.*	尽管
distancia	*f.*	距离
principio	*m.*	原则
funcionamiento	*m.*	运转，运行
mental	*adj.*	脑力的
elemental	*adj.*	基础的
industrial	*adj.*	工业的
financiero, ra	*adj.*	金融的
administrativo, va	*adj.*	管理的
eficiencia	*f.*	效率
precisión	*f.*	精确性
deparar	*tr.*	提供，给予
individual	*adj.*	个人的
portátil	*adj.*	便携式的
conectar	*tr.*	联结，联络
informática	*f.*	信息学
informático, ca	*adj.*	信息的
corriente	*adj.*	普通的
milagro	*m.*	奇迹
pesado, da	*adj.*	沉重的
deslizarse	*prnl.*	滑，滑行
velocidad	*f.*	速度
batallar	*intr.*	战斗，搏斗
gravedad	*f.*	重力，引力
maravillar(se)	*prnl.*	惊叹，惊羡
revivir	*tr.*	使复生
usuario, ria	*m.,f.*	用户，使用者
sinnúmero	*m.*	无数

PALABRAS ADICIONALES

división	*f.*	除法
electrón	*m.*	电子
multiplicar	*tr.*	乘，使翻番
núcleo	*m.*	核心
restar	*tr.*	减去
sumar	*tr.*	加上

VERBOS IRREGULARES

florecer: Se conjuga como *parecer*.
regir: Se conjuga como *pedir*.

VERBOS CON CAMBIOS ORTOGRÁFICOS EN ALGUNAS CONJUGACIONES

deslizar: Se conjuga como *realizar*.
fatigar: Se conjuga como *llegar*.
generalizar: Se conjuga como *realizar*.
multiplicar: Se conjuga como *explicar*.
otorgar: Se conjuga como *ahogar*.

EJEMPLOS CON ALGUNOS VOCABLOS USUALES

I. ahorrar

A. *tr.*; *intr.* 节省，攒钱

1. Mi amigo viene ahorrando un diez por ciento de lo que gana para comprar una casa.
2. Debido a la crisis financiera, el gerente de la empresa se vio obligado a ahorrar en gastos administrativos.
3. El ingeniero jefe aseguró que con el reemplazo del equipo obsoleto por uno nuevo, electrónico, podríamos ahorrar tiempo y gastos.
4. Si agarras así la manivela, vas a ahorrar mucha energía.

B. *tr.* 省去，省得

1. Si el indeseable director hubiese renunciado a su cargo antes, nos habría ahorrado la molestia de manifestarnos contra él.
2. ¿Por qué no me dijiste que ya lo sabías? Me habrías ahorrado esta laboriosa explicación.
3. En aquel momento preferí no decirte nada para ahorrarte el disgusto.
4. Todos nos quedamos maravillados al ver el funcionamiento de la nueva máquina. Efectivamente, nos ahorra mucho trabajo.

C. *prnl.* 省去，免去

1. Te ahorrarás muchas fatigas si aprendes a trabajar de manera metódica.
2. Pero, mujer, ahórrate esa preocupación. A tu hijo no le va a pasar nada volando en ese avión de prueba. Le van a pagar una millonada. Es una excelente oportunidad que le ha deparado el destino.

3. Con la simplificación de los trámites burocráticos pude ahorrarme infinidad de complicaciones al realizar aquellas gestiones.

II. al servicio de *loc.prep.* 为……服务，效劳

1. El inventor se puso contento cuando le informaron que su nuevo invento ya se hallaba al servicio de los sectores sociales económicamente desfavorecidos.
2. Los trabajadores puestos al servicio de esa gigantesca empresa industrial suman decenas de millares.
3. Una persona inteligente pero desprovista de dignidad no merece respeto y, por tanto, no es apta para ponerse al servicio de esta empresa.

III. calcular

A. *tr.* 计算

1. Yo sé que desde muy pequeño acostumbras utilizar ábaco para calcular. Dicen que con este sistema se puede sumar y restar muy rápido, pero ¿también multiplicar y dividir?
2. Es un chico muy hábil calculando. Dale cualquier operación aritmética y te saca el resultado en unos segundos.
3. Déjame calcular la superficie de la parcela. A ver, ¿cuántos metros de largo tiene y cuántos de ancho?

B. *tr.* 估计，估摸

1. La zona inundada es tan extensa que los técnicos la calculan en miles de kilómetros cuadrados.
2. El edificio recién construido es una torre de 50 pisos. ¿En cuántos metros calculas su altura?
3. Las pérdidas del terrible incendio se calculan en tres millones de yuanes.
4. Teniendo en cuenta que la gravedad lunar equivale a la sexta parte de la terrestre, calculo que una persona de mi peso pesaría, en la luna, algo así como 12 kilos.

C. cálculo *m.* 计算

1. Según mis cálculos, la distancia entre esos dos pueblos no puede ser menor que un centenar de kilómetros.
2. El ingeniero se equivocó en sus cálculos, de modo que la máquina armada por él no pudo funcionar a pesar de que la accionó una y otra vez.
3. De acuerdo con los cálculos de la administración, se requieren, por lo menos, dos millones de euros para llevar a cabo la investigación que proponen ustedes.

IV. exagerar

A. *tr.* 夸大，夸张

1. No trates de asustarnos exagerando la gravedad del problema.
2. Reconozco que entiendes bastante de informática, pero me da la sensación de que exageras un poco tu dominio en esta materia.

3. ¡Hombre, no exageres! No creo que la situación llegue a ser tan grave.
4. Luego de una travesía por el Atlántico, el marinero nos dijo que no exageraba al decir que la navegación marítima era mil veces más excitante que la aérea.

C. exagerado, da *adj*. 好夸张的；夸大了的，过分的

1. ¡No seas exagerado, Nicolás! No creo en absoluto que tu carro pueda alcanzar la velocidad de trescientos kilómetros por hora.
2. Sí, la faena que se te ha encargado es bastante laboriosa, pero no tanto como te imaginas. No seas exagerado.
3. Esos exagerados esfuerzos mentales pueden dejar totalmente rendido tu cerebro, y eso, como sabes, es muy peligroso.
4. Los reglamentos que regían la disciplina en aquella empresa se caracterizaban por su severidad exagerada.

D. exageración *f.* 夸张，过分

1. ¡Vaya exageración! ¿Quién será capaz de soportar tanto peso encima?
2. Tu amigo me parece una persona muy dada a la exageración. Ayer me vino con el cuento chino de que era capaz de sostener una piedra de 30 kilos, en lo alto, con ambas manos, durante dos horas, sin fatigarse.
3. Fue una evidente exageración cuando el alcalde afirmó que los organismos bajo su dirección funcionaban a las mil maravillas.

V. fabuloso, sa *adj.*（神话般的）美妙，巨大（等等）

1. La leyenda sobre el origen del Imperio Romano, que concibieron los antiguos pobladores de la región, está llena de sucesos fabulosos.
2. Gracias a su habilidad en el dominio del equilibrio mercantil de pesas y balanzas, los fenicios consiguieron un fabuloso florecimiento comercial.
3. ¡Tu capacidad de calcular mentalmente es de veras fabulosa!
4. La región dispone de fabulosos recursos minerales.

VI. funcionar

A. *intr.* 运转

1. Siento mucha curiosidad por saber cómo funciona esta máquina de engranajes tan complicados.
2. Como las máquinas registradoras dejaron, de pronto, de funcionar, delante de las cajas se formaron colas kilométricas.
3. El país tuvo que afrontar una grave crisis porque su sistema económico funcionaba pésimamente, sobre todo, en los sectores industrial y agrícola.
4. Se nota que Joaquín funciona bastante bien en su nuevo cargo administrativo.
5. La mujer decidió separarse de su marido, porque, en los últimos tiempos, su matrimonio no funcionaba nada bien.

B. funcionamiento *m.* 运转，运行

1. El personal de la central nuclear mantiene mucha vigilancia en todos los sectores, y pone especial empeño en detectar la más insignificante irregularidad en el funcionamiento del equipo, porque un mínimo escape puede causar una catástrofe de incalculables consecuencias.
2. Si piensas manejar ese aparato, tienes que adquirir, antes, un elemental conocimiento sobre su funcionamiento.
3. La electrónica y el sistema binario constituyen la base del funcionamiento de las computadoras.

VII. gracias a *loc.prep.* 由于，多亏

1. Gracias a los ejercicios deportivos, Antonio va rindiendo cada vez más en el estudio.
2. El último año, obtuvimos un excelente resultado académico gracias a que el profesor Terrado, amante del perfeccionamiento en todo, nos exigió al máximo bajo los principios de sus modernos métodos pedagógicos.
3. Gracias a tus cálculos tan precisos, hemos ahorrado lo suficiente para vivir un año sin problemas.
4. Hoy, encender la computadora y empezar a efectuar innumerables operaciones en ella, es un hecho simple y cotidiano, y ya no asombra a nadie su eficacia ni su rapidez. Como se puede ver, el aparato es uno de los inventos más asombrosos de los últimos tiempos, gracias al cual nos hemos liberado de laboriosas y pesadas tareas.

VIII. marcar

A. *tr.* 标出

1. Marqué en el texto unas oraciones de estructura complicada para ver si, luego, podía simplificarlas y, de esta manera, adaptarlo al nivel de mis alumnos.
2. Para no extraviarse en la espesa selva, el viajero iba marcando los árboles.
3. Las agujas del reloj marcaban los doce cuando desembarcamos.
4. La enfermera le sacó el termómetro y vio que marcaba 39 grados.

B *tr.* 进球

1. ¡Qué mal juegan estos dos equipos! Llevan dos horas sin marcar un gol.
2. Aplaudimos como locos cuando nuestro equipo marcó, en diez minutos, cuatro goles seguidos.

C. *tr.* 拨（号码）

1. Felisa cogió el teléfono y marcó varios números hasta que, finalmente, acertó con el de la agencia. Entonces preguntó a la chica que la atendió por las señas de la casa a la que iría a trabajar el día siguiente.
2. Perdón, usted ha marcado un número equivocado. Esta es una casa particular y no un establecimiento comercial.

3. Mi amigo Guzmán es un inventor amateur. Ayer me mostró su nuevo invento: un teléfono cuyo número no se marca con el dedo, sino a viva voz.

D. *tr.* 标志

1. El descubrimiento de América marcó una nueva época en la historia.
2. El surgimiento de la informática ha marcado un período histórico en el que la vida cotidiana de la gente común y corriente se ha modificado totalmente.
3. ¿Recuerdas cómo se llama ese movimiento cultural surgido en Europa entre los siglos XIV y XVI, que marcó el inicio de la modernización del arte y del modo de pensar?

IX. medio

A. *adj.* 一半

1. Hemos recorrido media ciudad y no hemos encontrado farmacia alguna. ¿No te parece raro?
2. Solo había un pequeño ventanuco en uno de sus extremos, por eso, medio corredor se hallaba sumido todo el día en la penumbra.
3. Era ya media noche, y la luna llena iluminaba generosamente el campo.

B. *adv.* 半

1. ¿Qué quiere decir *duermevela*?: ¿medio dormido, medio despierto?
2. Valentina pidió que el profesor la excusara por no poder entregarle a tiempo su tesina. El día anterior, su ordenador se atascó repentinamente dejando su trabajo a medio hacer.

C. *m.* 手段

1. Hay gente que sostiene, como Maquiavelo, que el fin justifica los medios. ¿Estás de acuerdo con este criterio?
2. No toleraremos que las autoridades nos amenacen con emplear contra nosotros ningún medio drástico.

D. por ~ de 通过……

1. Envié algunos regalos a Cecilia por medio de unos amigos que viajaron ayer a España.
2. Únicamente por medio de esta revista nos informamos de las noticias literarias de los países hispanohablantes.
3. ¡Qué vergüenza haber obtenido el premio por medio del engaño!

X. resolver(se)

A. *tr.* 解决

1. La contaminación es un grave problema que el hombre moderno tiene que resolver urgentemente.
2. Dudo que se haya resuelto la cuestión que planteamos en la última reunión.
3. Pierde cuidado: todo se va a resolver a tu favor. Es verdad que el proceso será bastante laborioso pero no te preocupes: tanto los testimonios como las pruebas te favorecen.

4. El gobierno busca medios financieros para resolver los problemas surgidos en el ámbito de la cultura.

B. *tr.* 决定

1. Después de reflexionar un poco, resolví no intervenir en aquel asunto.
2. Como el país se hallaba en una situación económica muy difícil, el gobierno resolvió limitar los gastos públicos.
3. Al ver que el nuevo empleado trabajaba con mucha eficiencia, el jefe resolvió subirle el sueldo.
4. Los dos ladrones discutieron largo rato. Finalmente, resolvieron no depositar en el banco el dinero robado, como propuso uno de ellos, sino enterrarlo en algún lugar seguro.

C. *prnl.* 做决定

1. Por último, los vecinos del barrio se resolvieron a derrumbar el viejo edificio que amenazaba con caerse de un momento a otro.
2. Apenas calmó el viento y se abrió el sol, los marineros se resolvieron a zarpar inmediatamente.
3. Ya lo tengo decidido: me he resuelto a reemplazar este texto por otro más actualizado.
4. Sabiendo que no podían seguir navegando en medio de la furiosa tormenta, el capitán y la tripulación del barco se resolvieron a hacer lo más prudente: enrumbar al islote más cercano y allí desembarcar.

RESPECTO AL LENGUAJE

I. Construcciones preposicionales

西班牙语的介词几乎可以和其他所有词类连用，构成介词词组。这种结构最常见的句法功能是作状语或定语。根据结构内部的语法特点，可大致分为下列三种情况：

1．视需要与名词或名词词组随机组合，此时，主要作状语或定语用，例如：***en*** todas las civilizaciones, ***para*** contar las fases ***de*** la luna, ayudado ***por*** la regla y el compás, ***por todo*** el planeta, el envío ***de*** sondas espaciales, el equilibrio mercantil ***de*** pesas y balanzas 等构成一个开放系列，就是说，因其随机性，数量是无限的。

2．介词与名词、形容词或副词组成相当固定的结构，功能与副词相同，例如：a menudo, ante todo, con frecuencia, de pronto, en fin, por último, sobre todo, de cuando en cuando, de vez en cuando, 等等。其中有些内部成分之间联结紧密，已经单词化，所以书写时可以连成一个词，例如：***a***penas, ***de***prisa, ***de***spacio, ***en***seguida, 等等。

3．还有一种**介词＋名词＋介词结构**，从句法功能上看，似乎可以称作复合介词，例如：a bordo (de), a cambio de, a causa de, a diferencia de, al alcance de, al compás de, a lo ancho de, a lo largo de, a partir de, a pesar de, con el fin de, de acuerdo con, en comparación con, en honor de, en compañía de, en busca de, en cuanto a, en forma de, en lugar de, en memoria de, en presencia de, por medio de, por parte de，等等。其中不少确实可以与介词互换，例如：

① Viajaba ***a bordo de*** un avión militar.

换成下面的说法，语义也没有变化：

② Viajaba ***en*** un avión militar.

再如：

③ ***En presencia de*** tantos profesores, el estudiante no sabía qué decir.

换成下面的说法，语义也无变化：

④ ***Ante*** tantos profesores, el estudiante no sabía qué decir.

II. Variante de la coordinación disyuntiva *sea... o...*

我们知道，选择并列复合句常用的连词是 o（u），但有时可加上 ser 的虚拟式以增强语气。

① Basta con ver cualquier empresa, sea industrial, comercial o financiera.

去掉 sea 并不影响语义，只是语气减弱而已：

② Basta con ver cualquier empresa, industrial, comercial o financiera.

社会文化常识 CONOCIMIENTO SOCIOCULTURAL

拉丁美洲人物：庇隆夫人埃维塔

1978 年，音乐剧《埃维塔》(*Evita*) 首次在英国伦敦上演，一曲《阿根廷，别为我哭泣》(*No llores por mí, Argentina*) 成为流传后世的音乐经典。该剧的主人公是曾经在阿根廷历史上家喻户晓的埃娃·庇隆 (Eva Perón)，又被称为庇隆夫人。

庇隆夫人原名玛丽亚·埃娃·杜阿尔特 (María Eva Duarte)，生于 1919 年 5 月 7 日。15 岁从家乡来到首都布宜诺斯艾利斯。经过一番打拼，成为小有名气的电影演员。1944 年，她结识了胡安·多明戈·庇隆 (Juan Domingo Perón)，从此，生活发生了巨大变化。1946 年，庇隆当选阿根廷总统。在大选过程中，埃娃使出浑身解数，为他争取普通民众，特别是妇女选民的支持。她的游说对庇隆的当选起到了重要作用。同年，二人结婚。年轻的埃娃·庇隆成为阿根廷第一夫人。

在庇隆执政期间，埃娃积极投身社会运动，为改善劳工待遇、提高民众的教育水平而奔走。她通过组建埃娃基金会募集资金，建设医院、学校、养老院、幼儿园。她为阿根廷社会中妇女遭受的种种不公鸣不平，为提高妇女地位奔走，成为阿根廷女性的代言人。她还出访欧洲多国，为拓展阿根廷与欧洲国家的关系做出了重要贡献。

埃娃的出色工作赢得了众多阿根廷民众对她的尊重。民众亲切地称她为埃维塔。

1952 年 7 月，埃娃·庇隆因病去世。

下面是《阿根廷，别为我哭泣》的部分西班牙语歌词。请查阅资料，将它补充完整。

Será difícil de comprender
Que a pesar de estar hoy aquí
Soy del pueblo, jamás lo podré olvidar
Debéis creerme
Mis lujos son solamente un disfraz
Un juego burgués, nada más
Las reglas del ceremonial

Tenía que aceptar, debí cambiar
Y dejar de vivir en lo gris
Siempre tras la ventana sin lugar bajo el sol
Busqué ser libre pero jamás dejaré de soñar
Y sólo podré conseguir la fe que queráis compartir

EJERCICIOS

12–03

I. Siguiendo la grabación, lea el siguiente poema:

EL DESVÍO

Si tu pie se desvía de nuevo,
será cortado.

Si tu mano te lleva
a otro camino
se caerá podrida.

Si me apartas tu vida
morirás
aunque vivas.

Seguirás muerta o sombra,
andando sin mí por la tierra.

Pablo Neruda

II. Conjugue los siguientes verbos en todas las personas, modos y tiempos indicados:

1. En presente del indicativo y del subjuntivo usado como mandato negativo:

accionar, atropellar, batallar, calcular, *calzarse*, *complacer*, *concebir*, *conducir*, conectar, *demostrárnoslo*, deparar, *deslizar*, dividir, *equivaler*, *fatigarse*, *generalizar, intervenir*, maravillarse, *multiplicarla, otorgar*, perfeccionar, posibilitar, *regir*, renunciar, respetar, restarlo, revivir, *revolverlos*, *simplificar*, sumar;

2. En futuro perfecto del indicativo y en el condicional compuesto:

aflojar, ahogarse, asemejar, atropellar, batallar, brillar, calcular, calzarse, *componer*, conectar, *cubrir*, *decir*, deparar, *descubrir*, deslizar, dividir, escapar, fatigarse, florecer, idear, influir, maravillarse, multiplicar, otorgar, perfeccionar, posibilitar, recobrar, regir, renunciar, restar, revivir, simplificar, *suponer*, sumar;

3. En pretérito imperfecto del indicativo:

absorber, ahogarse, anochecer, atropellar, batallar, bautizar, brillar, concebir, conducir, conectar, demostrar, deparar, deslizar, dividir, equivaler, fatigarse, florecer, generalizar, hundir, idear, intervenir, *ir*, maravillarse, multiplicar, otorgar, recobrar, regir, renunciar, restar, revivir, *ser*, simplificar, sumar;

4. **En pretérito pluscuamperfecto del indicativo y del subjuntivo:**

   accionar, arrullar, atropellar, batallar, calcular, calzarse, conectar, *cubrir*, *decir*, deparar, *descubrir*, deslizar, dividir, *disponer*, disputar, estremecer, fatigarse, florecer, generalizar, *hacerse cargo*, maravillarse, multiplicar, regir, renunciar, restar, revivir, *resolver*, *revolver*, *romper*, simplificar, sumar.

（斜体部分需笔头重复）

12–04

III. Escuche las preguntas sobre el texto y contéstelas oralmente en español.

IV. Diga a qué se refiere la parte en cursiva, y en caso de que sea verbo, señale el respectivo sujeto. Todas las oraciones son del texto:

1. El hombre primitivo juntó sus dedos y ***los*** recorrió ***uno*** a ***uno*** para contar las fases de la luna.

   los:

   uno:

   uno:

2. ... el egipcio midió ***sus*** tierras ***ayudado*** por la regla y el compás;

   sus:

   ayudado:

3. Gracias a ***esta metódica costumbre,*** la técnica fue perfeccionándose y posibilitando una ciencia cada vez más profunda y más precisa.

   esta metódica costumbre:

4. ... un millón de sumas distintas es una operación muy laboriosa y ***necesita*** mucho tiempo.

   necesita:

5. ... no hay cabeza humana que no ***se fatigue*** y ***renuncie*** a buscar ***el resultado***.

   se fatigue:

   renuncie:

   el resultado:

6. En ***la nuestra*** tenemos la computadora electrónica, llamada también cerebro electrónico, nombre quizás un poco exagerado, pero que ***otorga*** a ***este aparato*** una categoría superior a las demás máquinas existentes.

   la nuestra:

   otorga:

   este aparato:

7. Dos factores ***lo*** hicieron posible en ***nuestro siglo***: ***uno***, de carácter técnico, fueron los

progresos realizados en electrónica, y ***otro***, de carácter matemático, el descubrimiento del sistema binario por ***el*** que ***se rigen*** todas las computadoras.

lo:

nuestro siglo:

uno:

otro:

el:

se rigen:

8. Los primeros cerebros electrónicos que funcionaron en el mundo fueron ***los norteamericanos***, ***construidos*** por encargo d***el gobierno*** durante la Segunda Guerra Mundial, y ***encontraron*** aplicación, sobre todo, en la dirección automática del tiro de las baterías antiaéreas y en estudios de energía nuclear.

los norteamericanos:

construidos:

el gobierno:

encontraron:

9. Después de ***la guerra***, ***se vieron*** claramente las enormes ventajas que las computadoras ofrecían en los más diversos campos, desde los organismos de administración pública a la industria, la investigación científica, etc., y ***empezaron*** a usarse en gran escala.

la guerra:

se vieron:

empezaron:

10. Sin duda fue ***este oficio paterno el*** que ***lo*** llevó a idear una máquina que simplificara las operaciones que su padre, y seguramente toda la familia, debían realizar todos los meses al pagar a los soldados.

este oficio paterno:

el:

lo:

11. El mecanismo de la máquina de Pascal, ***contemplado*** desde nuestra época, resulta sencillo.

contemplado:

12. ***Se trata*** de engranajes de diversos tamaños: a cada diez vueltas de la rueda de las unidades se mueve una vez ***la*** de las decenas, cada diez vueltas de las decenas equivale a una vuelta de las centenas y así sucesivamente.

Se trata:

la:

13. Un mecanismo semejante es ***el*** que se utiliza en el cuentakilómetros de los automóviles.

    el:

14. Sin embargo, pese a la gran distancia técnica que separa ***la "máquina aritmética"*** de un moderno cerebro electrónico, ***su*** principio de funcionamiento responde a la misma idea: ***la*** de ahorrar tiempo y esfuerzo mental al transformar operaciones matemáticas laboriosas en una sucesión de operaciones elementales.

    la máquina aritmética:

    su:

    la:

15. Actualmente la aplicación del cerebro electrónico se ha extendido a tantos campos que ***resulta difícil*** decir en qué terrenos no ***se utiliza***.

    resulta difícil:

    se utiliza:

16. Basta con ver cualquier empresa sea ***industrial, comercial o financiera,*** cualquier oficina, ***administrativa, turística o de otra índole*** para enterarse de la comodidad, eficiencia, precisión y hasta creatividad que depara ***el ingenioso artefacto*** a las actividades humanas.

    industrial:

    comercial:

    financiera:

    administrativa:

    turística:

    de otra índole:

    el ingenioso artefacto:

17. Lo más sorprendente ***es*** que ***viene penetrando*** cada día en mayor número de casas.

    es:

    viene penetrando:

18. Los inventos de los últimos tiempos se han incorporado tanto a la vida cotidiana que nos ***parecen*** cosas demasiado corrientes, ***desprovistas*** de lo que ***son*** en realidad: auténticas maravillas.

    parecen:

    desprovistas:

    son:

19. Así, a nadie ***le llama la atención*** ver volar un avión o ***estar dentro*** de ***él, desplazándose*** en el aire, y son muy pocos ***los*** que se ponen a pensar que, para realizar el milagro de que ***un aparato tan grande y pesado*** levante vuelo y ***se deslice*** a velocidad en el espacio,

la ciencia ha tenido que batallar por largo tiempo para dominar a la naturaleza en ***un punto*** que siempre pareció imposible: vencer la ley de la gravedad.

le:

llama la atención:

estar dentro:

él:

desplazándose:

los:

un aparato tan grande y pesado:

se deslice:

un punto:

20. ¿Y quién se maravilla hoy ante un televisor viendo en la pantalla un suceso que ***está teniendo lugar*** en ese mismo momento a miles de kilómetros?

    está teniendo lugar:

21. ¿Qué pasaría si reviviéramos a un científico de otros tiempos y ***le*** dijéramos que las imágenes ***se pueden transmitir*** a la distancia y, para comprobar***lo***, ***lo*** sentáramos frente a un televisor?

    le:

    se pueden transmitir:

    lo:

    lo:

22. Antes de ***interesarse*** por los mecanismos de su funcionamiento, ***su*** primera reacción sería, probablemente, maravillarse. Y en ese estado de maravilla ***se quedaría*** por mucho tiempo.

    interesarse:

    su:

    se quedaría:

23. Los inventos nos han hecho más ***cómoda*** la vida, pero ***algunos***, por el mal uso que hemos hecho de ***ellos***, ***han causado*** y ***siguen causando*** daños, sobre todo, a los jóvenes.

    cómoda:

    algunos:

    ellos:

    han causado:

    siguen causando:

24. Y así vamos, como simples usuarios de un sinnúmero de inventos antiguos y recientes –el Internet, el teléfono móvil, los sistemas de las redes sociales–, valiéndonos de ***ellos***

para resolver importantes problemas de nuestra vida....

ellos:

V. Modifique la estructura de cada oración según la indicación que está entre paréntesis, al final de la expresión propuesta:

1. Calcular ha sido una preocupación constante en todas las civilizaciones. (**Inicie la oración con:** *En todas las civilizaciones ha existido...*)

   ____

2. El hombre primitivo juntó sus dedos y los recorrió uno a uno para contar las fases de la luna. (**Inicie la oración con:** *El hombre primitivo contaba...*)

   ____

3. El egipcio midió sus tierras ayudado por la regla y el compás. (**Inicie la oración con:***El egipcio utilizaba...*)

   ____

4. El comercio fenicio floreció gracias al equilibrio mercantil de pesas y balanzas. (**Inicie la oración con:** *Sin el equilibrio mercantil de pesas y balanzas...*)

   ____

5. El griego se entretuvo en el teorema y el cálculo del círculo. (**Inicie la oración con:** *Para el griego...*)

   ____

6. El romano controló sus riquezas por medio de un ábaco. (**Inicie la oración con:** *El romano se sirvió de...*)

   ____

7. Gracias a esta metódica costumbre, la técnica fue perfeccionándose y posibilitando una ciencia cada vez más profunda y más precisa. (**Inicie la oración con:** *Esta metódica costumbre hizo...*)

   ____

   ____

8. A medida que la ciencia se hacía más extensa, los cálculos eran cada vez más complicados. (**Inicie la oración con:** *Cada día, una mayor extensión de la ciencia requería...*)

   ____

9. Si además de las sumas hay que hacer algunas restas, cientos de multiplicaciones y dividir el producto un millar de veces, no hay cabeza humana que no se fatigue y renuncie a buscar el resultado. (**Transforme la oración iniciándola con:** *No hay cabeza humana...* y **agregando:** *buscar resultados de operaciones que incluyan suma, resta, multiplicación y división al mismo tiempo*)

10. En la nuestra tenemos la computadora electrónica, llamada también cerebro electrónico, nombre *quizás un poco exagerado, pero que* otorga a este aparato una categoría superior a las demás máquinas existentes. (**Sustituya la parte en cursiva por:** *que, a pesar de su...*)

11. Pocos inventos habrán tenido tantos inventores como este cerebro electrónico. (**Inicie la oración con:** *El cerebro electrónico...*)

12. Dos factores lo hicieron posible en nuestro siglo: uno, de carácter técnico, fueron los progresos realizados en electrónica, y otro, de carácter matemático, el descubrimiento del sistema binario por el que se rigen todas las computadoras. (**Inicie la oración con:** *Son dos...*)

13. Los primeros cerebros electrónicos que funcionaron en el mundo *fueron los norteamericanos, construidos* por encargo del gobierno durante la Segunda Guerra Mundial. (**Sustituya la parte en cursiva por:** *ser construidos en EE.UU...*)

14. Después de la guerra se vieron claramente las enormes ventajas que las computadoras ofrecían en los más diversos campos, desde los organismos de administración pública a la industria, la investigación científica, etc., y empezaron a usarse en gran escala. (**Inicie la oración con:** *Después de la guerra, las computadoras empezaron a usarse en gran escala...*)

15. La historia de la primera computadora, *aunque* no electrónica, se remonta a mediados del siglo XVII. (**Sustituya la parte en cursiva por:** *que...*)

16. ... la máquina no sufrió ningún cambio esencial: *continuaba siendo mecánica, accionada* por una manivela, y solo era útil para realizar operaciones aritméticas. (**Sustituya la parte en cursiva por:** *mientras se accionaba mecánicamente.*)

____

____

17. *Pese a la gran* distancia técnica que separa la máquina aritmética de un moderno cerebro electrónico, su principio de funcionamiento responde a la misma idea: la de ahorrar tiempo y esfuerzo mental al transformar operaciones matemáticas laboriosas en una sucesión de operaciones elementales. (**Sustituya la parte en cursiva por:** *Aunque.*)

____

____

____

____

18. Actualmente la aplicación del cerebro electrónico se ha extendido a tantos campos que *resulta difícil decir en qué* terrenos no se utiliza. (**Sustituya la parte en cursiva por:** *apenas hay...*)

____

____

VI. Sustituya la parte en cursiva por alguna expresión sinónima o afín según el contexto:

1. El egipcio midió sus tierras *ayudado por* _______________ la regla y el compás.
2. El comercio fenicio *prosperó* _______________ *gracias al* _______________ equilibrio mercantil de pesas y balanzas.
3. Gracias a esta metódica costumbre, la técnica fue perfeccionándose y *posibilitando* _______________ una ciencia cada vez más profunda y más precisa.
4. Una simple suma es una operación *sencilla* _______________ de resolver.
5. Un millón de sumas es una operación muy laboriosa y *necesita* _______________ mucho tiempo.
6. ... no hay cabeza humana que no *se fatigue* _____________ y *renuncie* _______________ a buscar el resultado.
7. ... nombre *quizás* _______________ un poco exagerado, pero que *otorga* _____________ a este aparato una categoría superior a las demás máquinas existentes.
8. Dos factores lo hicieron posible en nuestro siglo: uno de carácter técnico, fueron los progresos *realizados* _______________ en electrónica,...
9. Después de la guerra se vieron claramente las enormes ventajas que las computadoras *ofrecían* _______________ en los más diversos campos y empezaron a *aplicarse*

_______________ en gran escala.

10. La invención de esta calculadora mecánica *tuvo lugar* _______________ en Francia.
11. La invención de esta calculadora mecánica tuvo lugar en Francia, en 1642, bajo el reinado de Luis XIII, *aunque* _______________ el invento no llegó a generalizarse hasta mucho tiempo después, casi en el siglo XIX.
12. El mecanismo de la máquina de Pascal, *contemplado* _______________ desde nuestra época, resulta sencillo.
13. ... un engranaje *marca* _______________ los metros.
14. ... la máquina no sufrió ningún cambio *esencial* _______________ .
15. Sin embargo, *pese a* _______________ la gran distancia técnica que separa la máquina aritmética de un moderno cerebro electrónico, su principio de funcionamiento responde a la misma idea: la de *ahorrar* _______________ tiempo y esfuerzo mental.
16. Basta con ver cualquier empresa, ... para enterarse de la comodidad, eficiencia, precisión y hasta creatividad que *depara* _______________ el ingenioso artefacto a las actividades humanas.

VII. Sustituya la parte en cursiva por una construcción preposicional:

1. El romano controló sus riquezas *utilizando* _______________ un ábaco.
2. *Mientras* _______________ la ciencia se hacía más extensa, los cálculos eran cada vez más complicados.
3. Eran importantes aquellos progresos llevados a cabo *durante siglos* _______________ .
4. Las computadoras comenzaron a aplicarse *ampliamente* _______________ .
5. *Indudablemente* _________ fue el oficio paterno el que lo llevó a inventar una máquina capaz de simplificar las complicadas operaciones de suma, resta, multiplicación y división.
6. Funcionan *igualmente* _______________ el cuentakilómetros de los automóviles y las máquinas registradoras de algunos establecimientos.
7. El forastero daba muerte a las palomas *mordiéndolas* _______________ .
8. A pesar de todo su poderío, el imperio se derrumbó *finalmente* _______________ .
9. La gente vivía *muy miserablemente* _______________ .
10. Se esforzó *inútilmente* _______________ .

VIII. Rellene los espacios en blanco con construcciones preposicionales:

1. Conocimos al joven inventor _______________ el gerente de una empresa.
2. ___________ la historia de la antigüedad, Grecia nunca llegó a ser un país poderoso.
3. Los invasores conquistaron a los aborígenes _______________ intrigas y traiciones.

4. ____________ el año pasado, el Producto Nacional Bruto no ha crecido mucho.
5. Los visitantes recorrieron aquel país ______________ y ______________ su hermosa tierra.
6. ____________el moderno cerebro electrónico, la primitiva calculadora funcionaba mecánicamente accionada por una manivela.
7. Las primeras computadoras electrónicas se fabricaron _______________ el gobierno estadounidense.
8. Para poder escribir un reportaje (报道), la periodista estuvo varios días _____________ aquellos refugiados.
9. En muchos establecimientos todavía se utilizan ábacos _______________ calculadoras modernas.
10. _______________ los teoremas matemáticos que yo conozco, no debería haberse obtenido este resultado.

IX. Para imprimir un tono enfático a la disyunción –está en cursiva–, agregue la forma adecuada del verbo *ser*:

1. En ese museo, se puede ver todo tipo de instrumentos antiguos para hacer diversos cálculos: *ábacos, reglas, compases, pesas o balanzas.*

   ____

   ____

2. Los cálculos se fueron complicando debido a múltiples circunstancias: *el crecimiento demográfico, la ampliación industrial y comercial o la complejidad de la vida social.*

   ____

   ____

3. Lo que ocurre es que los científicos rechazaron aquel nombre, *por exagerado, por largo, por difícil de pronunciar o por capricho* ______________________________

   ____ . ¡Qué sé yo!

4. A mí me da lo mismo el nombre de esta nueva máquina –*computadora, ordenador, calculadora electrónica o cerebro electrónico*–, lo que me importa es su enorme utilidad.

   ____

   ____

5. Dos factores –*los progresos efectuados en electrónica o el descubrimiento del sistema binario*– resultaron decisivos para la invención del ordenador.

   ____

   ____

6. Ya en un principio, el nuevo artefacto encontró aplicación en diversos terrenos: *en decisiones estratégicas* (战略的), *en la dirección automática del tiro de las baterías antiaéreas o en estudios de energía nuclear.*

____

____

7. Después de la guerra, la aplicación de las computadoras se extendió mucho: *en los organismos de administración pública, en la industria, en el comercio, o en la investigación científica.*

____

____

8. El nuevo invento no llegó a generalizarse hasta mucho tiempo después, casi en el siglo XIX. Las causas *–la ignorancia pública, el poco interés de los gobernantes, o el atraso social–* pudieron haber sido muchas.

____

____

9. Muchos otros aparatos *–el cuentakilómetros de los automóviles o las máquinas registradoras de algunos establecimientos–* se rigen por el mismo mecanismo.

____

____

10. En todo caso, tendrás que ahorrar en algunas de estas cosas: *en tiempo, en dinero o en esfuerzos.*

____

X. Ejercicio del léxico:

A. Complete las siguientes oraciones utilizando las siguientes voces o sus derivaciones:

ahorrar(se), al servicio de, calcular, exagerar, fabuloso, funcionar, gracias a, marcar(se), medio (por medio de), resolver(se)

1. Después de ______________ los gastos de su futura boda, los novios se dieron cuenta de que la suma resultaba ______________ . Claro que podían ______________ , ¡pero hasta cuándo!
2. Sabemos que ______________ el lenguaje los hombres nos entendemos unos a otros. Pero, además de esto, ¿existen otros ______________ de comunicación?
3. ______________ su oportuna intervención, pudimos ______________ los problemas que nos preocupaban.

4. Una vez hechos los _______________ del dinero que se requería, los dos científicos _______________ abandonar el proyecto.
5. Todos los funcionarios tendrán que ser conscientes de que ellos están _______________ los ciudadanos y no al revés.
6. Yo ya sabía que el novio de Berta, mi mejor amiga, la está engañando, pero no me he atrevido, hasta el momento, a decirle nada para _______________ (le) un disgusto.
7. ¡Hombre, no _______________ ! El trayecto que tú dices lo he recorrido varias veces y no me parece tan largo.
8. La invención de la computadora electrónica _______________ una nueva época.
9. Hemos recurrido a diversos _______________ para evitar el conflicto entre esa gente, pero, desafortunadamente, ninguno _______________ .
10. Me pareció toda una _____________ cuando Julián afirmó que aquel suceso insignificante había estremecido a todo el país.
11. El viejo matrimonio vivía precariamente con el escaso _______________ que les quedaba.
12. Escucha, ese ruidito raro indica que hay algún problema en el _______________ de la ventiladora.
13. ¿A qué viene esa desesperación tan _______________ si no ha pasado nada grave?
14. Se está investigando de dónde se ha sacado esa _______________ cantidad de dinero aquel funcionario de alta categoría.

B. Traduzca al español las siguientes oraciones:

1. 那人被关进监牢，因为他战争期间为日本人效力。
2. 用不着你出面了。一切都解决了。
3. 难民们到那儿去找出路（生存手段）。
4. 根据计算得出了惊人的数字。
5. 你的球队进了几个球了？
6. 我不明白这个机子怎么运转。你能给我讲讲吗？
7. 多亏了那次机会，他才攒了一点儿钱。
8. 你别信他的话。他总喜欢夸大。
9. 你以为怎么着？他是通过他父亲的影响才得到那个职位的。
10. 这是要买的东西的清单。你算算得多少钱。

12–05

C. Al escuchar la perífrasis, diga el vocablo o expresión correspondientes:

1. Instrumento de cálculo formado por un cuadro de madera con varias barras de alambre paralelas en los que están insertadas fichas o cuentas: _______________

2. Parte de las matemáticas que estudia los números y las operaciones que se hacen con ellos: ______________
3. Conjunto de cien unidades: ______________
4. Aquello que facilita la vida, es decir, permite sentirse a gusto, reposado, libre de preocupaciones: ______________
5. Pasar suavemente una cosa sobre otra: ______________
6. Causar fatiga: ______________
7. Diligente, trabajador, esforzado, o difícil, que cuesta mucho trabajo o esfuerzo: ______________
8. Dar una cosa a una persona: ______________
9. Que es fácil de transportar o llevar de un sitio a otro: ______________
10. Dejar voluntariamente una cosa que posee o a la que tiene derecho: ______________

XI. Complete las oraciones eligiendo, de las palabras dadas al final de cada oración, la más adecuada (o las más adecuadas) para el contexto:

1. Lo hemos oído todo. ¿Cómo puedes ______________ (lo)? (*evitar, negar, sostener*)
2. Esta sala ya no ______________ a nuestro grupo. Ahora la ocupa el grupo B. (*ser, estar, pertenecer*)
3. Al ver que la anciana se iba a caer, el muchacho corrió y logró ______________ (la) entre sus brazos. (*sostener, afirmar, detener*)
4. Dicen que se va a ______________ un equipo de fútbol en la facultad. ¿Vas a participar en él? (*establecer, formar, componer*)
5. Lo que acabo de decir es la pura verdad. Y lo ______________ una vez más, a pesar de que ustedes no lo creen. (*convencer, sostener, afirmar*)
6. Como detesto disputas, siempre trato de ______________ hablar con él. (*negar, abandonar, evitar*)
7. Está decidido a llevar a cabo su audaz proyecto. Nadie puede ______________ (lo). (*convencer, detener, evitar*)
8. Al ver que nadie estaba de acuerdo con él, no tuvo más remedio que ______________ su descabellada idea. (*negar, abandonar, dejar*)
9. No me siento digno de ningún agradecimiento. En cambio, ______________ de haber podido serles útil en algo a ustedes. (*enorgullecerse, satisfacerse, alegrarse*)
10. Paco es un hombre terco. Cuesta trabajo ______________ (lo) de que las cosas no son como él piensa. (*detener, convencer, formar*)
11. Como no le gustan los ruidos de la ciudad, ha decidido ______________ al campo. (*trasladarse, detenerse, establecerse*)

12. A pesar de ser bastante ambicioso, tu proyecto resulta _______________ .

(*extraordinario, interesante, aceptable*)

XII. Conjugue los infinitivos que están entre paréntesis en el tiempo y la persona correspondientes:

(Continuación del ejercicio XII, lección 2, de este tomo)

Cuando unos minutos más tarde, _______________ (llegar) mis compañeros, les _______________ (explicar) en pocas palabras lo ocurrido. Me _______________ (mirar) sorprendidos. Todo les _______________ (parecer) muy extraño. En seguida _______________ (subirse, yo) al caballo y _______________ (seguir) nuestro camino.

Media hora después, _______________ (llegar, nosotros) al parador de Bellaver. _______________ (Creerme), amigos, este parador _______________ (ser) el lugar más misterioso, frío y triste que yo _______________ (poder) imaginar.

_______________ (Correr) a sentarnos alrededor del fuego. _______________ (Estar) muy cansados y _______________ (tener) hambre y frío.

Mientras nos _______________ (preparar) la cena, yo _______________ (mirar) cómo _______________ (moverse) el fuego. Su color _______________ (cambiar) lentamente del azul más pálido al rojo más profundo y encendido. Su sombra _______________ (jugar) en los cristales de las ventanas y sobre las sucias y húmedas paredes de la habitación.

_______________ (Empezar) a cenar. Con la comida _______________ (pedir) un buen vino para olvidarnos del frío. Todos _______________ (estar) nerviosos esperando la historia de la Cruz del Diablo.

Cuando __________ (estar) en los postres, nuestro guía __________ (terminar) su vaso de vino, ____________ (limpiarse) la boca con la mano y con voz grave ____________ (comenzar) a hablar.

Esa noche nos _______________ (contar) la historia más increíble que _______________ (oir) en toda mi vida.

(La Cruz del Diablo, Gustavo Adolfo Bécquer, Santillana / Universidad de Salamanca, Madrid, 2007: 11)

12–06

XIII. Dictado.

12–07

XIV. Escuche la grabación y luego haga una versión oral resumida.

XV. Trabajos de casa:

1. Trate de leer con fluidez el texto.
2. Temas de conversación:
   1) ¿Cómo apareció la primera calculadora mecánica?

2) El proceso de perfeccionamiento de la computadora moderna.
3) Historia de algún invento que conozca usted.

3. Traduzca al español las siguientes oraciones:

1) 随着科技的进步，武器的杀伤力也越来越大。
2) 二十世纪中叶，电视首先在发达国家，之后在世界其他地区普及。
3) 现代科技确实为我们带来不少便利，但使用不当也会造成严重后果。
4) 长裙遮住了女舞蹈家们的双脚，因而无法看出她们是如何移步才能在舞台上这样滑动的。
5) 我十分惊讶，那些人对世界历史居然缺乏最基本的了解。
6) 二进位制是电脑运行的基本原则。
7) 一整天都在操纵那些沉重的曲柄，Gonzalo 筋疲力尽地回到家里。
8) 报告人如此恰如其分地使用那些词汇，真叫我钦佩万分。
9) 住手！谁给你权力这样欺凌他人？
10) 我们最终不干那个活儿了，因为觉得太累人、太费力。

UNIDAD 13 第十三课

1 FUNCIÓN COMUNICATIVA

2 EJEMPLOS CON ALGUNOS VOCABLOS USUALES

a causa de, acuerdo, adoptar, de hecho, exceso, explotar, exponer, riesgo, sustituir, transportar

3 RESPECTO AL LENGUAJE

- Pronombre relativo *el cual*, *la cual*, *los cuales*, *las cuales*
- Construcciones con el infinitivo

4 CONOCIMIENTO SOCIOCULTURAL

- 气候变化

TEXTO

13–01

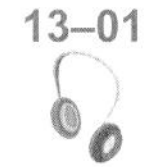

Energías alternativas

(Adaptación del texto del mismo título,
Fuentes de energía y tecnología, Imago,
Biblioteca Santillana de Consulta 12, Madrid, 1984)

La década de los 70 del siglo XX será recordada por la humanidad como una época no muy halagüeña, por la terrible crisis que el mundo atravesó en esos años, una crisis que duraría hasta comienzos de la siguiente década, la de los 80.

Una de las causas de este desbarajuste fue la posibilidad de que se agotaran las fuentes de energía –carbón y petróleo–, explotadas en exceso a causa de la necesidad de poder atender cumplidamente el vertiginoso progreso. Ante esta situación, la humanidad comenzó a buscar nuevas fuentes capaces de sustituir al petróleo, como por ejemplo la energía nuclear que, con todas sus ventajas y desventajas, se viene utilizando actualmente en muchos lugares del mundo. No obstante, se sigue investigando con la esperanza de encontrar otras fuentes que puedan producir suficiente energía sin los riesgos de la energía nuclear, como la fuga radiactiva, o la explosión de algún reactor como ocurrió en Chernóbil, Ucrania, el 26 de abril de 1986, o en la Central Nuclear de Fukushima, el 11 de marzo de 2011, en la que se produjeron explosiones en los edificios de los reactores nucleares, fallas en los sistemas de refrigeración y fuga de gases radioactivos, como consecuencia del terremoto seguido de un tsunami en la costa oriental de Japón. El agua es una importante fuente energética de la que se puede echar mano, pero existe un problema: los ecologistas, celosos protectores del medio ambiente, ponen serias objeciones a la instalación de grandes obras hidráulicas.

Pero hay esperanzas: existe la posibilidad de que, en un futuro no muy lejano, las llamadas energías alternativas, que proceden principalmente del Sol (energía solar) y de la Tierra (energía geotérmica), lleguen a ser el más importante suministro de energía para la humanidad. Además, hay otras fuentes perfectamente aprovechables: el viento (energía eólica), las mareas, el oleaje marino (energía maremotriz), los desechos orgánicos o derivados de plantas (energía biovegetal), aunque cabe aclarar que estas tres últimas son consideradas como energías menores que servirían para complementar el consumo energético total de la humanidad. De hecho, en la actualidad estas fuentes alternativas de energía están jugando un papel importante, pues, en aquellos lugares donde ya funcionan ciertos dispositivos que aprovechan estos tipos de energía, están permitiendo un gran ahorro en el consumo de petróleo.

Por otra parte, la obtención de energía de estas fuentes se hace sin contaminar el medio ambiente

y sin correr ningún grave riesgo, lo que las convierte en fuentes limpias que tienen, además, la ventaja de ser inagotables. Pero en el momento actual presentan un serio inconveniente: la tecnología no ha resuelto aún su aprovechamiento masivo.

Energía solar. La luz es una de las formas que puede adoptar la energía para trasladarse de un lugar a otro; en nuestro caso, desde el Sol a la Tierra. La luz es una radiación, es decir, está compuesta de ondas parecidas –no iguales– a las ondas que se forman en un estanque cuando se arroja una piedra sobre su superficie.

Tanto las ondas de la luz como las del estanque se diferencian en aspectos fundamentales –cosa que no vamos a desarrollar en este artículo–, pero tienen algo en común: en ambos casos se puede medir lo que se llama longitud de onda, que es una propiedad que caracteriza y diferencia a una determinada onda de otra. Trace una línea ondulada horizontal y verá que hay una cadena de curvas, unas hacia arriba y otras hacia abajo. Las primeras se llaman *crestas* y las segundas, *valles*. La longitud de onda es la distancia entre dos *crestas* o dos *valles*.

Pues bien, la luz se compone de muchos tipos de ondas que se pueden diferenciar por su longitud. Las radiaciones que tienen una longitud de onda muy grande transportan muy poca energía, mientras que las radiaciones cuya longitud de onda es corta transportan gran cantidad de energía.

De acuerdo con esto, se pueden distinguir, dentro de la luz, todos los tipos de radiaciones que componen lo que se llama el *espectro electromagnético de la luz* y que se representa en la figura de abajo.

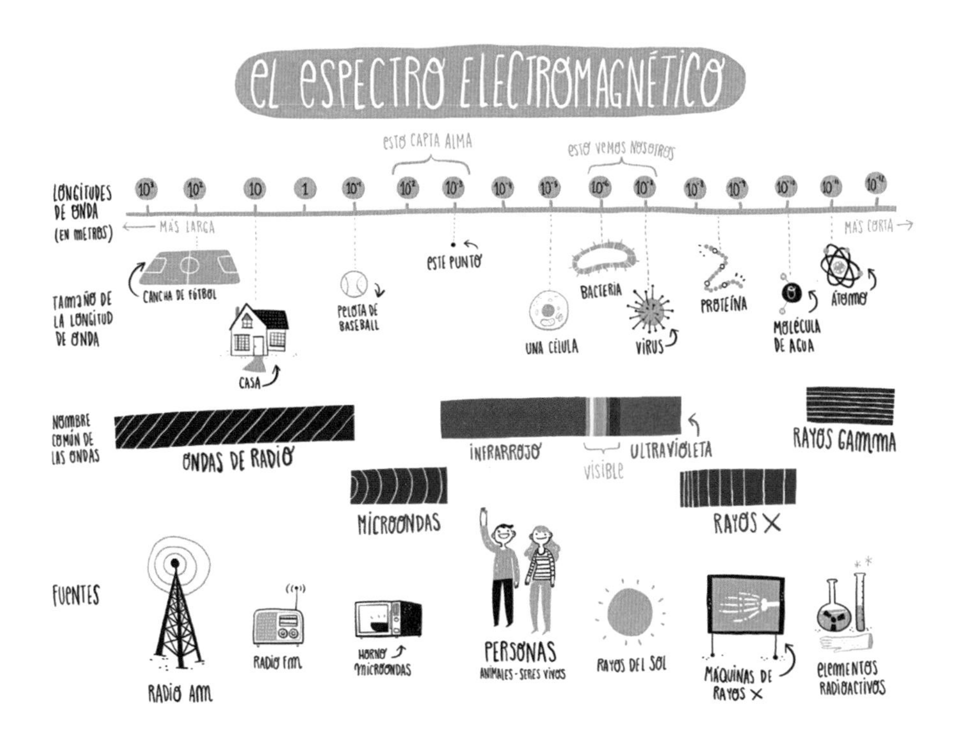

No todas las radiaciones que proceden del Sol alcanzan a nuestro planeta, porque no son capaces de atravesar las altas capas de la atmósfera y llegar hasta la superficie terrestre. Esto solo lo consiguen las radiaciones de longitud de onda media y larga, mientras que las radiaciones de longitud de onda corta (ultravioleta, rayos X y rayos γ), es decir, las que transportan gran cantidad de energía, son reflejadas o absorbidas por la atmósfera. Este hecho es muy importante para nosotros, puesto que si estas radiaciones llegaran a la superficie terrestre, sería imposible la existencia de organismos vivos, que estarían expuestos a quemaduras, mutaciones genéticas, cáncer y otros trastornos biológicos producidos por ellas. Las radiaciones de onda corta que no llegan a la superficie terrestre suponen más de la mitad de la energía total que nos llega desde el Sol. Veamos la potencialidad de la energía solar que logra llegar a la superficie terrestre: la energía que recibe la Tierra en 5 minutos habría bastado para cubrir las necesidades de toda la humanidad en 1970.

En consecuencia, no es difícil comprender que con solo aprovechar una parte de la energía solar recibida se solucionarían muchos de nuestros problemas energéticos.

Energía geotérmica. La fuerza de un volcán en erupción siempre ha aterrorizado al hombre, que durante miles de años no ha sabido hacer otra cosa que escaparse despavorido. Pero en la actualidad, el avance tecnológico ha hecho posible que el hombre comience a utilizar en su beneficio esta energía almacenada en el seno de la Tierra. En algunas partes del mundo, ya se está empleando el vapor natural para generar electricidad. Estamos seguros de que, con los progresos de la tecnología, el aprovechamiento de la energía geotérmica irá aumentando.

Energía eólica. Desde la antigüedad, el hombre ya sabía utilizar los vientos en sus quehaceres. ¿Recuerdan los famosos molinos de viento en el *Don Quijote*? Pues bien, los molinos modernos han sustituido las pesadas palas de madera por unas de acero, más ligeras y robustas; además, con una serie de mejoras técnicas se está logrando un mayor rendimiento en la conversión de energía eólica en energía eléctrica.

Todavía nos quedan otras energías como la maremotriz, consistente en utilizar la energía que produce la marea en su movimiento de subida y de bajada; la biovegetal, cuya energía proviene del aceite que se extrae de algunos cultivos, así como muchas otras fuentes, que no podemos enumerar por razón de espacio.

13–02

VOCABULARIO

tecnología	*f.*	技术，工艺	desbarajuste	*m.*	乱作一团，无序
halagüeño, ña	*adj.*	美妙的	agotar	*tr.*	用尽
crisis	*f.*	危机	carbón	*m.*	煤炭

petróleo	*m.*	石油
explotar	*tr.*	开发；剥削
en exceso	*loc.adv.*	过分地
cumplidamente	*adv.*	完全地
vertiginoso, sa	*adj.*	令人目眩的
sustituir	*tr.*	替代
investigar	*tr.*	研究，调查
fuga	*f.*	逃跑；泄露
radiactivo, va	*adj.*	辐射的
reactor	*m.*	反应堆
Chernóbil		切尔诺贝利
Ucrania		乌克兰
central	*f.*	电站
Fukushima		福岛
refrigeración	*f.*	冷却
tsunami	*m.*	海啸
ecologista	*com.*	生态主义者
objeción	*f.*	异议
hidráulico, ca	*adj.*	水利的，水动的
lejano, na	*adj.*	遥远的
suministro	*m.*	提供，供应
proceder	*intr.*	来自
geotérmico, ca	*adj.*	地热的
aprovechable	*adj.*	可利用的
eólico, ca	*adj.*	风力的
marea	*f.*	潮汐
oleaje	*m.*	浪涛
marino, na	*adj.*	大海的
maremotriz	*adj.*	海洋动力的
desecho	*m.*	废弃物
orgánico, ca	*adj.*	有机的
biovegetal	*adj.*	植物生物的
complementar	*tr.*	补充
energético, ca	*adj.*	能源的
en la actualidad		目前
jugar un papel	*perif. verb.*	充当角色，起……作用
dispositivo	*m.*	设施
obtención	*f.*	获取
inagotable	*adj.*	用之不尽的
inconveniente	*m.*	不利，弊端
aprovechamiento	*m.*	利用
adoptar	*tr.*	采取
radiación	*f.*	放射
estanque	*m.*	池塘
diferenciar	*tr.*	区分
en común		一致，共有
caracterizar	*tr.*	以……为特征
determinado, da	*adj.*	特定的，某个
trazar	*tr.*	画（线）
cresta	*f.*	鸡冠；峰顶
espectro electromagnético de la luz		电磁光谱仪
figura	*f.*	图表
capa	*f.*	层
atmósfera	*f.*	大气
ultravioleta	*adj.*	紫外线的
rayos X		X 射线
rayos γ (gama)		伽马射线
puesto que	*conj.*	既然，因为
expuesto, ta	*p.p.*	暴露于
quemadura	*f.*	烧伤，灼伤
mutación	*f.*	变异
cáncer	*m.*	癌
trastorno	*m.*	失调，紊乱
biológico, ca	*adj.*	生物的
solucionar	*tr.*	解决
erupción	*f.*	喷发
aterrorizar	*tr.*	使惊恐
despavorido, da	*adj.*	惊恐万分的
seno	*m.*	内部

generar	*tr.*	生成
electricidad	*f.*	电
aumentar	*tr.;intr.*	增加
molino	*m.*	磨，磨房
pala	*f.*	铲状物
acero	*m.*	钢
mejora	*f.*	改良
rendimiento	*m.*	产量；效益
conversión	*f.*	转变
eléctrico, ca	*adj.*	电的
enumerar	*tr.*	列举

PALABRAS ADICIONALES

adopción	*f.*	采取
arriesgar	*tr.*	使冒险
atmosférico, ca	*adj.*	大气的
beneficioso, sa	*adj.*	有益的
enumeración	*f.*	列举
explotación	*f.*	开发，剥削
exponer(se)	*tr.*	展示；陈述；使冒风险
	prnl.	冒风险
sustitución	*f.*	替换
sustituto, ta	*m.,f.*	替代者

VERBOS IRREGULARES

exponer: Se conjuga como ***poner***.

VERBOS CON CAMBIOS ORTOGRÁFICOS EN ALGUNAS CONJUGACIONES

arriesgar: Se conjuga como ***llegar***.
aterrorizar: Se conjuga como ***realizar***.
caracterizar: Se conjuga como ***realizar***.
investigar: Se conjuga como ***castigar***.
sustituir: Se conjuga como ***construir***.
trazar: Se conjuga como ***realizar***.

EJEMPLOS CON ALGUNOS VOCABLOS USUALES

I. a causa de *loc.prep.* 由于，因为

1. Se ha reducido sensiblemente la contaminación del medio ambiente a causa del amplio uso de energías alternativas limpias.
2. Los beneficios de la empresa han aumentado el doble (en dos veces) a causa de la instalación de un dispositivo electrónico.
3. A causa de la prolongada exposición a una radiación de rayos X, Enriqueta contrajo una rara enfermedad.

II. acuerdo *m.* llegar al (un) ~, ponerse de ~ (达成)协议,(签署)协定，(达成)一致，一致同意

1. Finalmente los dos gobiernos llegaron a un acuerdo en la cooperación para el aprovechamiento de la energía eólica.
2. Las dos empresas adoptaron un acuerdo según el cual se ampliarían sus operaciones en la explotación de la energía hidráulica.
3. Salvo algunos aspectos técnicos, las dos partes se pusieron de acuerdo en todo.

III. adoptar

A. *tr.* 采取；取得

1. Ya que nadie pone ninguna objeción, creo llegado el momento de adoptar la decisión tanto tiempo esperada.
2. El gobierno ha adoptado nuevas medidas para ampliar el aprovechamiento de la energía geotérmica.
3. Todavía no se sabe qué actitud adoptará el señor ministro frente a las objeciones que le han hecho los ecologistas a su decisión de construir una central nuclear cerca de la ciudad.
4. Yo ya dudaba de que Felisa estuviera dispuesta a adoptar la nacionalidad (国籍) norteamericana.

B. *tr.* 收养

1. Hace muchos años, una tarde, de regreso al pueblo, mis abuelos encontraron, al lado de la carretera, a una niña abandonada que corría el riesgo de morir de hambre y frío. Sin dudarlo ni un instante, decidieron adoptarla como su propia hija.
2. Mi mujer y yo le dijimos al funcionario que ya habíamos entregado todos los documentos para adoptar al huérfano, pero que, si hacía falta, estábamos dispuestos a complementar el trámite presentando los documentos que fueran necesarios.

3. Adoptada desde muy pequeña, la chica nunca llegó a saber quiénes eran sus verdaderos padres.

IV. de hecho *loc.adv.* 实际上

1. De hecho, son las radiaciones de longitud de onda corta (ultravioleta, rayos X y rayos γ) las que transportan gran cantidad de energía. Sin embargo, no resulta fácil aprovecharlas, porque son reflejadas o absorbidas por la atmósfera.
2. De hecho, siguiendo el ejemplo de Islandia, ya podemos aplicar en nuestro país la tecnología que nos permita aprovechar eficientemente la energía geotérmica.
3. En la actualidad, estas fuentes alternativas de energía están jugando, de hecho, un papel importante en el suministro de la electricidad.

V. exceso *m.* en ~ 过分

1. Tus problemas de salud se deben, de hecho, a los excesos que cometes con el vino y las comidas.
2. En cualquier aspecto de la vida cotidiana está mal cometer excesos.
3. Usar en exceso el carbón y el petróleo es la causa principal de la contaminación del medio ambiente.
4. Sospecho que has olvidado lo que te aconsejé: todo, en exceso, es dañino.

VI. explotar

A. *tr.* 开发，开采；爆炸

1. Las familias emigrantes vieron, al otro lado de la frontera, una zona despoblada pero fértil. Soñando con explotar aquellas tierras abandonadas, cruzaron en la noche la línea fronteriza y se encontraron con soldados ocultos entre los arbustos.
2. Aun sabiendo que correría grandes riesgos, mi abuelo decidió explotar aquella mina de carbón, abandonada por su anterior dueño.
3. Si se proponen explotar la energía eólica sin la tecnología adecuada, me temo que no van a sacar ningún beneficio.
4. Debido a las fallas del sistema de refrigeración, varios reactores de la central nuclear explotaron y dejaron escapar gases radioactivos.

B. *tr.* 剥削

1. Es totalmente intolerable que vuestra empresa os explote obligándoos a trabajar 14 horas diarias y pagándoos una miseria.
2. Los diarios calificaron de personas hipócritas y despiadadas a aquel matrimonio que fue detenido por la policía. ¿Qué hacían? Delante de todo el mundo, trataban con mucho cariño al hijo que habían adoptado, pero una vez en casa, lo maltrataban de mil maneras y lo explotaban peor que a un esclavo.
3. Otra vez nos quiso obligar a trabajar gratuitamente para él, pero resolvimos, de manera decidida, a no dejarnos explotar más.

C. explotación *f.* 开发，开采；剥削

1. ¿Qué va a pasar con la ciudad, ahora que en ella ha empezado una explotación industrial sin ningún control? ¿Nadie es consciente de que la contaminación siempre causa daños irreparables?
2. La excesiva explotación de los recursos naturales conducirá inevitablemente a su pronto agotamiento.
3. A lo largo de la Historia, no han faltado pensadores que han planteado el ideal de acabar con la explotación del hombre por el hombre; tampoco han faltado hombres de acción que han luchado por llevarlo a cabo. No obstante, el fenómeno persiste en todas partes del mundo.

VII. exponer

A. *tr.* 展示，展出；阐释，阐明

1. El equipo de especialistas está de acuerdo con exponer al público los más recientes hallazgos arqueológicos.
2. El joven pintor tuvo que salvar multitud de obstáculos antes de poder exponer sus obras en una pequeña galería.
3. ¿Puedo exponer mis razones por las que rechazo las condiciones que me quieren imponer?
4. En la reunión de ayer, muchos expusieron sus ideas sobre cómo solucionar aquel complicado problema.

B. *tr.*; *prnl.* 使暴露于……，暴露于……；冒险，冒……之险

1. El botánico expuso aquella planta a los efectos de la radiación. Quería experimentar cómo sería su reacción.
2. Esa quemadura en la piel se debe a que te has expuesto demasiado al sol.
3. El científico expuso su vida al acercarse tanto al volcán.
4. Todo el mundo nos advierte que no debemos exponernos a penetrar en aquella zona selvática.

VIII. riesgo

A. *m.* 危险，风险

1. Los cosmonautas son conscientes de que exponerse a diversas radiaciones cósmicas implica mucho riesgo.
2. ¿Crees que también es un riesgo exponerse demasiado tiempo a los rayos X?
3. En su afán de impedir que me lanzara a aquella aventura, Héctor me enumeró una serie de riesgos.

B. correr el ~ 冒危险，冒风险

1. Don Quijote se arrojó al molino de viento ignorando el riesgo que corría.
2. Al ver que el barco corría el riesgo de encallar, el capitán (船长) dio la orden de alejarse de la isla.

3. No te imaginas los riesgos que corrimos al atravesar aquella zona misteriosa.
4. El riesgo que corría al tratar de investigar el volcán en plena erupción era muy grande, pero él dijo que no le importaba, pues, con esa hazaña, se convertiría en uno de los más famosos volcanólogos del mundo.

IX. sustituir

A. *tr.* ~ una cosa por otra（以乙）替换 / 代替（甲）

1. ¿Conocen ustedes algún otro combustible menos contaminante que pueda sustituir al carbón?
2. Como el suministro del petróleo se redujo drásticamente, la administración decidió sustituirlo por un producto biovegetal.
3. ¿Quién puede poner la menor objeción al plan de sustituir el actual sistema de calefacción por otro, activado por la energía solar? Nadie: es la decisión más acertada del gobierno municipal.
4. Se nota una visible mejora en el medio ambiente desde que la mayoría de las empresas sustituyeron el combustible de sus fábricas por energías alternativas.

B. sustitución *f.* 替换，代替

1. Los especialistas vienen advirtiendo que la sustitución del petróleo por otros combustibles no contaminantes supone, en primer lugar, la búsqueda de estas fuentes energéticas.
2. De acuerdo con el criterio ecologista, es totalmente necesaria, por beneficiosa, la sustitución de ese equipo obsoleto por otro de alta tecnología.

X. transportar

A. *tr.* 运输

1. Resulta que las radiaciones cuya longitud de onda es corta transportan gran cantidad de energía. Para mí, esto es una novedad.
2. En mi ciudad, comienzan a popularizarse los vehículos con motores eléctricos. Ahora, allí, transportar tanto pasajeros como mercancías está dejando de ser una acción contaminante.
3. ¿Sabéis cómo se transporta la electricidad?
4. No insistas en transportar tantas cosas en tu pequeño coche.Te arriesgas demasiado.

B. transporte *m.* 运输

1. El transporte urbano de esta ciudad es caótico y se prolonga tanto que nadie sabe cuándo se solucionará el problema.
2. El incontrolado aumento del número de vehículos motorizados no es la mejor solución del problema del transporte.
3. La ventaja del transporte marítimo consiste en su menor costo y su gran capacidad. El problema está en que demora demasiado.

RESPECTO AL LENGUAJE

I. Pronombre relativo *el cual, la cual, los cuales, las cuales*

请同学们回顾第三册第二课的语法板块，先复习一下这个关系代词系列的主要用法及其与其他系列的区别。然后再进一步掌握它们因语音语调特征而在语流链中的不同作用。

我们知道，这个系列不能是限定性从句中的主语，所以必须由介词引导。

① La policía detuvo al delincuente ***al cual*** habían denunciado muchos vecinos del barrio.

② Te entrego estas revistas entre ***las cuales*** hallarás abundante material para tu tesis.

③ Cuando le pregunté al hombre por el Ministerio de Cultura, me señaló un edificio enorme delante ***del cual*** estaban aparcados muchos coches.

④ Después de pagar la cena, dejé sobre la mesa, como propina, algunas monedas entre ***las cuales*** estaba una muy antigua, de mucho valor. Me di cuenta de esto cuando ya estaba en camino hacia el aeropuerto.

在这种情况下，此系列往往可以与 el que, la que, los que, las que 交替使用。但是 el que 系列再加上介词（del que, a las que, entre los que, 等等）构成一个非重读单音词链条，显然是语流中的一个低谷，无论说还是听，都会觉得很别扭，很不舒展，所以，就语言的节奏感而言，倾向使用重读的 el cual 系列。例如在下面一段文字中，如果把黑斜体部分替换成重读系列，听起来就会更加顺畅一些。同学们不妨试试。

⑤ No obstante, se sigue investigando con la esperanza de encontrar otras fuentes que puedan producir suficiente energía sin los riesgos de la energía nuclear, como la fuga radiactiva, o la explosión de algún reactor como ocurrió en Chernóbil, Ucrania, el 26 de abril de 1986, o en la Central Nuclear de Fukushima, el 11 de marzo de 2011 ***en la que*** se produjeron explosiones en los edificios de los reactores nucleares, fallas en los sistemas de refrigeración y fuga de gases radioactivos, como consecuencia del terremoto seguido de un tsunami en la costa oriental de Japón.

⑥ El agua es una importante fuente energética ***de la que*** se puede echar mano.

II. Construcciones con el infinitivo

西班牙语中有相当数量的及物动词的直接宾语可以是原形动词或从句。这些动词究竟应该与原形动词搭配还是与从句搭配，需要考虑的因素很复杂，大致可以分为下面两种情况：

1 取决于主句和从句的主语是否一致。主句和从句主语一致时，用原形动词结构，否则用从句结构。

① Quiero *adoptar* una niña.

② Quiero *que* mi amiga *adopte* una niña.

许多表示意愿和感情的动词都属于这类，例如：conseguir, decidir, desear, esperar, intentar, lograr, necesitar, pretender, procurar, querer, temer, 等等。

2 即使主句和从句主语不一致，有些动词也可以在原形动词和从句两种结构之间任意选择。这类动词中有：

1. 感知动词 ver, oír, sentir, observar 等。下面的例句说明，这类动词作为主句动词，其直接宾语可以是原形动词结构，也可以是从句。如：

例 ③ **Vimos** *nadar* a los chicos en el estanque.

④ **Vimos** *que* los chicos *nadaban* en el estanque.

与原形动词搭配时，原形动词的主语以宾格代词（lo, los, la, las）的形式出现。如例句 ③ 可变为：

例 ⑤ *Los* **vimos** *nadar* en el estanque.

原形动词仍可带自己的各种宾语和补语。

例 ⑥ En la oscuridad solo **oímos** el oleaje *acercarse a la orilla*.

原形动词的主语则以宾格代词形式出现。

例 ⑦ En la oscuridad solo *lo* **oímos** *acercarse* a la orilla.

如果原形动词的主语是指人的名词，也可能以与格代词形式出现。

例 ⑧ **Vi** *deslizarse* vertiginosamente por la nieve a la esquiadora.

→ *Le* **vi** *deslizarse* vertiginosamente por la nieve.

2. 表示命令、允许、禁止、使动等含义的动词，比如 dejar, hacer, impedir, mandar, ordenar, permitir, prohibir 等。这类动词可以在两种搭配形式之间任意选择。不过有两点必须指出：首先，若与从句搭配，其中的动词要用虚拟式。

例 ⑨ No debes **dejar** *exponerse* tanto tiempo al sol a los niños.

/No debes **dejar** que los niños *se expongan* tanto tiempo al sol.

⑩ La nueva oportunidad **hizo** *revivir* su esperanza.

/ La nueva oportunidad **hizo** que *reviviese* su esperanza.

⑪ El capataz me **mandó** *accionar* la manivela.

/ El capataz me **mandó** que *accionara* la manivela.

⑫ El gerente nos **permitió** *sustituir* el viejo equipo por uno nuevo.

/ El gerente **permitió** que *sustituyésemos* el viejo equipo por uno nuevo.

其次 dejar, hacer, mandar, ordenar 与原形动词搭配时，原形动词的主语要以宾格或与格代词的形式出现。

例 ⑬ La profesora le **mandó** al niño *multiplicar* cifras de seis dígitos.

/ La profesora *lo (le)* **mandó** *multiplicar* cifras de seis dígitos.

⑭ Entre todos le **hicimos** *renunciar* al cargo al director.

/ Entre todos *lo (le)* **hicimos** *renunciar* al cargo.

而 impedir, permitir, prohibir 等与原形动词搭配时，后者的主语只能转换为与格代词（le,les），表明它是间接宾语，原形动词才是直接宾语。

例 ⑮ El gobierno *les* **permitió** a los colonos *explotar* aquella zona despoblada.

/ El gobierno *les* **permitió** *explotar* aquella zona despoblada.

因此，两者可以同时分别转换为宾格和与格代词：

例 ⑯ –¿*Les* **permitió** *explotar* aquella zona despoblada?

–Sí, *se lo* **permitió**.

如果原形动词是及物的，并带有自己的直接宾语，由代词取代的情况更为复杂。以上面的句子为例：

例 ⑰ *Les* **permitió** *explotar* aquella zona despoblada.

Les **permitió** *explotarla*.

Se la **permitió** *explotar*.

Se lo **permitió**.

les 是指 a los colonos，la 指 la zona despoblada；se 指 a ellos (los colonos)，lo 指 explotar la zona despoblada。

社会文化常识 CONOCIMIENTO SOCIOCULTURAL

气候变化

为了应对气候变暖和环境污染，世界各国大力倡导使用可再生能源和清洁能源。

所谓可再生能源，顾名思义，是相对于那些会穷尽的不可再生能源而言的。前者指那些取之不尽、用之不竭的能源，如太阳能、风能、地热能、潮汐能等。而后者则指那些一次性使用后不能再生的能源，如石油、天然气、煤炭等。它们也被称为化石能源。

除可再生能源外，各国还出台政策鼓励使用清洁能源，即污染少的能源。清洁能源可以是可再生能源，也可以是不可再生能源。比如，相对于煤炭来说，天然气是清洁能源，但却不可再生。

虽然环境的恶化使人类从未像现在这样鼓励使用清洁能源，但是，我们必须认识到，凡事都有两面性。任何极端的做法都会走向事物的反面。例如，乙醇由富含糖类物质的农作物酿制产生，可作为添加剂加入汽油中制成混合燃料，即乙醇汽油，可供汽车、摩托车等交通工具使用。当汽油价格较高时，乙醇汽油具有明显的成本优势。然而，制作乙醇的主要原料是玉米、甘蔗等农作物。大量发展乙醇汽油，势必造成其他粮食和经济作物种植面积减少，玉米和甘蔗等价格上涨，人们最基本的食品需求得不到保障。此外，在巴西，由于乙醇汽油的需求量巨大，大片亚马孙地区的热带雨林被毁坏，改种玉米和甘蔗。结果是对环境和气候造成的危害远远超过改革之前。这段历史提醒我们，分析任何事情都要一分为二，既看到积极的一面，也看到可能带来的不良后果。这样才能扬长避短，脚踏实地地不断进步。

EJERCICIOS

13–03

I. Siguiendo la grabación, lea el siguiente poema:

Triste cosa es no tener amigos,
pero más triste debe ser no tener enemigos,
porque quien enmigos no tenga,
señal de que no tiene: ni talento que haga sombra,

ni valor que le teman,
ni honra que le murmuren,
ni bienes que le codicien,
ni cosa buena que le envidien.

II. Conjugue los siguientes verbos en todas las personas, modos y tiempos indicados:

1. En modo imperativo y presente del subjuntivo:

adoptarla, *arriesgar*, aumentar, *caracterizarlo*, complementar, *concebir*, *conducir*, *demostrárnoslo*, *deslizar*, diferenciar, enumerarlas, *equivaler*, explotar, *exponerlo*, *fatigarse*, generar, *intervenir*, *investigarlos*, *otorgar*, perdurar, *regir*, renunciar, respetar, restarlo, *revolverlos*, solucionarlo, suministrarlas, *sustituirlos*;

2. En futuro imperfecto del indicativo y en el condicional simple:

adoptar, ahogarse, arriesgarse, aumentar, calzarse, caracterizar, complementar, *componer,* conectar, *decir*, deparar, diferenciar, dividir, enumerar, escapar, explotar, *exponerse*, fatigarse, generar, *haber*, *hacer*, influir, investigarlas, otorgar, perdurar, recobrar, *salir*, solucionarlos, suministrarlo, *suponer*, sustituirlas;

3. En pretérito indefinido del indicativo:

adoptar, *arriesgarse*, aumentar, *caracterizar*, complementar, *concebir, conducir*, *deslizar*, diferenciar, dividir, enumerar, equivaler, explotar, *exponer*, *fatigarse*, generar, hundir, idear, *intervenir*, *investigar*, *ir*, maravillarse, *otorgar,* perdurar, recobrar, *regir*, renunciar, restar, *ser*, solucionarlo, suministrarlas, *sustituirla*;

4. En pretérito imperfecto del subjuntivo:

adoptar, arriesgarse, aumentar, caracterizar, complementar, *concebir, conducir*, deslizar, diferenciar, dividir, enumerarlos, equivaler, explotar, *exponer*, fatigarse, generar, hundir, idear, *intervenir*, investigar, *ir*, maravillarse, otorgar, perdurar, recobrar, *regir*, renunciar, restar, *ser*, solucionarlo, suministrarlas, *sustituirla*.

（斜体部分需笔头重复）

13–04

III. Escuche las preguntas sobre el texto y contéstelas oralmente en español.

IV. Diga a qué se refiere la parte en cursiva, y en caso de que sea verbo, señale el respectivo sujeto. Todas las oraciones son del texto.

1. La década de los 70 del siglo XX será recordada por la humanidad como una época no muy halagüeña, por la terrible crisis que el mundo atravesó en esos años, una crisis que duraría hasta comienzos de la siguiente década, ***la*** de los 80.
   la:
2. Una de las causas de este desbarajuste fue la posibilidad de que ***se agotaran*** las fuentes de energía –carbón y petróleo–, ***explotadas*** en exceso a causa de la necesidad de poder atender cumplidamente el vertiginoso progreso.
   se agotaran:
   explotadas:
3. Ante ***esta situación***, la humanidad comenzó a buscar nuevas fuentes capaces de sustituir al petróleo, como por ejemplo la energía nuclear que, con todas ***sus*** ventajas y desventajas, ***se viene utilizando*** actualmente en muchos lugares del mundo.
   esta situación:
   sus:
   se viene utilizando:
4. No obstante, ***se sigue investigando*** con la esperanza de encontrar otras fuentes que puedan producir suficiente energía sin los riesgos de la energía nuclear, como la fuga radiactiva, o la explosión de algún reactor como ocurrió en Chernóbil, Ucrania, el 26 de abril de l986, o en la Central Nuclear de Fukushima, el 11 de marzo de 2011 en ***la*** que ***se produjeron*** explosiones en los edificios de los reactores nucleares, fallas en los sistemas de refrigeración y fuga de gases radioactivos, como consecuencia del terremoto seguido de un tsunami en la costa oriental de Japón.
   se sigue investigando:
   la:
   se produjeron:
5. El agua es una importante fuente energética de ***la*** que ***se puede echar mano*** pero ***existe*** un problema: los ecologistas, celosos protectores del medio ambiente, ponen serias objeciones a la instalación de grandes obras hidráulicas.

la:

se puede echar mano:

existe:

6. Pero hay esperanzas: existe la posibilidad de que, en un futuro no muy lejano, las llamadas energías alternativas, que ***proceden*** principalmente del Sol (energía solar) y de la Tierra (energía geotérmica), ***lleguen*** a ser el más importante suministro de energía para la humanidad.

   proceden:

   lleguen:

7. Además, hay otras fuentes perfectamente aprovechables: el viento (energía eólica), las mareas, el oleaje marino (energía maremotriz) y los desechos orgánicos (energía biovegetal), aunque ***cabe*** aclarar que ***estas tres últimas*** son consideradas como energías menores que ***servirían*** para complementar el consumo energético total de la humanidad.

   cabe:

   estas tres últimas:

   servirían:

8. De hecho, en la actualidad ***estas fuentes alternativas de energía*** están jugando un papel importante, pues, en aquellos lugares donde ya ***funcionan*** ciertos dispositivos que ***aprovechan*** estos tipos de energía, ***están permitiendo*** un gran ahorro en el consumo de petróleo.

   estas fuentes alternativas de energía:

   funcionan:

   aprovechan:

   están permitiendo:

9. Por otra parte, la obtención de energía de estas fuentes ***se hace*** sin contaminar el medio ambiente y sin correr ningún grave riesgo, ***lo*** que ***las convierte*** en fuentes limpias que tienen, además, la ventaja de ser ***inagotables***.

   se hace:

   lo:

   las:

   convierte:

   inagotables:

10. Pero en el momento actual ***presentan*** un serio inconveniente: la tecnología no ha resuelto aún ***su*** aprovechamiento masivo.

    presentan:

    su:

11. La luz es una de las formas que ***puede adoptar*** la energía para ***trasladarse*** de un lugar a otro; ***en nuestro caso,*** desde el Sol a la Tierra.

    puede adoptar:

    trasladarse:

    en nuestro caso:

12. La luz es una radiación, es decir, está ***compuesta*** de ondas parecidas –no iguales– a las ondas que ***se forman*** en un estanque cuando ***se arroja*** una piedra sobre ***su*** superficie.

    compuesta:

    se forman:

    se arroja:

    su:

13. Tanto las ondas de la luz como ***las*** del estanque se diferencian en aspectos fundamentales –cosa que no vamos a desarrollar en este artículo–, pero tienen algo en común: en ***ambos casos*** se puede medir lo que se llama longitud de onda, que es una propiedad que ***caracteriza*** y ***diferencia*** a ***una determinada onda*** de otra.

    las:

    ambos casos:

    caracteriza:

    diferencia:

    una determinada onda:

14. ***Trace*** una línea ondulada horizontal y ***verá*** que hay una cadena de curvas, ***unas*** hacia arriba y ***otras*** hacia abajo.

    Trace:

    verá:

    unas:

    otras:

15. ***Las primeras*** se llaman *crestas* y ***las segundas***, *valles*. La longitud de onda es la distancia entre dos *crestas* o dos *valles*.

    Las primeras:

    las segundas:

16. Pues bien, la luz se compone de muchos tipos de ondas que ***se pueden diferenciar*** por ***su*** longitud.

    se pueden diferenciar:

    su:

17. Las radiaciones que tienen una longitud de onda muy grande ***transportan*** muy poca energía, mientras que las radiaciones ***cuya*** longitud de onda es corta transportan gran

cantidad de energía.

transportan:

cuya:

18. De acuerdo con ***esto***, ***se pueden distinguir***, dentro de la luz, todos los tipos de radiaciones que ***componen*** lo que se llama el *espectro electromagnético de la luz* y que ***se representa*** en la figura de abajo.

esto:

se pueden distinguir:

componen:

se representa:

19. No todas las radiaciones que proceden del Sol ***alcanzan*** a ***nuestro planeta***, porque no ***son capaces*** de atravesar las altas capas de la atmósfera y llegar hasta la superficie terrestre.

alcanzan:

nuestro planeta:

son capaces:

20. ***Esto*** solo ***lo*** consiguen las radiaciones de longitud de onda media y larga, mientras que las radiaciones de longitud de onda corta (ultravioleta, rayos X y rayos γ), es decir, ***las*** que transportan gran cantidad de energía, son reflejadas o absorbidas por la atmósfera.

Esto:

lo:

las:

21. ***Este hecho*** es muy importante para nosotros, puesto que si estas radiaciones llegaran a la superficie terrestre, sería imposible la existencia de organismos vivos, que estarían expuestos a quemaduras, mutaciones genéticas, cáncer y otros trastornos biológicos producidos por ***ellas***.

Este hecho:

ellas:

22. Las radiaciones de onda corta que no llegan a la superficie terrestre ***suponen*** más de la mitad de la energía total que nos ***llega*** desde el Sol.

suponen:

llega:

23. Veamos la potencialidad de la energía solar que logra llegar a la superficie terrestre: la energía que recibe la Tierra en 5 minutos ***habría bastado*** para cubrir las necesidades de toda la humanidad en 1970.

habría bastado:

24. En consecuencia, no ***es*** difícil comprender que con solo aprovechar una parte de la energía solar recibida ***se solucionarían*** muchos de nuestros problemas energéticos.
    es:
    se solucionarían:
25. La fuerza de un volcán en erupción siempre ha aterrorizado ***al hombre***, que durante miles de años ***no ha sabido*** hacer otra cosa que escaparse ***despavorido***.
    al hombre:
    no ha sabido:
    despavorido:
26. Pero en la actualidad, el avance tecnológico ha hecho posible que el hombre comience a utilizar en ***su*** beneficio ***esta energía almacenada en el seno de la Tierra***.
    su:
    esta energía almacenada en el seno de la Tierra:
27. En algunas partes del mundo, ya ***se está empleando*** el vapor natural para generar electricidad.
    se está empleando:
28. Estamos seguros de que, con los progresos de la tecnología, el aprovechamiento de la energía geotérmica ***irá aumentando***.
    irá aumentando:
29. Desde la antigüedad, el hombre ya sabía utilizar los vientos en ***sus*** quehaceres.
    sus:
30. ¿***Recuerdan*** los famosos molinos de viento en el *Don Quijote*?
    Recuerdan:
31. Pues bien, los molinos modernos han sustituido las pesadas palas de madera por ***unas*** de acero, más ***ligeras y robustas***; además, con una serie de mejoras técnicas ***se está logrando*** un mayor rendimiento en la conversión de energía eólica en energía eléctrica.
    unas:
    ligeras y robustas:
    se está logrando:
32. Todavía nos ***quedan*** otras energías como la maremotriz, consistente en utilizar la energía que produce la marea en ***su*** movimiento de subida y de bajada; la biovegetal, ***cuya*** energía proviene del aceite que ***se extrae*** de algunos cultivos, así como muchas otras fuentes, que no podemos enumerar por razón de ***espacio***.
    quedan:
    su:
    cuya:

se extrae:

espacio:

V. Sustituya la parte en cursiva por una palabra que exprese una idea afín o parecida, que figura en el texto:

1. No sería nada *feliz* _______________ la perspectiva de la humanidad si se siguiera abusando de los combustibles fósiles.
2. En la historia contemporánea, es común que un país *conozca* _______________ prolongadas épocas de crisis económica y política, sin que tenga a la vista ninguna solución.
3. Todavía permanecía en la memoria de mucha gente *la confusión* _______________ que había provocado aquella grave crisis.
4. De seguir explotándolos en exceso, muchos de los recursos naturales *se acabarían* _______________ , tarde o temprano
5. La computadora electrónica se inventó, en un principio, para *responder satisfactoriamente* _______________ , por un lado, a los complicadísimos cálculos necesarios que hacía la dirección automática de tiro de las baterías antiaéreas, y por otro, a los requerimientos de los estudios de energía nuclear.
6. El *acelerado* _______________ avance tecnológico plantea muchos otros problemas en espera de solución.
7. La utilización de la energía nuclear, aparte de sus evidentes ventajas, supone, al mismo tiempo, bastantes *peligros* _______________ .
8. El proyecto que propones tiene sus ventajas y sus *inconvenientes* _______________ .
9. El sol es una importante fuente energética *a la que se puede recurrir* _______________ _______________ .
10. Si bien el agua es una fuente energética limpia y barata, los ecologistas dedicados a la protección del medio ambiente, ponen *serios reparos* _______________ a la construcción de grandes obras hidráulicas.
11. En muchas partes del mundo se viene generalizando el uso de energías que *provienen* _______________ del Sol y de la Tierra.
12. En algunas regiones de China, existen condiciones muy favorables para que sea *utilizada* _______________ la energía eólica.
13. Evidentemente, para poder aprovechar diversas fuentes energéticas alternativas, hacen faltan *instalaciones específicas* _______________ en cada caso.
14. La ventaja de algunas fuentes energéticas alternativas consiste en *la producción* _______________ de la energía sin contaminar el medio ambiente ni correr graves riesgos.

15. La puesta en funcionamiento de varias instalaciones en esas provincias contribuirá a *economizar* __________, en gran medida, carbón y petróleo.
16. ¿Qué medidas *se han tomado* _______________, últimamente, para *solucionar* _______________ el problema de la contaminación medioambiental?
17. ¿Sabes cómo *se transporta* _______________ la electricidad de un lugar a otro?
18. La luz es una radiación compuesta de ondas *similares* ___________ a las producidas en un estanque cuando se arroja una piedra en él.
19. Tanto las ondas de la luz como las del estanque tienen algo en común: en *los dos* _______________ casos se puede medir lo que se llama longitud de onda, que es *un rasgo* _______________ que caracteriza y diferencia a una determinada onda de otra.
20. Los distintos tipos de radiaciones de la luz *forman* _______________ lo que se llama espectro electromagnético.
21. Las radiaciones de onda larga que consiguen *cruzar*_____________ la atmósfera y *llegar* _______________ a la superficie terrestre solo *representan* _______________ menos de la mitad de la energía total procedente del Sol.
22. Los habitantes de aquellos pueblos, al ver el volcán en erupción, no pudieron hacer otra cosa que escaparse *aterrorizados* _______________ .
23. Un considerable porcentaje de la electricidad que se utiliza en esta región está *producido* _______________ por fuentes energéticas alternativas.
24. El molino de viento descrito en el *Don Quijote*, es un buen ejemplo que nos indica cómo el hombre sabía, desde la antigüedad, utilizar la fuerza del viento en sus *actividades cotidianas* _______________ .
25. En muchas partes del país, los modernos molinos de viento *han reemplazado* _______________ a las centrales termoeléctricas que consumían carbón y petróleo.

VI. Modifique la estructura sintáctica de cada oración según la indicación dada al final:

1. La década de los 70 del siglo XX será recordada por la humanidad como una época no muy halagüeña. (Inicie la oración con: *La humanidad...*)

____

____

____

2. La década de los 70 del siglo XX será recordada por la humanidad como una época no muy halagüeña, por la terrible crisis económica que el mundo atravesó en esos años. (Inicie la oración con: *Debido a la terrible crisis económica que el mundo atravesó en la década de los 70...*)

____

____

3. Una de las causas de este desbarajuste fue la posibilidad del agotamiento de las fuentes de energía tradicional. (Inicie la oración con: *La posibilidad del agotamiento... , entre otras cosas...*)

____

____

4. El carbón y el petróleo se han explotados en exceso *para atender cumplidamente* el vertiginoso progreso. (Quite la parte en cursiva e Inicie la oración con: *El vertiginoso progreso...*)

____

____

5. Ante esta situación, el hombre ha comenzado a buscar nuevas fuentes de energía que puedan sustituir al petróleo. (Inicie la oración con: *Esta situación...*)

____

____

6. Actualmente, en muchas partes del mundo, se está echando mano de la energía nuclear *con* sus ventajas e inconvenientes. (Sustituya la parte en cursiva por una expresión con sentido concesivo.)

____

____

7. Se investiga también sobre otras nuevas fuentes para obtener suficiente energía sin *los riesgos de la energía nuclear*. (Agregue delante de la parte en cursiva: *el hombre, afrontar*.)

____

____

8. *Estas energías que* en un futuro no muy lejano quizá *lleguen a ser* el más importante suministro de que se disponga la humanidad, proceden principalmente del Sol y de la Tierra. (Quite la parte en cursiva e inicia la oración con: *En un futuro no muy lejano... el más importante suministro energético...*)

____

____

9. En la actualidad las fuentes alternativas de energía están jugando un papel importante, *consiguiéndose un gran ahorro en el consumo de petróleo* en algunas regiones. (Simplifique la parte en cursiva mediante la construcción *al + inf.* con el verbo *ahorrar*.)

____

____

10. La obtención de energía de estas fuentes no va acompañada de contaminación ni de graves riesgos. (Inicie la oración con: *Al obtener energía de estas fuentes...* y motifique correspondientemente el resto.)

____

____

11. En el momento actual *se presenta un serio inconveniente, como es* su aprovechamiento de forma masiva, que tendrá que resolver la tecnología. (Quite la parte en cursiva e inicia la oración con: *En el momento actual, su aprovechamiento de forma masiva...*)

____

____

12. La luz es una de las formas que puede adoptar la energía para trasladarse de un lugar a otro. (Inicie la oración con: *La energía puede adoptar...*)

____

____

13. La luz es una radiación, es decir, está compuesta de ondas parecidas, pero no iguales, a las ondas que se forman en un estanque *cuando se arroja una piedra sobre su superficie.* (Transforme la parte en cursiva utilizando el adjetivo relativo *cuyo*.)

____

____

____

14. Las radiaciones de longitud corta transportan gran cantidad de energía. (Inicie la oración con: *Son las radiaciones de longitud corta...*)

____

____

15. Los diferentes tipos de radiaciones componen lo que se llama el espectro electromagnético. (Inicie la oración con: *Son los diferentes tipos...*)

____

____

16. No todas las radiaciones que proceden del Sol alcanzan a nuestro planeta, porque no son capaces de atravesar las altas capas de la atmósfera y llegar hasta la superficie terrestre. (Inicie la oración con la conjunción causal *como*.)

____

____

____

17. Las que transportan gran cantidad de energía son reflejadas o absorbidas por la atmósfera. (Inicie la oración con: *La atmósfera...*)

___

___

18. La energía que recibe la Tierra en 5 minutos habría bastado para cubrir las necesidades de toda la humanidad en 1970. (Transforme la oración según la fórmula: *Si [poder aprovecharse]... [cubrirse]...*)

___

___

19. Con solo aprovechar una parte de la energía solar recibida se solucionarían muchos de nuestros problemas energéticos. (Transforme la oración según la fórmula: *Si solo [aprovecharse]...*)

___

___

20. La fuerza de un volcán en erupción siempre ha aterrorizado al hombre, que durante miles de años no ha sabido hacer otra cosa que escaparse despavorido.
(Transforme la oración según la fórmula: *Durante miles de años, la erupción de un volcán siempre ha aterrorizado tanto...*)

___

___

21. ... el avance tecnológico ha hecho posible que el hombre comience a utilizar en su beneficio esta energía almacenada en el seno de la Tierra. (Inicie la oración con *Gracias a...*)

___

___

22. Los molinos modernos han visto sustituidas las pesadas palas de madera por palas de acero más ligeras y robustas. (Inicie la oración con: *En los molinos modernos...*)

___

___

VII. Sustituya el pronombre relativo *que* por *cual* (o *el que*) donde su presencia sea posible y proporcione mayor precisión:

1. Marianela, **que** calculaba con un ábaco, lo hacía más rápido que una compañera suya, **que** empleaba una calculadora solar.

2. Ayer, paseando por el parque, me encontré con el responsable de la administración, **que** me pidió excusas por su error en el cobro de las facturas de luz, agua y gas.
3. La empresa contrató a varias chicas inmigrantes de América del Sur, **que** resultaron ser trabajadoras muy eficientes.
4. El decano ya se disponía a marcharse cuando fue interceptado por una alumna, **que** le expresó su agradecimiento por el premio **que** él le había otorgado.
5. Solo recuerdo que el conferenciante nos habló de los teoremas con **que** se entretuvieron los griegos; la regla y el compás **que** ayudaron a los egipcios a medir sus tierras; la pesa y la balanza, **que** contribuyeron al florecimiento comercial de los fenicios; y el ábaco, **que** facilitó a los romanos en el control de sus riquezas.
6. Durante la Segunda Guerra Mundial, en los Estados Unidos se inventaron las primeras computadoras con **que** se pensaba calcular con precisión en la dirección automática del tiro de las baterías antiaéreas.
7. Ya conozco bastante bien los principios que rigen el funcionamiento del cerebro electrónico, sobre **que** me ha hablado no sé cuántas veces el ingeniero de informática.
8. La vida, a través de un sinnúmero de inventos, nos ha deparado una enorme comodidad a **que** nadie está dispuesto a renunciar.
9. ¿Sabes lo que ha pasado? Calculando una y otra vez, el contador acabó por obtener una suma fabulosa en deudas **que** nos dejó aterrorizados a todos.
10. Un volcán en erupción es un espectáculo dantesco en **que** las explosiones estremecedoras, el fuego y el desbordamiento de piedras fundidas en forma de lava han aterrorizado siempre al hombre.

VIII. Rellene los espacios en blanco con el pronombre relativo *que* o *cual* según convenga:

1. Me gustan las poesías de Rubén Darío, muchas de ______________ , incluso, me las he aprendido de memoria.
2. Nos impresionó la naturalidad ______________ mostró la niña al tratar con personas adultas y desconocidas.
3. Le dije a mi sobrina que no me gustaba nada el tatuaje ______________ ella tenía en la mejilla.
4. En el accidente de tráfico, resultó herida una chica, ______________ fue llevada de inmediato al hospital por unos voluntarios. Ellos contarían, después, que tardó bastante en recobrar el conocimiento.
5. Con mucha alegría, la niña se calzó los zapatos ______________ le acababa de comprar su abuela.
6. Aquella es una selva muy enmarañada en ______________ uno se extravía fácilmente.

7. ¿En cuánto valoras la joya _______________ se exhibe en el escaparate?
8. Un peatón nos señaló una comisaría a _______________ nos recomendó acudir para poner la denuncia del robo del que acababa yo de ser víctima.
9. Nos dijeron que el trayecto _______________ pensábamos recorrer era sumamente largo.
10. Los basureros recién instalados en este barrio residencial –muchos de _______________ han sido destruidos por los gamberros– funcionan con un moderno sistema que permite reciclar automáticamente la basura.

IX. Transforme las siguientes oraciones en estructura de infinitivo:

Ejemplo Oí que alguien resoplaba en la habitación.
Oí a alguien resoplar en la habitación.

1. Vimos que la gente bailaba flamenco.
____
2. El gerente no permitió que sustituyéramos la vieja instalación por una nueva.
____
3. La madre vio que el niño se revolvía inquieto.
____
4. El padre mandó que la hija sumase todas las cifras anotadas en el papel.
____
5. ¿Quién hizo que renunciases a tu cargo?
____
6. ¿Por qué el capataz no dejó que los obreros accionaran la máquina?
____
7. La tía prohibió que su sobrina ventilase la habitación.
____
8. No puedo permitir que nadie se exponga a semejante riesgo.
____
9. Tu obstinación hizo que perdiera la paciencia todo el mundo.
____
10. Oímos que alguien mecía la cuna.
____
11. Nuestra vecina vio que el barco encallaba cerca de la orilla.
____

12. Oí que los dos hermanos disputaban violentamente.

____

X. Sustituya la parte en cursiva por el pronombre personal átono correspondiente:

Ejemplo Oí llorar *a la niña*.
La (le) oí llorar.

1. Vimos llegar a *los invitados*.

____.

2. Vimos cargar el camión *a los trabajadores*.

____.

3. Oímos discutir *a Inés y Julieta*.

____.

4. El juez dejó hablar *a Ramón*.

____.

5. El juez dejó hacer preguntas *a la mujer*.

____.

6. Oímos cantar una bonita canción *a Susana*.

____.

7. Dejé leer la revista *a mi sobrino*.

____.

8. Dejé leer *la revista a mi sobrino*.

____.

9. Hice hablar *a Juan*.

____.

10. Hice decir la verdad *a tus amigas*.

____.

11. Hice decir *la verdad a tus amigas*.

____.

12. Permití leer la revista *a mi sobrina.*

____.

13. Permití leer *la revista a mi sobrina.*

____.

14. Permití *leer la revista a mi sobrino.*

____.

XI. Traduzca al español las siguientes oraciones:

1. —你看见姑娘们从这儿走过吗?
   —是的，我看见她们过去了。
2. —您能叫他接受我们的邀请吗?
   —不行，我没法叫他接受你们的邀请。(不行，我做不到。)
3. 你叫他今天下午来。
4. 其他人想去灭火，那人阻止了他们。
5. —您认为他们会让我进去吗?
   —肯定会让您进去的。
6. —你们听见孩子们唱歌了?
   —没有，我们没有听见他们唱歌。
7. 我不能允许你们读这种东西。
8. 他父母禁止他去那种地方。
9. —你能允许我跟他谈谈吗?
   —不，我不允许。
10. —是谁禁止孩子们在这儿玩?
    —是 Tomás 禁止的。

XII. Ejercicio del léxico:

A. Complete las siguientes oraciones utilizando las siguientes voces o sus derivaciones en forma adecuada:

a causa de, acuerdo, adoptar, de hecho, exceso, explotar,
exponer, riesgo, sustituir, transporte

1. El hombre investiga para ver si se pueden ________________ fuentes alternativas de energía capaces de ____________ al carbón y al petróleo, que corren el ____________ de agotarse en poco tiempo.

2. Todo el mundo se quedó asombrado cuando los científicos revelaron que la luz solar es en realidad una especie de radiaciones que _______________ energía. De _______________ con esta teoría, existe la posibilidad de aprovecharla en beneficio de la humanidad.
3. Los distintos tipos de ondas que componen la luz _______________ la forma de diferentes colores en el espectro electromagnético.
4. No cambies de tema. Sigamos hablando de los posibles _______________ que supone la _______________ de la energía nuclear.
5. La _______________ del equipo obsoleto, contribuyó, _______________, a aumentar el rendimiento.
6. No me sorprende la actitud que _______________ tu amigo, pues sabe muy bien los inconvenientes que le puede acarrear tu decisión de llevar a cabo el proyecto.
7. La obesidad se debe, entre otras cosas, a _______________ que se comete en la alimentación.
8. La mayoría de la población está de _______________ con la política de _______________ la energía procedente del carbón y petróleo por algunas de las llamadas alternativas.
9. ¿Crees que no tenemos suficientes medios para _______________ tal cantidad de productos? No te preocupes: ya disponemos de ellos.
10. Los participantes en la conferencia llegaron a un _______________ sobre cómo evitar que ______________________________ los recursos naturales.
11. En esa zona montañosa, el único medio de _______________ era el caballo.
12. No se sabe qué mutación sufrirá esta planta si _______________ (nosotros) sus semillas a los rayos γ .
13. Debería saber usted, señor gerente, que _______________ la falta de protección, sus obreros están _______________ a radiaciones muy peligrosas.
14. ¿Qué trámites se requieren en su país para _______________ un niño o una niña?
15. Desde hace mucho, los científicos ya vienen advirtiendo del peligros que supone vivir al pie del volcán, pero la gente les ha hecho caso omiso. La reciente erupción ha arrasado, _______________ , varios poblados.

B. Rellene los espacios en blanco con las preposiciones o la forma contracta de preposición y artículo, según convenga:

1. En esa región se han explotado ___________ exceso los recursos naturales.
2. Pienso sustituir este dispositivo ___________ otro nuevo. ¿Estás acuerdo?
3. Nunca le han gustado ideas nuevas, porque teme exponerse ___________ riesgos.

4. Marcelo es un chico muy habilidoso y un amigo digno __________ toda mi confianza. __________ hecho, a él le debo mucho, pues me ha ayudado __________ solucionar muchos problemas complicados frente __________ los cuales yo no había sabido qué hacer.
5. __________ acuerdo __________ el criterio __________ los ecologistas, no es nada aconsejable construir grandes obras hidráulicas __________ esa zona.
6. __________ causa __________ la contaminación __________ medio ambiente, muchas especies __________ animales y vegetales vienen sufriendo mutaciones muy raras.
7. Frente __________ aquella situación, no sabíamos qué actitud adoptar.
8. ¿Qué medio __________ transporte piensan utilizar __________ trasladar esa gigantesca máquina?
9. ¿Le parece acertada la sustitución __________ un director joven __________ otro __________ edad avanzada?
10. Debido __________ la negligencia __________ técnico, __________ poco explota uno __________ los reactores __________ la Central Nuclear.

13–05

C. Al escuchar la perífrasis, diga el vocablo o expresión correspondientes:

1. Que se puede aprovechar: ______________
2. Capa gaseosa que rodea la Tierra u otro cuerpo celeste: ______________
3. Hacer que una cosa sea más grande en tamaño, intensidad, calidad: ______________
4. Relativo a la biología (ciencia que estudia seres vivos): ______________
5. Añadir algo a una cosa para mejorarla o hacerla más completa: ______________
6. Partidario del ecologismo (ideología o comportamiento de las personas que defienden la conservación del medio ambiente): ______________
7. Algo que complace o satisface, o lo anuncia: ______________
8. Argumento en contra de una idea o de una cosa: ______________
9. Proporcionar a alguien algo que necesita: ______________
10. Que produce vértigo: ______________

13–06

XIII.Dictado.

13–07

XIV. Escuche la grabación y luego haga una versión oral resumida.

XV. Trabajos de casa:

1. Trate de leer con fluidez el texto.
2. Temas de conversación:

1) Crisis energética en el mundo y en China;

2) Algunas propuestas conocidas por usted de cómo solucionar el problema;

3) Lo que usted tiene que hacer para contribuir a ahorrar recursos naturales.

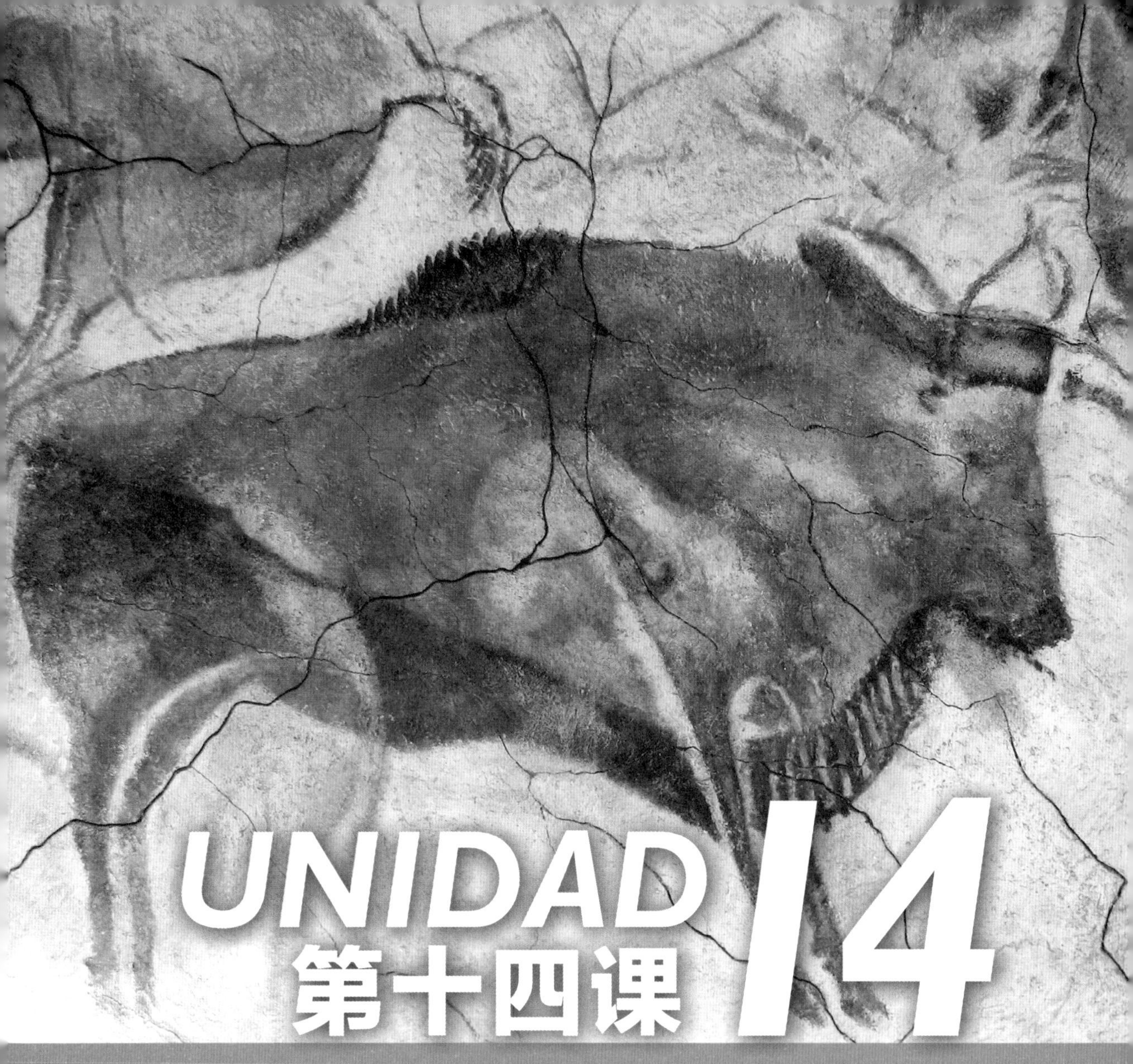

UNIDAD 14
第十四课

1 FUNCIÓN COMUNICATIVA

2 EJEMPLOS CON ALGUNOS VOCABLOS USUALES

asombrar, comprobar, declarar(se), depender, desvelar, favorecer, lamentable, ocultar(se), pasar por alto, suficiente

3 RESPECTO AL LENGUAJE

- Oración subordinada complementaria de sustantivo
- Funciones sintácticas de las preposiciones

4 CONOCIMIENTO SOCIOCULTURAL

- 古巴革命领袖：菲德尔·卡斯特罗

TEXTO

14–01

Pinturas rupestres y la réplica de Altamira

(Adaptación de Altamira Rupestre Park,
Patxi Ibarrondo, Cambio 16, 2014-01-12, Nº 1363)

–¡Mira! ¡Mira, papá! ¡Bueyes!–. La leyenda del descubrimiento de las pinturas en las Cuevas de Altamira cuenta que, allá por el año 1879, los gritos alborozados de una niña de 9 años, María Sanz de Sautuola, alertaron a su padre Marcelino sobre algo increíble: que asistía a una maravilla soñada por cualquier prehistoriador del mundo, al desvelar, en todo su esplendor, la existencia oculta de la más tarde denominada *Capilla Sixtina del Arte Cuaternario*. En 1985, la Unesco declaró el lugar Patrimonio Cultural de la Humanidad. Pero en todo esto hubo un suceso lamentable: el empresario y paleontólogo aficionado Marcelino Sanz de Sautuola murió en 1888, sin lograr que el mundo oficial reconociera la importancia de su descubrimiento y el de su hija. Como suele ocurrir en España, tuvieron que ser los ilustrados extranjeros, en este caso, unos prehistoriadores franceses, quienes dieran fe, en 1902, de la existencia de las Cuevas de Altamira y de sus autóctonos descubridores.

Los animales pintados que tanto habían asombrado a aquella curiosa niña no eran bueyes, como los que veía pastar por aquel entorno cántabro; eran unas magníficas pinturas policromadas en relieve representando 17 bisontes, tres ciervas y un jabalí, todos animales prehistóricos.

Ella no podía saber, aunque su padre sí, que en aquella oscura y húmeda gruta de 18 metros de largo por 9 de ancho, situada en un prado verde a 30 kilómetros de Santander, sus ancestros, los *homo sapiens*, habían alcanzado un grado evolutivo suficiente para recibir en su cerebro la chispa de la inspiración. Y siguiendo ese impulso, de rodillas y a la luz del fuego, pintaron en un tiempo indefinido, con ocre, carbón y grasas animales, las paredes de su refugio. Ese prodigio ocurrió hace algo más de 13.000 años, en el período paleoantropológico llamado Paleolítico Superior. Posteriormente, en 1940, se descubrieron las coetáneas cuevas francesas de Lascaux. Entonces, los eruditos llegaron a la conclusión de que los autores de las magníficas pinturas de ambas grutas eran, por su estilo y sus criterios semejantes, las tribus que vivían de manera trashumante o sedentaria cazando y recolectando a lo largo y ancho de las montañas cantábricas.

El turismo, amigo bastante pródigo de las arcas públicas en estas regiones, que dependen casi totalmente de este recurso económico, es, al mismo tiempo, el peor enemigo de las pinturas rupestres por la afluencia masiva de espectadores ávidos de contemplarlas. Las cuevas de Lascaux y las de Altamira, aunque en épocas distintas, han tenido una trayectoria paralela en su apogeo y posterior deterioro. Fue bastante breve el período en que el público visitante pudo recrearse en el arte rupestre de las primeras, que se abrieron al turismo en 1948 y se clausuraron en 1963. Los especialistas no tardaron en darse cuenta de que la masiva concurrencia humana había alterado las condiciones ambientales idóneas para la conservación de las pinturas prehistóricas. Para no perder los beneficios económicos de tantas visitas a la comarca de Les Eyzies, ni desalentar el interés turístico, en los años 80 se inauguró una réplica de las Cuevas de Lascaux.

Aunque de manera más temprana y prolongada, algo semejante ha ocurrido en Altamira. Se abrió oficialmente al público en 1917, y ya desde 1957, varios expertos venían dando la voz de alarma sobre el deterioro galopante de las pinturas. La emanación corporal humana había cambiado el grado de humedad y la temperatura ideales, lo que favoreció el crecimiento de unos hongos microscópicos. Sin embargo, el número de visitantes fue en aumento. Solo en el año 1973, las cuevas recibieron la cantidad de 175.000 personas. Finalmente, en 1976, al comprobar que las pinturas estaban gravemente enfermas y corrían el riesgo de una definitiva desaparición, se cerraron al público.

Pero, ¡cómo va a pasarse por alto el hecho de que Altamira es la Meca prehistórica de todo turista extranjero o nacional mínimamente ilustrado o curioso cuando llega a Cantabria! Visitar las cuevas de Altamira es una legítima aspiración. Acercarse, en una gruta húmeda y semioscura, a los bisontes de esa maravillosa obra de arte paleolítica, es un acto profundamente emocionante. Para el hombre moderno, y según la sensibilidad de cada cual, supone asomarse al vértigo de la noche de los tiempos, a la incógnita de nuestro propio pasado como especie, a la obra genial de los primeros artistas que produjo el *homo sapiens*. Y las estadísticas muestran en toda su amplitud que, una vez desaparecido el incentivo de Altamira, muchos visitantes, sobre todo extranjeros, no tienen el más mínimo interés en visitar Cantabria. Prefieren latitudes más soleadas. De modo que, para no perder el turismo ni las pinturas, se ha hecho necesaria, antes en Lascaux y ahora en Altamira, la clonación exacta de las grutas y todo el arte prehistórico contenido en ellas. Unas 90.000 personas de todo el mundo llegarán todos los años a Altamira, aunque saben de antemano que no podrán penetrar dentro de la caverna y que se limitarán a contemplar el entorno. Una réplica exacta les servirá de excelente consuelo. Con esa premisa, se han iniciado las obras de la réplica de Altamira.

Mediante este proceder, los franceses y los españoles han dado un meritorio ejemplo a las naciones poseedoras de rico patrimonio histórico, aquellas que caen en la falta de no protegerlo debidamente por poner más atención a las cuantiosas ganancias que producen el turismo y otras industrias. Este modo irresponsable de dar prioridad al lucro en detrimento del patrimonio cultural determina que esas actividades económicas sean el peor enemigo de la valiosa herencia dejada por los antepasados. ¿Acaso no se reciben diariamente noticias lamentables que revelan lo que ocurre en diversas partes del mundo, como el imparable deterioro, incluso, la alevosa destrucción de monumentos históricos que se vienen produciendo con el único fin de satisfacer la desmedida ambición de lucro de algunos sectores sociales? Con frecuencia, se informa que, en algunas zonas, las compañías constructoras llegaron a echar mano de enormes buldózeres para allanar tumbas milenarias: fue indignante ver cómo avanzaban estos mastodontes mecánicos dejando tras sí una estela de antiquísimos objetos funerarios de inestimable valor histórico, artístico y científico, hechos añicos. Esto, para cualquier cultura, es una pérdida irreparable. Es sabido de todos que los vestigios culturales –sean materiales, sean espirituales– que han legado los antiguos forman importante parte de la memoria histórica de un pueblo, una voz que se encarga de recordarle constantemente quién es, de dónde viene y adónde va. Un pueblo que ignora su pasado es un pueblo no solo sin raíz, sino aún peor, sin futuro.

14–02

VOCABULARIO

rupestre	*adj.*	石洞的
réplica	*f.*	复制品
Altamira		阿尔塔米拉
alborozado, da	*adj.*	兴高采烈的
alertar	*tr.*	使警觉
prehistoriador, ra	*m.,f.*	史前史学家
desvelar	*tr.*	揭露，揭示
capilla	*f.*	小礼拜堂
Sixtina		西斯廷
cuaternario, ria	*adj.*	第四纪的
UNESCO	*f.*	联合国教科文组织
patrimonio	*m.*	财产，家业
paleontólogo, ga	*m.,f.*	古生物学家
ilustrado, da	*adj.*	有知识的
dar fe	*perif.verb.*	证实，证明
autóctono, na	*adj.*	本土的
pastar	*intr.*	吃草
entorno	*m.*	四周
cántabro, bra	*adj.*	坎塔布连的
policromado, da	*adj.*	彩色的
relieve	*m.*	突出；浮雕
bisonte	*m.*	野牛
ciervo, va	*m.,f.*	鹿
jabalí, na	*m.,f.*	野猪
prehistórico, ca	*adj.*	史前的
gruta	*f.*	洞窟
Santander		桑坦德
ancestro, tra	*m.,f.*	祖先
homo sapiens	*lat.*	智人
evolutivo, va	*adj.*	进化的
chispa	*f.*	火星儿，火花
impulso	*m.*	冲动
de rodillas	*loc.adv.*	跪着
indefinido, da	*adj.*	不确定的

ocre	*m.*	赭石
grasa	*f.*	脂肪
refugio	*m.*	庇护所
paleoantropológico, ca	*adj.*	古人类学的
paleolítico superior		上旧石器的
coetáneo, a	*adj.*	同时代的
autor, ra	*m.,f.*	作者
trashumante	*adj.*	游牧的
sedentario, ria	*adj.*	定居的
cazar	*tr.*	狩猎
recolectar	*tr.*	采集
cantábrico, ca	*adj.*	坎塔布连地区的
pródigo, ga	*adj.*	丰饶的；慷慨的，大手大脚的
afluencia	*f.*	蜂拥而至
ávido, da	*adj.*	如饥似渴
trayectoria	*f.*	轨迹
recrearse	*prnl.*	休闲
clausurar	*tr.*	闭幕，关闭
concurrencia	*f.*	聚集
alterar	*tr.*	变更
ambiental	*adj.*	环境的
idóneo, a	*adj.*	合适的
conservación	*f.*	保存
comarca	*f.*	区，乡
desalentar	*tr.*	使沮丧，使泄气
inaugurar	*tr.*	开幕
alarma	*f.*	警示
galopante	*adj.*	狂奔般的
emanación	*f.*	散发
corporal	*adj.*	身体的
favorecer	*tr.*	有利于
hongo	*m.*	菌类
microscópico, ca	*adj.*	显微镜的；极微小的；微观的
definitivo, va	*adj.*	最终的
desaparición	*f.*	消失
Meca		麦加
aspiración	*f.*	渴求，追求
sensibilidad	*f.*	敏感性
incógnita	*f.*	未知数
estadística	*f.*	统计
amplitud	*f.*	广度
incentivo	*m.*	刺激，诱惑
clonación	*f.*	克隆
de antemano	*loc.adv.*	事先
caverna	*f.*	山洞
premisa	*f.*	前提
proceder	*m.*	行动，做法
meritorio, ria	*adj.*	值得称道的
poseedor, ra	*adj.*	拥有的
cuantioso, sa	*adj.*	大量的
ganancia	*f.*	盈利
prioridad	*f.*	重点；优先
lucro	*m.*	利润，盈利
en detrimento de	*loc.prep.*	损害，伤害
imparable	*adj.*	无法阻挡的
alevoso, sa	*adj.*	处心积虑的，背信弃义的
buldózer	*m.*	推土机
allanar	*tr.*	推平
indignante	*adj.*	令人气愤的
mastodonte	*amb.*	庞然大物
estela	*f.*	（船后）水波；痕迹
objeto funerario		墓葬品
inestimable	*adj.*	无法估量的
añicos	*m.pl.*	碎片
irreparable	*adj.*	无法挽回的
legar	*tr.*	遗留
raíz	*f.*	根

VERBOS IRREGULARES

desalentar: Se conjuga como ***alentar***.

favorecer: Se conjuga como ***parecer***.

VERBOS CON CAMBIOS ORTOGRÁFICOS EN ALGUNAS CONJUGACIONES

cazar: Se conjuga como ***alcanzar***.

legar: Se conjuga como ***llegar***.

EJEMPLOS CON ALGUNOS VOCABLOS USUALES

I. asombrar

A. *tr.* 使惊奇

1. Al asomarme por la ventana, me asombró ver tanta afluencia de gente en la calle a medianoche.
2. ¿En serio has decidido penetrar solo en esa selva tropical? Me asombra tu decisión, pues no sueles ser tan audaz ni tan resuelto, y esa es una empresa en que se corre un enorme riesgo.
3. Los valiosos objetos funerarios descubiertos en aquella tumba asombraron a los mismos arqueólogos por su visible antigüedad.
4. Nos asombra a todos que hayas pasado por alto un hecho tan importante al tomar esa decisión.

B. *prnl.* 吃惊

1. No me asombré por lo que me dijiste sino por tu intención de causar en mí alarma con algo tan insignificante.
2. Te advierto de antemano: no te asombres de lo que te voy a decir.
3. La mayoría de los paleoantropólogos se asombraron ante las acertadas conclusiones a que había llegado el más joven de todos en torno al nuevo descubrimiento.
4. Nadie se asombró de que se hubiese clausurado aquel club que no era sino un antro (藏污纳垢的地方) en que se ocultaban delincuentes.

C. asombro *m.* 惊奇

1. Nuestro asombro fue mayúsculo cuando el rector declaró, sin ninguna explicación, que se suspendían las clases por dos semanas.
2. Los presentes miraban con asombro la escena: un enorme buldozer iba allanando una tumba antigua haciendo añicos numerosos objetos funerarios de gran valor histórico y científico.
3. Al ver su cara de asombro, supe que no esperaba la conclusión a que yo había llegado.

D. asombroso, sa *adj.* 惊人的

1. Es realmente asombrosa la ganancia obtenida por ese comerciante en un negocio tan pequeño.
2. Hoy ya no resulta asombroso, ni la desmedida ambición del poder de los políticos ni el descomunal afán de lucro de ciertos empresarios.
3. Resulta asombroso que aquel compositor compusiera una ópera en solo una semana. Él dijo que en todo ello había empleado más trabajo que inspiración.

II. comprobar

A. *tr.* 证实

1. Para comprobar la redondez de la Tierra, Cristóbal Colón se empeñó en llegar a Asia cruzando el océano Atlántico.
2. Viendo el galopante deterioro de las pinturas rupestres, los expertos comprobaron la sospecha de que la emanación corporal humana tenía una perniciosa influencia sobre ellas.
3. Exhibiendo aquel hallazgo arqueológico en Alemania, los científicos comprobaron que hace aproximadamente 50.000 años, coexistían en Europa el *homo sapiens* y otra especie humana que, luego, los paloantropólogos denominaron *neanderthal*.
4. Las estadísticas han comprobado que eran ciertas las previsiones del erudito.

B. comprobación *f.* 证实，证明

1. Al efectuar la comprobación de la autenticidad del antiguo monumento, la Unesco lo declaró Patrimonio Cultural de la Humanidad.
2. Últimamente, se ha intensificado la comprobación de la autenticidad de los documentos de identidad, porque se han descubierto bastantes falsificados.
3. La comprobación de la existencia de microbios no se podía realizar antes del invento del microscopio.

C. comprobante *m.* 发票；收据；提货单；包裹单

1. Guarda el comprobante de la compra por si tienes que hacer alguna reclamación.
2. La empleada del correo me pidió el comprobante antes de entregarme el paquete de libros que me había mandado mi amigo.

III. declarar(se)

A. *tr.* 宣布，公布；出庭作证

1. En realidad, Japón inició su guerra de invasión contra China sin declararla previamente.
2. El presidente de la Asociación de Hispanistas declaró inaugurado el congreso.
3. El jefe del equipo de arqueólogos declaró a los periodistas que se había descubierto un asentamiento humano paleolítico superior de inestimable valor científico.
4. Los testigos declararon ante el juez lo que habían visto.
5. El tribunal declaró culpable al funcionario acusado de corrupción.
6. Todos los funcionarios tienen que declarar periódicamente sus ingresos.

B. *prnl.* 求爱

1. Nos hemos asombrado de que Ricardo se haya declarado a Marisa.
2. ¿No te das cuenta de que Ernesto está perdidamente enamorado de Lilia? Creo que no tardará mucho en declarársele.

IV. depender *intr.* 依赖，取决于

1. Las arcas públicas de ese pequeño país isleño dependen totalmente del turismo.
2. Sonia es una chica de mucho carácter: no quiere depender de nadie.
3. La mejora del medio ambiente depende de todos los ciudadanos, pero sobre todo, de los gobernantes.
4. – ¿Crees que la postura del señor ministro nos favorecerá?
   – Depende (不一定，看怎么说).

V. desvelar

A. *tr.* 揭示，揭露

1. Sería un escándalo nacional si se desvelase el origen de la cuantiosa ganancia de esa gente.
2. A lo mejor el reciente hallazgo arqueológico contribuirá a desvelar algunos misterios prehistóricos.
3. Frente a aquella situación de alarma, el marido se vio obligado a desvelar a su mujer un secreto largamente oculto.

B. *tr.*; *prnl.* 使彻夜不眠；彻夜不眠

1. El afán por dar una explicación sobre las nada halagüeñas estadísticas sobre la economía nacional desveló a todo el equipo del ministro de economía.
2. La galopante fiebre del hijo desveló durante una semana a los padres.
3. Me desvelé varias noches pensando en una incógnita que se me había presentado.

C. *prnl.* 为……操劳

1. Los hijos nunca valoramos lo suficiente el hecho de cómo nuestros padres se han desvelado por nosotros.
2. La directora del Museo nunca dejó de desvelarse por la conservación de aquellas piezas de pintura antigua, ni siquiera con la adopción de modernas tecnologías. “Esto no me soluciona ningún problema” –dijo–, “pues la preocupación no me la quita nadie”.

VI. favorecer *tr.* 施恩，有利于；(衣着，装饰等) 增色、添彩

1. Es indignante ver cómo el jefe favorece a su amigo ascendiéndolo, aunque es un incompetente total.
2. La masiva e imparable concurrencia de turistas no favorece en absoluto la conservación de las pinturas rupestres.
3. Valentina, este vestido amarillo no te favorece nada. Quítatelo y ponte aquel azul.

VII. lamentable *adj.* 令人遗憾的

1. Me parece lamentable tu proceder con los demás.
2. – La desaparición de esos monumentos será una pérdida irreparable para la cultura nacional.
   – Sí, es realmente lamentable.
3. Lo lamentable es que ustedes no muestren la mínima sensibilidad frente al sufrimiento ajeno.

VIII. ocultar(se)

A. *tr.*; *prnl.* 遮盖，掩盖，隐瞒，隐藏

1. Una capa de barro ocultaba una antigua pintura mural policromada.
2. ¿Por qué tratas de ocultar la fuente de tu lucro? ¿No estarás metido en algún negocio ilícito?
3. Al ver acercarse el ciervo, el cazador se ocultó detrás de un árbol.

B. oculto, ta *adj.* 暗藏的，隐蔽的

1. La mujer alertó a su marido diciéndole en voz baja que había alguien oculto detrás de la puerta.
2. Al penetrar en el bosque me di cuenta de que había un jabalí oculto entre la maleza.
3. El hombre escondió en una cueva, ocultas detrás de un peñasco, las barras de oro y de plata que le había legado su padre.

IX. pasar por alto *perif.verb.* 忽略，避而不谈

1. Al referirme a ese tipo, no puedo pasar por alto su desmedida ambición de riqueza.
2. En su conferencia, el erudito pasó por alto muchas cosas relativas a los métodos idóneos de conservación de estos tesoros.
3. No deberías haber pasado por alto la premisa que determina el éxito del proyecto.

X. suficiente *adj.* 足够的，充足的

1. Estas condiciones no son suficientes para emprender un proyecto tan ambicioso.
2. Al saber la cantidad de dinero que el rector me iba a proporcionar para el programa de investigación, me quedé totalmente desalentado: no era en absoluto suficiente ni siquiera para comenzar.

RESPECTO AL LENGUAJE

I. Oración subordinada complementaria de sustantivo

我们知道，名词之前加介词，就可以像形容词一样用来修饰、说明、限定、补足另一个名词的含义，比如："No tengo ni la menor idea *del suceso*." 其中的斜体部分就是这里说的被介词形容词化了的名词。同样，有时整个句子也可以处在这种地位，这就是所谓的名词补足语从句。它与其中心词通过介词 de 和连词 que 来衔接。

① Los eruditos llegaron a ***la conclusión de que*** los autores de las magníficas pinturas de ambas grutas eran, por su estilo y sus criterios semejantes, las tribus que vivían de manera trashumante o sedentaria cazando y recolectando a lo largo y ancho de las montañas cantábricas.

② ¡Cómo va a desdeñarse ***el hecho de que*** Altamira sea la Meca prehistórica de todo turista extranjero o nacional mínimamente ilustrado o curioso.

作中心词使用的名词，最常见的有：certeza, conclusión, convicción, *deseo*, *duda*, *esperanza*, hecho, impresión, *miedo*, *posibilidad*, seguridad, sensación。其中几个斜体的名词，因具有情感、愿望、可能性等含义，和与之对应的动词一样，要求从句中的动词用虚拟式。

③ El ladrón tenía *miedo de que le **sorprendieran*** robando.

请不要将这种类型的句子与定语从句相混淆。它们的本质区别在于：引导后者的小品词 que 是关系代词，在从句中充当主语、宾语、状语等句法角色，而引导前者的小品词 que 是连词，只起衔接作用，在从句中不充当任何句法角色。请比较下面两个句子：

④ Me refiero a ***la posibilidad de que*** el conferenciante habló sobre el galopante deterioro de las pinturas rupestres debido a la masiva afluencia de turistas.

⑤ Me refiero a ***la posibilidad de que*** se deterioren de manera galopante las pinturas rupestres debido a la masiva afluencia de turistas.

句子④中的 **la posibilidad** 是 habló de 要求的，是从句中的切入补语，此处的 **que** 是关系代词。而句子⑤中的 **la posibilidad** 在从句中没有任何句法功能，只是带上了由介词 de 引导的整个从句作为定语而已，此处的 **que** 是连词。

II. Funciones sintácticas de las preposiciones

西班牙语中的介词构成一个封闭系列，就是说，数量极为有限，而且很难像其他小品词一样便当地生成新的家族成员。现代西班牙语中的介词只有以下十几个：a, ante, bajo, cabe, con, contra, de, desde, durante, en, entre, hacia, hasta, mediante, para, por, según, sin, so, sobre, tras, versus 和 vía。数量虽然有限，但它们是不可或缺的组句零件。我们先讲两种常见的句法功能：

1 **加在名词前面，使之形容词化，以便用来修饰、说明、限定、补足另一个名词的含义。**

例 ① la leyenda ***del descubrimiento***, un niño ***sin padres***, una habitación ***con baño particular*** ...

2 **加在名词前面，使之副词化，以便充当句中的各类状语（时间、地点、方式等）。**

例 ① Los animales pintados no eran bueyes como los que veía pastar ***por aquel entorno cántabro***.

② Unos hombres primitivos pintaron esos animales ***en postura arrodillada*** y ***a la luz del fuego***.

③ Las Cuevas de Altamira se abrieron ***al público en 1917***.

社会文化常识 CONOCIMIENTO SOCIOCULTURAL

古巴革命领袖：菲德尔·卡斯特罗

菲德尔·卡斯特罗（Fidel Castro，1926 年 8 月 13 日—2016 年 11 月 25 日），又称老卡斯特罗，出生于古巴奥尔金省比兰镇，是古巴共和国、古巴共产党和古巴革命武装力量的主要缔造者，古巴前任最高领导人劳尔·卡斯特罗的哥哥。

卡斯特罗自幼富有反抗精神。少年时代就对劳苦农民怀有深切的同情。他反对父亲虐待雇农，13 岁时曾组织蔗糖工人为反抗自己父亲而进行罢工。青少年时代的卡斯特罗阅读了大量英雄人物传记和著作。古巴民族独立先驱者何塞·马蒂、拉丁美洲的解放者玻利瓦尔和圣马丁都是他崇拜的英雄。

1950 年，卡斯特罗获得法学博士学位并开始投身政治活动。1952 年军人巴蒂斯塔发动军事政变，建立独裁统治。1953 年 7 月 26 日，26 岁的卡斯特罗率 134 名爱国青年攻打圣地亚哥的蒙卡达兵营，号召发起反对巴蒂斯塔独裁政权的武装斗争，揭开了古巴武装斗争的序幕。由于起义失败，大部分青年起义者惨遭杀害。卡斯特罗兄弟等人幸免于死，被捕入狱。在法庭上，卡斯特罗慷慨陈词，发表了著名的自我辩护词《历史将宣判我无罪》（*La historia me absolverá*）。1955 年 5 月巴蒂斯塔为自己“竞选”总统笼络人心，大赦政治犯，卡斯特罗获释。出狱后，他成立了革命组织“726 运动”，并赴墨西哥组织秘密武装。

1956 年 12 月，卡斯特罗率领游击队员从墨西哥返回古巴，在奥连特省登陆，目的是推翻巴蒂斯塔政权。因为遭到镇压，他与 12 名幸存者进入山区开展游击战争。1959 年元旦，巴蒂斯塔逃往国外，起义军在万民欢呼中进入首都哈瓦那，全城市民上街争睹这位解放祖国的年轻英雄。卡斯特罗出任临时革命政府总理（后改称部长会议主席）和革命武装力量总司令。

1961 年 4 月，他向全世界宣布古巴实行社会主义革命，将古巴转变为社会主义国家，成立了古巴共产党并担任中央委员会第一书记。

2006 年 7 月底，卡斯特罗因病接受手术治疗，将最高权力托付给劳尔·卡斯特罗及其他几位主要领导人。

2008 年 2 月，卡斯特罗发表致古巴人民公开信，表示由于疾病，自己将辞去行政职务，但是将继续关注人类面临的战争和环境恶化等威胁。此后，他多次在《格拉玛报》（*Granma*）上发表文章，呼吁人们维护和平、反对战争、重视环保。

2016 年 11 月 25 日，卡斯特罗逝世，享年 90 岁。他的骨灰被安葬在圣地亚哥的圣伊菲赫尼亚公墓。

EJERCICIOS

14–03

I. Siguiendo la grabación, lea el siguiente poema:

CANCIÓN DEL PIRATA

Con diez cañones por banda,
viento en popa a toda vela,
no corta el mar, sino vuela
un velero bergantín;
bajel pirata que llaman
por su bravura el *Temido*
en todo el mar conocido
del uno al otro confín.

La luna en el mar riela,
en la lona gime el viento
y alza en blando movimiento
olas de plata y azul;
y ve el capitán pirata,
cantando alegre en la popa,
Asia a un lado, al otro Europa,
y allá a su frente Estambul:

"Navega, velero mío,
sin temor,
que ni enemigo navío,
ni tormenta, ni bonanza
tu rumbo a torcer alcanza,
ni a sujetar tu valor.

Veinte presas
hemos hecho
a despecho
del inglés

y han rendido
sus pendones
cien naciones
a mis pies.

Que es mi barco mi tesoro,
que es mi Dios la libertad;
mi ley, la fuerza y el viento;
mi única patria, la mar.

(···)

José de Espronceda

II. Conjugue los siguientes verbos en todas las personas, modos y tiempos indicados:

1. En presente del indicativo y presente del subjuntivo usado como mandato negativo:

adoptarla, alertarlas, allanarlo, alterar, *arriesgarse*, arrodillarse, aumentarlo, *caracterizarlas*, *cazarlos*, clausurar, complementar, *desalentar*, desvelar, diferenciar, enumerarlos, explotar, *exponerse*, *favorecer*, generar, inaugurarla, *investigar*, *legar*, pastar, perdurar, proceder, recolectarlos, recrearse, solucionar, suministrar, *sustituirlo*;

2. En futuro perfecto del indicativo y en condicional compuesto:

abrir, alertar, allanar, alterar, arrodillarse, cazar, clausurar, *componer, cubrir*, *decir*, desalentar, *descubrir*, *deshacer*, desvelar, *devolver*, *exponerse*, favorecer, *hacer*, inaugurarla, legar, pastar, perdurar, recolectarlos, recrearse, *resolver*, *romper*, *satisfacer*, solucionar, suministrar, *suponer*, sustituir, *revolver*, *volver*;

3. En pretérito indefinido del indicativo:

alertar, allanar, alterar, *andar,* arriesgarse, arrodillarse, aumentar, *caracterizar*, *cazar*, clausurar, desalentar, *deslizar*, desvelar, *detenerse*, *exponerse*, favorecer, generar, *haber*, inaugurar, *investigar*, *legar*, *obtener*, pastar, perdurar, proceder, recolectar, recrearse, *regir*, *satisfacer*, solucionar, *sustituir*;

4. En pretérito imperfecto del subjuntivo:

alertar, allanar, alterar, *andar,* arriesgarse, arrodillarse, aumentar, *caracterizar*, *cazar*, clausurar, desalentar, deslizar, desvelar, *detenerse*, *exponerse*, favorecer, generar, *haber*, inaugurar, investigar, legar, *obtener*, pastar, perdurar, proceder, recolectar, recrearse, *regir*, *satisfacer*, solucionar, *sustituir.*

（斜体部分需笔头重复）

14–04

III. Escuche las preguntas sobre el texto y contéstelas oralmente en español.

IV. Diga a qué se refiere la parte en cursiva, y en caso de que sea verbo, cuál es su sujeto. Todas las oraciones son del texto:

1. Los gritos alborozados de una niña de 9 años, María Sanz de Sautuola, alertaron a ***su*** padre Marcelino, que ***asistía*** a ***la maravilla*** soñada por cualquier prehistoriador del mundo, al ***desvelar***, en todo ***su*** esplendor, la existencia oculta de la más tarde denominada "Capilla Sixtina del Arte Cuaternario".
   su:
   asistía:
   la maravilla:
   desvelar:
   su:
2. En 1985, la Unesco declaró ***el lugar*** Patrimonio de la Humanidad.
   el lugar:
3. Pero en ***todo esto*** hubo un suceso lamentable: el empresario y paleontólogo aficionado Marcelino Sanz de Sautuola murió en 1888, sin lograr que ***el mundo oficial*** reconociera la importancia de ***su descubrimiento*** y ***el*** de su hija.
   todo esto:
   el mundo oficial:
   su descubrimiento:
   el:
4. Como suele ocurrir en España, ***tuvieron que ser*** los ilustrados extranjeros, en ***este caso***, unos prehistoriadores franceses, quienes dieran fe, en 1902 de la existencia de las Cuevas de Altamira y de ***sus autóctonos descubridores***.
   tuvieron que ser:
   este caso:
   sus autóctonos descubridores:
5. Los animales pintados que tanto habían asombrado a ***aquella curiosa niña*** no ***eran*** bueyes como ***los*** que ***veía*** pastar por aquel entorno cántabro. ***Eran*** unas magníficas pinturas policromadas en relieve ***representando*** 17 bisontes, tres ciervas y un jabalí, todos animales prehistóricos.
   aquella curiosa niña:
   eran:
   los:
   veía:

eran:

representando:

6. ***Ella*** no podía saber, aunque su padre ***sí,*** que en aquella oscura y húmeda gruta de 18 metros de largo por 9 de ancho, situada en un prado verde a 30 kilómetros de Santander, ***sus*** ancestros, los *homo sapiens,* ***habían alcanzado*** un grado evolutivo suficiente como para recibir en ***su*** cerebro ***la chispa de la inspiración***.

   Ella:

   sí:

   sus:

   habían alcanzado:

   su:

   la chispa de la inspiración:

7. Y siguiendo ***ese impulso***, de rodillas y a la luz del fuego, ***pintaron*** en un tiempo indefinido, con ocre, carbón y grasas animales, las paredes de ***su refugio***.

   ese impulso:

   pintaron:

   su refugio:

8. ***Ese prodigio*** ocurrió hace algo más de 13.000 años, en el período paleoantropológico ***llamado*** Paleolítico Superior.

   Ese prodigio:

   llamado:

9. Posteriormente, en 1940, ***se descubrieron*** las coetáneas cuevas francesas de Lascaux.

   se descubrieron:

10. Entonces, ***los eruditos*** llegaron a la conclusión de que los autores de las magníficas pinturas de ***ambas grutas eran,*** por su estilo y sus criterios semejantes, las tribus que vivían de manera trashumante o sedentaria cazando y recolectando a lo largo y ancho de las montañas cantábricas.

    los eruditos:

    ambas grutas:

    eran:

11. El turismo, ***amigo bastante pródigo*** de ***las arcas públicas*** en ***estas regiones***, que ***dependen*** casi totalmente de este recurso económico, es, al mismo tiempo, ***el peor enemigo*** de las pinturas rupestres por la afluencia masiva de espectadores ávidos de contemplar***las***.

    amigo bastante pródigo:

    las arcas públicas:

estas regiones:

dependen:

el peor enemigo:

las:

12. Las cuevas de Lascaux y ***las*** de Altamira, aunque en épocas distintas, ***han tenido*** una trayectoria paralela en su apogeo y posterior deterioro.

    las:

    han tenido:

13. Fue bastante breve el período en que el público visitante pudo recrearse en el arte rupestre de ***las primeras*** que se abrieron al turismo en 1948 y se clausuraron en 1963.

    las primeras:

14. Los especialistas no tardaron en darse cuenta de que ***la masiva concurrencia humana*** había alterado las condiciones ambientales idóneas para la conservación de las pinturas prehistóricas.

    la masiva concurrencia humana:

15. Para no perder los beneficios económicos de tantas visitas a la comarca de Les Eyzies, ni desalentar el interés turístico, en los años 80 ***se inauguró*** una réplica de las Cuevas de Lascaux.

    se inauguró:

16. Aunque de manera más temprana y prolongada, algo semejante ha ocurrido en Altamira. ***Se abrió*** oficialmente al público en 1917, y ya desde 1957, varios expertos venían dando la voz de alarma sobre el deterioro galopante de las pinturas.

    Se abrió:

17. ***La emanación corporal humana*** había cambiado el grado de humedad y la temperatura ideales, ***lo*** que favoreció el crecimiento de unos hongos microscópicos.

    La emanación corporal humana:

    lo:

18. Finalmente, en 1976, al comprobar que las pinturas estaban gravemente ***enfermas*** y ***corrían*** el riesgo de una definitiva desaparición, ***se cerraron*** al público.

    enfermas:

    corrían:

    se cerraron:

19. ¡Cómo ***va a pasarse por alto*** el hecho de que Altamira es la Meca prehistórica de todo turista extranjero o ***nacional*** mínimamente ilustrado o curioso cuando llega a Cantabria!

    va a pasarse por alto:

    nacional:

20. Para el hombre moderno, y según la sensiblidad de cada cual, supone asomarse al vértigo de ***la noche de los tiempos***, a la incógnita de nuestro propio pasado como especie, a la obra genial de los primeros artistas que produjo el *homo sapiens*.
    la noche de los tiempos:
21. Y las estadísticas muestran en toda su amplitud que, una vez ***desaparecido el incentivo de Altamira***, muchos visitantes, sobre todo extranjeros, no tienen el más mínimo interés en visitar Cantabria.
    desaparecido:
    el incentivo de Altamira:
22. Prefieren ***latitudes más soleadas***.
    latitudes más soleadas:
23. Para no perder el turismo ni las pinturas, ***se ha hecho necesaria***, antes en Lascaux y ahora en Altamira, la clonación exacta de las grutas y todo el arte prehistórico contenido en ***ellas***.
    se ha hecho necesaria:
    ellas:
24. Unas 90.000 personas de todo el mundo llegarán todos los años a Altamira, aunque ***saben*** de antemano que no ***podrán*** penetrar dentro de la caverna y que ***se limitarán*** a contemplar el entorno.
    saben:
    podrán:
    se limitarán:
25. Una réplica exacta ***les servirá*** de excelente consuelo. Con ***esa premisa***, ***se han iniciado*** las obras de la réplica de Altamira.
    les:
    servirá:
    esa premisa:
    se han iniciado:
26. Mediante ***este proceder***, los franceses y los españoles han dado un meritorio ejemplo a las naciones poseedoras de rico patrimonio histórico, ***aquellas*** que caen en la falta de no protegerlo debidamente por poner más atención a las cuantiosas ganancias que ***producen*** el turismo y otras industrias.
    este proceder:
    aquellas:
    producen:

27. Este modo irresponsable de dar prioridad al lucro en detrimento del patrimonio cultural ***determina*** que ***esas actividades económicas*** sean el peor enemigo de la valiosa herencia dejada por los antepasados.

    determina:

    esas actividades económicas:

28. ¿Acaso no ***se reciben*** diariamente noticias lamentables que ***revelan*** lo que ocurre en diversas partes del mundo, como el imparable deterioro, incluso, la alevosa destrucción de monumentos históricos que ***se vienen produciendo*** con el único fin de satisfacer la desmedida ambición de lucro de algunos sectores sociales?

    se reciben:

    revelan:

    se vienen produciendo:

29. Con frecuencia, ***se informa*** que, en algunas zonas, las compañías constructoras llegaron a echar mano de enormes buldózeres para allanar tumbas milenarias: ***fue*** indignante ver cómo avanzaban ***estos mastodontes mecánicos*** dejando tras ***sí*** una estela de antiquísimos objetos funerarios de inestimable valor histórico, artístico y científico, ***hechos añicos***.

    se informa:

    fue:

    estos mastodontes mecánicos:

    sí:

    hechos añicos:

30. ***Esto***, para cualquier cultura, es una pérdida irreparable.

    Esto:

31. ***Es sabido*** de todos que los vestigios culturales –sean materiales, sean espirituales– que ***han legado*** los antiguos ***forman importante parte*** de la memoria histórica de un pueblo, una voz que se encarga de recordar***le*** constantemente quién ***es***, de dónde ***viene*** y adónde ***va***.

    Es sabido:

    han legado:

    forman importante parte:

    le:

    es:

    viene:

    va:

V. Marque con una ✓ la/s interpretación/es que corresponda(n) a la parte en cursiva:

1. –¡Mira! ¡Mira, papá! ¡Bueyes!–. La leyenda del descubrimiento de las pinturas en las Cuevas de Altamira cuenta que, allá por el año 1879, los gritos ***alborozados*** de una niña de 9 años, María Sanz de Sautuola, ***alertaron*** a su padre Marcelino...

A. 1) jubilosos, alegres ( )
2) ruidosos ( )
3) desordenados ( )

B. 1) alarmaron ( )
2) hicieron que se pusiera vigilante ( )
3) llamaron mucho la atención ( )

2. ...sobre algo increíble: que ***asistía*** a una maravilla soñada por cualquier prehistoriador del mundo al ***desvelar***, en todo su esplendor, la existencia oculta de la más tarde denominada *Capilla Sixtina del Arte Cuaternario*.

A. 1) prestaba ayuda ( )
2) presenciaba ( )
3) prestaba servicios domésticos ( )

B. 1) impedir dormir ( )
2) cuidar mucho ( )
3) dar a conocer una cosa oculta ( )

3. Pero en todo esto hubo un suceso ***lamentable***: el empresario y paleontólogo aficionado Marcelino Sanz de Sautuola murió en 1888, sin lograr que ***el mundo oficial*** reconociera la importancia de su descubrimiento y el de su hija.

A. 1) que merece ser lamentado o llorado; ( )
2) que provoca pena; ( )
3) que lamenta. ( )

B. 1) el gobierno de España y los de otros países ( )
2) el círculo de los oficiales ( )
3) el colectivo de los funcionarios ( )

4. Como suele ocurrir en España, tuvieron que ser los ilustrados extranjeros, en este caso, unos prehistoriadores franceses los que ***dieran fe,*** en 1902, de la existencia de las Cuevas de Altamira y de sus autóctonos descubridores.

1) que depararan confianza; ( )
2) que adoptaran un creencia religiosa; ( )
3) que aseguraran la existencia de la cueva. ( )

5. Los animales pintados que tanto habían asombrado a aquella ***curiosa*** niña no eran bueyes, como los que veía pastar por aquel entorno cántabro.
   1) que mostraba mucha curiosidad; ( )
   2) que provocaba curiosidad; ( )
   3) limpia y aseada. ( )
6. Ella no podía saber, aunque su padre sí, que en aquella oscura y húmeda gruta de 18 metros de largo por 9 de ancho, situada en un prado verde a 30 kilómetros de Santander, sus ancestros, los *homo sapiens,* habían alcanzado un grado evolutivo suficiente como para recibir en su cerebro ***la chispa*** de la inspiración.
   1) partícula encendida que salta de una materia ardiendo o del roce de dos objetos ( )
   2) ingenio ( )
   3) destello, brillo ( )
7. Y siguiendo ese ***impulso***, en postura arrodillada y a la luz del fuego, pintaron en un tiempo ***indefinido***, con ocre, carbón y grasas animales, las paredes de su refugio.
   A. 1) deseo o razón que mueve a hacer algo sin pensarlo ( )
      2) fuerza con que algo se mueve o se desarrolla ( )
      3) acción y resultado de impulsar ( )
   B. 1) no se sabe en qué fecha; ( )
      2) en un período cuya duración no tiene límites concretos; ( )
      3) en un tiempo sin referencia concreta. ( )
8. Posteriormente, en 1940, se descubrieron las ***coetáneas*** cuevas francesas de Lascaux.
   1) que está al lado; ( )
   2) parecidas; ( )
   3) que coinciden en edad o tiempo. ( )
9. El turismo, amigo bastante ***pródigo*** de las arcas públicas en estas regiones, que dependen casi totalmente de este recurso económico, es, al mismo tiempo, el peor enemigo de las pinturas rupestres por la afluencia masiva de espectadores ávidos de contemplarlas.
   1) que gasta mucho dinero; ( )
   2) que produce abundantemente; ( )
   3) generoso, que tiende a dar lo que es suyo. ( )
10. Las cuevas de Lascaux y las de Altamira, aunque en épocas distintas, ***han tenido una trayectoria paralela*** en su apogeo y posterior deterioro.
    1) han recorrido caminos similares; ( )
    2) han evolucionado simultáneamente; ( )
    3) han trazado dos líneas equidistantes que nunca llegan a encontrarse. ( )

11. Fue bastante breve el período en que el público visitante pudo ***recrearse*** en el arte rupestre de las primeras, que se abrieron al turismo en 1948 y se clausuraron en 1963.
    1) volver a crearse ( )
    2) reproducirse ( )
    3) divertirse, entretenerse ( )
12. Los especialistas no tardaron en darse cuenta de que la masiva concurrencia humana ***había alterado*** las condiciones ambientales idóneas para la conservación de las pinturas prehistóricas.
    1) había hecho que se inquieten; ( )
    2) había cambiado; ( )
    3) había desordenado. ( )
13. Para no perder los beneficios económicos de tantas visitas a la comarca de Les Eyzies, ni desalentar el interés turístico, en los años 80 se inauguró una ***réplica*** de las Cuevas de Lascaux.
    1) respuesta que se da para contradecir ( )
    2) copia, reproducción ( )
    3) última frase de la intervención de un actor ( )
14. Se abrió oficialmente al público en 1917, y ya desde 1957, varios expertos venían dando la voz de alarma sobre el deterioro ***galopante*** de las pinturas.
    1) muy rápido ( )
    2) que galopa ( )
    3) repentino ( )
15. Pero, ¡cómo va a ***pasarse por alto*** el hecho de que Altamira es la ***Meca*** prehistórica de todo turista extranjero o nacional mínimamente ilustrado o curioso cuando llega a Cantabria!
    A. 1) pasarse por un lugar elevado ( )
       2) desdeñar, no mencionar ( )
       3) creerse alto ( )
    B. 1) otro nombre de Altamira ( )
       2) equivale a Meca ( )
       3) los turistas acuden a Altamira con tanta admiración por su cueva como peregrinos musulmanes que llegan a Meca con adoración ( )
16. Para el hombre moderno, y según la sensiblidad de cada cual, supone ***asomarse al vértigo de la noche de los tiempos***, a la incógnita de nuestro propio pasado como especie, a la obra genial de los primeros artistas que produjo el *homo sapiens*.

1) penetrar en las tinieblas de la gruta ( )

2) atisbar aquellas épocas remotísimas perdidas en la oscuridad del misterio y el que lo hace siente vértigo como cualquiera que mire hacia una profundidad ( )

3) La visita que se efectúa de noche da vértigo ( )

VI. Teniendo en cuenta el contexto, sustituya la parte en cursiva por una expresión sinónima que aparece en el texto motivador de esta unidad:

1. Al oír, de lejos, las exclamaciones ***jubilosas*** _______________ de los arqueólogos, supuse que habían descubierto algo de importancia.
2. El galopante y visible deterioro de las pinturas rupestres ***llamó la atención*** _______________ a los expertos.
3. Ante aquellas esculturas de extraordinaria belleza, los prehistoriadores comprendieron que estaban ***presenciando*** _______________ una creación artística genial del paleolítico superior.
4. La amplitud de aquella gruta llena de estalactitas y estalagmitas ***impresionó*** _______________ a los visitantes.
5. ***El lucro*** _______________ de la empresa es suficiente como para ir mejorando las condiciones de trabajo de su personal.
6. Mi abuelo no poseía mucha riqueza, pero era una persona ***generosa*** _______________, siempre dispuesta a ayudar a sus amigos necesitados.
7. La economía de esa región dependía casi ***por completo*** _______________ de los ingresos del turismo.
8. ***La concurrencia*** _______________ masiva de turistas ha acelerado el deterioro de numerosos monumentos antiguos.
9. Varios templos budistas y taoístas ***se han cerrado*** _______________ porque necesitan una reparación exhaustiva.
10. Las primeras clonaciones de animales tuvieron una existencia brevísima, pero eso no ***desanimó*** _______________ a los experimentadores.

VII. Una las dos oraciones simples yuxtapuestas en una compuesta:

Ejemplo Tengo la impresión: Pedro nos ha traicionado.
Tengo la impresión de que Pedro nos ha traicionado.

1. Viendo a la gente de esa ciudad paseando por las calles, da la impresión: nos hallamos en un muestrario de razas.

____

2. Se ha comprobado la hipótesis: los pobladores primitivos del país provienen de diferentes partes del mundo.

____

3. Los científicos han llegado a la conclusión: el deterioro del medio ambiente conducirá a grandes desastres.

____

4. Recibimos la noticia: alguien había revelado lo que habíamos procurado mantener oculto durante mucho tiempo.

____

5. No me explico tu ambición: que todo el mundo te obedezca absolutamente.

____

6. No nos dejaba dormir tranquilos el temor: que el niño se hubiera extraviado en el bosque.

____

7. Nos admiraba su seguridad: la conferencia se inauguraría sin mayores dificultades.

____

8. Los prehistoriadores nunca han perdido la esperanza: aquella incógnita se descifrará algún día.

____

9. Humberto seguía con la sospecha: en aquella caverna se guardaban algunos objetos funerarios antiguos de inestimable valor histórico.

____

10. Al cabo de muchos años, cuando regresamos al pueblo, nos dio la impresión: en él no se había alterado nada.

____

VIII. Complete las oraciones con una subordinada complementaria de sustantivo:

Ejemplo No entiendo por qué siempre andas con la preocupación ______________.
No entiendo por qué siempre andas con la preocupación *de que alguna catástrofe te venga encima.*

1. Al llegar a aquella comarca me dio la impresión ______________________ .
2. En la inauguración de la exposición el organizador expresó su optimismo ______________ ______________________________ .
3. Presenciando el imprudente proceder de sus jóvenes amigos, a Matilde le torturaba la preocupación ______________________________ .

4. Sí, la situación es realmente lamentable, pero no por eso tenemos que llegar a la conclusión ______________________________ .
5. Aquella noche no dejaba de percibir una emanación desagradable en la habitación y no me permitía trabajar tranquilamente el miedo ______________ .
6. El gerente no confiaba en la estadística que se le proporcionaba y andaba con la duda ______________________________ .
7. La catástrofe nos produjo pérdidas irreparables y solo nos quedó la esperanza ______________________________ .
8. Escuchando al ilustre paleoantropólogo nos da la sensación ______________ .
9. Al observar detenidamente nuestro entorno, no se nos podía quitar de la cabeza la idea ______________________________ .
10. Como la decisión definitiva que tomó mi jefe me pareció totalmente indignante, me presenté en su oficina con el deseo ______________________________ .

IX. Complete las oraciones con las palabras que se dan a continuación:

conclusión, convicción, duda, hipótesis, idea, impresión, peligro, posibilidad, propósito, riesgo, temor, sospecha

1. Nos extrañó su ____________ de que le ocultábamos algo.
2. La ____________ de que el hombre puede explotar los recursos naturales sin control no me parece nada correcta.
3. No está todavía comprobada del todo la ____________ de que los aborígenes americanos tuvieran ascendencia asiática.
4. Sufría por el ____________ de que alguien revelara lo que él había hecho en forma oculta.
5. Diciendo eso se marchó dejándome con la ____________ de si estaba de acuerdo o no.
6. Se valió de aquel ardid con el ____________ de que el juez no lo declarara culpable.
7. Fabio insistió en hacer lo que se proponía a ____________ de que le echaran del equipo.
8. No nos convence en absoluto tu ____________ de que la única solución para la crisis económica consiste en impulsar un vertiginoso avance tecnológico.
9. Si no se acelera el proceso de utilizar energías alternativas, no solo se correrá el ____________ de que la contaminación medioambiental se vuelva algo irreversible, sino también de que dentro de poco se agoten los combustibles fósiles.

10. Viendo la cara que puso mi sobrina al escucharme, daba la _______________ de que no se alegraba nada de la noticia que le había traído.
11. ¿No crees que existe la _______________ de que el director renuncie a su cargo antes de que termine el año?
12. Teníamos la plena _______________ de que el rendimiento de la empresa mejoraría con creces si se sustituía el equipo obsoleto por instalaciones tecnológicamente avanzadas.

X. Sustituya la parte en cursiva por un adjetivo (o participio) o adverbio sinónimos, según convenga:

1. La pobre niña *sin padres* _______________ se quedó con nosotros.
2. El juez exigió al testigo que se explicara *con mayor claridad* _______________ .
3. Tuve que correr *con mayor rapidez* _______________ para alcanzar a mis compañeros.
4. Su tía era una mujer *llena de cariño* _______________ .
5. Llegaron todos a casa *con mucho cansancio* _______________ .
6. Los dos amigos se comunicaban *con frecuencia* _______________ por correspondencia.
7. Fue una temporada *con mucha lluvia* _______________ .
8. La campesina nos recibió *con amabilidad* _______________ .
9. El español *de la península* _______________ es un poco diferente al de América Latina.
10. Todos nos quedamos escuchándolo *con paciencia* _______________ .

XI. Ejercicio del léxico:

A. Complete las siguientes oraciones utilizando las siguientes voces:

asombrar, asombro, asombroso, comprobación, comprobante, comprobado, comprobar, declarar, depender, desvelar, favorecer, lamentable, ocultar, oculto, pasar por alto, suficiente

1. Nos _______________ que tú, un solterón empedernido, hayas decidido adoptar a esa niña africana huérfana.
2. Los habitantes de la zona estaban en contra de que una multinacional explotase sus recursos minerales, porque sabían que eso no les _______________ en nada.
3. La posibilidad de aumentar el beneficio de la empresa _______________ de múltiples factores objetivos y subjetivos.
4. ¿No les parece _______________ el hecho de que se hayan fabricado materiales de construcción de alta calidad utilizando desechos industriales?

5. Todo el país se quedó escandalizado cuando _______________ el secreto del vertiginoso enriquecimiento de esa gente vinculada a la alta burocracia.
6. No se preocupe, señor ministro. Ya está ___________________ la eficacia del nuevo dispositivo.
7. No te imaginas el _______________ que manifestó el público al ver con sus propios ojos la mutación que habían sufrido aquellas plantas expuestas a radiaciones cósmicas.
8. La _______________ del trastorno en la composición atmosférica inquietó a todo el mundo.
9. Nadie podía negar que era realmente _______________ la situación del país en cuanto al suministro de artículos de primera necesidad.
10. Ni siquiera una calculadora electrónica es _______________ para efectuar una operación matemática tan complicada.
11. Señora rectora, en relación al nuevo proyecto, no creo que se pueda _______________ el problema financiero.
12. El primer ministro _______________ que titulares de varios organismos gubernamentales habían renunciado a sus cargos.
13. Todos sabíamos que el abuelo tenía un cáncer terminal, pero procurábamos _______________ (-sélo).
14. ¿Crees que el hombre es capaz de desvelar todas las incógnitas _______________ en el Universo?
15. La empleada de la oficina de correos me dijo: "Siento no poder entregarle el paquete de libros sin que usted me muestre el _______________ ".

B. Rellene los espacios en blanco con la forma simple o pronominal de los verbos que se dan a continuación:

asombrar(se), comprobar(se), declarar(se), desvelar(se), ocultar(se), pasar(se) por alto

1. ¿Recuerdan ustedes en qué año _______________ Cuba independiente de España?
2. _______________ a todos los presentes la precisión del resultado que sacó la niña tras un rápido cálculo mental multiplicando cifras de decenas de dígitos.
3. El notable progreso del hijo sirvió de gran consuelo a sus padres, que no habían dejado de _______________ por él.
4. ¿Sabes por qué los EE.UU. no le _______________ la guerra a Japón hasta 1942?

5. Aquel experimento tenía por objeto _______________ la posibilidad del aprovechamiento de la energía geotérmica.
6. Al ver que el enorme bisonte se lanzaba sobre ella, la loba retrocedió tratando de _______________ detrás de una peña.
7. Los científicos iniciaron una intensa investigación procurando _______________ la causa que había producido aquel extraño fenómeno atmosférico.
8. No entiendo por qué en tu discurso _______________ el galopante deterioro medioambiental de nuestra zona.
9. ¡Cómo se pudo/se ha podido _______________ el imparable aumento del desempleo en la última reunión de los ministros!
10. El gobierno local hizo todo lo posible por _______________ la misteriosa desaparición de decenas de jóvenes de uno y otro sexo en aquella región desértica.
11. Por fin _______________, con el descubrimiento de unos objetos funerarios, la existencia de una tribu nómada que llevaba, hace miles de años, en aquella extensa estepa, una vida trashumante.
12. Los turistas _______________ cuando el guía les dijo, mostrándoles las figuras de la cueva, que eso era una prueba de que el *homo sapiens* había alcanzado un grado evolutivo bastante elevado.

14–05

C. Al escuchar la perífrasis, diga el vocablo o expresión correspondientes:

1. Señal con que se avisa de la existencia de algún peligro o de alguna anormalidad: _______________
2. Poner a una persona en alerta, o sea, con toda su atención y vigilancia despiertas: _______________
3. Poner llana una superficie: _______________
4. Hacer distinta una cosa: _______________
5. Que es del mismo lugar donde vive o se encuentra: _______________
6. Que muestra avidez, ansia o deseo muy fuerte por una cosa: _______________
7. Perseguir un animal para apresarlo o matarlo: _______________
8. Poner fin a una actividad o cerrar una institución o negocio: _______________
9. Quitar el ánimo o el entusiasmo a una persona: _______________
10. Idea que sirve de base para un razonamiento: _______________

XII. Conjugue los infinitivos que están entre paréntesis en el tiempo y la persona correspondientes:

Querida amiga:

_______________ (Haber, usted) de disculparme por llamarla así, y por ocuparle su tiempo, pero _______________ (tener, yo) que hablar con alguien. _______________ (Perdonar, usted) el atrevimiento; la _______________ (ver) ayer en la televisión y _______________ (pensar): ella me _______________ (entender), se le _______________ (notar) en la cara que me _______________ (haber) de entender. Y por eso le _______________ (escribir), ¡ _______________ (tener) tanta necesidad de desahogar con alguien esta pena que _______________ (llevar) dentro! Y no _______________ (tener) con quién. Con mis hijos, que lo _______________ (comprender), no _______________ (deber) hablar. Y los demás, mis amigas y la gente que _______________ (conocer, yo), _______________ (ponerse) a criticarme y a hablar mal de mí, y al final de mi vida _______________ (venir) a encontrarme igual que al comienzo.

Yo _______________ (nacer) y _______________ (criarme) en una aldea gallega, en la montaña. No _______________ (saber, yo) si usted _______________ (saber) lo que _______________ (ser) vivir allí, o lo que _______________ (ser), porque ahora un poco mejoraron. No _______________ (haber) más luz que la del cielo, ni más agua que la que _______________ (sacar, nosotros) del pozo. Una cocina de piedra, una cama de tablas con un colchón de paja, porque la lana de las ovejas _______________ (venderse) para comprar de comer, y las vacas y los cerdos allí mismo, personas y animales revueltos en aquella choza llena de goteras, con el piso de tierra siempre encharcado... ¡Aquello no _______________ (ser) vida!

(Solo pienso en ti, Marina Mayoral, mini letras, H Kliczkowski, Madrid, 2006: 14-15)

14–06

XIII.Dictado.

14–07

XIV. Escuche la grabación y luego haga una versión oral resumida.

XV. Trabajos de casa:

1. Trate de leer de corrido el texto.
2. Temas de conversación:
    1) La trayectoria paralela de la gruta de Altamira y su homóloga francesa (su descubrimiento, su apertura al público, su paulatino deterioro y la solución del problema);
    2) La relación entre el turismo y la conservación del patrimonio material e inmaterial;
    3) Casos positivos y negativos que conozca en lo que se refiere a este problema.
3. Traduzca al español las siguientes oraciones:
    1) 指出环境严重恶化的警告还不足以引起各国政府以及普通民众的警觉。

2）由于旅游者的身体散发物逐渐改变着洞内的温度和湿度，导致洞内已经开始长出微小的菌类，十分不利于洞窟壁画的保存。

3）女英雄对刽子手们说，她宁可站着死，也不跪着活。

4）凡是热切希望在文化上丰富自己的人，都会贪婪地读书。

5）拉丁美洲艺术展览马上就要闭幕了，咱们今天下午一定得去看看。

6）我不同意你的结论，说什么新政策有利于大多数居民。

7）一旦有了最后决定，请通知我一声。

8）据你看，保存这些史前瑰宝的合适条件是什么？

9）关于拉丁美洲当前局势的讲座周还没有开始。

10）你的错误在于对他人的苦难视而不见。

UNIDAD 15 第十五课

1 FUNCIÓN COMUNICATIVA

2 EJEMPLOS CON ALGUNOS VOCABLOS USUALES

a fin de cuentas, a gran escala, añadir, contener(se), denunciar, manifestar(se), notable, plantear, pretender, resistir(se)

3 RESPECTO AL LENGUAJE

- Oración subordinada complementaria de sustantivo *el hecho de que*...
- Usos del modo subjuntivo

4 CONOCIMIENTO SOCIOCULTURAL

- 西班牙语国家的报刊及其政治倾向

TEXTO

15–01

Manipulación peligrosa

(Adaptación del texto del mismo título, Eva Salabert,
Cambio 16, 1996-12-16, Nº 1307)

Tomates de maduración retardada, soja resistente a herbicidas, maíz que contiene una bacteria pesticida para defenderse por sí mismo de posibles plagas, vacas que producen leche maternizada, ratones que desarrollan cáncer rápidamente, cultivos tropicales que crecen en el Norte, plantas comestibles que resisten la salinidad del suelo... No es ciencia ficción: se denomina ingeniería genética.

La ingeniería genética ha abierto nuevas perspectivas en la investigación de enfermedades y en su prevención y tratamiento. Pero sus posibilidades van más allá: es posible utilizar estas técnicas para mejorar los cultivos y crear nuevas especies resistentes a plagas o capaces de desarrollarse en condiciones adversas (tierras salinas, climas fríos, etc.). Sin embargo, jugar a ser Dios no es tan sencillo. ¿Qué pasaría si los intereses económicos de un grupo de empresas primaran sobre la salud de los consumidores? Es imposible predecir a muy largo plazo los efectos de la manipulación genética sobre el medio ambiente y la salud humana. Los organismos vivos son más complejos de lo que parecían en un principio y se pueden producir efectos inesperados que no se hacen sentir a corto plazo. Un ejemplo preocupante es el caso de los pesticidas: durante mucho tiempo se han estudiado sus posibles efectos sobre la salud, Así, tuvieron que pasar 30 años antes de que se admitiera que el DDT podía ser perjudicial para el hombre, y en los últimos tres o cuatro años, se ha descubierto la capacidad que tienen ciertos pesticidas de imitar el efecto de las hormonas humanas y producir daños en el sistema reproductor humano. Durante cierto periodo del siglo XX, en algunas regiones se detectó, entre la población masculina, una sensible disminución del número de espermatozoides, lo que causó un preocupante problema de esterilidad entre los hombres.

Un peligro añadido lo constituye la contaminación genética, es decir, la posibilidad de que plantas modificadas genéticamente para ser más resistentes a los pesticidas, por ejemplo, se mezclen con otras especies o “malas hierbas” que podrían beneficiarse de estas modificaciones genéticas y convertirse en plagas inmunes a los herbicidas, con lo que se obtiene el efecto contrario al deseado. Imagínense la situación en que ninguna fumigación consigue exterminar las plantas nocivas que crecen en los trigales, arrozales, maizales y que les arrebatan a los cultivos espacio, agua y sustancias nutritivas.

Greenpeace lleva dos años denunciando la manipulación genética realizada por las grandes multinacionales y exige un protocolo internacional que controle la ingeniería genética y la liberación en el medio ambiente de organismos modificados genéticamente. Se estima que no hay garantías suficientes para la comercialización, y no existe ni un solo científico que pueda asegurar el impacto sobre el medio ambiente de estos productos transgénicos a largo plazo.

Lo que más preocupa a las organizaciones ecologistas son los intereses económicos que se esconden tras la pretendida "bondad" de estos alimentos del futuro. Casualmente, las multinacionales que más dinero han invertido en la investigación de estos productos son empresas químicas. Muchas de las plantas transgénicas desarrolladas son resistentes, precisamente, a los herbicidas que comercializan dichas empresas. Obviamente, los campesinos que utilizan las semillas que estas proporcionan, se ven obligados a comprar, al mismo tiempo, sus productos preventivos contra plagas. Esto supone que, además de los beneficios que obtengan con las patentes de los nuevos cultivos transgénicos, se aseguran de que se sigan vendiendo sus propios pesticidas.

Estas compañías también investigan para crear cultivos resistentes a insectos y enfermedades e introducen modificaciones en las plantas para que estas produzcan una toxina venenosa contra los insectos. Por ejemplo, se han utilizado genes de toxinas de escorpión o de veneno de araña en cultivos de alimentos. Esto evitaría el uso de pesticidas, lo que supone una ventaja sobre los métodos tradicionales. Sin embargo, estas toxinas podrían ser dañinas también para insectos y aves beneficiosas, y el hecho de que estos cultivos estén destinados al consumo humano plantea dudas. Aunque se demuestre que estas toxinas no son perjudiciales para la salud, ¿qué ocurrirá con las personas alérgicas cuando consuman alimentos en los que se han introducido modificaciones cuyo efecto sobre su alergia desconocen? A fin de cuentas, si a un producto agrícola no lo tocan los insectos, ¿es aconsejable que los humanos se alimenten de él?

Total, estamos frente a una paradoja. Por una parte, la manipulación genética tiene muchas ventajas; por ejemplo, su utilización en la agricultura abaratará los productos y permitirá obtener mayores rendimientos. Pero por otra parte, conlleva riesgos si se realiza de forma incontrolada.

Las asociaciones defensoras de los animales, por su parte, ven con gran preocupación, el aumento de la experimentación con animales que representa la ingeniería genética. La manipulación genética para variar el tamaño del cuerpo, su forma o la capacidad reproductora del animal, puede aumentar el riesgo de enfermedades, problemas con el esqueleto, etc., además de crear auténticos monstruos. Por este motivo, la Sociedad Mundial para la Protección de los Animales ha elaborado un informe en el que manifiesta que la ingeniería genética puede ser utilizada tanto de forma benéfica como perjudicial para el hombre y otros animales y propone la creación de leyes y comités éticos que controlen la investigación y su uso, al tiempo que se opone a las patentes sobre animales.

A pesar de todas las dudas sobre los efectos a largo plazo de los alimentos transgénicos, su comercialización a gran escala parece inevitable. Hace unos días, se descargaron en Barcelona dos barcos de soja manipulada genéticamente por una multinacional norteamericana para hacerla resistente a un herbicida determinado. Se pretende distribuirla sin informar de su procedencia en la etiqueta. Este es un ejemplo de un consumidor indefenso, ya que la soja es utilizada en diferentes tipos de alimentos, desde margarinas hasta comidas infantiles o chocolates.

La biotecnología, que podría ser la revolución más importante de la historia de la humanidad si se utiliza correctamente, puede conducir a un peligroso caos si se escapa de las manos. En palabras de Michael Crihton, autor de *Parque Jurásico* (obra de ficción que describe la vuelta a la vida de los dinosaurios gracias a la ingeniería genética), "resulta notable que casi todos los que se dedican a la investigación genética también comercian con la biotecnología. No hay observadores imparciales. Todos tienen intereses en juego".

15–02

VOCABULARIO

manipulación	*f.*	操作，操纵
maduración	*f.*	成熟
retardado, da	*adj.*	延迟的
soja (soya)	*f.*	大豆
resistente	*adj.*	结实的；有抵御能力的
herbicida	*adj.-s.(m.)*	除草的；除草剂
bacteria	*f.*	微生物，细菌
pesticida	*adj.-s.*	农药的；农药
plaga	*f.*	害虫
vaca	*f.*	母牛
maternizar	*tr.*	强化；母乳化
ratón	*m.*	老鼠
salinidad	*f.*	盐碱
ingeniería genética		基因工程
perspectiva	*f.*	前景
prevención	*f.*	预防
tratamiento	*m.*	治疗
adverso, sa	*adj.*	敌对的；恶劣的
salino, na	*adj.*	盐碱的
primar	*intr.*	占上风
consumidor, ra	*m.,f.*	消费者
predecir	*tr.*	预言
plazo	*m.*	期限
perjudicial	*adj.*	有害的
imitar	*tr.*	模仿
hormona	*f.*	激素
reproductor, ra	*adj.*	生殖的
detectar	*tr.*	检测到；察觉到
sensible	*adj.*	敏感的
espermatozoide	*m.*	精子
esterilidad	*f.*	不育症
modificar	*tr.*	改动
hierba (yerba)	*f.*	草
modificación	*f.*	改动
inmune	*adj.*	免疫的
fumigación	*f.*	喷洒；喷雾
exterminar	*tr.*	消灭
nocivo, va	*adj.*	有害的
trigal	*m.*	小麦田
arrozal	*m.*	稻田
maizal	*m.*	玉米地
arrebatar	*tr.*	抢夺
Greenpeace		绿色和平组织
multinacional	*adj.-s.*	多国的；跨国公司

protocolo	*m.*	协议
controlar	*tr.*	控制
liberación	*f.*	释放
garantía	*f.*	保障
comercialización	*f.*	上市，投放市场
existir	*intr.*	存在
transgénico, ca	*adj.*	转基因
pretendido, da	*adj.*	声称的
casualmente	*adv.*	偶然地
invertir	*tr.*	投资
químico, ca	*adj.-s.*	化学的；化学家
comercializar	*tr.*	上市，投放市场
semilla	*f.*	种子
preventivo, va	*adj.*	预防的
patente	*f.*	专利
garantizar	*tr.*	保障
insecto	*m.*	昆虫
toxina	*f.*	毒素
venenoso, sa	*adj.*	有毒的
escorpión	*m.*	蝎子
veneno	*m.*	毒药，有毒物
araña	*f.*	蜘蛛
método	*m.*	方法
dañino, na	*adj.*	有害的
alérgico, ca	*adj.*	过敏的
consumir	*tr.*	消费
alergia	*f.*	过敏症

aconsejable	*adj.*	适宜的
a fin de cuentas	*loc.adv.*	总之一句话
utilización	*f.*	使用
abaratar	*tr.*	使降价
conllevar	*tr.*	同时带来
incontrolado, da	*adj.*	无控制的
defensor, a	*adj.*	卫士
experimentación	*f.*	实验
esqueleto	*m.*	全身骨骼，骨架
informe	*m.*	报告
manifestar	*tr.*	表明
benéfico, ca	*adj.*	有益的
comité	*m.*	委员会
oponerse	*prnl.*	反对
a gran escala	*loc.adv.*	大规模地
pretender	*tr.*	企图
procedencia	*f.*	来源
etiqueta	*f.*	标签
indefenso, sa	*adj.*	无助的
margarina	*f.*	人造黄油
biotecnología	*f.*	生物技术
correctamente	*adv.*	正确地
caos	*m.*	混乱，混沌
jurásico, ca	*adj.*	侏罗纪的
observador, a	*m.,f.*	观察家
imparcial	*adj.*	公正的，全面的
en juego	*loc.adv.*	起作用

VERBOS IRREGULARES

invertir: Se conjuga como ***divertir***.
manifestar: Se conjuga como ***empezar***.
oponer: Se conjuga como ***poner***.
predecir: Se conjuga como ***decir***.

VERBOS CON CAMBIOS ORTOGRÁFICOS EN ALGUNAS CONJUGACIONES

comercializar: Se conjuga como ***realizar***.
garantizar: Se conjuga como ***realizar***.
maternizar: Se conjuga como ***realizar***.
modificar: Se conjuga como ***explicar***.

EJEMPLOS CON ALGUNOS VOCABLOS USUALES

I. a fin de cuentas *loc.adv.* 总而言之，总之一句话

1. Ya he insistido bastante en este asunto, así que mejor me callo. A fin de cuentas, no me parece aconsejable invertir en este negocio.
2. Se nos ha señalado con suficiente claridad el efecto negativo que conlleva la ejecución del proyecto, y a nosotros no nos queda, ahora, más que aceptar esos argumentos. A fin de cuentas, dejando el proyecto, nuestras perspectivas serán más halagüeñas.
3. La gente siente recelo sobre esa propaganda exagerada. La experiencia les ha enseñado que a fin de cuentas, detrás de la pretendida bondad de ciertos productos, hay muchos intereses en juego, ocultos.

II. a gran escala *loc.adj./ adv.* 大规模，大范围

1. Dicen que es una especie de arroz genéticamente modificado, capaz de adaptarse a cualquier condición climática, de modo que se puede cultivar a gran escala en todo el país.
2. Tras haber solucionado una serie de problemas de *marketing*, el empresario creyó llegada la hora de comercializar sus productos a gran escala. “Así –dijo–, se exhibirán y se venderán en todo el mundo.”
3. Nadie puede garantizar seguridad en la utilización a gran escala de la biotecnología.

III. añadir

A. *tr.* 补充，加添

1. Al probar la sopa que yo estaba preparando, mi madre me dijo que añadiera un poquito de salsa de soja/ soya.
2. El comerciante pretendía añadir agua al vino a escondidas, pero fue descubierto y denunciado.
3. Cuidado con los comestibles que produce esa empresa. Sospecho que les han añadido alguna sustancia química cuya naturaleza desconocemos.
4. Propongo añadir al protocolo los siguientes puntos que ustedes han pasado por alto.

B. *tr.* 补充说

1. En principio estoy de acuerdo con lo que ustedes han expuesto en relación con la aplicación de la ingeniería genética. Pero permítanme añadir algo más.
2. Después de vacilar un instante, el comandante añadió que, según el informe más reciente, la situación en el frente había variado en favor del enemigo.
3. Al final de su discurso de inauguración, la presidenta de la reunión añadió que teníamos que mantenernos firmes frente a cualquier situación adversa.

IV. contener(se)

A. *tr.* 包含，有

1. Este medicamento contiene alguna sustancia química que puede provocar alergia. No es aconsejable administrárselo a la niña.
2. El informe que presentó el agrónomo al ministro de Agricultura contenía una detallada descripción de las características de aquel terreno salino.
3. Los primeros ministros de ambos países firmaron un protocolo que contenía un capítulo específico donde manifestaban su preocupación por la incontrolada manipulación genética que se efectuaba en algunas partes del mundo.
4. El cuerpo humano contiene variadas bacterias beneficiosas para la salud.

B. *tr.* 控制住

1. La herida del soldado era tan profunda que, para contener la afluencia de sangre, la enfermera tuvo que inyectarle de inmediato un coagulante.
2. Solo hay un modo de contener la cuantiosa emanación de gas tóxico de la gruta: tapándola herméticamente.
3. Expertos de diversas especialidades se reunieron y trataron de encontrar algún medio para contener el galopante crecimiento de hongos microscópicos, totalmente perniciosos para las pinturas rupestres.
4. Para contener, siquiera por un momento, el ataque enemigo, los habitantes de la ciudad sitiada utilizaron un arma anticuada pero eficaz, una especie de cañón, orgullo de todos por ser de fabricación autóctona.
5. El joven inventor no pudo contener su alegría al ver que la calculadora mecánica que él había diseñado y fabricado, funcionaba perfectamente.

C. *prnl.* 自我控制

1. ¡Quién habría podido contenerse en presencia de ese hombre abusivo y violento que acababa de cometer un acto tan alevoso, como maltratar a un niño indefenso!
2. Al notar mi indignación y mi disposición a lanzarme sobre el tipo, mi amigo me dijo en voz baja que me contuviera para no complicar la situación.
3. ¡Hombre, contente, no te alteres! La cosa no es para tanto.

V. denunciar

A. *tr.* 告发，检举，举报

1. El comerciante pretendió ocultar su actividad delictiva, pero unos vecinos lo descubrieron y lo denunciaron.
2. Tenemos que denunciar esa experimentación de ingeniería genética no autorizada.
3. Los ecologistas denunciaron que en algunas tiendas se vendían herbicida y pesticida muy perjudiciales para el medio ambiente.
4. Varios empleados denunciaron el abuso de su jefe ante un organismo superior.
5. A pesar de sus amenazas, decidí denunciar al director de la oficina por haber aceptado cuantiosos sobornos.

B. denuncia *f.* 告发，检举，举报

1. En una ocasión, noté casualmente una evidente irregularidad en la administración financiera de la Universidad y de inmediato presenté una denuncia ante el señor rector.
2. Es realmente indignante que no hayan surtido ningún efecto hasta la fecha nuestras reiteradas denuncias contra ese burócrata corrupto.
3. No me opongo a que entregues a los organismos pertinentes la denuncia contra la liberación de sustancias nocivas que afectan al medio ambiente. Solo propongo hacer algunas modificaciones en ella.

VI. manifestar(se)

A. *tr.* 表示，表明

1. En la reunión, yo fui una de las pocas personas que manifestaron su desacuerdo con la precipitada decisión de invertir en un riesgoso proyecto de ingeniería genética.
2. Los científicos de diversos países han manifestado su preocupación por el paulatino descenso de la capacidad reproductora de algunas especies animales.
3. Quisiéramos manifestarle a usted nuestro sincero agradecimiento por habernos alertado a tiempo sobre el peligro que corríamos.
4. En un comunicado difundido por la prensa, notables científicos de diversas naciones advertían que era urgente e inevitable la sustitución de combustibles fósiles por fuentes de energía alternativa.

B. *prnl.* 表示，表明；示威游行

1. Todos nos manifestamos en favor de iniciar, cuanto antes, aquella experimentación biotecnológica que, según los científicos, va a traer resultados muy beneficiosos para todos.
2. Al enterarse de que el director pretendía introducir, en el actual reglamento, modificaciones perjudiciales para el interés colectivo, todos se manifestaron resueltamente opuestos.
3. Centenares de miles de personas se manifestaron ayer en contra de la nueva ley que el gobierno se dispone a decretar.
4. Tanto el estudiantado como el profesorado, en conjunto, se manifestaron reclamando la dimisión del corrupto ministro de educación.

C. manifestación *f.* 表征；示威游行

1. La frecuencia cada vez mayor de desastres naturales constituye una clara manifestación del deterioro del medio ambiente.
2. Hasta el momento, todavía no se ha detectado ninguna manifestación del efecto perjudicial de ese insecticida.
3. Eres el único que no va a participar en la manifestación contra la ampliación de una empresa de productos químicos que ya viene contaminando gravemente nuestra región.
4. Aquella manifestación estudiantil fue brutalmente reprimida por la policía.

VII. notable

A. *adj.* 显著

1. Muchas empresas han manifestado su optimismo por estar consiguiendo notables progresos en la creación de cultivos transgénicos inmunes a muy variadas plagas.
2. Realmente, no me parece tan notable la diferencia entre esas semillas genéticamente manipuladas y aquellas otras normales.
3. Todos admitieron que era notable el beneficio que deparaba la adopción de aquellas medidas preventivas.
4. A pesar de su notable carácter evidentemente nocivo, aquellos comestibles se siguen comercializando.

B. *adj.* 杰出

1. Aníbal era un notable general fenicio.
2. He leído una buena biografía de Tomás Edison, notable inventor norteamericano.
3. Notables artistas de los años veinte frecuentaban aquel café, ese que está en la esquina.

VIII. plantear *tr.* 提出

1. Es verdad que la ingeniería genética ofrece beneficios pero también, plantea ante la humanidad, problemas de difícil solución.
2. Participé en el debate televisivo en calidad de defensor de los consumidores y planteé algunas medidas para abaratar el precio de los fármacos.
3. Muchos predijeron la perspectiva poco halagüeña de la situación económica del país, y gran parte de la población cayó en el desaliento. Fue cuando un grupo de jóvenes planteó la apremiante necesidad de combatir ese ambiente pesimista tan negativo.

IX. pretender

A. *tr.* 力图，谋求，追求

1. Algunas multinacionales están trazando estrategias para monopolizar el mercado internacional de productos agrícolas. Muchos expertos dicen que pretender eso es meterse en una empresa condenada al fracaso.
2. Sé que durante algún tiempo pretendiste el cargo de embajador acreditado en un país hispanohablante. ¿Lo conseguiste?
3. Vienes una y otra vez a mi oficina y no me dices nada. ¿Qué pretendes, hermano? ¿Qué yo financie la vida fácil que llevas?
4. ¿Sabes quién está pretendiendo a tu hermana?

B. pretendido, da *p.p.* 所谓的，力图使人相信的

1. ¡Qué decepción! El pretendido prodigio de la antigüedad que nos mostró el guía, resultó ser un vulgar montículo de tierra.
2. ¡No me tomes el pelo! A tu pretendida obra maestra le faltan muchas cosas, en especial, inspiración.
3. El día en que llegó el forastero al pueblo, llovió copiosamente luego de tres meses de sequía. La gente creyó que era un milagro y decidió darle al desconocido alojamiento y comida gratis. El hombre, que, además, presenció una fiesta en su honor, vivió por mucho tiempo del pretendido milagro.

X. resistir(se)

A. *tr.* 抵御，承受

1. Estoy seguro de que la tabla no va a resistir semejante impacto.
2. Luis ha venido de una región subtropical y no va a poder resistir el crudo invierno de esta zona.
3. Sin poder resistir la fatiga por más tiempo, el explorador cayó rendido en el suelo.
4. Sí, se ve que eres un hombre muy robusto, pero me temo que no vas a resistir ni un segundo este peso sobre tus hombros.
5. No pudiendo resistir la curiosidad, Pandora abrió la caja de la que salieron volando todos los males.

B. *prnl.* 抗拒，拒绝

1. Me resisto a creer que un cerebro electrónico pueda superar al humano.
2. El técnico creyó haber efectuado correctamente la reparación, pero el aparato se resistía a funcionar.
3. Los trabajadores se resistían a aceptar exponerse a tamaño riesgo.

C. resistente *adj.* 有抵抗力的

1. La pretendida bondad de estas plantas transgénicas consiste en ser muy resistentes a cualquier plaga y toda enfermedad.
2. Se pretendía crear, mediante manipulación genética, una nueva variedad de naranjo resistente al clima frío.
3. Tras mutaciones genéticas, aquel virus tan dañino para la salud humana, se ha vuelto muy resistente a muchos medicamentos.

RESPECTO AL LENGUAJE

I. Oración subordinada complementaria de sustantivo *el hecho de que ...*

第十四课讲到名词补足语从句，属于此类的还有由 el hecho de que 引导的从句，不过它的情况比较特殊，需要另加说明。如果从句在整个句子中作主语，则从句动词要用虚拟式。

① ***El hecho de que*** estos cultivos ***estén*** destinados al consumo humano plantea dudas.

很显然，从句 el hecho de que estos cultivos estén destinados al consumo humano 是主句动词 plantear 的主语，所以其中的动词要用虚拟式 estén。如果这类从句是主语以外的其他句法成分，则其中的动词用陈述式。

② ¡Creo que al referirnos a esas pinturas rupestres, no tenemos que pasar por alto ***el hecho de que*** Altamira ***es*** la Meca prehistórica de todo turista extranjero o nacional mínimamente ilustrado o curioso cuando llega a Cantabria!

此处的从句 el hecho de que Altamira es la Meca prehistórica de todo turista extranjero o nacional mínimamente ilustrado o curioso cuando llega a Cantabria 是动词短语 pasar por alto 的直接宾语，所以其中的动词 ser 要用陈述式。

II. Usos del modo subjuntivo

虚拟式的用法也是西班牙语的难点之一，需要不断地学习。首先请同学们运用已有的语法知识，解释一下课文的下列句子中为什么使用虚拟式：

 ① *Greenpeace*... exige un protocolo internacional que ***controle*** la ingeniería genética y la liberación en el medio ambiente de organismos modificados genéticamente.

② ...no existe ni un solo científico que ***pueda*** asegurar el impacto sobre el medio ambiente de estos productos transgénicos a largo plazo.

③ Esto supone que, además de los beneficios que ***obtengan*** con las patentes de los nuevos cultivos transgénicos, se aseguran de que ***se sigan*** vendiendo sus propios pesticidas.

④ ...el hecho de que estos cultivos ***estén*** destinados al consumo humano plantea dudas.

⑤ Aunque ***se demuestre*** que estas toxinas no son perjudiciales para la salud, ¿qué ocurrirá con las personas alérgicas cuando ***consuman*** alimentos en los que se han introducido modificaciones cuyo efecto sobre su alergia desconocen?

⑥ A fin de cuentas, si a un producto agrícola no lo tocan los insectos, ¿es aconsejable que los humanos ***se alimenten*** de él?

⑦ Por este motivo, la Sociedad Mundial para la Protección de los Animales... propone la creación de leyes y comités éticos que ***controlen*** la investigación y su uso, al tiempo que se opone a las patentes sobre animales.

①和⑦的主句动词 exige 及 propone 决定了从句中提到的事件只能是将来要发生的。③属于同类，不过情况稍微复杂一些。这个句子往前数第三句中用了一个 investigación，也就是说，很多类此产品尚处于“研发”阶段，当然从句中的事件只能发生在未来。②的主句是否定句，从句中当然要用虚拟式。⑤属于让步从句和时间从句中的虚拟式用法。这里的 aunque 相当于汉语里的“即便是”。④在语法第一项刚刚讲到。下面要着重说说⑥的虚拟式用法。大家应该知道，这类句子叫作单一人称句（oración unipersonal），由系动词 ser 和 estar 加形容词构成（请复习第一册第十五课语法）。此时，从句中大多数情况下均需使用虚拟式表示可能、必然、猜测、规劝、禁止等，以及种种价值判断和情感反应。⑥中问道：“¿es ***aconsejable*** que los humanos ***se alimenten*** de él?”显然属于此类句子。不过，如果主句中的形容词或名词表示确定、真实、毋庸置疑之类的含义，则从句中动词使用陈述式，比如 ser cierto, verdad / verdadero, estar seguro 等：

⑧ Es cierto que esta planta transgénica puede crecer perfectamente en suelo salino.

⑨ Estoy seguro de que los consumidores manifestarán cierto recelo respecto a algunos productos agrícolas genéticamente modificados.

⑩ El conferenciante concluyó diciendo que era verdad que no había observador imparcial y siempre se hallaban intereses en juego.

社会文化常识 CONOCIMIENTO SOCIOCULTURAL

西班牙语国家的报刊及其政治倾向

在世界各国的新闻媒体中，纸质媒体（报刊）占有着重要地位。尽管多数国家的报刊都宣称自己在报道中秉持客观、中立的立场，但众所周知，每个媒体都具有其政治倾向。西班牙语国家的报刊也不例外。

要想了解西班牙语国家媒体的政治倾向，需要先了解那里的政治和政党。政党一般分为左派、中间派和右派三大类。细分下来，还有中左和中右。左翼政党在政治上强调民主、自由，经济上主张发挥国家对资源的配置作用，从而缩小贫富差距，建设更加公平的社会；右翼政党在政治上强调权力、管制，经济上主张发挥市场对资源的配置作用，强调效率和竞争，鼓励优胜劣汰。

和政党的分类相同，西班牙语国家的报刊大致可以分为极左派、左派、中左派、中右派、右派和极右派这几大类。各派报纸在报道同一条新闻，分析同一个事件，发表针对同一新闻的评论时，就会显露出各自的政治立场。

在西班牙语国家影响较大的新闻媒体中，西班牙的《国家报》（*El País*）、玻利维亚的《每日新闻报》（*El Diario*）、墨西哥的《工作日报》（*La Jornada*）、秘鲁的《新哥伦比亚新闻报》（*La República*）、巴拉圭的《最后时刻报》（*Última hora*）、古巴的《格拉玛报》（*Granma*）、哥伦比亚的《共和报》（*Agencia de Noticias de Nueva Colombia*）、委内瑞拉的 Aporrea 新闻网（*Aporrea*）、乌拉圭的《共和国日报》（*La República*）和萨尔瓦多的《灯塔报》（*El Faro*）被认为是具有左翼政治倾向的媒体。

在右翼政治倾向的报刊中，影响较大的有：阿根廷的《号角报》（*Clarín*）、智利的《信使报》（*El Mercurio*）、西班牙的《公报》（*La Gaceta*）*和*《理性报》（*La Razón*）、秘鲁的《商报》（*El Comercio*）、委内瑞拉的《宇宙报》（*El Universal*）、厄瓜多尔的《宇宙报》（*El Universo*）、玻利维亚的《每日新闻报》（*El Diario*）和哥斯达黎加的《民族报》（*La Nación*）。

还有许多我们经常阅读的报纸没有出现在这里，如西班牙的《世界报》（*El Mundo*）、《ABC 报》（*ABC*），墨西哥的《至上报》（*El Excelsior*），智利的《时代评论者报》（*La Tercera*），哥伦比亚的《旁观者报》（*El Espectador*），等等。同学们可以选择同一则消息，阅读不同报刊或媒体报道的角度或发表的评论，分析它们的政治立场。

当然，媒体的政治立场不是一成不变的。例如，在 *Liberty Acquisition Holding* 公司投资西班牙最大的报纸之一《国家报》（*El País*）后，该报纸的观点开始转向右倾。

EJERCICIOS

15–03

I. Siguiendo la grabación, lea el siguiente poema:

EN LAS ORILLAS DEL MAR

Alma que vas huyendo de ti misma,
¿qué buscas insensata en los demás?
Si en ti secó la fuente del consuelo,
secas todas las fuentes has de hallar.
¿Que hay en el cielo estrellas todavía
y hay en la tierra flores perfumadas?
Sí ...Mas no son ya aquellas
que tú amaste y te amaron, desdichada.

Rosalía de Castro

II. Conjugue los siguientes verbos en todas las personas, modos y tiempos indicados:

1. **En presente del indicativo y modo imperativo:**
abaratarlo, alertarlo, allanarlas, alterarlo, añadirlas, arrebatárselo, arrodillarse, *cazarlas*, *comercializar*, conllevar, consumirlas, controlarlo, *desalentar*, detectar, existir, exterminarlos, *garantizarlo*, imitarla, *invertirla*, *manifestárselo*, *maternizar*, *modificar*, *oponerse*, *predecírsela*, pretenderlo, primar;
2. **En pretérito perfecto del indicativo y del subjuntivo:**
abaratar, *abrir*, alterar, añadir, arrebatar, cazar, comercializar, *componer*, conllevar, consumirlas, controlar, *cubrir*, *decir*, desalentar, *descubrir*, *devolver*, existir, *exponerse*, exterminar, garantizarlo, hacer, imitar, invertir, manifestar, maternizar, modificar, *oponerse*, *predecir*, pretender, primar, *satisfacer*;
3. **En pretérito pluscuamperfecto del indicativo y del subjuntivo:**
abaratar, *abrir*, alterar, añadir, arrebatar, cazar, comercializar, *componer*, conllevar, consumirlas, controlar, *cubrir*, *decir*, desalentar, *descubrir*, *devolver*, existir, *exponerse*, exterminar, garantizarlo, *hacer*, imitar, invertir, manifestar, maternizar, modificar, *oponerse*, *predecir*, pretender, primar, *satisfacer*;

4. **En pretérito indefinido del indicativo y pretérito imperfecto del subjuntivo:**
   abaratar, *andar*, añadir, arrebatar, *cazar*, *comercializar*, conllevar, consumir, controlar, detectar, *detenerse*, *elegir*, existir, *exponerse*, exterminar, *garantizar*, *haber*, imitar, *invertir*, manifestar, maternizar, *modificar*, *obtener*, *oponerse*, *pedir*, *poder*, *predecir*, *preferir*, pretender, primar, *regir*, *suponer*.

(斜体部分需笔头重复)

15–04

III. Escuche las preguntas sobre el texto y contéstelas oralmente en español.

IV. Diga a qué se refiere la parte en cursiva, y en caso de que sea verbo, cuál es su sujeto. Todas las oraciones son del texto:

1. Tomates de maduración retardada, soja resistente a herbicidas, maíz que contiene una bacteria pesticida para defenderse por ***sí mismo*** de posibles plagas, ...
   sí mismo:
2. No es ciencia ficción, ***se denomina*** ingeniería genética.
   se denomina:
3. La ingeniería genética ha abierto nuevas perspectivas en la investigación de enfermedades y en ***su*** prevención y tratamiento.
   su:
4. Pero ***sus*** posibilidades van más allá: ***es*** posible utilizar estas técnicas para mejorar los cultivos y crear nuevas especies resistentes a plagas o ***capaces*** de desarrollarse en condiciones adversas (tierras salinas, climas fríos, etc.).
   sus:
   es:
   capaces:
5. Sin embargo, jugar a ser Dios no ***es*** tan sencillo.
   es:
6. Los organismos vivos son más complejos de lo que ***parecían*** en un principio y ***se pueden*** producir efectos inesperados que no ***se hacen*** sentir a corto plazo.
   parecían:
   se pueden:
   se hacen:
7. Un ejemplo preocupante es el caso de los pesticidas: durante mucho tiempo ***se han estudiado*** sus posibles efectos sobre la salud.
   se han estudiado:

8. Así, ***tuvieron*** que pasar 30 años antes de que ***se admitiera*** que el DDT podía ser perjudicial para el hombre, y en los últimos tres o cuatro años, ***se ha descubierto*** la capacidad que tienen ciertos pesticidas de imitar el efecto de las hormonas humanas y producir daños en el sistema reproductor humano.
   tuvieron:
   se admitiera:
   se ha descubierto:
9. Durante cierto periodo del siglo XX, en algunas regiones ***se detectó***, entre la población masculina, una sensible disminución del número de espermatozoides, ***lo*** que causó un preocupante problema de esterilidad entre los hombres.
   se detectó:
   lo:
10. Un peligro añadido ***lo*** constituye la contaminación genética, es decir, la posibilidad de que plantas modificadas genéticamente para ser más resistentes a los pesticidas, por ejemplo, se mezclen con otras especies o "malas hierbas" que podrían beneficiarse de estas modificaciones genéticas y convertirse en plagas inmunes a los herbicidas, con ***lo*** que ***se obtiene*** el efecto contrario a***l deseado***.
   lo:
   lo:
   se obtiene:
   el deseado:
11. ***Imagínense*** la situación en que ninguna fumigación consigue exterminar las plantas nocivas que crecen en los trigales, arrozales, maizales y que ***les arrebatan*** a los cultivos espacio, agua y sustancias nutritivas.
   Imagínense:
   les:
   arrebatan:
12. ***Se estima*** que no hay garantías suficientes para la comercialización, y no existe ni un solo científico que pueda asegurar el impacto sobre el medio ambiente de estos productos transgénicos a largo plazo.
   Se estima:
13. Casualmente, las multinacionales que más dinero han invertido en la investigación de ***estos productos*** son empresas químicas.
   estos productos:

14. Muchas de las plantas transgénicas desarrolladas son resistentes 'precisamente' a los herbicidas que comercializan ***dichas empresas***.

    dichas empresas:

15. Obviamente, los campesinos que utilizan las semillas que ***estas*** proporcionan, se ven obligados a comprar, al mismo tiempo, ***sus*** productos preventivos contra plagas.

    estas:

    sus:

16. ***Esto*** supone que además de los beneficios que ***obtengan*** con las patentes de ***los nuevos cultivos transgénicos***, ***se aseguran*** de que ***se sigan vendiendo sus*** propios pesticidas.

    Esto:

    obtengan:

    los nuevos cultivos transgénicos:

    se aseguran:

    se sigan vendiendo:

    sus:

17. ***Estas compañías*** también investigan para crear cultivos resistentes a insectos y enfermedades introduciendo modificaciones en las plantas para que ***estas*** produzcan una toxina venenosa contra los insectos.

    Estas compañías:

    estas:

18. Por ejemplo, ***se han utilizado*** genes de toxinas de escorpión o de veneno de araña en cultivos de alimentos.

    se han utilizado:

19. ***Esto*** evitaría el uso de pesticidas, ***lo*** que supone una ventaja sobre ***los métodos tradicionales***.

    Esto:

    lo:

    los métodos tradicionales:

20. ***Estas toxinas*** podrían ser dañinas también para insectos y aves beneficiosos, y el hecho de que ***estos cultivos*** estén destinados al consumo humano ***plantea*** dudas.

    Estas toxinas:

    estos cultivos:

    plantea:

21. Aunque ***se demuestre*** que estas toxinas no son perjudiciales para la salud, ¿qué ocurrirá con las personas alérgicas cuando ***consuman*** alimentos en ***los*** que ***se han introducido*** modificaciones ***cuyo*** efecto sobre ***su*** alergia ***desconocen***?
se demuestre:
consuman:
los:
se han introducido:
cuyo:
su:
desconocen:
22. A fin de cuentas, si a un producto agrícola no ***lo*** tocan los insectos, ¿es aconsejable que los humanos se alimenten de ***él***?
lo:
él:
23. Por una parte, la manipulación genética tiene muchas ventajas; por ejemplo, ***su*** utilización en la agricultura ***abaratará*** los productos y ***permitirá*** obtener mayores rendimientos.
su:
abaratará:
permitirá:
24. Por otra parte, ***conlleva*** riesgos si ***se realiza*** de forma incontrolada.
conlleva:
se realiza:
25. Las asociaciones defensoras de los animales, por su parte, ven con gran preocupación el aumento de la experimentación con animales que ***representa*** la ingeniería genética.
representa:
26. La manipulación genética para variar el tamaño del cuerpo, ***su*** forma o la capacidad reproductora del animal, ***puede*** aumentar el riesgo de enfermedades, problemas con el esqueleto, etc., además de crear auténticos monstruos.
su:
puede:
27. La Sociedad Mundial para la Protección de los Animales ha elaborado un informe en el que ***manifiesta*** que la ingeniería genética puede ser utilizada tanto de forma benéfica como perjudicial para el hombre y otros animales y ***propone*** la creación de leyes y comités éticos que ***controlen*** la investigación y ***su*** uso, al tiempo que ***se opone*** a las patentes sobre animales.

manifiesta:

propone:

controlen:

su:

se opone:

28. A pesar de todas las dudas sobre los efectos a largo plazo de los alimentos transgénicos, ***su*** comercialización a gran escala parece inevitable.

    su:

29. Hace unos días, ***se descargaron*** en Barcelona dos barcos de soja manipulada genéticamente por una multinacional norteamericana para hacer***la*** resistente a un herbicida determinado.

    se descargaron:

    la:

30. ***Se pretende*** distribuir***la*** sin informar de ***su*** procedencia en la etiqueta.

    Se pretende:

    la:

    su:

31. La biotecnología, que podría ser la revolución más importante de la historia de la humanidad si ***se utiliza*** correctamente, puede conducir a un peligroso caos si ***se escapa*** de las manos.

    se utiliza:

    se escapa:

32. En palabras de Michael Crihton, autor de *Parque Jurásico* (obra de ficción que describe la vuelta a la vida de los dinosaurios gracias a la ingeniería genética), "***resulta*** notable que casi todos los que se dedican a la investigación genética también comercian con la biotecnología. No hay observadores imparciales. Todos tienen intereses en juego".

    resulta:

V. Parafraseando con sus propias palabras, explique el significado de la parte en cursiva:

Ejemplo Tomates de *maduración retardada.*

Parafraseo Tomates que maduran más tarde que los demás. Es un modo de prolongar la temporada del tomate en el mercado, ya que cuando desaparecen los que maduran antes, los que maduran más tarde los sustituyen.

1. ...maíz que contiene una bacteria pesticida para *defenderse por sí mismo* de posibles plagas, ...

   ____

2. ... vacas que producen *leche maternizada*, ...

   ____

3. ... ratones que desarrollan cáncer *a velocidades supersónicas*, ...

   ____

4. ... cultivos tropicales que *crecen en el Norte*, ...

   ____

5. ... plantas comestibles que *resisten la salinidad del suelo*.

   ____

6. No es *ciencia ficción*.

   ____

7. Se denomina *ingeniería genética*.

   ____

8. Pero *sus posibilidades van más allá*.

   ____

9. *Jugar a ser Dios* no es tan sencillo.

   ____

10. ¿Qué pasaría si los intereses económicos de un grupo de empresas *primaran sobre la salud de los consumidores*?

    ____

11. Y en los últimos tres o cuatro años se ha descubierto la capacidad que tienen ciertos pesticidas de *imitar el efecto de las hormonas humanas*.

    ____

12. ... *plagas inmunes a los herbicidas*.

    ____

13. ... con lo que se obtiene *el efecto contrario al deseado*.

    ____

14. Greenpeace... exige un protocolo internacional que controle la ingeniería genética y *la liberación de organismos modificados genéticamente al medio ambiente.*

 ____

15. Se estima que no hay *garantías suficientes para la comercialización, ...*

 ____

16. No existe ni un solo científico que pueda asegurar *el impacto sobre el medio ambiente de estos productos transgénicos a largo plazo.*

 ____

17. Lo que más preocupa a las organizaciones ecologistas son los intereses económicos que se esconden tras *la pretendida bondad de estos alimentos del futuro.*

 ____

18. Muchas de las plantas transgénicas desarrolladas *son resistentes precisamente a los herbicidas que comercializan dichas empresas.*

 ____

19. Obviamente, los campesinos que utilizan las semillas que estas proporcionan, *se ven obligados a comprar, al mismo tiempo, sus productos preventivos contra plagas.*

 ____

20. Esto evitaría el uso de pesticidas, lo que supone *una ventaja sobre los métodos tradicionales.*

 ____

21. Y el hecho de que estos cultivos estén destinados al consumo humano *plantea dudas.*

 ____

22. Estamos frente a *una paradoja.*

 ____

23. Su utilización en la agricultura *abaratará los productos* y permitirá obtener *mayores rendimientos.*

 ____

24. Las asociaciones defensoras de los animales ven con gran preocupación *el aumento de la experimentación con animales que representa la ingeniería genética.*

 ____

25. La manipulación genética para *variar el tamaño del cuerpo, su forma o la capacidad reproductora del animal, puede aumentar el riesgo de enfermedades, problemas con el esqueleto, etc., además de crear auténticos monstruos.*

____

26. ... al tiempo que se opone a *las patentes sobre animales.*

____

27. Se pretende distribuirla *sin informar de su procedencia en la etiqueta.*

____

28. Este es un ejemplo de *un consumidor indefenso*, ...

____

29. La biotecnología, que podría ser la revolución más importante de la historia de la humanidad si se utiliza correctamente, puede conducir a un peligroso caos si *se escapa de las manos.*

____

30. No hay *observadores imparciales.*

____

VI. Conjugue los infinitivos que están entre paréntesis en el tiempo y la persona correspondientes:

1. Resulta bastante preocupante el hecho de que los que se dedican a la investigación genética _______________ (comerciar) también con la biotecnología.
2. Ya, en aquel entonces, nadie era capaz de negar el hecho de que la ingeniería genética _______________ (poder) utilizarse tanto correctamente como con el riesgo de conducir a un peligroso caos.
3. Del hecho de que todos _______________ (tener) intereses en juego se saca la conclusión de que no hay observadores imparciales.
4. En aquella ocasión, la prensa comentaba que el hecho de que las multinacionales _______________ (tratar) de ocultar la procedencia de sus productos genéticamente modificados, probaba que los consumidores se hallaban totalmente indefensos.
5. El peligro consiste precisamente en el hecho de que _______________ (parecer) ya inevitable la comercialización de los alimentos transgénicos a gran escala.
6. Hace mucho tiempo, las asociaciones defensoras de los animales comenzaron a llamar la atención sobre el hecho de que la investigación genética _______________ (exigir) cada día mayor cantidad de animales para su experimentación.

7. El hecho de que la manipulación genética ______________ (poder) variar el tamaño del cuerpo, su forma o la capacidad reproductora del animal es, al mismo tiempo, beneficioso y peligroso.
8. En un principio, los científicos se mostraron muy optimistas frente al hecho de que la modificación genética ______________ (servir) para aumentar el rendimiento agrícola y abaratar los productos alimenticios.
9. Nos puede dar a entender muchas cosas el hecho de que algunas empresas químicas ______________ (dedicarse) a desarrollar plantas transgénicas resistentes, precisamente, a los herbicidas que ellas mismas comercializan.
10. Plantea muchas dudas el hecho de que ______________ (intentarse) introducir toxinas venenosas en las plantas para hacerlas resistentes a insectos y enfermedades.

VII. Enlace las dos oraciones simples mediante *el hecho de que* y haga las correspondientes modificaciones que exija la transformación:

Ejemplo Se ha demostrado que algunos productos transgénicos no son perjudiciales para la salud. ***Eso*** no quita la posibilidad de que hagan daños a las personas alérgicas.

El hecho de que se haya demostrado que algunos productos transgénicos no son perjudiciales para la salud no quita la posibilidad de que hagan daño a las personas alérgicas.

1. Los cultivos de alimentos con genes de toxinas de escorpión o de veneno de araña son resistentes a insectos y enfermedades. *Eso* supone una ventaja sobre los métodos tradicionales.

____

____

2. Siempre había intereses económicos que se escondían tras la pretendida bondad de los alimentos del futuro. *Eso* preocupaba a las organizaciones ecologistas.

____

____

3. Las multinacionales que más dinero han invertido en la investigación de los productos transgénicos son empresas químicas. El científico nos invitó a reflexionar sobre *eso*.

____

____

4. Muchas de las plantas genéticamente modificadas que desarrollan esas empresas son resistentes, precisamente a los herbicidas que comercializan ellas mismas. *Esto* supone que, además de los beneficios que obtengan con las patentes de los nuevos productos, garantizan que se sigan vendiendo sus propios pesticidas.

____

____

5. No hay garantías suficientes para la comercialización de los productos transgénicos y no existe ni un solo científico que pueda asegurar su impacto sobre el medio ambiente. Los ecologistas ven en *eso* una gran amenaza para la humanidad.

____

____

6. *Greenpeace* llevaba dos años denunciando la manipulación genética realizada por las grandes multinacionales y exigía un protocolo internacional que controlara la ingeniería genética y la liberación de organismos modificados genéticamente al medio ambiente. *Eso* demostraba su gran preocupación.

____

____

7. Las plantas modificadas genéticamente pueden mezclarse con otras especies o malas hierbas haciéndolas inmunes a los herbicidas. *Eso* constituye un peligro añadido.

____

____

8. La ingeniería genética ha abierto nuevas perspectivas en la investigación de enfermedades y su prevención y tratamiento. Además de *eso*, sus posibilidades van mucho más allá.

____

____

9. Es posible utilizar estas técnicas para mejorar los cultivos y crear nuevas especies resistentes a plagas o capaces de desarrollarse en condiciones adversas. El hombre espera muchos beneficios de *eso*.

____

____

10. Los organismos vivos son más complejos de lo que parecían en un principio. *Eso* nos advierte que no es sencillo jugar a ser Dios.

____

VIII. Conjugue los infinitivos que están entre paréntesis en el tiempo y la persona correspondientes:

1. Se ha decidido instalar dispositivos de alta tecnología que _______________ (evitar) la alteración de las condiciones idóneas para la conservación de esas pinturas murales antiguas.
2. Yo sospechaba que, con el estado de ánimo en que se encontraba Joaquín, diría, en la reunión, algo que nos _______________ (desalentar) a todos.
3. Para proteger la gruta, el gobierno decidió invertir gran cantidad de dinero en la construcción de una réplica que la _______________ (sustituir).
4. Me temo que esa multinacional va a iniciar, en nuestra región, una desmedida explotación minera que _______________ (acabar) por destruir su equilibrio ecológico.
5. La opinión pública criticó al gobierno por no haber tomado ninguna medida que _______________ (contribuir) a mejorar la vida de la población económicamente menos favorecida.
6. ¿Acaso no te dije que una administración equitativa y eficiente constituía la premisa para que la empresa _______________ (funcionar) adecuadamente?
7. Algunos científicos predijeron que, con esa temperatura y humedad, no tardarían en surgir unos hongos microscópicos que _______________ (causar) irreparable daño a las pinturas rupestres.
8. ¡Es realmente indignante que no hubiera nadie que _______________ (poner) objeción a una resolución tan absurda!
9. Hace falta un conjunto de leyes que _______________ (impedir) que las empresas actúen a su antojo contaminando el medio ambiente.
10. Los trabajadores exigían al patrón una garantía que _______________ (asegurar) el ejercicio de sus derechos.

IX. Traduzca al español las siguientes oraciones:

1. 确实有很多人拒绝消费转基因产品。
2. 我当时就警告那个企业的经理，不事先得到应有的授权和专利便着手进行他们的生物技术试验是违法的。
3. 当时，同事们对你打算进行的项目表示异议是很自然的，因为它还缺乏一系列的保障。
4. 尽管已经证实这些食品对大多数人的健康无害，但你能保证它不会影响过敏体质的人们吗？
5. 我们觉得部门投入这么多钱来进行一项风险很大的研究是不谨慎的。
6. 我早就向办公室主任表示了担忧，等到发现试验对环境的负面影响，恐怕为时已晚。

7. 我再对你说一遍：包含这么大量有毒物质的产品损害人体健康是明摆着的事。
8. 我认为你兄弟的决定很正确，你不应当反对。
9. 公众当时认为，消费者要求在市场上销售的产品的标签上注明来源，完全有道理。
10. 早在那时就已经证实，这种化学物质会造成男性不育症。

X. Ejercicios del léxico:

A. Complete las siguientes oraciones utilizando, en forma adecuada, las siguientes voces:

a fin de cuentas, a gran escala, añadir, añadido, contener(se), denuncia, denunciar, manifestación, manifestar(se), notable, plantear, pretender, pretendido, resistente, resistir(se)

1. He hablado bastante sobre la importancia de la conservación de nuestro patrimonio cultural. _______________ estoy en mi derecho. Además, ya es hora de controlar la masiva afluencia de turistas que acuden a los monumentos antiguos.
2. No me acuerdo quién _______________, en la reunión, la idea de inaugurar una exposición de arte prehistórico africano.
3. Lo primero que hará cualquier organismo vivo, por simple reacción biológica, será _______________ a morir, aunque sea sometido a la acción de una sustancia altamente radiactiva.
4. El pescador poseía una embarcación muy pequeña pero bastante _______________ a los impactos de las olas.
5. Aparte de su alto rendimiento, este cultivo tiene otra ventaja _______________ : evita la utilización de pesticidas y herbicidas.
6. ¿Por qué has tardado tanto en poner la _______________ del robo? Ahora, a la policía le costará atrapar al ladrón.
7. Llevamos años _______________ la contaminación del medio ambiente de la zona, producida por una empresa petro-química, pero nadie nos ha hecho caso.
8. Un _______________ paleoantropólogo declaró que su equipo había descubierto, en una región desértica, algunos esqueletos bastante bien conservados de hace 70.000 años.
9. Aunque el gobierno _______________ su propósito de simplificar una serie de trámites burocráticos, todavía no hemos visto ningún resultado.
10. Un grupo de expertos se dedica a investigar la manera de _______________ el galopante deterioro de las pinturas rupestres.

11. En esta zona, las plantas tienen que ______________ múltiples condiciones adversas, en lo que se refiere tanto al clima como al suelo.
12. Los visitantes se admiraban de los ______________ progresos que habían conseguido ellos en el área del aprovechamiento de energías alternativas.
13. Si crees que esa sonrisa es una ______________ de su buena voluntad, estás equivocado: sonríe cada vez que va a cometer una maldad.
14. No entendíamos qué ______________ ustedes con la formación de ese comité.
15. La vida sería mucho más cómoda si se consiguiese utilizar ______________ esa tecnología.
16. Al verme visiblemente alterado ante aquel atropello, mi prima me tocó ligeramente la mano y me dijo: “ ______________ , no vayas a complicar la situación.”
17. La ______________ generosidad de aquel tipo solo era una trampa: esa excursión pagada por él solo buscaba alejarnos para luego apoderarse de nuestras pertenencias.

B. Complete las oraciones, utilizando, en forma simple o pronominal según convenga, los siguientes verbos:

añadir contener denunciar manifestar plantear pretender resistir

1. Los habitantes de la ciudad ______________ masivamente para exigir la dimisión del alcalde incompetente y corrupto.
2. Cuando ______________ en la conferencia, el problema de la prevención de enfermedades, muchos médicos notables del país aportaron importantes medidas prácticas.
3. ______________ (yo) a creer que se pueda, mediante ingeniería genética, hacer reaparecer los dinosaurios.
4. Si quieres que el pastel tenga ese sabor que te gusta tanto, tienes que ______________ a la masa un poco de margarina.
5. A todos nos pareció absurdo que un escritor que no poseía ni el más elemental conocimiento del tema, ______________ escribir una novela de ciencia ficción sobre la biotecnología.
6. En todos los medios de información ______________ la ilegal liberación, en el medio ambiente, de una especie de insecto genéticamente modificada.
7. La población ______________ su temor de quedar expuesta a una peligrosa radiación si se iniciaba aquella experimentación.

8. El caminante no pudo _______________ más la fatiga y se dejó caer al suelo totalmente rendido.
9. Al mostrarme el catálogo, Araceli me dijo que los títulos escritos en cursiva eran los que _______________ posteriormente.
10. Muchos consumidores _______________ que el comerciante trataba de ocultar la procedencia de algunas mercancías que vendía.
11. Si los comestibles _______________ esas sustancias químicas, pueden provocar alergia en un número no determinado de personas.
12. Al verse perdida entre la multitud, la niña no pudo _______________ y se echó a llorar y a gritar.
13. Nadie entendía qué era lo que _______________ con modificar constantemente el letrero colgado encima de la puerta.
14. En el congreso, muchos participantes _______________ la necesidad de firmar un protocolo que controlase la comercialización de animales salvajes.

15–05

C. Al escuchar la perífrasis, diga el vocablo o expresión correspondientes:

1. Hacer más barata una mercancía: _______________
2. Que es conveniente aconsejar: _______________
3. Algo contrario, negativo o que va contra lo que se desea: _______________
4. Conjunto de huesos unidos unos con otro y que son el soporte del cuerpo de los animales vertebrados: _______________
5. Incapacidad de reproducirse: _______________
6. Seguridad o certeza de que una cosa va a realizarse o cumplirse: _______________
7. Hacer una cosa de la misma manera que la hace otra persona: _______________
8. Que tiene protección o resistencia contra enfermedades o daños que se le pueda causar: _______________
9. Cambiar una cosa sin alterar su naturaleza: _______________
10. Sustancia nociva que ocasiona la muerte o graves trastornos en el organismo: _______________

15–06

XI. Dictado.

15–07

XII. Escuche la grabación y luego haga una versión oral resumida.

XIII. Rellene los espacios en blanco con las preposiciones o la forma contracta de preposición y artículo, según convenga:

Bajan __________ unas escaleras estrechas __________ alfombras __________ color rojo. __________ la mitad __________ la escalera, __________ un rincón, está el guardarropa. Eduardo, Perico y Natalia dejan allí sus cazadoras. Paloma prefiere llevarse la suya.

–No sé cómo puedes llevar puesta la chupa __________ este calor tan horrible.

–Me gusta tener algo encima: unos brazos, una sábana, un abrigo... Y, además, si voy __________ guardarropa, me parece que voy __________ quedarme en el mismo sitio __________ toda la noche.

__________ la escalera todo es __________ color rojo. Parece que no tiene final. Abajo hay mucho humo y poca luz. Las personas que bajan __________ las escaleras adivinan, más que ven, los cuerpos __________ los que bailan. __________ el fondo todavía están colgadas las grandes cortinas que tenía el antiguo teatro.

Tocan una canción __________ Radio Futura. Juan y Luis se ocupan __________ acercarse __________ bar y traer las bebidas. Casi todos toman cerveza. Paloma prefiere tomar otro gintonic.

Luego empieza __________ bailar sola. No es la única chica que lo hace. Todo está lleno __________ jóvenes que se mueven __________ luces de colores que no paran __________ girar.

(Fragmento de Pánico en la discoteca, Fernando Uría, Santillana / Universidad de Salamanca, Madrid, 1991: 17)

XIV. Trabajos de casa:

1. Trate de leer con fluidez el texto.
2. Temas de conversación:
   1) Describa las características de algunos productos transgénicos.
   2) ¿Cuáles son las ventajas y desventajas de la biotecnología?
   3) ¿Qué piensa usted sobre los alimentos confeccionados a base de productos genéticamente manipulados?
3. Traduzca al español las siguientes oraciones:
   1) 我在街上散步的时候，一个小偷抢走了我的手机。
   2) 老师和学生都罢课了，学校陷入一片混乱。
   3) 我酷爱科幻小说。
   4) 警方还没有发现有关那个诈骗集团的任何线索。

5) 女秘书告诉我们，关于部长先生接见的问题，眼下她还不能向我们担保。
6) 要是你一味模仿别的作家，不管他多有名，你也永远不会创作出独具一格的东西。
7) 我可以建议你对自己的文章做一些改动吗?
8) 下面这些说法在修辞学中称作“悖论”：一个活死人、冰冷的火焰、烫手的冰块、那声音为他的苦楚添加了些许甜蜜。
9) 我不是什么先知，无法预言任何人的未来。
10) 消费者们要求告诉他们那些产品的来源。

总词汇表 GLOSARIO

A

Palabra	释义	Lección
a fin de cuentas *loc.adv.*	总之一句话	15
a gran escala *loc.adv.*	大规模地	15
a mediados de *loc.adv.*	中期，中叶	12
a medida que *loc.adv.*	随着	12
a pies juntillas *loc.adv.*	双脚并拢	6
a simple vista *loc.adv.*	一眼看上去	5
a través de *loc.adv.*	通过	4
a. C. (antes de Cristo)	公元前	9
ábaco *m.*	算盘	12
abaratar *tr.*	使降价	15
ablandarse *prnl.*	软化	3
abominable *adj.*	可厌的，可怕的	8
abruptamente *adv.*	陡峭地	5
absorber *tr.*	吸吮	10
abultado, da *adj.*	膨胀的	2
abundante *adj.*	丰富的	5
abuso *m.*	滥用权力	3
accionar *tr.*	操纵，启动	4
acelerar *tr.*	加快	1
acento *m.*	重音；口音	1
acentuado, da *adj.*	明显，显著	8
acentuar *tr.*	重读；强调	1
acera *f.*	人行道	11
acero *m.*	钢	13
acertado, da *adj.*	正确的	6
achinado, da *adj.*	像中国人似的	8
acierto *m.*	命中；熟巧；正确	6
aclarar *tr.*	澄清	2
acogedor, ra *adj.*	宜人的，舒适的	3
acomodar *tr.*	安置	6
aconsejable *adj.*	适宜的	15
adecuado, da *adj.*	合适的	9
adjudicar(se) *tr.;prnl.*	判给；据为己有	2
administración *f.*	管理	12
administrativo, va *adj.*	管理的	12
adolescente *amb.*	少年	1
adopción *f.*	采取	13
adoptar *tr.*	采取	13
adorar *tr.*	崇拜	6
adverso, sa *adj.*	敌对的；恶劣的	15
aflojar *tr.*	放松	11
afluencia *f.*	蜂拥而至	14
afortunado, da *adj.*	幸运的	11
Agamenón	阿伽门农	9
agotar *tr.*	用尽	13
agotar(se) *tr.;prnl.*	使枯竭；枯竭	4
agrícola *adj.*	农业的	5
agricultura *f.*	农业	5
agrio, gria *adj.*	酸的	6
agrupación *f.*	组，群	8
águila *m.,f.*	鹰	3
aguileño, ña *adj.*	鹰钩鼻子	8
ahogar(se) *tr.;prnl.*	淹死；闷死	6
ahorrar *tr.*	节省	6
ahorrativo, va *adj.*	节约的，节俭的	6
ahorro *m.*	节俭，节省下(的钱)	6
ahuyentar *tr.*	赶走，驱散	3
aimara *adj.-s.*	艾马拉的；艾马拉人	8
ajusticiar *tr.*	处决	7
al compás *loc.adv.*	由……伴奏	7
alacena *f.*	壁橱	6
alardear *intr.*	吹嘘，炫耀	1
alargado, da *adj.*	抻长了的	2
alarma *f.*	警示	14
alba *f.*	早霞，清晨	10
albañil *m.*	泥瓦匠	6
albañilería *f.*	泥瓦活	6
albergar *tr.*	供人居住	5
alborozado, da *adj.*	兴高采烈的	14
Alcalá de Henares	埃纳雷斯堡	2
alcoba *f.*	内室	6
alergia *f.*	过敏症	15
alérgico, ca *adj.*	过敏的	15
alertar *tr.*	使警觉	14
alevoso, sa *adj.*	处心积虑的，背信弃义的	14
algarabía *f.*	喧闹	6
alistar *tr.*	登记入册；招募	7
allanar *tr.*	推平	14
almohada *f.*	枕头	11
alpargata *f.*	麻制凉鞋	11
Altamira	阿尔塔米拉	14
alterar *tr.*	变更	14
alternancia *f.*	轮流	3
alternar *tr.*	轮流，交替；打交道	3
alternativa *f.*	抉择，二选一	3
alternativo, va *adj.*	反复交替的	3
alterno, na *adj.*	交替出现 / 发生的	3
altiplanicie *f.*	高原	5
alunizaje *m.*	登月	4
alunizar *intr.*	登月	4
amamantar *tr.*	哺乳	10
amanecida *f.*	清晨	11

ambiental *adj.*	环境的	14
amor *m.*	爱情	10
amoroso, sa *adj.*	充满爱意的	10
amparar *tr.*	保护	2
amplitud *f.*	广度	14
ancestro, tra *m.,f.*	祖先	14
ángel (angelito) *m.*	天使	11
anhelar *tr.*	希望，渴望	3
anochecer *intr.*	天黑	11
anticipado, da *adj.*	提前的	4
Antillas Mayores	大安的列斯群岛	5
antorcha *f.*	火炬，火把	3
añicos *m.pl.*	碎片	14
aparente *adj.*	表面的	9
apariencia *f.*	表面	9
apertura *f.*	打开，开启	8
aplicación *f.*	使用	4
Apolo	阿波罗	9
apresar *tr.*	抓住	11
apresuradamente *adv.*	匆忙地	10
apropiado, da *adj.*	适当，恰当	10
aprovechable *adj.*	可利用的	13
aprovechamiento *m.*	利用	13
apto, ta *adj.*	适于	5
araña *f.*	蜘蛛	15
arbitrariamente *adv.*	随心所欲地	7
arbitrariedad *f.*	随心所欲	7
arbitrario, ria *adj.*	随心所欲的	7
Argel	阿尔及尔	2
argelino *adj.-s.*	阿尔及利亚的；阿尔及利亚人	2
aritmético, ca *adj.*	算术的	12
armada *f.*	海军	2
arqueología *f.*	考古学	8
arqueológico, ca *adj.*	考古的	8
arrancar *tr.*	拔起；引起，挑起	2
arrebatar *tr.*	抢夺	15
arriero *m.*	赶脚夫	11
arriesgado, da *adj.*	冒险的	8
arriesgar *tr.*	使冒险	13
arrozal *m.*	稻田	15
arrullar *tr.*	鸽子叫；唱催眠曲	11
artes gráficas	视觉艺术；印刷术	2
asediar *tr.*	围困	7
asedio *m.*	围困	7
asemejarse *prnl.*	像……	10
Asia Menor	小亚细亚	10
asno, na *m.,f.*	驴	2
aspereza *f.*	粗糙	11
áspero, ra *adj.*	粗糙的	11
aspiración *f.*	渴求，追求	14
astro *m.*	星球	4
astronauta *amb.*	宇航员	4
astucia *f.*	狡猾；机敏	3
atar *tr.*	栓，绑	3
atento, ta *adj.*	专注；恭敬	1
aterido, da *adj.*	冻僵了的	11
aterrorizar *tr.*	使惊恐	13
atisbar *tr.*	隐约看到	2
atmósfera *f.*	大气	13
atmosférico, ca *adj.*	大气的	13
atribuirse *prnl.*	归于……名下	2
atropellar *tr.*	轧，压	11
aumentar *tr.;intr.*	增加	13
ausencia *f.*	缺席，缺少	5
Australia	澳大利亚	8
autóctono, na *adj.*	本土的	14
automático, ca *adj.*	自动的	4
automóvil *m.*	汽车	11
autor, ra *m.,f.*	作者	14
autoridad *f.*	当局，执法者；权威	7
autoritario, ria *adj.*	专横，霸道，专制	3
ave *f.*	飞禽	3
aventura *f.*	冒险	2
ávido, da *adj.*	如饥似渴	14
azotar *tr.*	鞭笞	5

B

bacteria *f.*	微生物，细菌	15
balanza *f.*	天平，秤	12
balde *m.*	桶	6
banda *f.*	帮，派；团伙	7
bandera *f.*	旗，旗帜	4
bandido, da *m.,f.*	强盗，土匪	7
barba *f.*	胡须	2
barbaridad *f.*	野蛮行为	1
barbarie *f.*	野蛮，	1
bárbaro, ra *adj.-s.*	粗鲁，野蛮；野蛮人	1
barriga *f.*	肚子，腹部	2
barrio *m.*	（市）区	11
basura *f.*	垃圾	11
basurero, ra *m.,f.*	垃圾清运工	11
m.	垃圾站；垃圾桶	
batallar *intr.*	战斗，搏斗	12
batería antiaérea	高射炮	12
batir *tr.*	拍打	6
bélico, ca *adj.*	战争的	4
benefactor, ra *m.,f.*	恩人，施惠者	3
beneficioso, sa *adj.*	有益的	13
benéfico, ca *adj.*	有益的	15
bienestar *m.*	舒适，安逸；福利	3
bigote *m.*	髭	2
biográfico, ca *adj.*	生平的，传记的	2
biógrafo, fa *m.,f.*	传记作者	2

biológico, ca *adj.*	生物的	13
biotecnología *f.*	生物技术	15
biovegetal *adj.*	植物生物的	13
bisonte *m.*	野牛	14
blando, da *adj.*	柔软的	3
bolsa *f.*	袋子	4
bota *f.*	靴子	10
bravura *f.*	悍勇	10
brillar *intr.*	发光	11
brillo *m.*	光芒	11
brindar *tr.*	给予，赋予	5
bronce *m.*	古铜；青铜	8
brotar *intr.*	发芽，出土；涌出	6
brote *m.*	幼芽；苗头	6
buey *m.*	阉牛，耕牛	11
buitre *m.*	秃鹫	10
buldózer *m.*	推土机	14

C

cabalgadura *f.*	坐骑	2
caballería *f.*	骑士（总称）；骑兵	2
caballero andante	游侠骑士	2
cabello *m.*	头发	8
cadáver *m.*	尸体	2
cadena *f.*	链子，系列	3
cajero, ra *m.,f.*	收银员	1
calabozo *m.*	牢房	7
calamidad *f.*	灾难	3
calculadora *f.*	计算器	12
calcular *tr.*	计算	12
calzado *m.*	鞋	4
calzar(se) *prnl.*	穿鞋	11
caminata *f.*	（步行）路程	11
campana *f.*	钟	7
campante *adj.*	若无其事的	1
canadiense *adj.-s.*	加拿大的；加拿大人	8
cáncer *m.*	癌	13
cantábrico, ca *adj.*	坎塔布连地区的	14
cántabro, bra *adj.*	坎塔布连的	14
caos *m.*	混乱，混沌	15
capa *f.*	层	13
capacho *m.*	草筐	11
capilla *f.*	小礼拜堂	14
caracterizar *tr.*	以……为特征	13
caradura *adj.*	无耻的；脸皮厚的	1
carbón *m.*	煤炭	13
carcajada *f.*	哈哈大笑	2
carecer *intr.*	缺乏	8
carencia *f.*	缺乏	8
cargador *m.*	充电器	6
cargamento *m.*	一船（车）货物	6
caribeño, ña *adj.*	加勒比的	5
cartaginés *adj.-s.*	迦太基的；迦太基人	10
Cartago	迦太基	10
cascada *f.*	瀑布	6
casona *f.*	宅第	11
casposo, sa *adj.*	讨厌的	1
casta *f.*	种系，阶层	3
casualmente *adv.*	偶然地	15
categoría *f.*	范畴，等级	12
catre *m.*	折叠床	11
Cáucaso	高加索山	3
caverna *f.*	山洞	14
cazar *tr.*	狩猎	14
cejas *f.pl.*	眉毛	1
celtíbero, ra *adj.-s.*	凯尔特伊比利亚的；凯尔特伊比利亚人	1
central *f.*	电站	13
centralizar *tr.*	集中，聚拢	10
cercar *tr.*	包围	7
cerebro *m.*	大脑	12
cesta *f.*	篮子	1
Chernóbil	切尔诺贝利	13
chispa *f.*	火星儿，火花	14
ciencia ficción *f.*	科学幻想	4
ciertamente *adv.*	确实，的确	10
ciervo, va *m.,f.*	鹿	14
cima *f.*	顶峰	3
circuito *m.*	线路，电路	4
círculo *m.*	圆	12
cirujano, na *m.,f.*	外科医生	2
cita *f.*	约会	6
citar *tr.*	约会	6
ciudadanía *f.*	公民（身份）	11
ciudadano, na *m.,f.*	公民	11
ciudades-estado	城邦	9
cívico, ca *adj.*	公民的	1
civilizado, da *adj.*	文明的	10
civilizar *tr.*	使……有教养	1
clausurar *tr.*	闭幕，关闭	14
clavar *tr.*	钉进去；插入	4
clonación *f.*	克隆	14
cobijo *m.*	栖身处	11
cobrizo, za *adj.*	古铜色的	8
codazo *m.*	用胳膊肘撞击	6
codo *m.*	胳膊肘	6
coetáneo, a *adj.*	同时代的	14
coexistir *intr.*	共存，同时存在	2
cognitivo, va *adj.*	认知的	4
cohete *m.*	火箭，爆竹	11
colaboración *f.*	合作	6
colaborar *intr.*	合作	6
colchón *m.*	床垫	6

colina *f.*	山丘	10
colonización *f.*	殖民	8
colono, na *m.,f.*	殖民者，移民	8
Columbia	哥伦比亚号	4
comandante *m.*	统帅	4
comarca *f.*	区，乡	14
combatir *tr.;intr.*	打击；战斗	2
combustible *m.*	燃料	4
comercialización *f.*	上市，投放市场	15
comercializar *tr.*	上市，投放市场	15
cómico, ca *adj.*	滑稽的，喜剧的	2
comité *m.*	委员会	15
comodidad *f.*	舒适，享受	3
cómodo, da *adj.*	舒适	6
comparación *f.*	比较	6
comparar *tr.*	比较	6
comparativo, va *adj.*	对比的	6
compás *m.*	圆规	12
competencia *f.*	竞赛	9
complacer *tr.*	使满意	10
complementar *tr.*	补充	13
complicación *f.*	复杂化	8
complicar *tr.*	使复杂化	8
comprender *tr.*	包括	8
comunicar *tr.*	通知，告知	4
con excepción de *loc.prep.*	……除外	5
concebir *tr.*	孕育；产生（想法）；设想	10
concluir *tr.*	结束；得出结论	1
conclusión *f.*	结论	1
concreto, ta *adj.*	具体的	10
concurrencia *f.*	聚集	14
conducción *f.*	引导	10
conducir *tr.*	引向；通向；驾驶	10
conducta *f.*	行为，举动	10
conducto *m.*	管道，渠道；途径	10
conductor, ra *m.,f.*	司机；引导者	10
conectar *tr.*	联结，联络	12
conflicto *m.*	冲突	10
conformación *f.*	组成，构成	5
conformar *tr.*	组成，构成，形成	5
conforme *adj.*	与……相符，一致	5
conformidad *f.*	一致，相符	5
conformismo *m.*	逆来顺受，随遇而安	5
conformista *adj.-s.*	逆来顺受（者），随遇而安（者）	5
conllevar *tr.*	同时带来	15
conmover(se) *tr.;prnl.*	使受触动，使感动；受触动，感动	3
conquistar la mano *perif. verb.*	求婚	9
consecuencia *f.*	结果	8
conservación *f.*	保存	14
consistente *adj.*	在于	2
consolación *f.*	安慰	7
consolar(se) *tr.;prnl.*	安慰	7
consuelo *m.*	安慰	7
consumidor, ra *m.,f.*	消费者	15
consumir *tr.*	消费	15
contagiar *tr.*	传染，感染	6
contagioso, sa *adj.*	传染的	6
contaminar *tr.*	污染；感染	1
contemplar *tr.*	观看，观赏	4
contentarse *prnl.*	满足于	3
continuidad *f.*	继续，延续	5
continuo, nua *adj.*	连续的	5
contraposición *f.*	相对，对照	9
contrario, ria *adj.*	相反的	1
controlar *tr.*	控制	15
convención *f.*	常规，习俗	1
convencional *adj.*	惯常的，约定俗成的	1
conversión *f.*	转变	13
convivencia *f.*	共处	1
copla *f.*	民歌，民谣	7
coraje *m.*	勇气	10
corazón *m.*	心；心智	3
cordelón *m.*	粗绳	6
cordillera *f.*	山脉，山系	5
Corinto	科林图	9
coronel *m.*	校官	7
corporal *adj.*	身体的	14
correctamente *adv.*	正确地	15
corredor *m.*	走廊	11
corriente *adj.*	普通的	12
cortés *adj.*	有礼貌的	1
cortesía *f.*	礼貌	1
coser *tr.*	缝	6
cósmico, ca *adj.*	宇宙的	4
cosmonauta *amb.*	宇航员	4
costa *f.*	海岸	5
costero, ra *adj.*	沿海的	5
costura *f.*	缝纫	6
costurero, ra *m.,f.*	裁缝	6
cráter *m.*	火山口	4
creador, ra *m.,f.*	创造者	3
cresta *f.*	鸡冠；峰顶	13
criar *tr.*	养活；饲养	6
criatura *f.*	生灵，造物	8
crisis *f.*	危机	13
crisol *m.*	坩埚；熔炉	8
Cristo	基督	7
crítico, ca *m.,f.*	批评者，评论者	2
crudeza *f.*	生食；严酷	3

crudo, da *adj.*	生的，没熟的	3
cruel *adj.*	残酷的	3
crueldad *f.*	残忍，残暴	3
cuadrado, da *adj.-s.*	方的；平方	5
cuantioso, sa *adj.*	大量的	14
cuartucho *m.*	房间（蔑称）	11
cuaternario, ria *adj.*	第四纪的	14
cuatro reglas (las)	算术四则	6
cubo *m.*	桶	11
cuello *m.*	脖子	5
cuentakilómetros *m.*	计程器	12
cuerpo celeste *m.*	天体，星体	4
culminante *adj.*	顶端的	10
culpar *tr.*	怪罪	6
cumplidamente *adv.*	完全地	13
cursi *adj.*	矫揉造作	1
cursilería *f.*	做作的行为，俗气的行为	1
cursillo *m.*	短训班，学习班	1
cursiva *f.*	斜体（字）	7

D

dañino, na *adj.*	有害的	15
daño *m.*	伤害	2
dar a luz	生下，产下	10
dar fe *perif.verb.*	证实，证明	14
dar la razón *perif.verb.*	赞同	6
dato *m.*	材料，资料	2
de acuerdo con *loc.prepos.*	根据	2
de antemano *loc.adv.*	事先	14
de derechas *loc.adj.*	保守的，右翼的	1
de pelo en pecho *loc.adj.*	男子汉气质	1
de rodillas *loc.adv.*	跪着	14
de trecho en trecho *loc. adv.*	间隔分布	5
debilidad *f.*	薄弱，软弱，弱点	3
decena *f.*	十位	12
defensor, a *adj.*	卫士	15
definitivo, va *adj.*	最终的	14
Delfos	提佛	9
demostrar *tr.*	表明	10
deparar *tr.*	提供，给予	12
dependiente, ta *m.,f.*	售货员	1
depositar *tr.*	存放	9
depresión *f.*	低地	5
derrumbar *tr.*	使坍塌	10
desahogar *tr.*	宣泄，发泄；使宽裕	6
desahogo *m.*	宽裕	6
desalentar *tr.*	使沮丧，使泄气	14
desaparición *f.*	消失	14
desarrollo *m.*	发展	1
desasnar *tr.*	使明事理，教化	1
desastre *m.*	灾难	9
desastroso, sa *adj.*	极其糟糕的	9
desbarajuste *m.*	乱作一团，无序	13
descargar *tr.*	卸下	6
descender *intr.*	下降	4
descendiente *amb.*	后代	10
descenso *m.*	下降	4
descuidarse *prnl.*	不小心	7
desdeñable *adj.*	可以轻视的	8
desdeñar *tr.*	蔑视，藐视	8
desecho *m.*	废弃物	13
desembocadura *f.*	河口	10
deserción *f.*	开小差，逃跑（行为）	7
desertar *intr.*	开小差	7
desertor, ra *m.,f.*	开小差的人	7
desesperación *f.*	绝望	10
desfavorable *adj.*	不利的	5
deslizarse *prnl.*	滑，滑行	12
despavorido, da *adj.*	惊恐万分的	13
despiadado, da *adj.*	冷酷，无情	3
desplazarse *prnl.*	位移	9
desplegar *tr.*	展开	5
despliegue *m.*	展开；部署	5
despoblado, da *adj.*	无人居住的	5
déspota *amb.*	霸道	6
destacamento *m.*	支队，部队	7
destinar *tr.*	把……用于	3
desvalido, da *adj.*	无依无靠的	7
desvelar *tr.*	揭露，揭示	14
desvelarse *prnl.*	彻夜不眠，操心	6
detalle *m.*	细节	9
detectar *tr.*	检测到；察觉到	15
detector *m.*	探测器	4
determinado, da *adj.*	特定的，某个	13
dicho *m.*	成语	2
Dido	狄多	10
diferenciar *tr.*	区分	13
dignidad *f.*	尊严	3
diligencia *f.*	勤奋	7
diligente *adj.*	勤奋	7
discutidor, ra *adj.*	爱拌嘴的	7
disgustar(se) *tr.;prnl.*	使不高兴；不高兴	6
disgusto *m.*	生气	6
disipar *tr.*	驱散，使消失	3
disminución *f.*	减少	8
dispersar(se) *tr.;prnl.*	使散开；散开	6
dispositivo *m.*	设施	13
disputa *f.*	争吵，争夺	10
disputar *tr.*	争夺	10
distancia *f.*	距离	12
dividir *tr.*	除，除去	12
división *f.*	除法	12

dolido, da *adj.*	不痛快，痛心	6
don *m.*	先生，君（只与名字连用）	2
dragón *m.*	龙	5
duende *m.*	鬼魂，精灵	7
duermevela *f.*	似睡非睡	11

E

eco *m.*	回声	3
ecologista *com.*	生态主义者	13
ecuatorial *adj.*	赤道的	5
ecuatoriano, na *m.,f.*	厄瓜多尔人	1
educar *tr.*	教育	6
eficiencia *f.*	效率	12
el Amazonas	亚马孙河	5
el Gran Chaco	大查科	5
el Himalaya	喜马拉雅山	5
el Orinoco	奥里诺科河	5
elección *f.*	选择，挑选；选举	7
electo, ta *adj.*	当选的	7
elector, ra *m.,f.*	选民	7
electricidad *f.*	电	13
eléctrico, ca *adj.*	电的	13
electrón *m.*	电子	12
electrónico, ca *adj.*	电子的	12
elegir *tr.*	选，挑选	7
elemental *adj.*	基础的	12
Élide	伊利亚州	9
emanación *f.*	散发	14
embarazada *adj.-s.*	怀孕的；孕妇	1
embarazar *tr.*	使怀孕	1
embarazo *m.*	怀孕	1
emblemático, ca *adj.*	标志性的	9
emigración *f.*	迁出移民	8
emigrante *amb.*	迁出移民者	8
emigrar *intr.*	出境移民	8
eminente *adj.*	杰出的	8
emoción *f.*	激动；激情	4
empeñarse *prnl.*	坚持，努力	7
empeño *m.*	坚持，努力	7
empeñoso, sa *adj.*	坚持不懈的	7
emprender *tr.*	着手	4
en comparación con *loc. prep.*	与……相比	9
en común	一致，共有	13
en cuanto *loc.adv.*	一旦	7
en detrimento de *loc.prep.*	损害，伤害	14
en exceso *loc.adv.*	过分地	13
en juego *loc.adv.*	起作用	15
en la actualidad	目前	13
en persona *loc.adv.*	亲自	10
en total *loc.adv.*	总共	5
encadenar *tr.*	套上锁链	3
encallar *intr.*	搁浅	10
encarcelamiento *m.*	入狱，囚禁	2
encerrar *tr.*	关闭，包容	5
encomiable *adj.*	值得赞誉的	1
enconado, da *adj.*	激烈的	9
enderezar *tr.*	弄直，改正	2
Eneas	埃涅阿斯	10
energético, ca *adj.*	能源的	13
enfadado, da *adj.*	生气	6
enfrentamiento *m.*	交战，接火	7
enfundar (se) *tr.;prnl.*	把……套上；套住	4
engaño *m.*	欺骗	3
engañoso, sa *adj.*	骗人的	3
engranaje *m.*	机件；结构	12
enjuto, ta *adj.*	干瘪	2
enlutar *tr.*	戴孝	7
enorgullecerse *prnl.*	感到骄傲	1
entorno *m.*	四周	14
entrecruzamiento *m.*	交叉；相遇	2
enumeración *f.*	列举	13
enumerar *tr.*	列举	13
envidia *f.*	嫉妒，羡慕	3
envidiar *tr.*	羡慕；嫉妒	3
envidioso, sa *adj.*	心怀嫉妒的	3
eólico, ca *adj.*	风力的	13
equilibrio *m.*	平衡	12
equivaler *intr.*	等于	9
erróneo, a *adj.*	错误的	8
error *m.*	错误	8
erupción *f.*	喷发	13
escala *f.*	梯子；规模；范围	12
escapar *intr.*	逃跑	10
escaso, sa *adj.*	稀少	2
esclavizado, da *adj.*	被奴役的	8
escorpión *m.*	蝎子	15
escudero, ra *m.,f.*	侍从	2
escurrir *tr.*	拧干	6
esencial *adj.*	实质的	12
especializado, da *adj.*	专业的	2
especie *f.*	种，类	1
espectador, ra *m.,f.*	观众	9
espectro electromagnético de la luz	电磁光谱仪	13
espermatozoide *m.*	精子	15
espeso, sa *adj.*	浓密的	5
espiga *f.*	穗	8
espigado, da *adj.*	细长的，苗条的	8
espléndido, da *adj.*	光彩夺目的	11
esqueleto *m.*	全身骨骼，骨架	15
esquimal *adj.-s.*	因纽特的；因纽特人	8
establecimiento *m.*	商业机构	12

estadística *f.*	统计	14
estado *m.*	国家	9
estanque *m.*	池塘	13
estatura *f.*	身高，身材	8
estela *f.*	（船后）水波；痕迹	14
esterilidad *f.*	不育症	15
estima *f.*	尊重，尊敬	8
estimación *f.*	估计；尊敬	8
estimar *tr.*	估计；敬慕	8
estrecho de Bering	白令海峡	8
estremecer *tr.*	使发抖，震撼	11
estremecimiento *m.*	发抖，震撼	11
estrictamente *adv.*	严格地	2
eternamente *adv.*	永恒地	3
etiqueta *f.*	标签	15
evidente *adj.*	明显，显然	6
evolutivo, va *adj.*	进化的	14
exagerado, da *adj.*	夸张的，过分的	2
excesivamente *adv.*	过分；极度	4
exemperatriz *f.*	前皇后	11
existir *intr.*	存在	15
experimentación *f.*	实验	15
experimentar *tr.*	感受	4
experto, ta *adj.-s.*	专业的；专家	8
explotación *f.*	开发，剥削	13
explotar *tr.*	开发；剥削	13
exponer(se) *tr.* *prnl.*	展示；陈述；使冒风险 冒风险	13
expuesto, ta *p.p.*	暴露于	13
expulsar *tr.*	驱逐	10
extenso, sa *adj.*	广阔，广泛	12
exterminar *tr.*	消灭	15
extraviarse *prnl.*	迷路	11
F		
fabuloso, sa *adj.*	神奇的	11
facilitar *tr.*	有助于，有利于	1
faena *f.*	工作	6
fantasioso, sa *adj.*	奇妙的	10
fantasmagórico, ca *adj.*	魔幻般的	4
fascinación *f.*	入迷，着迷	9
fase *f.*	月相；阶段	12
fastidioso, sa *adj.*	讨厌的	6
fatiga *f.*	疲惫	4
fatigar(se) *tr.;prnl.*	使疲劳	12
favorecer *tr.*	有利于	14
febril *adj.*	发烧；紧张	4
felicidad *f.*	幸福	10
fenicio, cia *adj.*	腓尼基的	12
feria *f.*	市集	11
ferocidad *f.*	凶猛	3
feroz *adj.*	凶残的	3
fértil *adj.*	肥沃的	5
fertilidad *f.*	肥沃	5
fertilizar *tr.*	使肥沃，施肥	5
figura *f.*	图表	13
finalidad *f.*	目的	2
financiero, ra *adj.*	金融的	12
fino, na *adj.*	细小	4
flaco, ca *adj.*	瘦	2
flanquear *tr.*	在一边（侧）是	1
flecha *f.*	箭	3
flexible *adj.*	易弯曲的；灵活的	8
florecer *intr.*	开花；繁荣	12
fortuna *f.*	运气，财富	11
fósil *m.*	化石	8
fosilizado, da *adj.*	化石化的	8
foso *m.*	壕沟	4
fragmentación *f.*	分为碎块	9
fragmentar *tr.*	将……分为碎块	9
fragmentario, ria *adj.*	不完整，支离破碎	9
fragmento *m.*	碎片；片断	9
frenazo *m.*	踩刹车	11
frialdad *f.*	冷漠	3
frontera *f.*	边界，国境线	5
fronterizo, za *adj.*	边境的，边界的	5
fuga *f.*	逃跑；泄露	13
Fukushima	福岛	13
fulano, na *m.,f.*	张三、李四	6
fumigación *f.*	喷洒；喷雾	15
funcionamiento *m.*	运转，运行	12
fundación *f.*	建立	10
fundador, ra *adj.-s.*	奠基的；奠基人	8
fundamental *adj.*	基本的	5
fundamentalismo *m.*	原教旨主义	5
fundamentalista *adj.-s.*	原教旨主义的；原教旨主义者	5
fundamentar *tr.*	打下基础，奠定	5
fundamento *m.*	本原，基础，根基	5
furia *f.*	愤怒	3
furor *m.*	暴怒，狂怒	3
G		
galopante *adj.*	狂奔般的	14
gamberro, rra *m.,f.*	流里流气的家伙	1
ganancia *f.*	盈利	14
garantía *f.*	保障	15
garantizar *tr.*	保障	15
gastar *tr.*	耗费，消耗；	1
~broma	开（玩笑）	
gaucho, cha *adj.-s.*	高乔的；高乔人	7
gemelos *adj.-s.*	孪生的；孪生子	10
generalizar *tr.*	普及，推广	12
generar *tr.*	生成	13

genética *f.*	遗传学	8
genético, ca *adj.*	基因的	8
genetista *amb.*	遗传学家	8
gentil *adj.*	文雅；英俊；彬彬有礼	1
geotérmico, ca *adj.*	地热的	13
Globo Terrestre	地球	4
golfo *m.*	海湾	5
gozar *tr.*	享受	6
grabar *tr.*	刻画；录制	4
gracioso, sa *adj.*	可笑的，有趣的	2
grandullón, na *m.,f.*	傻大个	1
grasa *f.*	脂肪	14
gratificar *tr.*	奖赏	11
gravedad *f.*	重力，引力	12
Greenpeace	绿色和平组织	15
gresca *f.*	大吵大闹	11
Groenlandia	格陵兰	8
grosería *f.*	粗话	1
grosero, ra *adj.*	粗俗，粗鲁	1
gruta *f.*	洞窟	14
guarecerse *prnl.*	寻找庇护	7
guirnalda *f.*	花环	9

H

hábitat *m.*	栖息地	4
habitual *adj.*	惯常的	8
habituar *tr.*	使习惯	8
hacendado *m.*	庄园主	7
hacer cola *perif.verb.*	排队	1
hacerse cargo de	负责，承担	10
halagüeño, ña *adj.*	美妙的	13
hedor *m.*	臭味	11
helado, da *adj.*	冰冻的	5
heleno, na *adj.*	希腊的	9
herbicida *adj. -s.(m.)*	除草的；除草剂	15
hereje *adj.-s.*	异教的；异教徒	11
herméticamente *adv.*	密封地	4
Hesíodo	赫西俄德	9
heterogeneidad *f.*	不划一性	8
heterogéneo, a *adj.*	不划一的	8
hidalgo *m.*	最底层贵族，乡绅	2
hidráulico, ca *adj.*	水利的，水动的	13
hierba (yerba) *f.*	草	15
hígado *m.*	肝脏	3
hipocresía *f.*	虚伪	1
hipócrita *adj.-s.*	虚伪；伪君子	1
historiador, ra *m.,f.*	历史学家	10
hoja *f.*	叶子	9
holandés, a *adj.-s.*	荷兰的；荷兰人	8
homo sapiens *lat.*	智人	14
homogeneidad *f.*	划一性	8
homogéneo, a *adj.*	划一的	8
hongo *m.*	菌类	14
honradez *f.*	诚实	11
hora punta	（交通等）高峰时间	1
hormona *f.*	激素	15
hosco, ca *adj.*	脸色阴沉	6
Houston	休斯敦	4
hoyo *m.*	坑	4
hueso *m.*	骨头	3
humedad *f.*	潮湿	6
humor *m.*	脾气，情绪	6
hundimiento *m.*	下沉	11
hundir *tr.*	使陷入	11
huracán *m.*	飓风	1

I

idealismo *m.*	理想主义；唯心主义	2
idear *tr.*	想出	12
identidad *f.*	特征，身份	8
idiosincracia *f.*	（个人或群体）习性，特质	1
idiosincrásico, ca *adj.*	（个人或群体）习性的，特质的	1
idóneo, a *adj.*	合适的	14
ilusión *f.*	幻觉，幻想	2
ilustrado, da *adj.*	有知识的	14
imitar *tr.*	模仿	15
impacto *m.*	撞击；冲击；影响	4
imparable *adj.*	无法阻挡的	14
imparcial *adj.*	公正的，全面的	15
impedimenta *f.*	重负	1
imposición *f.*	强加	8
impulso *m.*	冲动	14
inagotable *adj.*	用之不尽的	13
inaugurar *tr.*	开幕	14
incalculable *adj.*	无法估量的	3
incapacitado, da *m.,f.*	残疾人	1
incentivo *m.*	刺激，诱惑	14
incesante *adj.*	不断的	10
inclinación *f.*	倾斜，倾向	8
inclinar(se) *tr.;prnl.*	使倾斜；倾斜	5
inclusa *f.*	育婴堂	11
incógnita *f.*	未知数	14
inconfesable *adj.*	不可告人的	4
incontrolable *adj.*	失控的	3
incontrolado, da *adj.*	无控制的	15
inconveniente *m.*	不利，弊端	13
incorporarse *prnl.*	加入；直起上半身	2
indefenso, sa *adj.*	无助的	15
indefinido, da *adj.*	不确定的	14
indiferencia *f.*	无动于衷	3

indiferente *adj.*	无动于衷的	3
indígena *adj.-s.*	土著的；土著人	5
indignante *adj.*	令人气愤的	14
individual *adj.*	个人的	12
individuo *m.*	个人，个体	2
indoblegable *adj.*	不屈服的	3
indolencia *f.*	漠然；懒散	9
industria *f.*	工业	12
industrial *adj.*	工业的	12
inesperado, da *adj.*	意外的	7
inestimable *adj.*	无法估量的	14
influir *intr.*	影响	10
informática *f.*	信息学	12
informático, ca *adj.*	信息的	12
informe *m.*	报告	15
infortunio *m.*	倒霉，逆境	2
ingeniería genética	基因工程	15
Inglaterra	英国	10
inherente *adj.*	固有的，与生俱来的	4
injusticia *f.*	不公正	3
inmensidad *f.*	无边无际	7
inmersión *f.*	没入；沉浸	1
inmigración *f.*	入境移民	8
inmortal *adj.*	不朽的	2
inmune *adj.*	免疫的	15
inquieto, ta *adj.*	不安的	3
insecto *m.*	昆虫	15
inseparable *adj.*	不可分离的	7
insistir *intr.*	坚持	1
instruir *tr.*	传授知识、经验等	3
instrumento *m.*	工具	8
insufrible *adj.*	难以忍受的	7
insurrección *f.*	起义，反抗	8
interno, na *adj.*	内部的	10
interrupción *f.*	打断，中断	9
intervalo *m.*	间隔	9
intervención *f.*	干涉；参与；发言	9
intervenir *intr.*	参与	9
inutilizar(se) *tr.;prnl.*	使无用，使伤残；无用，伤残	2
invencible *adj.*	不可战胜的	2
inventor, ra *m.,f.*	发明人	12
invernal *adj.*	冬季的	3
invertir *tr.*	投资	15
investigación *f.*	研究，调查	12
investigar *tr.*	研究，调查	13
irreparable *adj.*	无法挽回的	14
ístmico, ca *adj.*	地峡的	9
istmo *m.*	地峡	9
J		
jabalí, na *m.,f.*	野猪	14
jaleo *m.*	折腾，麻烦	6
jornada *f.*	旅程，工作日程	6
juez de paz	地方法官	7
jugar un papel *perif.verb.*	充当角色，起……作用	13
jugoso, sa *adj.*	多汁的	6
juicio *m.*	理智	2
juramento *m.*	宣誓；誓词	7
jurar *tr.*	发誓	7
jurásico, ca *adj.*	侏罗纪的	15
justicia *f.*	正义；法律	7
juzgar *tr.*	判断，评价	10
L		
La Eneida	埃涅阿斯纪	10
la Mancha	拉曼查	2
la Pampa	潘帕斯	5
la Patagonia	巴塔哥尼亚	5
laborioso, sa *adj.*	勤劳的；费力的	12
Lacio	拉齐奥	10
lacio, cia *adj.*	平直	8
lanza *f.*	长矛	2
lastimar *tr.*	（在精神或身体上）伤害	7
lastimoso, sa *adj.*	可怜的	7
Latino	拉丁	10
laurel *m.*	月桂树	9
legar *tr.*	遗留	14
legítimo, ma *adj.*	合法的	10
lejanía *f.*	远方	2
lejano, na *adj.*	遥远的	13
Lepanto	勒班陀（地名）	2
liberación *f.*	释放	15
librar *tr.*	开展	2
límite *m.*	界限	3
llano, na *adj.-s.*	平的；平地	5
llanura *f.*	平原	5
loma *f.*	山脊	11
los Andes	安第斯山	5
los Estados Unidos de Norteamérica	美利坚合众国	4
lucro *m.*	利润，盈利	14
luna *f.*	月亮	4
lunar *adj.*	月亮的	4
luto *m.*	服丧，治丧	7
M		
maduración *f.*	成熟	15
mágico, ca *adj.*	有魔力的；神奇的	6
maizal *m.*	玉米地	15
mal parado, da *loc.adj.*	下场不妙	2
maleducado, da *adj.*	没教养的	1
malgastar *tr.*	浪费，挥霍	1
maltratar *tr.*	虐待	7

maltrato *m.*	虐待，欺凌	7
mancha *f.*	污渍，斑点	6
manco, ca *m.,f.*	独臂人	2
manejo *m.*	使用，操作	3
manifestar *tr.*	表明	15
manipulación *f.*	操作，操纵	15
manivela *f.*	手柄	12
manso, sa *adj.*	温顺的，柔和的	11
manualmente *adv.*	手动地	4
mapamundi *m.*	世界地图	5
máquina *f.*	机器	12
mar Caribe	加勒比海	5
mar Caspio	里海	10
mar Egeo	爱琴海	9
maravillar(se) *prnl.*	惊叹，惊羡	12
marcha *f.*	行进；运转	4
marea *f.*	潮汐	13
maremotriz *adj.*	海洋动力的	13
margarina *f.*	人造黄油	15
marino, na *adj.*	大海的	13
masa *f.*	团；群；堆	4
masivo, va *adj.*	大量的	8
mastodonte *amb.*	庞然大物	14
matemáticas *f.pl.*	数学	9
maternizar *tr.*	强化，母乳化	15
Meca	麦加	14
mecánico, ca *adj.*	机械的	12
mecedora *f.*	摇椅	11
mecer *tr.*	摇晃	11
medida *f.*	尺度	6
meditación *f.*	思考，琢磨	9
meditar *intr.*	思考，沉思	9
meditativo, va *adj.*	思索的	9
Mediterráneo *adj.-s.*	地中海的；地中海	10
mejilla *f.*	脸颊	11
mejora *f.*	改良	13
mendigo, ga *m.,f.*	乞丐	11
mental *adj.*	脑力的	12
merendar *intr.*	吃午后点心	6
meritorio, ria *adj.*	值得称道的	14
meseta *f.*	高地	5
meteorito *m.*	陨石	4
metódico, ca *adj.*	有条理的	12
método *m.*	方法	15
mezcla *f.*	混合	8
micénico, ca *adj.*	迈锡尼的	9
microscópico, ca *adj.*	显微镜的；极微小的；微观的	14
miel *f.*	蜂蜜	6
migración *f.*	移民	8
milagro *m.*	奇迹	12
milimétrico, ca *adj.*	毫米的	4
millar *m.*	成千	12
mineral *adj.*	矿物的	5
miserable *adj.*	贫困的，悲惨的	10
mito *m.*	神话	10
modales *m.pl.*	文明举止，礼貌行为	1
modernización *f.*	现代化	1
modernizar *tr.*	使现代化	1
modificación *f.*	改动	15
modificar *tr.*	改动	15
módulo *m.*	板块；舱	4
molino *m.*	磨，磨房	13
Mónaco	摩纳哥	11
montañoso, sa *adj.*	多山的	5
Monte Palatino	帕拉蒂诺山	10
morada *f.*	住处，住宅	9
mortal *adj.-s.*	必有一死的；凡人	3
motivación *f.*	动机，动因	4
motor *m.*	发动机	4
móvil *adj.-s.*	动因，动机；移动的	4
mozo, za *m.,f.*	小伙子；姑娘	6
muestrario *m.*	样品展示	8
multinacional *adj.-s.*	多国的；跨国公司	15
multiplicación *f.*	乘法	12
multiplicar *tr.*	乘，使翻番	12
Mundovisión *f.*	《看世界》（洲际电视卫星传播）	4
musical *adj.*	音乐的	9
musicalidad *f.*	音乐的旋律节奏感	9
musicógrafo, fa *m.,f.*	研究音乐的专家	9
musicología *f.*	音乐学，音乐研究	9
mutación *f.*	变异	13
mutuo, tua *adj.*	互相的	1

N

natal *adj.*	出生的；出生地的	2
naval *adj.*	海军的	2
nave *f.*	船	4
Nemea	尼米亚	9
nemeo, a *adj.*	尼米亚的	9
neutral *adj.*	中立	9
nocivo, va *adj.*	有害的	15
noroccidental *adj.*	西北方的	10
noroeste *m.*	西北	5
nuclear *adj.*	核子的	12
núcleo *m.*	核心	12

O

objeción *f.*	异议	13
objeto funerario	墓葬品	14
observador, a *m.,f.*	观察家	15
obsoleto, ta *adj.*	过时的	1
obtención *f.*	获取	13

ocioso, sa *adj.*	闲散的；无用的	6
ocre *m.*	赭石	14
oficial *adj.*	官方的；正式的	4
ofrendar *tr.*	献祭品	9
oleada *f.*	浪潮	8
oleaje *m.*	浪涛	13
Olimpia *f.*	奥林匹亚城	9
Olimpíada *f.*	（两届奥林匹克运动会间的）四年	9
olímpico, ca *adj.*	奥林匹斯山的	3
Olimpo	奥林匹斯山	3
onda *f.*	波，波浪	8
ondulación *f.*	波动	8
ondulado, da *adj.*	波浪状的	8
ondular *intr.*	波动	8
opción *f.*	选择	8
oponerse *prnl.*	反对	15
opresor, ra *adj.-s.*	压迫的；压迫者	2
orgánico, ca *adj.*	有机的	13
organismo *m.*	机构	12
organización *f.*	组织	9
orgullo *m.*	骄傲，自豪	4
orientación *f.*	指引；方向	5
oriental *adj.*	东方的	5
orientar *tr.*	指引	5
oriente *m*	东方，东面	5
originalmente *adv.*	最初，原来	9
oscuridad *f.*	黑暗	3
otorgar *tr.*	给予，授予	12
oxígeno *m.*	氧气	4

P

pacífico,ca *adj.*	和平的	5
pagador, ra *m.,f.*	付款人；出纳	12
pala *f.*	铲状物	13
paleoantropológico, ca *adj.*	古人类学的	14
paleolítico superior	上旧石器的	14
paleolítico, ca *adj.-s.*	旧石器的；旧石器时代	8
paleontólogo, ga *m.,f.*	古生物学家	14
palma *f.*	手掌	6
palomera *f.*	鸽子窝	11
pamema *f.*	小题大做；虚套	1
panorama *m.*	全景	8
pantalla *f.*	屏幕	4
paralelo, la *adj.*	平行的	5
parar los pies *perif.verb.*	制止	6
párrafo *m.*	段落	8
parte *f.*	部分	2
participante *amb.*	参与者	9
partícula *f.*	微粒	4
particular *adj.*	特殊的	9
Pascal	帕斯卡尔	12
paseo *m.*	散步；散步的地方	6
pastar *intr.*	吃草	14
pasto *m.*	牧草	5
pastor, ra *m.,f.*	牧人	10
patente *f.*	专利	15
paterno, na *adj.*	父亲的	12
patrimonio *m.*	财产，家业	14
pausado, da *adj.*	不慌不忙	6
paz *f.*	和平	9
pelo *m.*	毛发	8
Pélope	珀罗普斯	9
Peloponeso	伯罗奔尼撒	9
penalidad *f.*	苦难	7
penalización *f.*	处罚	7
penalizar *tr.*	处罚	7
pendencia *f.*	打架；口角	7
pendenciero, ra *adj.*	爱打架的	7
pensador, ra *m.,f.*	思想家	9
peón *m.*	雇工，短工	7
perder *tr.*	坑害	11
perder de vista *perif.verb.*	忽略	6
perdición *f.*	毁掉，堕落	11
perfeccionamiento *m.*	完善	12
perfeccionar *tr.*	使完善	12
pericia *f.*	技能；熟巧	4
peripecia *f.*	变故，意外事件	7
perjudicial *adj.*	有害的	15
permanencia *f.*	停留	3
permanente *adj.*	永久的	3
permiso *m.*	准许	9
persecución *f.*	追踪；迫害	7
perseguidor, ra *m.,f.*	追踪……的人；迫害……的人	7
perseguir *tr.*	追捕；迫害	7
perspectiva *f.*	前景	15
pesa *f.*	砝码，秤砣	12
pesado, da *adj.*	沉重的	12
pese a *conj.*	尽管	12
peseta *f.*	比塞塔（西班牙旧币）	11
pesticida *adj.-s.*	农药的；农药	15
petróleo *m.*	石油	13
pezuña *f.*	蹄子	11
picadura *f.*	叮咬	7
picante *adj.*	辣	7
picaporte *m.*	门环	7
picar *tr.*	咬，啄	7
piel *f.*	皮肤	8
pienso *m.*	饲料	11
pirata *amb.*	海盗	2

pítico, ca *adj.*	阿波罗的	9
plaga *f.*	害虫	15
plantarse *prnl.*	站立	10
plazo *m.*	期限	15
plenilunio *m.*	望月，满月	11
poblar *tr.*	居住	8
pobreza *f.*	贫困	2
poderoso, sa *m.,f.*	有权势的人	7
poema *m.*	诗歌	2
policromado, da *adj.*	彩色的	14
polis *f.*	希腊城邦	9
polvo *m.*	灰尘；粉末	4
poner en evidencia *perif. verb.*	表明	9
poner en libertad *perif. verb.*	释放	2
ponerse en marcha *perif. verb.*	启动	8
popular *adj.*	人民的，民间的	9
popularidad *f.*	流行，普及	9
popularizar *tr.*	使普及	9
por descontado *loc.adv.*	毫无疑问，不用说	6
por desgracia *loc.adv.*	不幸	1
por encargo de *loc.adv.*	受……委托	12
portátil *adj.*	便携式的	12
portentoso, sa *adj.*	令人钦佩的	10
posaderas *f.pl.*	屁股	1
poseedor, ra *adj.*	拥有的	14
posibilitar *tr.*	使有可能	12
posterior *adj.*	后来的	10
potencialmente *adv.*	潜在地	5
prácticamente *adv.*	实际上，几乎	5
precipitadamente *adv.*	急匆匆地	4
precisión *f.*	精确性	12
predecir *tr.*	预言	15
prehistoriador, ra *m.,f.*	史前史学家	14
prehistórico, ca *adj.*	史前的	14
premisa *f.*	前提	14
prepotencia *f.*	强权	3
presagio *m.*	预言，征兆	10
preso *adj.-s.*	被囚禁的；囚犯	2
pretender *tr.*	企图	15
pretendido, da *adj.*	声称的	15
prevención *f.*	预防	15
preventivo, va *adj.*	预防的	15
previsión *f.*	预见，预知	4
primar *intr.*	占上风	15
principio *m.*	原则	12
prioridad *f.*	重点；优先	14
prisión *f.*	监狱	7
privación *f.*	剥夺；窘迫	3
privar *tr.*	剥夺	3
procedencia *f.*	来源	15
proceder *intr.*	来自	13
proceder *m.*	行动，做法	14
pródigo, ga *adj.*	丰饶的；慷慨的，大手大脚的	14
profetizar *tr.*	预见，预言	4
progresar *intr.*	进步	3
progreso *m.*	进步	3
propaganda *f.*	宣传	4
propiedad *f.*	财产；庄园	7
propietario, ria *m.,f.*	主人，业主	7
proseguir *tr.;intr.*	继续	3
protagonizar *tr.*	担任主角，主演	2
protección *f.*	保护	7
proteccionismo *m.*	保护主义	7
protector, ra *m.,f.*	保护人	7
protocolo *m.*	协议	15
proyectil *m.*	投射物	4
prueba *f.*	证据	8
puerto *m.*	港口	2
puesta del sol	日落	10
puesto que *conj.*	既然，因为	13
pulpería *f. (Amer.)*	小酒馆	7
pulsación *f.*	脉搏	4
pulsera *f.*	镯子	11
puro, ra *adj.*	纯净；纯粹	1
purpúreo, a *adj.*	紫红色的	4
Q		
quechua *adj.-s.*	克丘亚的；克丘亚人	8
quemadura *f.*	烧伤，灼伤	13
químico, ca *adj.-s.*	化学的；化学家	15
R		
radiación *f.*	放射	13
radiactivo, va *adj.*	辐射的	13
radical *adj.*	根本的，彻底的	3
ráfaga *f.*	一阵（风）	11
raíz *f.*	根	14
ranchería *f.*	村庄	7
ranchero, ra *m.,f.*	庄园主；牧场主；农民	7
rancho *m.*	农舍，农庄；庄园；牧场	7
rapsoda *amb.*	（古希腊）游吟诗人	9
rasgado, da *adj.*	细长的（眼睛）	8
raspar *tr.*	挠，刮	11
rastro *m.*	踪迹	7
ratón *m.*	老鼠	15
rayo láser	激光束	4
rayos X	X射线	13
rayos γ (gama)	伽马射线	13
reactor *m.*	反应堆	13
realización *f.*	实现；成就	10

rebosante *adj.*	充满，外溢	6
rebosar *intr.*	溢出	6
rebullirse *prnl.*	蠕动，扭动	11
recaudar *tr.*	征收，募集	2
recobrar *tr.*	恢复	11
recolectar *tr.*	采集	14
recompensa *f.*	补偿	9
recostarse *prnl.*	依傍，依靠	5
recrearse *prnl.*	休闲	14
recuerdo *m.*	记忆	4
recurso *m.*	资源	5
reducir *tr.*	缩小	6
referencia *f.*	提到，提及；资料	2
reflector *m.*	反射；聚光灯	4
refrán *m.*	谚语	2
refrigeración *f.*	冷却	13
refugiado, da *m.,f.*	难民	10
refugio *m.*	庇护所	14
regalar *tr.*	赠送	7
regazo *m.*	膝头，怀抱	11
regir *tr.*	统治，支配	12
registrador, ra *adj.*	记录的	12
regla *f.*	尺子	12
regordete *adj.*	矮胖的	8
reinado *m.*	在位期	12
reivindicación *f.*	争取权益，权益	1
relación *f.*	讲述；关系	7
relacionar *tr.*	使联系	10
relajar *tr.*	放松；使松弛	1
relatar *tr.*	讲述	7
relieve *m.*	突出；浮雕	14
remanente *m.*	残余，残迹	9
remitir *tr.*	提交，交付	8
Remo	瑞摩斯	10
remontar(se) *tr.*	追溯	8
rémora *f.*	障碍，阻碍	1
rendimiento *m.*	产量；效益	13
renombre *m.*	名声，声誉	9
renqueante *adj.*	步履蹒跚	1
renunciar *intr.*	放弃	12
reparto *m.*	分配，分发	3
réplica *f.*	复制品	14
reproductor, ra *adj.*	生殖的	15
rescatar *tr.*	解救，救援；赎身	2
rescate *m.*	救援；赎金	2
reserva *f.*	储备	4
resistente *adj.*	结实的；有抵御能力的	15
resoplar *intr.*	大声喘息	11
respetable *adj.*	值得尊重的	10
respetar *tr.*	尊重	10
respeto *m.*	尊敬	1
respetuoso, sa *adj.*	恭敬有礼的	10
resta *f.*	减法	12
restablecer *tr.*	重建	10
restar *tr.*	减去	12
restregar *tr.*	揉搓	11
retardado, da *adj.*	延迟的	15
retoño *m.*	嫩芽	6
retorcer *tr.*	拧，绞	6
retornar *intr.*	返回	2
retorno *m.*	返回	4
retrospectivamente *adv.*	回顾式地	10
retumbar *intr.*	回响	3
revivir *tr.*	使复生	12
revolver *tr.*	翻动，搅动	11
revuelo *m.*	骚动	11
revuelta *f.*	动乱	10
rezumar *tr.*	渗出	6
rigor *m.*	磨难	7
Río Bravo	布拉沃河	5
Río Grande	格兰德河	5
río Tíber	台伯河	10
risco *m.*	巨石	3
rito *m.*	仪式	9
rizado, da *adj.*	卷曲	8
robustecer *tr.*	使强壮	5
robustez *f.*	强壮	5
robusto, ta *adj.*	粗壮	5
Rocinante	罗西南特	2
romanticismo *m.*	浪漫主义	2
romántico, ca *adj.*	浪漫的	10
Rómulo	洛摩罗斯	10
roncar *intr.*	打呼噜	11
ronda *f.*	轮，次	6
ronquido *m.*	呼噜声	11
rosado, da *adj.*	粉红的	6
rostro *m.*	面庞	2
rudeza *f.*	粗鲁；没教养	1
rudo, da *adj.*	粗俗的，没文化的	1
rumbo *m.*	方向	7
rupestre *adj.*	石洞的	14
rústico, ca *adj.*	乡下的；粗陋的	2
S		
sabiduría *f.*	智慧	3
sacar adelante *perif.verb.*	抚育，培养	6
sacrificar(se) *tr.;prnl.*	使牺牲；牺牲	3
sacudir *tr.*	摇撼；震撼	10
Salamanca	萨拉曼卡	2
salinidad *f.*	盐碱	15
salino, na *adj.*	盐碱的	15
saludo *m.*	问候；打招呼	1

sangriento, ta *adj.*	血腥的	8
Santander	桑坦德	14
santuario *m.*	神庙	9
satélite *m.*	卫星	5
secreto, ta *adj.-s.*	秘密的；秘密	3
sedentario, ria *adj.*	定居的	14
seguramente *adv.*	想必	12
selvático,ca *adj.*	热带雨林的	5
semejanza *f.*	相像	8
semilla *f.*	种子	15
seña *f.*	（课文中）地址	11
seno *m.*	内部	13
sensibilidad *f.*	敏感性	14
sensible *adj.*	敏感的	15
sentido *m.*	感觉	11
septentrional *adj.*	北面的	10
sima *f.*	深渊	4
simbólico, ca *adj.*	象征的	10
símbolo *m.*	象征	9
simplemente *adv.*	简单地；恰恰是	1
simplicidad *f.*	简单；单纯；傻样儿	1
simplificar *tr.*	使变得简单	1
sin más ni más *loc.adv.*	随随便便	6
sinnúmero *m.*	无数	12
sintaxis *f.*	句法	7
síntesis *f.*	综合，结合	8
sísmico, ca *adj.*	地震的	4
sistema *m.*	系统	5
sistema binario	二进位制	12
sistemático, ca *adj.*	系统性的；有条理的	5
situarse *prnl.*	位于，坐落于	9
Sixtina	西斯廷	14
sobrar *intr.*	多余	7
sobrenatural *adj.*	超自然的	3
sobrenombre *m.*	绰号	2
sobresalir *intr.*	突出	9
sobresaltado, da *adj.*	受惊	1
sobresaltarse *prnl.*	吃惊，惊讶	1
sobresalto *m.*	吃惊，惊讶	1
sobrevenir *intr.*	突然发生	10
socorro *m.*	救助	11
soja (soya) *f.*	大豆	15
solar *adj.*	太阳的	4
soleado, da *adj.*	充满阳光	6
solitario, ria *adj.*	孤独的	7
solucionar *tr.*	解决	13
sombrío, a *adj.*	阴暗的	6
soportable *adj.*	可以忍受的	5
sostener *tr.*	坚持认为	10
suave *adj.*	柔软；柔和	1
suavemente *adv.*	柔和地，轻微地	5
suavidad *f.*	柔软；柔和；温柔	1
suavizante *adj.* *m.*	柔软；柔和 柔顺剂	1
suavizar *tr.*	使变得柔软；使变得温柔	1
subsistencia *f.*	生存	5
suceder *tr.*	连续发生；接替	3
sucesión *f.*	接替	3
sucesivamente *adv.*	相继，连续	2
sudoccidental *adj.*	西南方的	10
sudoeste *m.*	西南	9
sudor *m.*	汗	11
sufrimiento *m.*	苦难，折磨	3
suicidarse *prnl.*	自杀	10
suma *f.*	加法；和	12
sumar *tr.*	加上	12
suministro *m.*	提供，供应	13
sumisión *f.*	服从，屈服	3
superior, ra *m.,f.*	上级，上司	7
superpoblado, da *adj.*	人满为患	4
suplicio *m.*	折磨	3
supuestamente *adv.*	据说	10
supuesto, ta *adj.*	假设的，假定的	1
surgimiento *m.*	出现	3
suspender *tr.*	中断	9
sustitución *f.*	替换	13
sustituir *tr.*	替代	13
sustituto, ta *m.,f.*	替代者	13

T

tabla de lavar	搓板	6
tácito, ta *adj.*	不言而喻的，默契的	1
tacón *m.*	鞋跟	10
tarea *f.*	任务	4
tarro *m.*	罐子	6
techo *m.*	屋顶，顶棚	6
técnico, ca *m.,f.*	技术员	4
tecnología *f.*	技术，工艺	13
temblar *intr.*	颤抖	1
tembloroso, sa *adj.*	颤颤巍巍的	1
temible *adj.*	可怕的，恐怖的	3
temperamento *m.*	性格，气质	2
templo *m.*	寺，庙	9
temporalmente *adv.*	暂时	9
tenacidad *f.*	毅力，坚持	1
tener a su cargo *perif.verb.*	负责	9
teorema *m.*	原理，定理	12
ternura *f.*	温柔	11
Tesalia	色萨利	9
tesoro *m.*	宝贝，财宝	9
tierno, na *adj.*	嫩的	11
tiovivo *m.*	旋转木马	11

tiranía *f.*	专制，独裁	3
tiro *m.*	射击，发射	12
titán *m.*	巨人	3
tocarse las narices	心不在焉；无所事事	1
tolerar *tr.*	容忍，忍耐	3
tomar parte en *perif.verb.*	参加	2
tomo *m.*	卷，册	2
toque *m.*	笔触	8
torcido, da *p.p.*	弯曲的	2
torneo *m.*	竞赛	9
toro de fuego	民间节日焚烧的纸牛	11
torpe *adj.*	愚笨的	2
tortura *f.*	刑罚，折磨	3
torturar *tr.*	折磨，用刑	3
totalidad *f.*	全部	5
toxina *f.*	毒素	15
tranquera *f.*	栅栏	7
transgénico, ca *adj.*	转基因	15
transmitir *tr.*	传送，传达	4
trascendente *adj.*	重要的；影响深远的	9
trashumante *adj.*	游牧的	14
trastorno *m.*	失调，紊乱	13
tratamiento *m.*	治疗	15
trayecto *m.*	路途	11
trayectoria *f.*	轨迹	14
trazar *tr.*	画（线）	13
tremendo, da *adj.*	可怕的	11
tribu *f.*	部落	8
trigal *m.*	小麦田	15
trono *m.*	宝座，王位	10
tsunami *m.*	海啸	13
turnar *intr.*	轮流	6
U		
ubicación *f.*	位置	5
Ucrania	乌克兰	13
ultravioleta *adj.*	紫外线的	13
UNESCO *f.*	联合国教科文组织	14
unidad *f.*	单位；个位	12
unificación *f.*	统一	9
uniforme *adj.*	一模一样的	6
unir *tr.*	联合	9
uruguayo, ya *adj.-s.*	乌拉圭的；乌拉圭人	11
usuario, ria *m.,f.*	用户，使用者	12
usurpador, ra *m.,f.*	篡位者	10
utilización *f.*	使用	15
V		
vaca *f.*	母牛	15
vaciar *tr.*	腾；倒空	1
vaciedad *f.*	空；假大空的话	1
vagabundear *intr.*	游荡，流浪	7
vagabundeo *m.*	流浪，游荡	7
valiente *adj.*	勇敢	7
valle *m.*	河谷，山谷	5
valorar *tr.*	估价	11
vaquilla *f.*	斗（小）牛	11
vecindad *f.*	毗邻；邻居	9
vegetación *f.*	植物	5
velocidad *f.*	速度	12
veneno *m.*	毒药，有毒物	15
venenoso, sa *adj.*	有毒的	15
venirse a menos *perif. verb.*	没落	2
ventanuco *m.*	窗子（蔑称）	11
ventilación *f.*	通风	11
ventilar *tr.*	通风	11
ventura *f.*	运气	7
venturoso, sa *adj.*	幸运的（人）	7
veracidad *f.*	真实，真话	10
vergüenza *f.*	羞耻	6
versión *f.*	说法；文本	2
vertiginoso, sa *adj.*	令人目眩的	13
vértigo *m.*	眩晕	11
vetusto, ta *adj.*	老掉牙的	1
víbora *f.*	毒蛇	7
vientre *m.*	肚子	11
vihuela (vigüela) *f.*	比韦拉琴，一种六弦琴	7
violento, ta *adj.*	暴力的	10
Virgilio	维吉尔	10
visión *f.*	视觉；看法	2
volar *intr.*	飞	3
volcán *m.*	火山	5
volcánico, ca *adj.*	火山的	5
Z		
zafio, fia *adj.*	粗俗	1
zarpar *intr.*	起锚	10